DE GAULLE

★★★

Le Premier des Français

DE GAULLE

★ *L'Appel du Destin* (1890-1940)
★★ *La Solitude du Combattant* (1940-1946)
★★★ *Le Premier des Français* (1946-1962)
★★★★ *La Statue du Commandeur* (1962-1970)

DU MÊME AUTEUR

voir en fin de volume

MAX GALLO

DE GAULLE

***

Le Premier des Français

ROBERT LAFFONT

© Éditions Robert Laffont, S.A., Paris, 1998
ISBN 2-221-08800-X

En souvenir de ma fille, Anne, qui a atteint si tôt « les rivages de l'autre vie ».

Je suis un homme qui n'appartient à personne et qui appartient à tout le monde.

Charles de Gaulle, 19 mai 1958.

De mon côté, je ressens comme inhérents à ma propre existence le droit et le devoir d'assurer l'intérêt national.

Charles de Gaulle,
Mémoires d'espoir, tome I, *Le Renouveau.*

Première partie

20 janvier 1946 – 6 février 1948

Mais oui, j'ai toujours été seul contre tous.
Cela ne fera qu'une fois de plus.

Charles de Gaulle à Claude Mauriac,
27 août 1946.

1.

C'est la fin de l'après-midi, le 20 janvier 1946. La nuit tombe. Le général de Gaulle est seul dans le bureau situé au premier étage de la villa, proche de Neuilly, où il réside depuis le mois de septembre 1944.

Il s'avance vers la fenêtre. L'obscurité s'étend, déborde du bois de Boulogne voisin, franchit la route du champ d'entraînement qui longe le mur de la propriété, envahit le parc devenu un grand lac sombre. De Gaulle distingue, dans un faisceau de lumière qui perce la nuit, des soldats qui déchargent d'une voiture des caisses d'archives et les quelques objets personnels qu'il a voulu emporter du ministère de la Guerre, rue Saint-Dominique.

Jusqu'à ce matin, de Gaulle était président du gouvernement provisoire de la République française qui siégeait rue Saint-Dominique, à l'hôtel de Brienne.

Mais à midi, dans la salle des Armures où exceptionnellement se tient le Conseil, il a dit d'une voix claire : « J'ai pris la décision irrévocable de donner ma démission au président de l'Assemblée nationale constituante. » Et depuis il n'est plus que le général de Gaulle.

Il fait quelques pas, allume une cigarette. Il est calme, serein, presque joyeux.

Il revoit la scène. Les ministres figés, les uns surpris, les autres avertis déjà de sa décision de démissionner mais trouvant difficilement une contenance, tous saisis, incapables de parler. Et d'ailleurs, il ne leur a pas laissé le temps de commenter sa démission. Il

13

leur a serré la main et il lui a semblé que Maurice Thorez, le ministre d'État communiste, avec sa grosse tête plus empourprée qu'à l'habitude, était peut-être le plus ému. Jules Moch, le socialiste ami de Léon Blum, guettait les réactions de ses collègues. Il était dans le secret. Quant à Pierre-Henri Teitgen, le ministre du Mouvement républicain populaire, il semblait désemparé.

Mais ils reprendront tous leurs esprits. Ils constitueront un gouvernement tripartite, sous la houlette de Félix Gouin, le socialiste, président de l'Assemblée nationale constituante. Et ils discuteront entre eux, à n'en plus finir, marchandant les postes, s'entendant pour priver le chef du gouvernement, président du Conseil ou président de la République, de tout pouvoir réel, plaçant les partis politiques au centre du système. Et l'on aurait voulu qu'il couvre de son nom ce retour à un régime d'impuissance ?

Il n'est plus que le général de Gaulle. Tant mieux. Une nouvelle fois, il vient de rompre les amarres. Comme en juin 1940. Et c'est bien la période de sa vie commencée à ce moment-là qui s'achève.

Il se souvient de cette solitude, de ce dénuement des premiers mois, des humiliations subies. Plus jamais, quoi qu'il advienne, il ne connaîtra cela, le mépris de Roosevelt masqué par l'hypocrisie, les colères de Churchill et la morgue hautaine d'un général Giraud.

Il est pour toujours, devrait-il être à jamais éloigné du pouvoir, le général de Gaulle, celui qui, un jour d'août 1944, a vu l'immense foule enthousiaste sur les Champs-Élysées s'ouvrir devant lui comme la mer.

Il entend, venant du hall, la voix du capitaine Claude Guy, son aide de camp, et d'André Malraux. Ils vont sans doute à nouveau tenter de le convaincre de s'adresser aux Français, ce soir, à la radio, afin de donner les raisons de la démission, de dénoncer « l'ignorance, la mauvaise foi, l'impéritie » des partis.

Guy et Malraux voudraient un nouvel « appel du 18 juin ». « Moi, général de Gaulle... » Ils ont estimé que la lettre qu'il a adressée à Félix Gouin, parce qu'elle ne contenait pas de critique, était insuffisante, maladroite même. Malraux n'a pas osé prononcer le mot, mais il l'a suggéré par toute son attitude.

— Vous êtes entré dans l'histoire par l'appel du 18 juin, on ne pourrait comprendre que vous vous en absentiez par une lettre au président Gouin.

Comment Guy et Malraux ne comprennent-ils pas qu'en engageant une polémique vaine avec les partis, avec un Félix Gouin, on leur donne une légitimité qu'ils n'ont pas ?!

De Gaulle l'a dit à Guy :

« En partant sans me retourner ainsi que je viens de le faire et sans formuler explicitement les raisons de mon départ, que chacun devine cependant, il n'y a ni coup d'État, ni échec. Les événements indiqueront d'eux-mêmes pourquoi je suis parti. Les partis et le régime actuel se déconsidéreront chaque jour un peu plus aux yeux de l'opinion. Le fruit mûrira, tombera.

« Il faut toujours à la France un homme de réserve. »

Il s'installe à son bureau, relit la lettre que vient de lui adresser Vincent Auriol. Le ministre d'État socialiste n'a pu assister – de même que Georges Bidault, le ministre des Affaires étrangères MRP – au Conseil des ministres de ce matin. Tous deux étaient à Londres. Auriol est inquiet à l'idée d'une allocution radiodiffusée. Que craint-il ? Un coup d'État ? Lui non plus ne semble pas comprendre que « le silence total d'un homme de caractère renforce chaque jour dans l'opinion des autres hommes l'idée qu'on s'est faite de celui-ci. Se taire ! Se taire ! Se taire ! en dépit des accusations, des lâchetés et des trahisons, quelle preuve de force ! ».

« Mon cher Ministre,

« Je reçois votre lettre et vous remercie de vos avis, qui coïncident d'ailleurs avec mes propres décisions.

« Soyez tranquille pour la radio. Je ne parlerai pas au pays, puisque je me mets moi-même hors de cause et que j'entends me retirer en pleine et entière sérénité...

« Je ne veux pas rester à Neuilly ni a fortiori me rendre rue Saint-Dominique, en raison des manifestations possibles autour de ma personne. Je vais donc aller demain à Marly... »

Il descend dans le hall. Il croise les regards consternés des plantons. Il dit quelques mots à Charles Luizet, le préfet de police, qui a les yeux embués de larmes. Yvonne de Gaulle paraît au contraire heureuse. Elle passe, portant des piles de livres. Là, dans le salon, il voit sur une table les objets auxquels il tient, l'ultimatum de Rommel au général Kœnig lors de la bataille de Bir Hakeim, et, posé tout à côté, le sabre de Hitler, prise de guerre de Leclerc à Berchtesgaden.

Il donne des ordres. Il veut qu'on se hâte de quitter cette villa trop proche de Paris pour le pavillon de Marly, qu'il vient de louer au service des Beaux-Arts. Et dès que la Boisserie sera restaurée, sans doute au printemps, il s'installera à Colombey-les-Deux-Églises. Il ne veut rien devoir. En septembre 1944, il avait même refusé que la villa de Neuilly soit meublée par le Mobilier national. Et il était le chef du gouvernement ! Maintenant, il n'est plus que le général de Gaulle. Un homme libre.

Cela se paie. Il parcourt les pièces en enfilade du pavillon de Marly. Elles sont glaciales. Les murs sont humides. Les chaudières vétustes. Les courants d'air sont tels que certains salons trop vastes sont inhabitables. On campe. Les trois caisses de bois contenant les archives sont déposées dans le grand salon. La vaisselle manque.

– On se croirait à Longwood, murmure de Gaulle.

Mais il est de bonne humeur. Et cependant, pas une manifestation populaire de regret après sa démission. C'est comme si ce départ avait laissé le peuple indifférent, englué dans ses difficultés quotidiennes. Les partis, eux, semblent soulagés et agressifs, Jacques Duclos a péroré à l'Assemblée nationale sous les applaudissements des communistes et des socialistes. « Ce départ est apparu comme un recul devant les responsabilités », a-t-il lancé. Blum a exalté le rôle des partis, clé de voûte du système parlementaire. Et parlé de l'allergie entre de Gaulle et le Parlement. Quant à Maurice Schumann, président du MRP, il a déclaré : « Aujourd'hui, c'est la décision de Charles de Gaulle qui prive la France de Charles de Gaulle. Pour la première fois, nous sommes en désaccord avec lui. »

De Gaulle sort du pavillon. Derrière le bâtiment s'élève une forte pente boisée. De Gaulle la gravit et il peut alors s'enfoncer dans la forêt.

Il est heureux d'être ainsi seul dans cette nature que l'hiver rend austère. Il avait besoin de rompre avec l'écrasante pression des événements que depuis cinq années il subit. Il s'en éloigne. Et puis ce retrait permet de jauger les hommes. Ce Georges Bidault qui, apprenant la décision de De Gaulle, s'est écrié : « C'est le plus beau jour de ma vie ! », et qui s'acharne contre Malraux et Jacques Soustelle, refusant qu'ils demeurent ministres. L'un est « aventurier, repris de justice », l'autre un « flic » parce qu'il a dirigé à Londres les services du BCRA.

Il fait froid, mais la marche en forêt réchauffe. Claude Guy avance du même pas.

– Oui, dit de Gaulle en se tournant vers son aide de camp, nous sommes entrés dans l'ère de la bassesse... Nous y sommes entrés probablement pour longtemps, car la supériorité est intolérable aux petits hommes de basse politique.

Il rit. Il se sent fort, si libre !

– Après quelques années de descente, ajoute-t-il, le peuple français m'apercevra soudain sur un sommet de son histoire...

Il s'esclaffe :

– L'homme ! l'homme !... Ah, l'homme est véritablement une sale bête !

Il regarde autour de lui. La futaie est épaisse, presque noire.

– Pas une âme qui vive ! J'aime ce lieu...

Naturellement, les trois partis – communiste, socialiste, MRP – se sont entendus. Félix Gouin, en larmes dit-on, a été contraint d'accepter la charge de président du Conseil, et Vincent Auriol est devenu président de l'Assemblée nationale constituante. Ces hommes de parti se tiennent les uns les autres. Les socialistes ne veulent pas gouverner seuls avec les communistes, et donc le MRP a la partie belle. Mais quelle constitution peuvent-ils rédiger ensemble ? Communistes et socialistes sont pour un régime d'assemblée, et le MRP louvoie, prenant finalement parti contre ce projet. De Gaulle ricane.

« Voyez-vous, les MRP ont mauvaise conscience, dit-il. Le pays est maintenant coupé en deux. Les socialistes n'intéressent plus. Quant aux communistes, ils sont une " entreprise ". La vérité, pour un communiste, c'est ce qui peut le mieux servir à la conquête du pouvoir. »

La consultation par référendum sur le projet de constitution est prévue pour le 5 mai 1946. Des élections législatives suivront le 2 juin, et, si ce projet est rejeté, l'Assemblée sera à nouveau une Assemblée nationale constituante.

Il s'interroge. Le peuple rejettera-t-il cette constitution qui crée l'impuissance de la nation, qui empêche le pouvoir exécutif de gouverner ? Il veut le croire. Chaque jour, il attend avec impatience l'arrivée des journaux. Il écoute à 13 heures le journal parlé de la radio. Il est passionné presque malgré lui par ces péripéties politiques. Il peste, s'exclame.

« Il fallait partir, oui, il fallait partir avant d'être dégradé par la bagarre politicienne proprement dite. Avec les partis, on ne peut pas gouverner, c'est un fait. »

Il tente d'échapper à cette actualité décevante. Il commence à dresser le plan des *Mémoires* qu'il veut écrire, mais les événements battent trop fort pour qu'il s'en désintéresse.

Dans un discours prononcé à Fulton, aux États-Unis, Churchill a condamné le « rideau de fer » qui s'est abattu au centre de l'Europe. La tension est vive entre Russes et Américains. Moins d'un an a passé depuis la fin de la guerre et la « grande alliance » n'est déjà plus qu'un souvenir. On parle à nouveau de conflit mondial.

Il accueille à Marly, une fin d'après-midi, Vincent Auriol et sa femme. Il apprécie ce socialiste patriote au ton rocailleux, président de l'Assemblée nationale. Il l'observe, l'écoute. Les hommes des partis valent souvent mieux que les organisations qu'ils servent et qui les contraignent à la médiocrité.

– Je ne pouvais m'accorder à la vie de parti, dit de Gaulle, et puis il vaut mieux que je sois en réserve. Je crois à une guerre avec la Russie. Alors, il faudra quelqu'un au-dessus des querelles et des préoccupations pour rassembler la France.

Il devine la réserve et l'inquiétude de Vincent Auriol. Toujours cette hantise – sincère ? Parfois il en doute – du bonapartisme, du coup d'État.

– Napoléon a fait le 18 Brumaire parce que la France l'exigeait, reprend de Gaulle. De même Louis-Napoléon était appelé par le consentement unanime de la nation !

Il rit.

– Personne ne m'aurait suivi.

Il raccompagne M. et Mme Auriol, puis il reçoit Claude Mauriac qui continue d'être chargé du secrétariat.

– Je ne pouvais indéfiniment couvrir de mon nom la politique absurde des partis, dit-il. J'ai pu tenter quelque chose tant que je ne les ai pas eus sur le dos. Car vous savez de quelle utilité peut être, sur le plan national, un ministre qui représente son parti au gouvernement ? Ce n'est jamais aux intérêts de la France qu'il pense, mais à ceux de son parti, qui lui demandera des comptes... Que pouvais-je donc faire que me retirer ? Jouer aux petits jeux de M. Philip ? Tout de même pas.

Le désirerait-il qu'il ne s'en sentirait pas le droit. Il parcourt les lettres qui, par sacs entiers, arrivent de toutes les régions de France.

« Voilà dix jours que l'on pleure, dit l'une. Pour l'amour de Dieu et du bon peuple de France, revenez avec nous, s'il vous plaît... Des légions de petites âmes obscures, celles dont on ne parle jamais, avaient le regard rempli de foi et d'espérance tourné vers vous. »

Cette phrase le hante : « Des légions de petites âmes obscures... »

Ce ne sont pas elles qui s'expriment dans la presse, et peut-être, si l'on en croit les sondages, ne sont-elles qu'une minorité. Mais il est sûr qu'elles existent, qu'elles attendent son retour.

– Ne donnez pas l'impression que je me retire à tout jamais, dit-il à Mauriac. Faites des réponses neutres...

Après la lecture de ces lettres, il a la certitude qu'un lien inaltérable existe entre lui et la nation. Que c'est cela qui fonde son action, et doit l'orienter.

Quand il lit les attaques qui, ici et là, le visent, venant des communistes et des socialistes, ou qu'il découvre combien, sous la conduite de Georges Bidault, la politique étrangère de la France est hésitante, un mot lui vient sans cesse sur les lèvres : *bassesse*.

Il écrit à Leclerc, qui doit faire face à une situation difficile en Indochine, affrontant les troupes d'Hô Chi Minh et entrant parfois en conflit avec l'amiral Thierry d'Argenlieu.

« L'avenir est à nous à la condition que nous ne le compromettions pas nous-mêmes... J'ai confiance en vous pour vous abstenir de tout ce qui pourrait vous opposer à l'amiral d'Argenlieu... Bref, " nous autres " et vous en particulier, nous devons jouer serré et non point dispersé. Il y va d'un enjeu qui dépasse de beaucoup nos propres idées...

« Je vous embrasse, mon cher ami.

« *P.-S.* : Brûlez cette lettre. »

Les jours passent. *Bassesse.* Au courrier, un long texte anonyme, jugement d'un procès fictif, qui est diffusé dans toute la France. Il le lit à haute voix : accusations de trahison répétées, puis verdict : « La Cour condamne à mort le général de Gaulle mais, à raison de l'orgueil qui égare son jugement et atténue la responsabilité, émet le vœu que la condamnation ne soit pas exécutée... »

Bassesse.

Quel fossé entre ce qu'il ressent, ce qu'il croit, ce qu'il veut, et l'image qu'on donne de lui, les calomnies qu'on répand !

Parfois il se sent rempli d'amertume, de tristesse et aussi de lassitude.

Il vient d'apprendre la mort de son frère Jacques, paralysé depuis bientôt vingt ans. Le chagrin le submerge.

Il écrit à son neveu : « La mort de ton pauvre papa m'a plongé dans le même chagrin qui est le tien. »

Il écrit à Philippe, toujours en stage de pilotage aux États-Unis, à Memphis et Bomestead. « Ton pauvre oncle Jacques de Gaulle est mort à Grenoble dimanche dernier... C'était un homme d'une volonté et d'un courage exceptionnels... » Puis un mot pour évoquer la situation en France : « Tu auras certainement compris les raisons essentielles qui m'ont décidé à laisser se dérouler sans moi l'expérience politique en cours. Il faut choisir, et l'on ne peut être à la fois l'homme des grandes tempêtes et celui des basses combinaisons... La vague de bassesse continue à déferler. Rien ni personne n'aurait pu l'empêcher. C'est la rançon fatale de trop de malheurs et de démissions. Je ne voulais à aucun prix me laisser salir par ce flot. Mais je crois au reflux qui, tôt ou tard, dégagera des rivages sur lesquels on pourra construire. »

Il s'arrête. Il veut marcher encore dans la forêt. Il a hâte de quitter ce pavillon de Marly-le-Roi impersonnel. Il veut être au plus tôt chez lui à Colombey-les-Deux-Églises.

Il écrit encore quelques lignes à Philippe :

« Les travaux de la Boisserie s'achèvent. Quand tu reviendras, tu trouveras le tout terminé, sauf pour le jardin, où rien ne peut être entrepris avant l'automne.

« Cela n'aura rien d'imposant, mais ce sera confortable et convenable.

« Au revoir, mon vieux garçon, je t'embrasse de tout mon cœur. »

Il imagine ses journées là-bas, dans sa « demeure », au milieu de ces « vastes, frustes et tristes horizons, bois, prés, cultures et friches mélancoliques, villages tranquilles et peu fortunés dont rien, depuis des millénaires, n'a changé l'âme ni la place ». Ainsi de Colombey-les-Deux-Églises, « le mien ».

Il parcourt la forêt de Marly longuement, puis il regagne son bureau. Il va répondre à une lettre de Michel Debré. L'ancien commissaire de la République l'a assuré de son soutien. Debré est un homme droit, un patriote. Il a compris les raisons de la démission.

« Il m'a paru essentiel, écrit de Gaulle, de tirer de la boue ce qui ne doit pas y être et qui est, pour le pays, tout au moins dans son histoire, une sorte de trésor matériel. Ma personne ne compte que dans la mesure où elle y est incorporée. »

Il quitte peu Marly. Il écrit. Il fait de longues randonnées en forêt. L'air vif, la marche ou, au printemps qui vient, l'apparition des primevères multicolores lui donnent une joie physique, et il se surprend à chantonner. Mais il aperçoit entre les arbres les silhouettes des policiers chargés de le protéger, et il a tout à coup le sentiment de vivre enfermé dans une résidence surveillée et, lorsqu'il retrouve son bureau, il est saisi par la mélancolie.

Il se sent si fort, si vigoureux, l'esprit si acéré, qu'il vit cet isolement, cette inaction qui commence à lui peser, comme une injustice et un contresens. Il n'a que cinquante-six ans ! Il pourrait rendre tant de services à ce pays. Il sait ce qu'il faudrait à cette nation. Il lit les journaux. Il s'emporte, prend son entourage à témoin :

« Voyez-vous, la lâcheté est générale, une lâcheté sans mesure... Les Français sont décourageants. La responsabilité est diluée, la France oubliée. Seuls les communistes bénéficient de la lâcheté et de la faiblesse des autres. »

Voilà le péril, ce parti-entreprise, déterminé, au service de la stratégie de Staline. C'est lui qu'il faut combattre, même si ses membres, ses électeurs sont des Français patriotes qu'il faut aussi rassembler.

Il soupire. Longues journées. Combien de temps encore durera cette vie alors que la France se délite ?

Blum court à Washington quémander des crédits. Les intellectuels se précipitent dans le communisme. Il a le sentiment que, malgré les bouleversements de chaque époque, le visage politique de la France ne change pas – il hausse les épaules, ricane – depuis Vercingétorix !

« Un cinquième se désintéresse de la chose publique, un autre est constitué par les révolutionnaires, un autre est formé de tous les envieux, les cocus et ratés, ce sont les socialistes d'aujourd'hui et les radicaux d'hier, et puis il y a les possédants... »

Il s'interrompt, reprend :

« Enfin, au milieu, un marécage sans foi ni loi qui vit en s'agrégeant toujours à telle ou telle majorité, masse de rupture d'équilibre. Voilà pourquoi la solution n'est pas dans les partis. »

Il rentre, il lance :

« Lorsque la rafale viendra, ils se feront tout petits. Alors, ils n'auront qu'un seul souci : chercher en se réfugiant sous mon aile à demeurer intacts, pour réapparaître le danger passé. »

Mais, pour l'heure, c'est la vie quotidienne, ces jours heureux, quand, le 7 avril, le pavillon de Marly est rempli de fleurs parce que tous les proches ont tenu à s'associer à la célébration de ses noces d'argent.

Il voit Yvonne de Gaulle, émue, s'avancer vers lui. Ils parcourent l'allée du jardin qui se trouve devant le bâtiment. La famille se rassemble. C'est un moment de paix qu'il savoure.

Il tire lentement sur son cigare, entraîne son beau-frère, Jacques Vendroux, dans une promenade en forêt. Et les préoccupations reviennent. Vendroux est député MRP. Il faut, dit de Gaulle, que Vendroux fasse campagne contre le projet de constitution qui doit être soumis par référendum à l'approbation des Français, et, ce 5 mai, de Gaulle en est sûr maintenant, ils voteront non. Mais il ne veut pas intervenir personnellement. Il n'ira même pas voter. Il faudrait se rendre à la mairie du XVIᵉ arrondissement, être confronté à la foule. Et il ne veut pas de manifestation, quelle qu'elle soit.

Il s'emporte. Sait-on qu'il a reçu une lettre d'Edmond Michelet, ministre des Armées, qui lui signale que le président du Conseil, Gouin, lui « demande de soumettre un décret fixant votre situation dans l'Armée, situation que naturellement il désire la plus élevée » ? « Ma » situation dans l'armée !

Ils ne comprennent rien à la dimension symbolique et légendaire des événements. Ils rabaissent tout à leur mesure. Un grade ! Une décoration !

Il répond à Michelet : « Les événements qui se sont déroulés ont été d'une telle nature et d'une telle dimension qu'il serait impossible de " régulariser " une situation absolument sans précédent. »

Il a une exclamation de mépris. On veut faire de lui un « homme comme les autres ». « Ils ne peuvent, quoi qu'ils fassent, se hisser à mon niveau, car le grandiose ne pénètre jamais dans leur esprit. Oui, ils ne peuvent concevoir le caractère absolument unique et exceptionnel de ce qui a été l'odyssée de 1940 à la Libération, dont il n'est aucun précédent dans l'Histoire... Pauvres bougres ! J'ai recréé la France à partir de rien, à partir de cet homme seul dans une ville étrangère... Je ne suis pas un général vainqueur. On ne décore pas la France. »

Dans la nuit du 5 au 6 mai, il reste dans son bureau, écoutant les premiers résultats du référendum sur la Constitution. Il ne s'est pas trompé. Les *non* l'emportent par plus d'un million de voix. Il a eu raison de ne pas s'engager dans la bataille électorale. Ce n'est pas pour lui ou contre lui qu'on a voté, mais contre les communistes – alliés aux socialistes – qui préconisaient le *oui* à la Constitution.

Le lundi 6 mai, il grimpe allègrement la butte située derrière le pavillon. Il fait doux.

« J'ai fait rentrer le référendum dans les mœurs politiques, lance-t-il d'une voix joyeuse. La date du 5 mai marquera un point d'arrêt capital. Date qui comptera non seulement pour la France, mais également pour l'histoire européenne. Le mythe de l'infaillibilité communiste s'effondre. Il est démontré maintenant qu'ils peuvent essuyer une défaite. Voilà le Stalingrad de la lutte du continent européen contre le communisme. Ses ennemis vont s'enhardir. »

Naturellement, ils vont se ressaisir, et les partis vont se retrouver dans une nouvelle Assemblée constituante pour bâtir un nouveau projet de constitution. Il hausse les épaules. Le moment est sans doute proche où il va devoir rentrer en scène. À la fin du mois, il quittera le pavillon de Marly pour la Boisserie. Il sera donc dans sa demeure, loin de Paris, libre, sans plus aucune relation avec l'État – fût-ce pour ce loyer de Marly qu'il verse à l'administration des

Beaux-Arts. Il faut que, d'ici là, il manifeste sa présence, que l'on pressente qu'il a pris la décision de s'adresser au pays.

Le 12 mai, il se rend sur la tombe de Clemenceau, à Mouilleron-en-Pareds. Il regarde autour de lui cette petite foule enthousiaste qui crie : « Au pouvoir ! De Gaulle au pouvoir ! » Plus loin, il aperçoit la troupe des journalistes, dont beaucoup d'Anglo-Saxons. Il se sent tout à coup ému. Ce jour qu'il a choisi pour célébrer à la fois la mémoire du Tigre, celle de Jeanne d'Arc et l'anniversaire de la Victoire, est aussi celui où il lance un nouveau défi. Il va sortir de son silence. Ses paroles vont l'engager, le pousser en avant, parce que les mots sont des actes.

Il commence.

« En ce jour, près de cette tombe, nous discernons mieux que jamais le destin national qui nous place au centre du drame de ce monde et parfois ne nous laisse pour recours au bord de l'abîme que les suprêmes sursauts symbolisés par une Jeanne d'Arc fière, pure, Sainte Fille de notre peuple, ou par un Georges Clemenceau, vieux Gaulois acharné à défendre le sol et le génie de notre race. »

Il est de cette lignée. Sa voix s'enfle.

« Nous voyons mieux que jamais qu'il ne peut être pour nous demain de sécurité, de liberté, d'efficience, sans les grandes disciplines d'un État fort, dans l'ardeur d'un peuple rassemblé ! »

Parvenir à cela, c'est sa tâche maintenant.

2.

De Gaulle a l'impression qu'enfin il respire à pleins poumons. Il regarde droit devant lui cet horizon aussi vaste que le ciel et que ne vient écorcher aucune construction.

Il se tourne vers Claude Guy et Claude Mauriac, qui le suivent dans l'étroit chemin détrempé qui parcourt le parc de la Boisserie, étouffé de feuillages mouillés. Au loin, la forêt. En contrebas, un lourd chariot passe sur la route.

De Gaulle aime ce paysage âpre, cette pauvre et solitaire campagne. Il lève sa canne. Il montre le plateau de Langres, puis le tracé de la vallée de l'Aube, et d'un geste ample il décrit ces forêts des Dhuis, de Clairvaux, du Heu, de Blinfex, de La Chapelle.

« Vieille terre rongée par les âges..., murmure-t-il, vieille France, accablée par l'histoire. »

Il se dirige vers le haut de la propriété, s'arrête, contemple à nouveau le panorama qu'ici et là, accrochée aux arbres, la brume estompe.

« Cette forêt immense, dit-il, cette forêt redoutable qui recouvrait alors une grande partie de la France, effrayait les Romains. Michelet prétend qu'un oiseau aurait pu voleter de branche en branche, dans ce temps-là, des Ardennes à la Provence... Jusqu'à la Provence, je ne sais pas, mais la forêt s'étendait certainement jusqu'à Dijon. »

Il demeure silencieux, puis il lance, d'une voix ironique :

– Ici, ce n'est pas gai, en d'autres termes, on ne vient pas ici pour rigoler...

Il rit tout en se dirigeant vers la Boisserie. Il regarde la façade nue, trop blanche, parce que la vigne vierge et le lierre n'ont pas encore poussé. Il entre. L'odeur de peinture est entêtante. On va prendre le thé dans la bibliothèque au carrelage blanc et noir.

Claude Mauriac est arrivé ce matin à Bar-sur-Aube, par le train qui part de Paris à 8 h 15. Mauriac, après avoir fait signer le courrier, reprendra le train de 18 h 15. Claude Guy quittera aussi la Boisserie à la fin de la journée. Il loue une petite chambre à une vieille fille dans une maison de Colombey. Lorsqu'il regagne Paris, c'est le commandant de Bonneval, le second aide de camp, qui assure le service à la Boisserie.

Il faut l'ordre des choses, le rythme réglé du temps, pour que l'esprit soit libre d'analyser, de rêver, d'imaginer, de prévoir.

De Gaulle s'assied à une table de bridge, commence une réussite. La chatte angora d'Yvonne de Gaulle le frôle. Il la caresse. Le silence est seulement froissé par le vent qui se lève. Les événements arrivent ici épurés de leurs rumeurs inutiles. De Gaulle, lorsqu'il lit avec attention les journaux qu'on apporte chaque matin de Bar-sur-Aube, se sent comme un lointain observateur, qui regarde du haut d'un sommet le mouvement des troupes et peut saisir ainsi l'évolution générale de la bataille, alors que, mêlés aux combats rapprochés, les acteurs ne distinguent aucune perspective. D'ici, au contraire, à chaque moment, il a le sentiment de pouvoir devancer les mouvements des forces politiques.

Il murmure :

« Si Napoléon avait pu seulement prendre un an de repos, tout son destin eût été changé. »

Mais il n'est pas au repos, même s'il se sent mieux d'avoir ainsi pris du champ, échappant aux coups de griffe ininterrompus que l'on reçoit et donne à Paris, au cœur de la mêlée.

Il n'est jamais surpris. Il lit dans les yeux de Guy ou de Bonneval, de Claude Mauriac ou bien de Soustelle, de Pleven, de Joxe, de Leclerc, qui viennent parfois déjeuner avec leurs épouses à la Boisserie, l'étonnement devant la précision et l'exactitude de ses analyses.

Il a prévu le succès du MRP aux élections du 2 juin 1946 à la deuxième Assemblée nationale constituante. Il hausse les épaules quand Georges Bidault devient président du gouvernement provisoire. Le « tripartisme » continue.

« Bidault est un véritable Jocrisse..., dit-il. Pour lui, gouverner, c'est essentiellement " en être ", but suprême de toute sa vie de politicien. »

Et communistes, socialistes, MRP vont s'entendre sur un nouveau projet de constitution, à soumettre par référendum au peuple, tout aussi détestable que celui que les électeurs ont refusé le 5 mai.

Il se lève. Il va marcher dans le parc, comme chaque jour. Claude Guy l'accompagne, le questionne. De Gaulle hausse les épaules. Il commence à parler du « communisme, destructeur de civilisation ».

– La véracité, voilà ce qui manque aux communistes ! ajoute-t-il, canne levée. Voilà pourquoi, en définitive, ils disparaîtront. Le communisme apparaîtra de plus en plus pour ce qu'il est, une colossale fumisterie ; quant au christianisme, il ne bat plus que d'une aile...

Il soupire.

Il a souvent le sentiment que l'époque est médiocre, que personne n'a les moyens d'une grande politique. « Le monde entier est gouverné par des petits pères Gouin », des Bidault. Et parfois, il se sent « écœuré », il a envie d'« hiverner » ici, de ne plus voir personne. Et puis, tout à coup, il se sent « hanté, rongé par la pensée que la France perd chaque jour » un peu plus. Et il a la certitude qu'il pourrait redresser cette situation, qu'il doit intervenir dans le débat sur les institutions, essayer d'alerter le peuple sur cette constitution qu'on lui prépare.

Il écrit, médite le discours qu'il veut prononcer à Bayeux, dans cette ville où, il y a deux ans, le 14 juin 1944, il débarquait enfin en France. Et comme toujours quand on agit – et écrire, c'est agir –, l'espoir revient.

« Un nombre impressionnant de Français ont pu renoncer à la grandeur, dit-il, mais la France, elle, s'en souvient et la désire. C'est pour cela qu'elle nous aura aimés. Quant à l'avenir, il n'y en a pas pour elle ailleurs que dans les grandes actions, c'est pourquoi nous en avons un. »

Il s'installe dans son bureau. Il aime cette pièce au rez-de-chaussée de la tourelle hexagonale qu'il a fait ajouter à la maison. Il se sent enfin chez lui, dans ce mobilier Empire aux teintes chaudes d'acajou, entre ces grandes bibliothèques qui tapissent les pans coupés de l'hexagone et dans lesquelles, outre les livres, il a disposé les souvenirs de ces années de guerre et de passion nationale.

Il commence à écrire à son fils qui continue son stage de pilotage aux États-Unis.

« Mon bien cher Philippe,

« La Boisserie est bien à l'intérieur. On s'occupe maintenant d'arranger le jardin, qui en a besoin. Tu trouveras tout assez changé à ton retour, sauf le pays et les bonnes gens qui sont toujours les mêmes.

« Quant à la chose politique, le jeu sans issue des partis continue à se déployer, et du même coup, à démontrer son impuissance. C'était malheureusement une expérience inévitable, étant donné les illusions et les prétentions de tout ce que le pays sécrète en fait de politiciens. Je n'excepte naturellement de ce jugement aucun parti et n'attends rien d'aucun d'entre eux. C'est une malfaisance organique.

« Je t'embrasse de tout mon cœur, mon cher Philippe,

Ton papa. »

Il quitte Colombey-les-Deux-Églises.

Et tout à coup, après seulement quelques heures de route, le voici au milieu de la foule enthousiaste. Il lui semble, dans ces villes et ces villages de Normandie, que deux années se sont effacées, qu'il est à nouveau le chef de la France Libre, traversant Isigny, Courseulles, Bayeux enfin.

Il aime ce contraste brutal entre le silence austère de la Boisserie et ces vagues tumultueuses de cris qui déferlent : « De Gaulle au pouvoir ! »

Il est en uniforme. Autour de lui, Juin, d'Argenlieu, Kœnig, des ambassadeurs étrangers, des hommes politiques, Schumann, René Capitant, Jacques Soustelle, Malraux, Joseph Laniel, et Mgr Picaud, celui-là même qui l'accueillit sur les marches de la basilique de Lisieux en 1944.

La municipalité de Bayeux l'attend là même où, il y a deux ans, elle le reçut. Et le maire s'écrie :

« Si de hautes raisons ont pu vous amener, mon général, à prendre une retraite momentanée, vous serez prêt, le moment venu, aux plus lourds sacrifices, et c'est cela qui est notre plus grande sécurité. »

De Gaulle est ému. Il se dresse sous la pluie battante, ce dimanche 16 juin 1946. Il monte les marches de la tribune. Il ne sent pas l'averse qui ruisselle sur son visage.

« L'instinct populaire, je le sais, est avec moi... Il n'y a pas eu un moment de ma vie où je n'aie pas eu la certitude d'être un jour à la tête de la France. »

Il lève les bras. Les cris peu à peu cessent.

« Dans notre Normandie glorieuse et mutilée... », commence-t-il.

Il connaît par cœur chacun des mots de ce discours qu'il a écrit, recomposé, appris. Au moment où les députés de l'Assemblée constituante, les André Philip, les Coste-Floret, les Blum, les Duclos, les Bidault, et aussi Maurice Schumann, présent ici, élaborent une nouvelle constitution, il faut qu'on sache ce qu'il pense des institutions nécessaires à la France.

– C'est ici que, sur le sol des ancêtres, réapparut l'État, poursuit-il, l'État légitime, l'État préservé des ingérences de l'étranger...

Il se tient droit, regardant au-dessus de cette foule immobile sous la pluie. Il faut qu'elle se souvienne de ceux qui, en juin 1940, ne désespérèrent pas qu'elle garde la mémoire de cette « élite spontanément jaillie des profondeurs de la nation ». Il faut que la France mesure « le sentiment de supériorité morale, de conscience d'exercer une sorte de sacerdoce du sacrifice et de l'exemple, du mépris des agitations, prétentions et surenchères, de la confiance souveraine en la force et en la ruse de la puissante conjuration » qui habitait les hommes de la France Libre. C'est de lui qu'il parle. Il n'a jamais masqué son orgueil, qui est à la mesure de sa foi.

D'un grand geste du bras, il ponctue chaque mot. Il dit que le temps est venu de mettre en place les institutions qui compensent « notre vieille propension gauloise aux divisions et aux querelles ». Mais pas de dictature ! crie-t-il. Elle s'écroule toujours dans le malheur et le sang. Mais deux assemblées et un chef de l'État au-dessus des partis, garant de l'indépendance nationale, élu par un collège élargi. Un homme qui nommera les ministres, et le premier d'entre eux, ministres qui ne dépendront plus des partis.

« Prenons-nous tels que nous sommes, lance-t-il. Prenons le siècle comme il est... Soyons assez lucides et assez forts pour nous donner et pour observer des règles de vie nationale qui tendent à nous rassembler quand, sans relâche, nous sommes portés à nous diviser contre nous-mêmes. »

Il hausse encore la voix. Il faut qu'on l'entende, qu'on le comprenne.

« Toute notre histoire, c'est l'alternance des immenses douleurs d'un peuple dispersé et des fécondes grandeurs d'une nation libre groupée sous l'égide d'un État fort. »

Il descend de la tribune, on l'entoure, on le presse, on crie : « Vive de Gaulle ! » Il a besoin de ce contact direct avec le peuple. Et il le retrouve au mont Valérien, où il se rend le 18 juin. Il entre dans la crypte des fusillés. Il est ému aux larmes. Il a la gorge serrée lorsqu'il s'avance dans le silence vers cet enfant orphelin qui porte sur la poitrine la croix de la Libération de son père. Et puis ce sont les cris, les « vive de Gaulle ! », les bousculades. Il lève les bras en V. Il se tend. Il crie : « Vive la France ! »

Dans les semaines qui suivent, il parcourt la Lorraine, « argile faite aux douleurs ». Il parle dans ces communes martyres de la vallée de Saulx, incendiées par les Allemands. Il lance :

« Courage ! Confiance ! Cette fois, la leçon est trop claire pour être perdue. »

À Bar-le-Duc, il s'adresse à la foule, place du Maréchal-Foch.

« Pour regarder les choses en face, aucun lieu ne convient mieux que les abords de notre Meuse... » Il évoque « le drame de la guerre de trente ans que nous venons de gagner »... Il parle de l'Allemagne qu'il faut empêcher de redevenir menaçante, de l'alliance avec l'Angleterre, de ces deux empires désormais dressés l'un en face de l'autre, les États-Unis d'Amérique et la Russie, de l'arme atomique qui change la donne, et de l'Europe. « La vieille Europe, qui depuis tant de siècles fut le guide de l'univers et qui est en mesure de constituer, au cœur d'un monde qui tend à se couper en deux, l'élément nécessaire de compensation et de compréhension. »

Cela peut-il réussir ? Il ne veut pas douter.

Il se rend en Bretagne, à Brest, dans l'île de Sein. Voici ces marins qui le rejoignirent en juin 1940. Il multiplie les déclarations, les conférences de presse. Il parle à Épinal. Sa voix tremble de colère devant la foule toujours aussi enthousiaste.

« Le projet de constitution qui a été adopté la nuit dernière par l'Assemblée nationale ne nous paraît pas satisfaisant », clame-t-il.

Chaque phrase qu'il prononce est un coup d'épaule contre ce projet que les trois partis ont été d'accord pour présenter au référendum, et qui institutionnalise le régime des partis et rend le chef de l'État impuissant.

Il est amer et déterminé. Il a vu, en passant à Paris, Coste-Floret, l'un des députés MRP, auteur de ce projet. Le parlementaire a convenu des imperfections du texte.

– Et vous croyez que le peuple français vous a envoyé à la Constituante pour cela ? a demandé de Gaulle.

– Je suis avocat, c'est le propre de notre métier de défendre toutes les causes, même les moins bonnes.

Voilà la réponse d'un Coste-Floret ! Voilà la Constitution sur laquelle va se prononcer le pays, qu'il va approuver, parce qu'il est las.

Et, le 13 octobre, malgré tous les appels qu'il a lancés, il n'est pas surpris des résultats : 31,3 % de non au projet, 32,6 % d'abstentions et de votes nuls et blancs, et seulement 36,1 % de oui, approbation au rabais pour une constitution qui crée un « chef de l'État pour la montre ».

Mais cela suffit pour que la France soit dotée de ces institutions qui la rendent impotente !

Il doit le crier : « Le système qu'institue la Constitution est absurde et périmé et s'il n'est pas profondément changé il va peser lourdement sur nos destinées... Le départ de la IVᵉ République est mauvais, reprenons-le, mais au plus tôt. »

Mais il sent que le pays se désintéresse de cette longue suite d'élections et de référendums. On vote le 10 novembre 1946 pour les élections législatives. Les communistes progressent, les socialistes reculent, les radicaux augmentent, le MRP se maintient. Et Léon Blum, contesté pourtant dans son propre parti où un inconnu, Guy Mollet, député d'Arras, a pris le pouvoir, préside un ministère socialiste homogène, en attendant que soit élu le premier président de cette IVᵉ République.

De Gaulle marche dans le parc de la Boisserie. Les jardiniers sont au travail pour les plantations d'automne. Il fait froid, déjà. Le ciel est bas. Il rentre. Le feu brûle dans les cheminées. Il tisonne, place une bûche dans le foyer, écrit à sa sœur.

« Ma bien chère Marie-Agnès,

« ... Nous menons ici une existence paisible, ce qui ne m'empêche pas, comme tu le penses bien, de suivre les péripéties lamentables de la foire des partis. C'est là, malheureusement, une épreuve inévitable. Quand elle sera terminée, il faudra payer les frais sans doute, mais du moins pourra-t-on alors travailler efficacement au relèvement de la France...

« Je t'embrasse de tout mon cœur, ma bien chère Marie-Agnès,
            Ton frère qui t'aime. »

Il cachette l'enveloppe, se lève, regarde la nuit tomber sur ces horizons vides. Claude Mauriac entre dans le bureau. De Gaulle ne se retourne pas. Ce paysage l'étreint.

— L'histoire de France parlera de moi, murmure-t-il. Les images d'Épinal me raconteront. Mais c'est fini ! On n'existe qu'autant qu'on rend des services...

Il ne bouge pas. Il a besoin d'exprimer ces doutes, cette amertume.

— Oui, la vie est idiote ! Quand on aperçoit enfin l'extrémité de ses effets, on est trop vieux. Oui, c'est bien cela, j'ai dix ans de trop.

Il se retourne. Ces phrases, ces pensées comme un soupir. Mais il y a sur la table cette lettre de Philippe qui annonce sa promotion au grade de chevalier de la Légion d'honneur, à titre militaire.

Il s'attarde un instant. Qu'existe-t-il d'autre, à la fin des fins, que les enfants ? « Rien d'autre ne donne une impression satisfaisante de durée. » Il commence à écrire à Philippe :

« Toutes mes félicitations... J'en éprouve, sois-en sûr, une grande fierté paternelle, d'autant plus que c'est par ton seul mérite et ton courage au feu que tu as gagné cette distinction. Ainsi en fut-il de ton bon-papa lors de la guerre de 70, de ton père lors de celle de 14-18. Mais, des trois, tu auras été le plus jeune décoré... Tel est le destin d'une fière et noble famille française – la nôtre –, destin très symbolique de celui de la France elle-même. [...]

« J'ai reçu ton chèque qui me montre que tu es un homme de parole. Nous reparlerons du complément quand nous nous reverrons. Toutes mes meilleures affections, avec celles de ta maman et d'Anne.

Ton papa. »

Il pense à cette lignée, à tant de dévouement à la nation dans de si nombreuses familles.

« Dieu sait ce que la France aurait pu être, murmure-t-il, si les Français n'avaient pas été aussi ingouvernables, avec notre intelligence, notre richesse, notre puissance, car dans le passé déjà la France a manqué son destin. Et maintenant, et maintenant... »

Il va et vient.

— C'est le coup de Vichy qui recommence, lance-t-il.

C'est contre lui que les partis se sont regroupés. Les communistes le qualifient désormais de « général factieux ». C'est la formule que martèle Thorez, qui ajoute : « Au service des trusts ! » Blum ose écrire, lui qui s'est trompé toute sa vie – au moment de la montée du nazisme, de la guerre d'Espagne, de Munich et encore en 1940, en conseillant aux socialistes d'entrer, le 16 juin, dans le gouvernement de Pétain ! « Entre le général de Gaulle et la démocratie, on enregistre comme une incompatibilité d'humeur. » Il se sent insulté, souffleté par cette accusation. Jamais il n'a cédé à la tentation de la dictature. Jamais. De Gaulle ouvre les bras. « Voilà Blum, voilà le régime organiquement opposé à la France. »

Il s'assied. Et c'est le même Blum qui annonce qu'il va décerner à Churchill, à Staline, à Roosevelt – à titre posthume – et à de Gaulle, la médaille militaire !

De Gaulle dicte d'une voix sourde.

« Les actes que j'ai accomplis entre le 18 juin 1940 et le 22 janvier 1946 l'ont été un temps où, comme vous le savez, j'exerçais par la force des choses les fonctions de chef de l'État et de chef du gouvernement. Il n'est évidemment pas imaginable que l'État ni le gouvernement se décorent jamais eux-mêmes dans la personne de ceux qui les ont personnifiés et dirigés... »

Blum et les « politiciens » peuvent-ils comprendre cette attitude ? Certains députés suggèrent – et la presse colporte leurs propos – que de Gaulle soit candidat à la présidence de la République, le 16 janvier 1947.

— Mais enfin, Mauriac, s'écrie de Gaulle, comment expliquez-vous cela ? Comment expliquez-vous qu'après tout ce que je leur ai dit sur cette inacceptable constitution ils soient assez imbéciles, assez bas pour croire que je puisse être capable de cette bassesse, de cette imbécillité : me porter candidat à la présidence de la République ?

Il a un sentiment de gâchis. Il marche dans la bruine, sous la pluie. Le brouillard enveloppe la campagne. Tout est mélancolie. Il voit passer sur la route le même vieux paysan sur son chariot. Cette vision l'étreint : « C'est un peuple qui n'en peut plus... Je crains parfois qu'il ne soit trop tard. Nous risquons de culbuter définitivement. Ce sera peut-être la fin de la France. »

Il rejoint Claude Guy qui s'avance en compagnie de Michel Debré dans le parc que recouvrent les feuilles mortes. Il reprend à haute voix ses pensées.

« Nous reste-t-il assez de temps pour tirer la deuxième fois la leçon que nous avaient déjà enseignée les partis ? Je crains parfois qu'il ne soit trop tard... »

Il remue les feuilles mortes du bout de sa canne.

« Oh, certes, il restera toujours des Français, même après la guerre atomique... »

Il hausse les épaules, il lance, d'une voix gouailleuse :

— Il restera toujours quelques cuisiniers et quelques coiffeurs pour dames...

Puis, après un silence, il ajoute d'une voix forte :

— J'ai pris il y a bien longtemps cette résolution, c'est de ne jamais consentir à m'abaisser. Non, mille regrets, je ne m'abaisserai jamais. Mais oui, j'ai toujours été seul contre tous. Cela ne fera qu'une fois de plus. Je n'en suis pas à un échec près.

Il s'arrête, regarde les jardiniers qui taillent, plantent, tracent des allées dans la terre humide.

— À force de bluff, j'ai pu, en 1941 et dans les années suivantes, inquiéter assez les Alliés sur la vitalité de la France pour qu'ils n'osent pas attenter à notre souveraineté. À force de leur dire : « Vous allez voir ce que vous allez voir », je les ai ébranlés. Ils se sont dit qu'en effet, peut-être... Mais ils ont vu, et vous pouvez être assurés que, la prochaine fois, ils ne se gêneront plus, et que l'Afrique du Nord en particulier nous sera prise...

Il marche seul longuement. Il attend que Debré et Claude Guy le rejoignent.

– Oui, ce qui me hante, c'est bien cela, reprend-il, les redoutables menaces sur notre survie. Si bien que j'aurai peut-être été, en définitive, la dernière carte de la France, la dernière carte de l'honneur, la dernière carte de la grandeur...

Il s'éloigne à grands pas.

Le 16 janvier 1947, le socialiste Vincent Auriol est élu président de la République. Le socialiste Paul Ramadier devient président du Conseil le 21. Le même jour, le radical Édouard Herriot – l'homme qui déjeunait avec Abetz et Laval en août 1944 à Paris – est élu président de l'Assemblée nationale. Et le MRP Champetier de Ribes, président du Conseil de la République. Auriol est député depuis 1914. Ramadier, depuis 1928. Herriot est maire de Lyon depuis 1905. Champetier de Ribes est sénateur depuis des décennies. Comme Auriol, Ramadier, Champetier de Ribes a été un résistant courageux. Mais ces politiciens de la IIIe République recréent un régime à l'image de celui où ils ont commencé leur carrière. Sont-ils les hommes qu'il faut à la France dans cette deuxième moitié du XXe siècle qui s'annonce ?

Ils sont pleins de bonne volonté. De Gaulle lit la lettre que lui adresse Vincent Auriol après son élection : « Avant même que j'exerce ma fonction, je tiens à élever ma pensée et l'hommage de toute la nation vers le Grand Français dont la courageuse clairvoyance [...]. Je m'efforcerai de préserver l'œuvre légendaire de la Résistance française... », etc. Sincère Auriol ! Mais comment croire qu'il puisse, dans ce cadre institutionnel, réussir ? Comment accepter l'invitation à « pendre la crémaillère avec nous, en famille, dans nos appartements de l'Élysée », qu'il adresse à « Madame la Générale et Monsieur le Général de Gaulle » ?!

« Un jour, l'État dominera par ses institutions et par ses hommes les divisions, lui répond de Gaulle.

« La foi que j'ai en notre peuple m'assure qu'en fin de compte nous parviendrons à réaliser cette condition capitale dont nous savons, par quinze cents ans d'une dure Histoire, que tout le reste dépend. »

« Un jour... », « en fin de compte »...

Vincent Auriol comprendra-t-il ? Se vexera-t-il ?

De Gaulle hausse les épaules.

Il lit les journaux qui racontent les circonstances de l'élection de Vincent Auriol. Chacun a noté l'indifférence des badauds. Aucune ferveur.

« L'élection aurait dû être un grand acte national, dit de Gaulle. Chacun sent bien qu'elle n'en est pas un. »

Il feuillette les quotidiens que l'on vient de déposer sur la table de bridge dans la bibliothèque de la Boisserie. Ils reproduisent tous les photos montrant Auriol et Blum en train de s'embrasser.

De Gaulle se lève, fait quelques pas, frappe fortement du dos de la main sur l'une des photographies.

— Avez-vous remarqué, lance-t-il, que depuis un mois Blum et Vincent Auriol n'en finissent plus de tomber dans les bras l'un de l'autre et de s'embrasser devant les photographes hilares ? C'est vraiment badin !

Il hoche la tête, scande d'une voix ironique :

« Et ces deux grands débris se consolaient entre eux. »

Il se retire dans son bureau. C'est le 30 janvier 1947. Le premier Conseil des ministres de la IVe République s'est tenu hier. Le communiste Thorez et le MRP Teitgen sont les vice-présidents du président au Conseil, le socialiste Ramadier. Bidault est aux Affaires étrangères. Le MRP Robert Schumann aux Finances. On dit que Jean Monnet est à la tête du commissariat au Plan et qu'il vient de proposer un plan quadriennal d'équipement et de modernisation. Peuvent-ils réussir alors que les institutions entravent toute volonté ? De Gaulle soupire. Peut-il laisser la nation s'embourber, doit-il se lancer dans l'action, *rassembler* autour de lui ceux qui n'acceptent pas ce système des partis ?

Rassembler. Il répète ce mot. Peut-être est-ce en effet le moment du *Rassemblement.*

Il s'assied. Il lit les derniers vœux reçus. Il y a ceux de François de Gaulle, le fils de son frère Jacques, qui se trouve au scolasticat de Sainte-Croix à Thibar, en Tunisie.

« Souvent, sache-le, écrit de Gaulle, je pense à toi, à ton enfance, à ton adolescence, au chemin que tu as choisi pour marcher dans cette vallée d'ombre vers la divine lumière... »

Il s'interrompt. Voilà une vraie vie : « étude, abnégation, prière ».

Il reprend :

« Je me suis, pour le présent, arraché à un jeu qualifié de " politique " par les pauvres diables qui en vivent, car les événements sont trop médiocres et la bassesse générale trop grande pour qu'on puisse en tirer quelque chose de bon et de fort. Il faut attendre pour ne pas se salir.

« Je t'embrasse de tout mon cœur, mon cher François. Comme à toi-même, la pensée de ton cher papa me vient souvent à l'esprit. Quelle épreuve fut la sienne et comme il l'a acceptée !

« Toutes mes meilleures affections.

Ton oncle. »

3.

Aujourd'hui, dimanche 2 février 1947, il revient de la messe en compagnie d'Yvonne de Gaulle.

Il a besoin de ce rituel de la prière, de ce cérémonial sacré qui exprime une foi, une terre, une histoire, une civilisation. Il veut se retrouver chaque dimanche avec ces paysans, ces vieilles femmes de Colombey, dans cette église austère où le chuchotement des prières garde la force et la gravité des premiers temps de la chrétienté.

Ici, pour quelques instants, il peut croire, il veut croire et se donner l'illusion de croire, à la permanence des choses.

Et pourtant, ce matin, son humeur est aussi sombre que cet hiver glacé.

Il laisse rentrer Yvonne de Gaulle dans la Boisserie. Il marche dans le parc. La campagne est noire. L'horizon est bas sur la lande. Le froid taillade le visage. De Gaulle s'arrête.

Que signifie se battre pour une bonne constitution française alors qu'un jour viendra « où la glace et la nuit prendront inéluctablement possession du monde » ? Et comment pourrait-il ne pas s'interroger au moment où les Américains expérimentent de nouvelles armes atomiques ? Comment ne pas douter ?

Il reprend sa marche. Les pas résonnent sur le sol gelé. Il vient de prier, comme on le fait depuis deux millénaires, mais peut-être pour la première fois depuis le début de cette civilisation. « La réalité pour la planète, c'est que, parmi chaque nation, chaque homme est un désespéré. » L'atome a tout changé. « L'homme, dominé par le jeu des forces de destruction, se voit constamment au bord de sa propre désagrégation. » Oui, le caractère mondial, aujourd'hui, c'est le désespoir.

Il s'immobilise à nouveau. La neige commence à tomber. Il pense à ces pages des *Mémoires d'outre-tombe* qu'il lit chaque jour. Il a l'impression qu'il sent comme Chateaubriand. Il aime la lucidité désespérée de l'écrivain. « Mais, jusque dans son désespoir, Chateaubriand fait face, se redresse de toute sa taille. »

De Gaulle respire longuement l'air glacé, puis il se dirige vers la Boisserie alors que la neige brouille l'horizon. Il scande à mi-voix cette strophe de Péguy qui l'accompagne depuis, lui semble-t-il, qu'il a une mémoire :

Vous les avez pétris de cette humble matière
Ne vous étonnez pas qu'ils soient faibles et creux
Vous les avez pétris de cette humble misère
Ne soyez pas surpris qu'ils soient des miséreux.

Après le déjeuner, devant la cheminée, il fume lentement son cigare, les yeux mi-clos. Il regarde Yvonne de Gaulle. Elle vient, en quelques phrases, de regretter qu'il songe à s'engager à nouveau dans l'action politique. Elle craint, il le sait, des tentatives d'assassinat : « C'est inévitable », a-t-elle dit. Et surtout, elle l'a répété, pourquoi constituer un Rassemblement, puisque cette idée revient ? « Parler, passe encore, dit-elle à Claude Guy, mais descendre dans cette boue pour former ce Rassemblement, moi, voyez-vous, ça me dégoûte, car de cette boue, il sera inévitablement éclaboussé. »

Il se tait. Il laisse ceux qui l'entourent, son frère Pierre, ou bien Gaston Palewski, ou Claude Mauriac, ou Claude Guy, répondre en hésitant. Il devine qu'ils attendent ce qu'il va dire. Et souvent, il se laisse aller, pour les choquer, les contraindre à réagir, ou bien tout simplement parce qu'il a besoin d'exprimer à haute voix une partie de sa pensée, parce qu'il faut que cette réalité-là, qu'il connaît, prenne une existence plus forte, pour lui, pour tous ses proches, parce que rien n'est pire que l'aveuglement, l'autosatisfaction.

– Les faits en tout cas sont là, dit-il. J'ai été battu. Les Français ont voulu cette Constitution. J'avais cru qu'ils comprendraient ce qui était en jeu, mais cela ne les intéresse pas... On a l'impression, avec les Français d'aujourd'hui, d'une gélatine insaisissable.

Il observe les réactions. Il lit l'inquiétude, la consternation. Il faut poursuivre.

— C'est épuisant, parce que, quoi qu'on fasse, rien n'advient. Oui, ils ont crié : « Vive de Gaulle ! » Ils se sont donné chaud. Ils ont applaudi. Illusions, car, de retour chez eux, ils ont repris leur sieste là où ils l'avaient laissée. Je ne me fais pas d'illusions. Il n'y a rien à tirer d'eux. Voyez-vous, quoi que je fasse, j'ai l'impression de taper dans un édredon. On imprime une marque... On s'efforce, mais l'édredon reprend sa forme antérieure et aucune trace ne demeure de votre effort...

Est-ce assez ? De Gaulle dévisage ses proches. Ils semblent atterrés. Il faut aller plus loin. Faire sortir de lui ces mots qui le rongent parfois, ces doutes qui l'assaillent, cette fureur aussi contre l'incompréhension.

— Voyez-vous, reprend-il, il y a des gens que la bassesse amuse — Churchill est de ceux-là. Moi, je l'avoue, elle me déplaît, elle me désoblige, oui, elle m'attriste.

Il soupire, se lève, écrase lentement son cigare, regarde autour de lui. Yvonne de Gaulle a quitté la bibliothèque.

— La vie ne m'amuse plus, continue-t-il d'une voix sourde. Quand on a gagné une fois, ce n'est plus amusant de gagner à nouveau... C'est entendu, je vais essayer. Mais j'essaie avec ennui...

Il va et vient devant la cheminée.

— *La gloire est le soleil des morts*, murmure-t-il.

Mais connaissent-ils cette phrase de Balzac dans *La Recherche de l'absolu* ?

Il garde un long moment de silence.

— Où voyez-vous donc du plaisir, vous, en ce monde ?

Il rit. C'est un exercice salubre que d'aller chercher au fond de soi la pensée la plus extrême, de la retourner comme une poche qu'on vide, pour que tout soit mis sur la table.

— En réalité, j'aurais préféré ne pas avoir à intervenir, reprend-il. Vivre à Colombey, jusqu'à la fin de mes jours ? Y mourir ? Mais vous savez, moi, je m'en serais bougrement satisfait.

Il hoche la tête.

— Tout au moins avec, de temps à autre, un voyage. Oui, ça m'aurait suffi.

Il pourrait leur parler encore, et au fil des jours il le fera. Il leur dira que « le fait saillant de cette époque, c'est la médiocrité ». Que « ce qui rassemble les parlementaires, c'est cela ».

Il pourrait se laisser aller à la tristesse devant eux, en leur décrivant ce qu'ils ne voient peut-être pas comme lui, qu'ils n'osent pas voir « le spectacle de la lâcheté et de l'ignominie ».

Il pourrait leur lancer : « Ils se valent tous. Ils sont tous faits pour la trahison. »

Il pourrait s'écrier : « Alors, qu'est-ce qu'ils veulent ? Ils préfèrent que la France achève de mourir ! Ils préfèrent la fin ! »

Ou bien, feuilletant les journaux, voyant comme ils rendent compte des événements, de ce qu'il dit, il pourrait s'écrier : « Il n'y a décidément rien à faire avec ces gens-là, ils ont, c'est un fait, choisi la médiocrité et la servitude. C'est donc malgré eux et contre eux qu'il faudra tenter de réveiller, de sauver le pays. Croyez-moi, tout recommence comme en juin 40, c'est le même aveuglement volontaire, la même abdication. »

Et voilà.

Il a presque malgré lui à nouveau basculé dans l'action. Il dit : « C'est moi qui souffre, je souffre profondément pour la France... Je vais tenter un Rassemblement, c'est le seul espoir. On ne peut laisser aller les choses comme elles vont. Puis-je attendre, jusqu'à ce qu'il n'y ait plus de France, pour essayer de sauver la France ? »

Alors, agir.

Il reçoit Leclerc sur le pas de la porte de la Boisserie. Les communistes d'Hô Chi Minh ont attaqué les Français à la fin de l'année 1946. La situation militaire est rétablie sous l'autorité de d'Argenlieu.

« Je suis convaincu, dit de Gaulle en entraînant Leclerc, que le gouvernement va vous proposer d'aller remplacer d'Argenlieu en Indochine. Ne vous laissez pas faire. Ne rééditez pas le précédent du limogeage de Lyautey par Pétain, cette mauvaise action devait le suivre toute sa vie et nuire à son prestige. Entre deux compagnons de la Libération, cette affaire ne serait pas convenable. »

De Gaulle ferme la porte de son bureau. Il apprécie en Leclerc la franchise, la netteté du caractère, le courage. Bien sûr, explique-t-il, il faudrait négocier avec les nationalistes, mais les communistes ne sont-ils que cela ? Ils veulent, Hô Chi Minh l'a dit, chasser les Français. Et donc, la France doit d'abord, avant de parler, rétablir un rapport de force. Et il y a une « lâcheté absurde » du gouvernement.

Il raccompagne Leclerc. L'homme est encore jeune.

« Conservez votre prestige intact, Leclerc, profitez de votre situation pour veiller sur l'Afrique du Nord, où des épreuves nous attendent. De plus, vous êtes jeune, qui sait si la France n'aura pas un jour besoin de vous. »

Agir.

Le mercredi 5 février 1947, il entre dans le petit appartement qui fait l'angle de la rue George-Sand et de l'avenue Mozart. Son beau-frère Jacques Vendroux l'a mis à sa disposition. Il voit les meubles modestes, le décor banal. Claude Guy a apporté quelques bûches de la Boisserie pour allumer un feu dans le salon, seule pièce qui sera chauffée. Arrivent Gaston Palewski, Michel Debré, Jacques Soustelle, Malraux, Bozel – qui fut le conseiller financier de De Gaulle à la Libération. Plus tard viendront Jacques Baumel – un jeune résistant de l'Intérieur –, le colonel Rémy, l'agent secret de la France Libre.

Ils sont serrés sur un canapé situé à droite de De Gaulle. Quelques fauteuils l'entourent. Il dit :

– Si j'ai tenu à vous réunir aujourd'hui, c'est parce que je pense que le moment est venu d'agir. Sous quelle forme ? Dans quel délai ? C'est ce dont nous délibérerons dans un instant.

Il mesure les hésitations des uns – Soustelle, Rémy –, l'impatience des autres – Malraux, Baumel. Mais il a déjà tranché. Il faut créer un *Rassemblement du peuple français*. C'est le moment. Jamais la situation de la France n'a été aussi critique. Blum puis Bidault ont abandonné la politique étrangère d'indépendance en liant la France aux Anglo-Américains. Les Russes s'enferment et ne soutiennent pas la politique française qui cherche à obtenir le rattachement de la Sarre. L'Empire est ébranlé. Des émeutes éclatent à Madagascar. Le sultan du Maroc a pris la tête d'un mouvement nationaliste. En Indochine, le gouvernement rappelle d'Argenlieu et nomme à sa place un parlementaire, Émile Bollaert.

« Ce qui compte maintenant, dans la politique intérieure de la France, commente de Gaulle, c'est avant tout les incidences internationales. Un Front populaire n'est plus possible du moment que socialistes et communistes relèvent chacun d'un bloc. »

Or, le président des États-Unis, Truman, a défini avec force sa politique : contenir partout le communisme, s'opposer à l'URSS, et l'on parle d'une guerre froide.

Les communistes français ont choisi leur camp. Ils refusent de soutenir la politique du gouvernement Ramadier en Indochine, à Madagascar. Ils s'alignent sur Moscou dans tous les domaines, attaquent le gouvernement sur la question des salaires.

Et cependant, le pays s'enfonce dans la misère. Jamais le ravitaillement n'a été aussi mal assuré. Jamais l'inflation n'a été aussi forte. Et les scandales éclaboussent la classe politique.

De Gaulle a une moue de dégoût : l'ignominie, partout. À propos du procès Hardy, accusé d'avoir dénoncé Jean Moulin, mais acquitté.

Il dit : « Quel mépris méritent les contorsions calomnieuses de ceux qui, aujourd'hui, voudraient exploiter à leur profit de partisans ou d'arrivistes, contre nos compagnons et moi-même, la pure gloire de Jean Moulin ! »

Et il faudrait attendre pour agir !

Il décide de se rendre chaque semaine à Paris afin d'y rencontrer des personnalités.

Il apprécie la discrétion de l'hôtel La Pérouse, proche de l'Étoile. Rémy le lui a conseillé.

« Ceci me rappelle l'hôtel Connaught », dit-il.

Il s'installe dans son appartement, le n° 23, qui lui sera désormais réservé et qui comporte un petit salon et une chambre.

Il effleure à peine d'un regard le décor. Il faut aller vite. Il bouscule Michel Debré, Soustelle. Puisque la décision de créer un Rassemblement est prise, il faut au plus tôt qu'il apparaisse sur la scène. Mais le Rassemblement ne sera pas un parti de plus.

« Je ne puis pas être l'homme d'un parti, martèle-t-il. La France ne le comprendrait pas. La France ne le voudrait pas. Je suis pour les Français un homme qui appartient à la nation. »

Il veut que cela apparaisse dès la première manifestation de son retour sur la scène publique.

– Un rassemblement à Bruneval, suggère Rémy. Laissez-moi y

convoquer tous mes camarades des réseaux de la France Combattante. Eux et eux seuls pourront implanter le Rassemblement dans tout le pays.

De Gaulle se souvient. À Bruneval, sur la côte normande, le 27 février 1942, des parachutistes anglais et canadiens, accompagnés de quelques Français Libres, renseignés et aidés par la Résistance française, ont fait sauter un radar allemand. C'était le premier exploit d'un commando allié, agissant de concert avec la Résistance, en France occupée.

– Allons à Bruneval.

C'est le 30 mars 1947.

Il monte sur la tribune dressée là où doit s'élever le monument en l'honneur du commando. Il voit en face de lui ces drapeaux, ces dizaines de milliers de visages qui crient : « Vive de Gaulle ! », et aussi, parfois, amplifié par l'écho : « De Gaulle au pouvoir ! » Duff Cooper et Vanier, les ambassadeurs de Grande-Bretagne et du Canada, sont présents. Le gouvernement de Ramadier n'a pu éviter d'envoyer des troupes qui rendent les honneurs aux côtés d'une unité britannique. Des avions de la Royal Air Force survolent le site. Des frégates tirent le canon. Le ciel est balayé par un vent froid. À l'averse succèdent parfois de larges éclaircies.

De Gaulle lève le bras. Il salue cette foule énorme composée de tous les anciens des réseaux venus de toute la France.

La voilà, la nation, loin de cette « écume du peuple qui entoure le pouvoir ».

« On a dit, commence-t-il, que les hommes sont des machines à oublier... »

Il raconte l'action de cette « Résistance française qui était la Défense nationale ». Il brandit les feuillets de son discours, pages inutiles puisqu'il connaît chaque phrase par cœur.

« Ah, mes camarades, il est vrai qu'après tant d'épreuves les voix de la division, c'est-à-dire de la décadence, ont pu couvrir pour un temps celles de l'intérêt national...

« La marée monte et descend, reprend-il. Le jour va venir où, rejetant les jeux stériles et reformant le cadre mal bâti où s'égare la nation et se disqualifie l'État, la masse immense des Français se rassemblera sur la France. »

C'est la houle des « De Gaulle au pouvoir ! ».

Il n'est pas surpris quand, le lendemain, à Colombey, on lui rapporte les réactions de Thorez, de Blum. Il est le général factieux, l'homme avec qui, dit Blum, « la lutte est dès à présent ouverte ». Et Ramadier, dans l'Aveyron, à Capdenac, a déclaré : « Il n'y a point de sauveur suprême, ni César, ni tribun... »

Comme si c'était de cela qu'il s'agissait ! N'a-t-il pas suffisamment dit qu'il condamne la dictature, qu'il ne recherche pour la France que des institutions efficaces, adaptées au monde qui s'annonce ? Mais l'art des politiciens est de dénaturer, de caricaturer.

Mais même dans *Le Figaro*, on ne comprend pas ses intentions. Le directeur, Pierre Brisson, et François Mauriac se montrent réservés. Que craignent-ils, la dictature ?

Il ricane. Il tisonne, en cette soirée du 31 mars 1947. La Boisserie est entourée d'un silence que ne raye que le bruit de la pluie.

Il fait une réussite, soulève méticuleusement les cartes, les place. Il est amer. Il murmure :

« Quand on regarde les choses de haut, de bien haut, on s'aperçoit que nulle part n'apparaît rien. Il faut reconnaître qu'en France rien ne se manifeste... Aucune force n'apparaît... Rien ne jaillit. »

Et cependant, il faut agir. Pour être fidèle à l'idée qu'on se fait de la France et de soi. Pour que l'engagement de ceux qui sont tombés n'ait pas été vain. Mais « peut-être aurons-nous incarné et vécu la dernière grande page de l'histoire de France ».

Il tire lentement sur son cigare.

« Et ce ne fut, du reste, que le sursaut de quelques-uns, des meilleurs, et ce fut peut-être le dernier. »

Il est 10 heures. Yvonne de Gaulle s'apprête à gagner sa chambre. Coup de sonnette dans le silence. Louise, la domestique, annonce : « Un monsieur demande à voir le général, de la part du président du Conseil. »

De Gaulle se lève. « Qu'il dise d'abord qui il est lui-même. »

Louise revient. C'est Paul Ramadier, le président du Conseil en personne, qui a fait le voyage de Paris, erré dans la nuit à la recherche de la Boisserie.

De Gaulle l'accueille ironiquement. Il a de l'estime pour ce fin lettré, cet helléniste, cet homme courageux qui a été son ministre du Ravitaillement.

Ramadier semble gêné. D'une voix basse, lissant sa barbe taillée en pointe, il explique que le général de Gaulle n'aura plus droit aux honneurs militaires et à la transmission radiophonique de ses discours, lors des manifestations de caractère politique. Il en ira bien sûr différemment pour les cérémonies officielles. De Gaulle l'interrompt.

— Chaque fois que je fais un discours, c'est un discours politique, dit-il.

Comme s'il pouvait se laisser dicter sa conduite par Ramadier ! Il ne doit rien à l'État. Il a même refusé la retraite de colonel qu'on voulait lui accorder. De colonel ! Car il n'est général qu'à titre temporaire ! Et il a acheté lui-même sa voiture. Il est un homme libre.

— Au surplus, reprend-il d'une voix cassante, faites ce que vous voudrez.

Ramadier insiste.

— Prenez garde de n'être pas un germe de division.

— Je ne relèverai pas votre interpellation, dit de Gaulle.

Il sert un verre de cognac à Ramadier, puis ajoute d'une voix ironique qu'il n'a aucune intention de violer la légalité, mais de dire ce qu'il pense à ses concitoyens.

Il le dit du balcon de l'hôtel de ville de Strasbourg, le 7 avril 1947. La place de Broglie est remplie d'une foule immense, enthousiaste. Qu'importe que les autorités officielles aient quitté le cortège, pour bien marquer selon les directives de Ramadier que la manifestation que la radio va ignorer est politique. Certes, personne au-delà de la place n'entendra le discours. Il le sait lorsqu'il dit, tourné vers Rémy et tous ses proches, Malraux, Soustelle, Chaban-Delmas, Albert Ollivier, Palewski, Debré, Diomède, Vallon, Catroux, Pasteur Vallery-Radot, Capitant, Claude Mauriac, qui sont là pour assister à la renaissance du Rassemblement du peuple français : « Eh bien, messieurs, quand vous voudrez. »

Il passe sur le balcon. Les cris montent. « Vive de Gaulle ! De Gaulle au pouvoir ! » Il regarde. Il n'est pas grisé. Il l'a dit. Lui parti, combien de ces cinquante ou cent mille personnes s'engageront dans le Rassemblement ? Combien s'obstineront dans l'action ?

Il explique d'une voix forte, détachant chaque mot. Il aime ces moments de parole, acte de communion et de pédagogie, célébration et levain.

« La nation, dit-il, n'a pas pour la guider un État dont la cohésion, l'efficacité, l'autorité soient à la hauteur des problèmes qui se dressent devant elle... Il est temps que se forme et s'organise le Rassemblement du peuple français qui – il marque un temps –, dans le cadre des lois, va promouvoir et faire triompher, par-dessus les différences des opinions, le grand effort de salut commun et la profonde réforme de l'État. »

Il lève les bras en V.

« Ainsi, demain, dans l'accord des dates et des volontés, la République française construira la France nouvelle. »

L'enthousiasme déferle. Il chante *La Marseillaise* qu'entonne la foule. Il faut revenir sur le balcon, y retourner encore, puis une troisième fois, et chaque fois l'enthousiasme renaît.

Qu'importe que le préfet, gêné, ne vienne présenter ses salutations que longtemps après Saverne.

De Gaulle l'ignore. Il a hâte de retrouver Colombey. Voici, dans la lumière des phares, les grilles brillantes de pluie de la Boisserie.

Il se sent bien dans le silence chaud de la maison, après le déferlement de la foule. Il va se faire servir une assiette de soupe.

Il est calme. Maintenant, les choses sont dites.

– Après le paquet que je viens de lâcher, murmure-t-il, ils ne pourront plus s'en sortir.

C'est l'optimisme d'un instant, qu'il étouffe vite. *Ils* sauront « grenouiller », s'entendre entre eux pour conserver leurs places, contre lui.

Il est tout à coup sombre. Il reste à avancer, sans illusions.

Le vendredi 11 avril 1947, il se rend chez Malraux, 19 *bis*, avenue Victor-Hugo, à Boulogne. Il est surpris, presque choqué par le luxe de l'appartement, la richesse de la décoration, le nombre des œuvres d'art de prix.

Il se tourne vers Claude Guy.

– Mais où donc trouve-t-il tout cet argent ? demande-t-il.

Claude Guy évoque les droits d'auteur de Malraux. Mais, peu importe ! Il n'est pas ici pour admirer des œuvres d'art mais pour recevoir les proches, des journalistes, des personnalités.

Il faut aussi écrire le communiqué qui, publié le 14 avril, annoncera la création officielle du RPF.

Il rédige une première version. Il est mécontent de son texte. Guy et Malraux le critiquent. Après tout, qu'ils l'écrivent ! Mais il le reprend.

« Dans la situation où nous sommes, l'avenir du pays et le destin de chacun sont en jeu... Aujourd'hui est créé le Rassemblement du peuple français. J'en prends la direction... J'invite à se joindre à moi dans le Rassemblement toutes les Françaises et tous les Français qui veulent s'unir pour le salut commun comme ils l'ont fait hier pour la Libération et la victoire de la France. »

Le 24 avril, il s'installe derrière une grande table couverte d'un tissu vert, dans la salle de la maison de la Résistance alliée, 53, rue François-Ier. Conférence de presse. Plusieurs dizaines de journalistes aux aguets, souvent hostiles. Dans leurs questions, l'intention de l'accuser d'être un « dictateur », de rêver au « parti unique », au « pouvoir personnel », et même d'avoir, durant la guerre, favorisé certains groupes de résistance au détriment des autres !

Yvonne de Gaulle avait raison ! C'est la boue, l'ignominie, la bassesse. Mais il répond, martelant la table de son poing. Il fait face durant plus de deux heures. Il conclut d'une voix forte :

« Nous sommes les enfants malheureux d'un siècle effrayant. Le peuple français doit maintenant, par-dessus ses divergences, se réunir pour sauver, dans un monde très dur, une chose sacrée, parfois oubliée, qui s'appelle notre patrie. »

Il rentre à Colombey. Il déplie les journaux, parcourt les titres. Pas un article pour le soutenir avec enthousiasme. Là – au *Monde*, au *Figaro* – les prudences pincées, les inquiétudes. Ici, dans *Le Populaire* et *L'Humanité*, le mépris ou la haine. Pour Daniel Mayer, le socialiste, il n'est qu'un « sous-Doumergue qui rêve de mater le peuple français ». Pour Duclos, le communiste, la seule différence qu'il y a entre Pétain et lui, c'est que Pétain avait choisi les hitlériens, et de Gaulle les Anglais !

Dégoût.

Les députés MRP condamnent la création du RPF. Seuls quelques élus – comme Michelet – l'approuvent.

Il est donc seul. Comme toujours. Et, au moment même où la crise politique s'aggrave, les communistes durcissent leur opposition, soutiennent les grévistes de Renault, prennent position contre le gouvernement Ramadier, auquel ils participent pourtant ! Ils suivent les consignes de Moscou qui dénonce la politique américaine, et Thorez déclare :

« De Gaulle prépare un coup de force avec la complicité mondiale des pays réactionnaires dans la ligne de la doctrine Truman ! »

Ils en sont là ! Et Daniel Mayer, le socialiste, fait chorus, pour se faire applaudir par les communistes, place de la Concorde, le 1er mai, en lançant : « Qu'as-tu fait, de Gaulle, de l'enthousiasme du mois d'août 1944 ?! »

Dégoût. Il est sali par ces mensonges, cette démagogie, cette vulgarité de la pensée.

Il faut qu'il marche dans le parc de la Boisserie, qu'il respire.

C'est le printemps. Il lui semble que la nature murmure : « Quoi qu'il ait pu jadis arriver, je suis au commencement. Tout est clair, malgré les giboulées ; jeune, y compris les arbres rabougris ; beau, même ces champs caillouteux. »

Il rentre.

La radio annonce que la crise entre socialistes et communistes, au sein du gouvernement Ramadier, atteint son point critique.

Il lance à Claude Mauriac, qui apporte le courrier à signer :

– Ils vont essayer de trouver une solution de fortune, pour éviter de Gaulle...

Il écarte les bras, se tourne vers la fenêtre, regarde cette nature pleine de sève.

– Mais les événements seront les plus forts, dit-il.

4.

De Gaulle se lève lentement en s'appuyant des deux mains posées à plat sur son bureau. Il va être 19 heures. C'est le moment.

Et cependant il reste immobile, penché, relisant machinalement les titres des journaux dont les premières pages s'étalent au-dessus des dossiers.

Il lui semble tout à coup que ces événements auxquels toute la journée il a prêté tant d'attention, les commentant avec Claude Mauriac ou Claude Guy, n'ont plus d'importance. Ces mots qui vibraient en lui, qui annonçaient la constitution, hier vendredi 9 mai 1947, d'un nouveau gouvernement Ramadier, sans les communistes, chassés de leurs postes le 4 mai, ne sont plus que des signes dérisoires. Des socialistes et des MRP ont été substitués aux ministres communistes. C'est « un tournant historique », clament les journaux, la fin du « tripartisme », peut-être l'annonce d'une guerre civile. La situation française n'a-t-elle pas empiré ? Les communistes et la CGT attisent les grèves, qui se multiplient. Le blé n'est pas livré, le pain manque, les prix flambent. La misère s'étend. Qui sait même si une guerre mondiale ne se prépare pas déjà ? L'URSS s'oppose partout aux États-Unis, récuse les projets de mise en place d'un plan Marshall d'aide à l'Europe.

De Gaulle replie les journaux. Ces mots qui ne résonnent plus en lui. Il aperçoit les photos que publie un magazine anglais, *Picture Post*, resté ouvert à l'extrémité de la table. Ces clichés le présentent face à des portraits de Hitler et suggèrent ainsi la ressemblance.

Il y a quelques instants, il s'était moqué de « ce beau travail ignoble » qui maintenant le laisse indifférent.

Il ferme le magazine. Il se redresse. C'est le moment.

Il quitte son bureau, traverse le hall de la Boisserie. Il monte lentement l'escalier.

Au premier étage, dans sa petite chambre rose, Anne l'attend, comme chaque jour.

Elle le guette quand il rentre de Paris où, désormais, il se rend le mercredi et le jeudi.

Au fur et à mesure qu'il gravit les marches, il a l'impression que plus rien n'existe d'autre que sa fille qu'il va retrouver. Que seuls comptent le mystère et la souffrance de cette enfant de dix-neuf ans, fragile, toujours enfermée en elle-même et dont le regard, le plus souvent envahi par la peur et l'incompréhension, s'illumine quand il entre dans sa chambre, s'avance vers elle.

Il pousse la porte.

Plus tard, il retrouve Claude Mauriac, retrouve les journaux.

— Tout cela n'est pas sérieux, dit-il. Il n'y a personne dans leur ministère, personne. La vérité, c'est qu'ils crèvent tous de peur. Les MRP, naturellement, mais aussi les socialistes.

Il se met à marcher dans le bureau.

— Ce que ne me pardonne pas Blum, ce qui le porte à me détester si profondément sans oser l'avouer, c'est d'avoir réussi à être ce qu'il avait entrevu qu'il pourrait être un jour : l'homme auquel la nation devrait son salut.

Il s'assied, commence à signaler les lettres que lui présente Mauriac, montre l'un des journaux qui rapportent que Churchill, qui vient d'arriver à Paris pour recevoir sa médaille militaire, n'a été accueilli par aucune autorité à l'aéroport. Pas un piquet de troupe, rien.

— Quand je vous dis que c'est l'époque de la bassesse, murmure-t-il, que nous n'avons jamais connu en France un tel triomphe de la bassesse !

Il songe à cette république de Weimar, impuissante à résoudre les problèmes qui se posaient à l'Allemagne dans les années 30.

— Nous sommes en plein Weimar, dit-il. Avec cette différence que les Stresemann et les Brüning avaient une autre envergure que les actuels dirigeants.

Comment pourrait-il, lui, de Gaulle, ne pas s'engager totalement dans l'action, quand le pays est placé dans de telles conditions ? Grèves de l'électricité et de la SNCF, violences déjà ici et là.

Il montre les dossiers. Ce sont des lettres d'encouragement, des demandes d'adhésion au Rassemblement. Tout laisse à penser qu'on peut atteindre rapidement plusieurs centaines de milliers d'adhérents. Peut-être quatre cent ou cinq cent mille.

Il signe aux côtés de Malraux, de Soustelle, de Gaston Palewski, de Rémy, des professeurs Léon Mazeaud et Pasteur Vallery-Radot, la demande d'inscription des statuts du RPF à la préfecture de police.

— Nous ne sommes pas un parti politique, dit-il, nous accueillerons tout le monde, pourvu qu'ils veuillent jouer le jeu de la France avec nous.

Il s'assied aux côtés d'Yvonne de Gaulle sur le siège arrière de la Citroën grise qui, chaque mercredi matin, le conduit à Paris. Le RPF a installé ses bureaux au 5, rue de Solferino. Il s'y rend.

Il veut tout voir, tout contrôler. Il faut que les responsables des fédérations départementales veillent à ne pas laisser des « brebis galeuses » adhérer au Rassemblement.

Il réunit les délégués régionaux et départementaux.

— Je dis donc, martèle-t-il, que la tâche est rude et que la route est dure...

Il regarde tous ces visages tendus vers lui. Il reconnaît certains d'entre eux. Il pense à tous ceux qui l'ont rejoint depuis le 18 juin 1940, puis qui, au fil du trajet, se sont écartés au gré des circonstances et de leurs ambitions aussi.

Il reprend :

— Ces compagnons, ces camarades qui sont venus les uns après les autres, il a pu leur arriver, à tel ou tel, de me quitter. Mais moi, je n'en ai jamais quitté aucun.

Il va se rendre dans toutes les grandes villes, parler pour rassembler. Il faut qu'on l'entende, malgré la volonté du gouvernement de le bâillonner en interdisant à la radio de retransmettre ses propos. Il faut que des centaines de milliers de Français le voient pour que leur force, leur nombre obligent ces élites qui, dans la presse ou au Parlement, se soucient d'abord de leur carrière et non du destin de la France, à tenir compte du RPF.

Ce sont ces gens-là, installés, qui le combattent, qui chassent du MRP Edmond Michelet ou Louis Terrenoire, député et journaliste, parce qu'ils se déclarent gaullistes.

Maintenant, il gagne en voiture la rue Dumont-Durville. La Citroën roule lentement afin de parvenir devant l'entrée de service de l'hôtel La Pérouse, au moment où la rue sera vide.

Il aperçoit Bonneval, son aide de camp, qui se précipite, ouvre la portière. Il descend rapidement, suivi d'Yvonne de Gaulle. Il attend dans les couloirs de l'hôtel que le hall soit désert. Bonneval l'avertit qu'il peut s'avancer, prendre l'ascenseur jusqu'au deuxième étage. Il apprécie la discrétion de cet hôtel, l'appartement n° 24, plus aéré que celui qu'il a d'abord occupé – le n° 23. Il s'avance vers la fenêtre de la chambre qui se trouve à l'angle de la rue Jean-Giraudoux et de la rue La Pérouse.

Le quartier est calme. Mais il aperçoit sur l'un des bancs proches de l'hôtel une silhouette. Sans doute l'un de ces inspecteurs des Renseignements généraux que le ministre de l'Intérieur, le socialiste Édouard Depreux, place à ses trousses pour le surveiller, connaître les personnalités qu'il reçoit ici, dans le petit salon attenant à la chambre et déjeunant parfois avec elles, servi par Albert, le maître d'hôtel, efficace, qui se prétend « gaulliste » et qui est peut-être un informateur de la police !

Le 21 mai, il déjeune ainsi avec Jacques Vendroux. Il écoute avec attention son beau-frère, qui est député. Vendroux indique comment, de Pleven à René Mayer, les parlementaires importants se montrent réservés à l'idée de s'engager aux côtés de De Gaulle, dans le RPF.

De Gaulle hausse les épaules.

– Ce sont des veaux, dit-il. Ils s'en rendront compte quand il sera trop tard. Cela n'a d'ailleurs pas d'importance, nous nous passerons facilement d'eux. Mais vous verrez qu'un jour ou l'autre ils feront à nouveau la queue à la porte de mon bureau !

Il cherche son perce-cigare à la gaine en argent et à la pointe en ivoire.

– On peut concevoir des circonstances qui contraignent un fumeur à abandonner sa cigarette, dit-il à mi-voix d'un ton badin en perçant le cigare puis en chauffant l'extrémité. Mais il n'est pas un événement, si tragique soit-il, il n'est pas une considération – il hoche la tête –, hormis bien entendu les convenances, qui puisse forcer un honnête homme à lâcher son cigare.

Il aspire les premières bouffées, ajoute d'une voix lente :

– Je ne pensais pas que René Mayer me lâcherait si vite.

Il lève la tête. Ce qui compte, ce ne sont pas les René Mayer, mais le peuple qu'il va rencontrer, auquel il va s'adresser.

À Bordeaux, sur la place des Quinconces, il voit la foule à perte de vue sous le ciel bleu d'un jeudi de l'Ascension que la brume peu à peu blanchit. Il parle du gouverneur général Éboué, son compagnon en Afrique qui fit ses études à Bordeaux. Il évoque son combat et les leçons qui en découlent. Il exalte l'Union française des peuples différents, puis il s'écrie : « Elle exige donc, la France, un État fort dont la tête en soit une ! » On l'acclame.

À Lille, à l'hippodrome des Flandres, il lance : « Nous autres, gens du Nord, sommes fiers », et, détachant chaque mot, il propose l'association entre le *capital* et le *travail* et l'action entre ces deux forces d'un « arbitre suprême, impérial, l'État ». Il dresse les bras : « Voici l'heure où c'est le devoir de nous lier les uns aux autres. Voici l'heure du Salut public. »

Ne pas avoir peur des idées et des mots.

Ignorer ces basses manœuvres gouvernementales qui tentent de faire croire à l'existence d'un « plan bleu », un complot fasciste dans lequel, naturellement, seraient impliqués des gaullistes, comme le général de Larminat et, pourquoi pas, Kœnig !

Il sent que les mots portent. Il y a une immense foule encore à Alençon, où il parle avec Leclerc à ses côtés.

Une autre à Saint-Marcel de Bretagne, là où ont combattu les maquisards et les parachutistes de la France Libre.

Il s'adresse, à Saint-Nom-la-Bretèche, aux anciens de cette France Libre : « La France, dit-il, nous l'avons sauvée pour elle-même, c'est-à-dire pour son passé, son présent et son avenir. »

Il se sent joyeux, serein, calme. Il se bat. Mais il n'a pas d'illusions. Il feuillette les journaux, en voiture, dans le petit salon de l'hôtel La Pérouse, ou bien à la Boisserie, où il reçoit les proches, Louis Vallon, Malraux, Chaban-Delmas, le général de Bénouville.

Il montre les titres.

« Ce qui est incroyable, dit-il, c'est la carence des journaux. Au lieu de préparer l'opinion à la catastrophe, ils l'endorment... »

Il lit les déclarations des responsables des partis. Ramadier dénonce, devant les grèves qui s'étendent, « un chef d'orchestre clandestin ». Guy Mollet, le secrétaire général du parti socialiste, mène campagne contre le Rassemblement : « L'existence de la République est mise en cause », répète-t-il de réunion en réunion.

De Gaulle lit une déclaration du communiste Jacques Duclos : « La France n'est que notre pays, mais l'URSS est notre patrie. »

Est-il possible de tolérer cela ? Voilà le vrai péril qui menace le pays.

Il se rend à Rennes. Sur la pelouse du terrain de la Croix-Rouge, ils sont des milliers à l'acclamer.

Il commence à parler d'une voix grave :

« Il y a, dit-il, un bloc de près de quatre cents millions d'hommes... Sa frontière n'est séparée de la nôtre que par cinq cents kilomètres, soit à peine la longueur de deux étapes du Tour de France cycliste. »

Il s'interrompt. La foule est attentive. Oui, il parle du pays de Staline, de cette URSS qui a étendu son régime sur tant de nations d'Europe, qui reconstitue une Internationale communiste – le Kominform –, qui donne ses ordres aux communistes français, extermine les hommes politiques qui s'opposent à elle, comme le leader bulgare Petkov.

Il hausse la voix.

Il existe en France, reprend-il, un « étrange parti ». « Sur notre sol, au milieu de nous, des hommes ont fait vœu d'obéissance aux ordres d'une entreprise étrangère de domination dirigée par les maîtres d'une grande puissance slave. »

Il ne prononcera pas le mot de communiste. À certains de ceux-là, dans la Résistance, il le dit, il a fait confiance. Il les a appelés dans son gouvernement.

« J'ai joué ce jeu. Je l'ai joué carrément. »

Mais aujourd'hui, ils sont devenus des *séparatistes*. « Ils veulent plier notre beau pays à un régime de servitude totalitaire. »

Contre eux, contre les séparatistes, il faut se battre pour « l'unité de la nation ».

On l'acclame. Il sent bien qu'on s'inquiète de son « anti-communisme ».

Sont-ils donc aveugles ? Ne voient-ils pas ce qu'est l'URSS de Staline ? N'ont-ils pas lu ce livre qu'on s'arrache pourtant, *Le Zéro et l'Infini*, d'Arthur Koestler, ou bien le témoignage de ce Soviétique enfui d'URSS, Kravchenko, qui publie *J'ai choisi la liberté* ?

Il accompagne ses phrases d'un large mouvement énergique des bras :

« Les gens qui se résignent n'ont rien à faire dans ce pays et dans ce siècle, sinon de servir de complices au mal en attendant qu'ils lui servent d'esclaves. »

Il rentre à Paris. Il écarte d'un mouvement les journaux qu'on lui tend. Il lui a suffi d'un regard pour imaginer la teneur des articles. *L'Humanité*, communiste, hurle, dénonce, voue aux gémonies le « général des trusts », le « fasciste », barre sa première page d'appels à la vigilance contre le « complot ».

Il gagne la salle où se tient la réunion du conseil de direction du RPF, au 5, rue de Solferino.

Il écoute Jacques Soustelle, qui lui fait face, de l'autre côté de la grand table, souligner de son ton professoral l'importance de ce discours de Rennes : « Pour la première fois depuis la Libération, dit Soustelle, une voix ose s'élever pour dénoncer le péril communiste, comme elle l'a fait en 1940 pour dénoncer la capitulation. »

De Gaulle se tait, se tourne vers Malraux, assis à sa droite. Malraux approuve, ajoute : « Il n'y a plus de démocratie possible que dans les pays où le parti communiste n'existe pas. »

De Gaulle écoute, se penche vers Malraux pendant que d'autres membres de la direction interviennent.

— Fondamentalement, chuchote-t-il, ce qui manque aux communistes, c'est le talent.

Il hoche la tête.

— Le talent, reprend-il. Sans le talent, on n'est pas suivi.

Il se tait. Il croit à la fois à la menace communiste, au danger que le « séparatisme » fait peser sur l'unité de la nation et, en même temps, malgré la violence qui commence à se déchaîner ici et là, sur les lieux de travail, dans les municipalités tenues par les communistes, il n'imagine pas que leur parti choisisse la voie de la guerre civile. Les chefs communistes savent qu'ils ne seraient pas suivis. Mais l'affrontement n'en est pas moins réel. Et il faut faire de la lutte contre le séparatisme le ressort de la campagne du RPF.

Il le dit à Malraux, délégué à la propagande. Puis, d'un signe, il demande le silence.

« Une occasion va s'offrir à chaque Française et Français de faire connaître sa volonté, commence-t-il. Le Rassemblement présentera des candidats dans toute la France aux élections municipales d'octobre. »

Il sait qu'il surprend. Il voit les visages étonnés de Rémy, de Louis Vallon, d'Olivier Guichard et de Roger Frey – les délégués pour la région parisienne et la province.

– Mon général, je ne comprends pas, dit Rémy. Des candidats aux élections ? Mais alors, nous allons devenir un parti comme les autres...

– Mon bon Rémy, répond de Gaulle, vous n'y entendez rien !

Il se lève. Il est décidé à parcourir la France à nouveau. Il ouvrira la campagne électorale à Bayonne, il se rendra à Lyon, à Alger.

Il ignore la fatigue. Il a l'impression que l'opinion le porte et en même temps, parfois, quand il descend de ces tribunes, que la foule se disperse, qu'il se retrouve dans le petit salon de l'appartement n° 24 de l'hôtel La Pérouse, ou bien dans les bureaux du RPF, rue de Solferino, ou encore dans la solitude du parc de la Boisserie, il mesure l'écart entre ces moments d'exaltation, ces *Marseillaise* chantées à l'unisson de la foule, et la réalité, que la médiocrité des hommes, le silence de la campagne ou bien les « grenouillages » des politiciens en place expriment.

On le félicite pour ses discours.

Celui de Rennes, contre les séparatistes, dit Rémy Roure, son ancien compagnon de captivité en 1917-1918, et qui maintenant est devenu éditorialiste au *Monde*, « est une philippique aux arêtes de diamant ».

De Gaulle hoche la tête :

– Les discours ? Je n'en attends rien que cela : prendre date pour plus tard.

Il sourit quand l'un ou l'autre de ses proches se dit persuadé que les hommes en place – ainsi que le président de la République,

Auriol – l'appelleront au pouvoir, en cas de victoire massive aux élections, même si elles ne sont que municipales.

Il fait non d'un mouvement de tête.

– Entre eux et moi, dit-il, il faut bien le comprendre, c'est une question de régime.

Il a une moue de dédain.

– Comment gouvernerais-je avec de tels hommes ? Dès notre arrivée au pouvoir, ils me trahiront.

Il fume, les yeux mi-clos.

– Bref, ils vont dégringoler la pente de plus en plus vite et nous entraîner avec eux... Et ils sont très contents comme cela, et si tranquilles.

Il parle lentement, la voix sourde.

– Je les méprise d'une façon inénarrable. Je ne peux pas dire que je les déteste. On peut détester Hitler ou Staline. On ne peut pas détester le néant. Ce sont des pantins si misérables ! Comment voulez-vous que j'éprouve des sentiments d'hostilité contre un Gay, un Le Troquer, un Bidault, ce « cher petit homme » ! Mais je les méprise du fond du cœur, ça oui ! S'ils m'avaient gardé... J'étais leur seul espoir, la seule chance du régime.

Il écrase lentement le bout de son cigare.

– S'il nous faut revenir au pouvoir, dit-il lentement, d'un ton grave, ce sera une bien lourde épreuve.

Et peut-être est-elle proche ? Il parle à l'hippodrome de Vincennes devant plusieurs centaines de milliers de personnes enthousiastes.

– Vous êtes d'accord avec moi ? crie-t-il.

– Oui ! hurle la foule.

Elle rit quand il ridiculise « les petits partis qui cuisent leur petite soupe au petit coin de leur feu ».

Dans chaque ville où il passe, au Vélodrome d'hiver où on lit l'un de ses messages, c'est le même élan.

Les adhésions au RPF se multiplient. Claude Mauriac lui présente des projets de réponse à ces nouveaux adhérents.

– Je n'ai pas à remercier ceux qui adhèrent au Rassemblement, dit de Gaulle. Ne leur faites surtout pas croire qu'ils me rendent service, alors que c'est moi qui, au contraire, ai droit à leur reconnaissance...

Parfois, il se sent écrasé par le poids de son engagement.

Il regarde Yvonne de Gaulle. Il sait qu'elle a pris la décision d'être toujours à ses côtés, de ne plus accepter, comme au temps de la France Libre, ces longues périodes de séparation. Il est touché par cette présence, qui rompt la solitude où il a souvent le sentiment d'être enfermé quand une foule d'anonymes se presse autour de lui.

Mais il sait aussi qu'elle est angoissée par l'action politique dans laquelle il s'est à nouveau plongé.

Parfois, elle murmure : « Oui, tout cela finira mal. » Parfois, il comprend qu'elle songe à cette prédiction qu'une voyante lui fit autrefois en Pologne. S'il se mêlait à l'action publique, avait-elle prophétisé, il finirait pendu !

Il rassure Yvonne de Gaulle. Ce n'est pas la mort qu'il craint, mais la boue, la médiocrité des hommes, l'ennui des tâches quotidiennes où l'on s'use.

Il s'emporte. Il doit tout contrôler. Il dicte une note pour Jacques Soustelle :

« Je répète une fois de plus que personne ne peut ni ne doit faire de déclaration à quiconque quant à ce qui me concerne personnellement.

« Ce que je pense, ce que je fais, ce que je projette, c'est mon affaire. Il n'appartient qu'à moi de le dire ou de le taire.

« Prière d'en tenir compte absolument et de faire le nécessaire auprès de tous les membres de mes services pour qu'ils se conforment, eux aussi, à cette règle indispensable de convenance et de tactique. »

Quand la fatigue, l'irritation, l'inquiétude pour ses proches l'emportent, il sent le doute l'envahir. Il voit alors distinctement cette face noire de la réalité. Il la regarde. On ne peut agir la tête enfoncée dans le sable. Le pessimisme est aussi nécessaire que l'obstination.

— Peut-être, murmure-t-il, les Français ne sont-ils plus capables de se redresser... Il y a des nations qui meurent. Oui, cela s'est vu déjà...

Mais, à cette pensée, tout son corps se cabre. Il se redresse.

— L'essentiel, en politique, dit-il, c'est de ne jamais transiger sur nos certitudes, de ne pas faire le malin, de ne pas jouer au plus fin, de ne pas calculer : tel est le devoir mais aussi la sagesse, car les habiles finissent toujours par avoir tort.

Allons !

Il vote pour le scrutin des élections municipales, le dimanche 26 octobre 1947, à la mairie de Colombey-les-Deux-Églises, à l'heure de la messe.

Et dans la France, c'est un raz de marée pour le RPF. À peine né pourtant, il remporte près de 40 % des suffrages. Lille, Bordeaux – avec Chaban-Delmas –, Marseille, Strasbourg, Paris – et Pierre de Gaulle, ce jeune frère, le voici président du conseil municipal de la capitale – ont des maires RPF, comme treize des vingt-cinq plus grandes villes de France.

Triomphe. Mais que faire de cette victoire ?

Négocier avec les hommes des partis ? Il faut plutôt recourir au peuple.

De Gaulle dicte rapidement, le 29 octobre, une déclaration :

« Les pouvoirs publics actuels se trouvent privés de la base légitime qu'est la confiance de la nation... L'Assemblée nationale actuelle doit être dissoute au plus tôt. »

Et s'ils refusent ? Si la peur de tout perdre dans de nouvelles élections les conduit à se serrer les uns contre les autres, à bâtir ce qu'ils appellent la « Troisième Force », entre communistes et RPF, rejetés aux extrêmes ?

C'est un risque. Mais il ne se sent pas capable de faire autrement que d'exiger un renouvellement complet.

– Quant à gouverner avec des Daniel Mayer, Bidault et autres farfelus, s'exclame-t-il, non, jamais de la vie !

Il ne le peut pas.

– Je préférerais crever, reprend-il.

Il évoque à nouveau la dissolution de l'Assemblée.

– Je leur donne la solution, conclut-il. C'est la seule solution démocratique, c'est d'ailleurs comme ça qu'on a fait la République.

Mais se souviennent-ils, ces hommes-là, de la République, même s'ils ne cessent de l'invoquer ?

Il lit les déclarations des uns et des autres.

Bidault répète : « Le MRP fera tout pour empêcher un déchirement de la nation. » Cela veut dire exclure Michelet, Terrenoire, combattre le Rassemblement.

Quant aux socialistes, ils entonnent le grand air de la Défense républicaine : « De Gaulle est condamné historiquement et fatalement à devenir un dictateur », affirme Guy Mollet. « Le jour où de Gaulle aurait pris le pouvoir, il ne le quitterait plus, sauf par la guerre civile ou par la guerre internationale. »

Comment avoir de l'estime pour ces gens-là !

Et Blum ajoute : « Par ses procédés et par son but, l'entreprise gaulliste n'a plus rien de républicain. » Et Auriol de surenchérir.

Et naturellement, il y a la haine des communistes, qui crient : « Le fascisme ne passera pas ! »

Tout cela glisse sur lui. Il a déjà tellement reçu de pluie !

Il écrit un mot rapidement à Philippe, qui est désormais affecté à la base aéronautique navale d'Hyères.

« Mon cher Philippe,

« Le succès du Rassemblement est triomphal. Les grenouilles coassent désespérément. »

Il est ému par les lettres qu'il reçoit de sa fille Élisabeth, qui se trouve en compagnie de son mari Alain de Boissieu, à Brazzaville :

« Grâce à ce que vous avez écrit, ma chère Élisabeth, mon cher Alain, nous discernons quelle est votre existence équatoriale, de quelle sorte est votre habitation, par quoi vous êtes entourés. Nous en parlons, votre mère et moi, comme bien vous pensez. »

Il annonce que Philippe est fiancé à une Mlle de Montalembert, et que le mariage est fixé au 30 décembre 1947.

Quelques phrases pour faire à ses enfants le point de la situation. Il le doit.

« Le Rassemblement a eu un bon départ..., écrit-il. La France dépouille peu à peu la gangue de démagogie et de sottise dans laquelle on avait voulu l'enfermer... Ce qui s'est passé les 19 et 26 octobre a montré que la France n'était pas finie du tout.

« Je vous embrasse bien tendrement, mes chers enfants. Comme le dit Élisabeth, deux ans sont courts, après tout. En attendant, il faut vivre.

Votre père très affectionné. »

Oui, il faut vivre.

Il va avoir ciquante-sept ans dans quelques jours. L'essentiel de la vie est passé. Et tant de tâches encore à accomplir.

Il ressent ce qui se passe chaque jour dans le pays comme un appel à l'action.

Grèves violentes, insurrectionnelles presque, même s'il ne croit pas à la volonté des communistes de conquérir le pouvoir par la force. Mais le trafic ferroviaire est paralysé. On se bat à Marseille. Le palais de justice est envahi par les manifestants. Il y a un tué. Le maire RPF, Carlini, est roué de coups. *L'Humanité* sort des éditions spéciales avec un grand titre rouge : « Coup d'État machiné pour minuit. Démocrates, vous avez la force de vous défendre. »

Malraux ne couche plus chez lui.

De Gaulle écoute Claude Guy annoncer qu'il a sollicité la présence d'une dizaine de gendarmes à Colombey. Et il voudrait que, dans l'entrée de la Boisserie, soit déposée une mitraillette pour résister le cas échéant.

Yvonne de Gaulle lève les yeux au ciel. Il l'entend qui répond à Claude Guy : « Quand bien même une mitraillette serait à portée de sa main, il ne s'en servirait pas... Vous ne le connaissez pas, si vous croyez qu'il se servirait de votre machin ! »

Il sourit. La mort vient toujours quand elle doit. N'y pensons pas.

Mais le pays s'enfonce dans la crise. Le gouvernement Ramadier démissionne le 19 novembre 1947. Blum se présente devant l'Assemblée pour solliciter l'investiture. De Gaulle lit son discours en hochant la tête. L'habile Blum a naturellement parlé du « double danger... d'une part le communisme international a ouvertement déclaré la guerre à la démocratie française, d'autre part il s'est constitué en France un parti dont l'objectif unique est de dessaisir la souveraineté nationale de ses droits fondamentaux ». Le RPF, bien sûr.

De Gaulle ricane. C'est cela ! En ayant créé le référendum, en donnant le droit de vote aux femmes, en appelant à de nouvelles élections !

— Cette Troisième Force lamentable, mais c'est Vichy, lance-t-il. Comme Vichy, ces messieurs sont à la fois contre l'ennemi et contre la guerre. Ils ne veulent pas être dans le camp de l'ennemi, c'est-à-dire dans celui des communistes, mais ils ne veulent pas non plus se résoudre à la guerre, c'est-à-dire à me suivre... Voyez ce malheureux Blum, encore animé par une seule préoccupation, la haine qu'il me voue, cette haine qui est la seule chose qui les unit encore...

Mais Blum n'obtient pas l'investiture, et c'est un démocrate-chrétien, Robert Schuman, qui forme le gouvernement. René Mayer est aux Finances, le socialiste Jules Moch à l'Intérieur.

De gaulle se souvient de Robert Schuman, qui fut lui aussi sous-secrétaire d'État dans le dernier ministère Paul Reynaud en 1940. Et qui vota les pleins pouvoirs à Pétain... Il jette un coup d'œil sur la composition du ministère Schuman. Il soupire avec lassitude en se frottant les yeux.

– Tout cela n'a aucune importance, murmure-t-il.

22 novembre 1947. Voilà. Cinquante-sept ans. Il répond aux vœux qu'on lui a adressés. Il s'attarde un instant sur la lettre de Georges Pompidou, un membre de son cabinet. Ce jeune universitaire, devenu conseiller d'État, veille aussi sur la gestion de la Fondation Anne-de-Gaulle.

« Je veux vous dire, à cette occasion, combien profonde est mon estime pour vous, lui écrit-il. L'avenir ne nous appartient pas. Mais s'il s'y prête, sachez que je compte sur vous et avec une entière confiance. »

Il se souvient de cette phrase quand, le vendredi 28 novembre, descendant du premier, il aperçoit, dans le hall de la Boisserie, sortant de la cabine placée sous l'escalier, Claude Guy, le visage crispé, pâle. Il murmure :

« L'avenir ne nous appartient pas. »

Il s'arrête, s'appuie à la balustrade. Il attend.

– Le commandant de Bonneval, commence Guy d'une voix éteinte, me prie de vous dire, mon général, qu'il se peut que le général Leclerc ait péri cet après-midi dans un accident d'avion...

C'est comme si son corps était plongé dans la glace. Il ne sent plus rien. Il est vide.

– Que veut dire « il se peut que » ?

Mais il sait. Il s'enferme dans son bureau. L'émotion, la tristesse, le désespoir exigent la solitude. Il se laisse aller quelques instants, le corps affaissé. Mais il doit se redresser quand Guy apporte la confirmation de la mort de Leclerc, dont l'avion a été pris dans une tempête de sable en se dirigeant vers Colomb-Béchar.

De Gaulle murmure :

– C'est une catastrophe nationale...

Il glisse la main dans sa poche. Il sent sous ses doigts la lettre que lui a adressée Leclerc, il y a trois jours, pour lui annoncer qu'il partait en Afrique du Nord afin d'être sur place si les communistes, comme certaines informations le laissent penser, déclenchaient làbas des « opérations ».

De Gaulle a la tentation de prendre une cigarette, et puis tout à coup il écrase dans sa main le paquet de Players. Il ne fumera plus. Il doit ménager ses forces. Il doit faire ce sacrifice. Leclerc n'est plus là pour prendre la relève, si nécessaire.

De Gaulle a dans la bouche une âpre salive. Mais il serre les dents. Il résiste. Il ne fumera plus.

Il s'enferme dans son bureau. Il écrit à la générale Leclerc.

« J'aimais votre mari, qui ne fut pas seulement le compagnon des pires et des plus grands jours, mais aussi l'ami sûr dont jamais aucun sentiment, aucun acte, aucun geste, aucun mot ne fut marqué même d'une ombre par la médiocrité. Sous l'écorce, nous n'avons jamais cessé d'être profondément liés l'un à l'autre. »

Des larmes lui viennent aux yeux. Il pense à cet « itinéraire terrible et merveilleux que Leclerc a parcouru » du Tchad à Paris, à Strasbourg, à Berchtesgaden.

« Pas une ombre sur ce tableau. »

Il reçoit dans les jours qui suivent une invitation de Robert Schuman à participer aux funérailles nationales de Leclerc, comme s'il n'était, dans cette histoire glorieuse, qu'un quelconque général qui prendra sa place, perdu parmi les autres autorités.

« Je n'ai fait aucune réponse à cette lettre qui, de la part d'un homme qui se dit " président du Conseil " en 1947, est vraiment trop " moche ". »

Il a un mouvement de dégoût.

« Leclerc avait une chose que les autres n'ont pas. Aucune parole ni aucun geste n'était jamais vulgaire ou médiocre. »

Il montre les deux lignes – deux lignes ! – consacrées par

L'Humanité à la mort de Leclerc. Pas un mot pour évoquer la carrière du libérateur de Paris, mais, sur ces deux lignes, une précision : « Leclerc, de son vrai nom comte Philippe de Hauteclocque. »

Manière de susciter, chez le lecteur, la suspicion contre ces aristocrates !

Tout cela est méprisable ! Dérisoire !

Et pendant ce temps, les députés communistes s'accrochent à la tribune dans l'hémicycle. Duclos hurle : « Le président du Conseil est un ancien officier allemand... C'est un Boche ! À bas les Boches ! Vive la République ! »

Injures, coups. Des heures durant, les députés s'invectivent. Voilà le système qui ridiculise la France et la rend impuissante.

Les députés se battent. Les grèves paralysent le pays. On appelle des réservistes sous les drapeaux. Il y a des tués ici et là, lors des heurts entre ouvriers et forces de l'ordre. Jules Moch, qui fut résistant, dont la famille a péri, se fait insulter, traiter d'« émule de Goebbels et de Philippe Henriot », d'assassin, de fusilleur.

C'est le 1er décembre 1947. À la Boisserie, parfois, l'électricité est coupée du fait des grèves. De Gaulle est assis dans la bibliothèque. Il regarde Yvonne de Gaulle qui tricote. Le chat Poussy passe et repasse, se frotte à Claude Guy.

— En somme, voyez-vous, dit de Gaulle, il y a deux solutions. Ou bien ils s'enfoncent, ou bien les événements les chassent.

Il se lève, d'un geste machinal il cherche le paquet de cigarettes.

— Je ne fumerai plus jusqu'à la prochaine guerre, dit-il. Je recommencerai à fumer s'il y a la guerre.

Il passe dans le salon, revient avec une bouteille de vieux porto.

— Tenez, buvons un peu et réjouissons nos cœurs ! lance-t-il.

5.

Il ne peut pas parler, comme si les mots restaient englués dans cette bouche qui brûle. Il lève la tête. Il regarde la campagne ensevelie sous la neige. Les branches des arbres du parc de la Boisserie fléchissent sous l'épaisseur de la couche blanche. Mais cette neige est un miroir terni. Le ciel est bas, plus noir que gris.

De Gaulle sent monter en lui une vague de désespoir, d'irritation et de colère même. Il se saisit de quelques noix placées dans le compotier. Il les brise. Il jette un coup d'œil à Claude Guy et à Yvonne de Gaulle, assis de part et d'autre de la table et dont il devine que son silence leur pèse, les inquiète.

Il souffre, oui, a-t-il envie de crier. Il est humilié par ce besoin de fumer si tenace, si irritant, qui semble déchirer la bouche, la tête.

Il s'en veut d'être intoxiqué à ce point. Mais il ne cédera pas. Jamais. Ce qui est dit est dit. Il se masse le visage, lentement, longuement, avec la paume des deux mains.

– Aujourd'hui, voyez-vous, dit-il tout à coup, c'est la retraite de Russie.

Il ricane.

– C'est triste, que c'est triste !

Il se lève, claque la porte. Il s'enferme dans son bureau. Il va et vient. Il doit gagner Paris dans quelques minutes, et cela l'accable. Son corps est douloureux. Est-il possible que la privation de tabac provoque de tels malaises ? Il dort difficilement. Il lui semble même qu'il ne peut plus penser, tant l'obsession de fumer, à certains moments, est forte.

Claude Guy entre. Il l'observe. L'aide de camp cherche des dossiers. De Gaulle abat lourdement sa main sur son bureau. Il crie.

– Eh bien, prenez-les !

Il sort de la pièce, monte au premier étage. Aussitôt, il se calme. Il entend Anne qui toussote. Il entrouvre la porte, redescend.

– Cher ami, dit-il à Guy, j'allais oublier, allons prendre le café.

Puis il reste silencieux. C'était le moment du cigare, et il n'est pas un point de sa bouche et de sa gorge qui ne soit douloureux.

– Je vais m'en aller tout doucement d'un cancer, dit-il brusquement, un cancer à la base de la langue.

Puis il hausse les épaules. Il faut partir. Faire face, surmonter ces troubles. Mais il ne peut retrouver l'élan.

Il se rend à Paris, chez la veuve du général Leclerc. Et, au moment où il la quitte, où la porte de l'appartement se referme, il se sent défaillir. L'émotion, la peine ont été trop fortes.

– Yvonne, donnez-moi votre bras, murmure-t-il, j'ai besoin de m'appuyer dessus.

Il pleure. Il avait tant besoin, autour de lui, d'hommes comme Leclerc, et non de ces arrivistes qu'il devine déjà au sein du RPF, en train de « grenouiller », d'espérer, comme les autres – ceux qui s'injurient à l'Assemblée –, une place, les honneurs et les palais officiels. Il pense à Jean Moulin, dont la sœur, Laure, lui a fait parvenir le journal, qu'elle a publié sous le titre de *Premier Combat*. Moulin comme Leclerc « servaient pour servir, mais avec quelle capacité et quelle noblesse ! ».

Il se reprend, mâchonne des pastilles, puis du chewing-gum. Il s'installe dans le salon de l'appartement de l'hôtel La Pérouse.

Il doit recevoir Foster Dulles, le secrétaire d'État américain, venu à Paris pour annoncer une aide d'urgence avant l'entrée en application du plan Marshall. Et sans doute, aussi, analyser la situation, alors que les grèves, parce qu'elles s'effilochent, deviennent de plus en plus violentes. Il y a des morts, à Valence, à Saint-Omer. Le train Paris-Tourcoing, sans doute à la suite d'un sabotage, a déraillé, et on dénombre seize victimes. Certaines s'affolent. François Mauriac, qui a signé un manifeste en faveur de la Troisième Force, ne couche plus chez lui !

Il s'emporte. Il ne voulait pas recevoir Dulles. Mais, autour de lui, ils se sont arrangés pour le contraindre à ce rendez-vous. Tous, ils « grenouillent », et même Palewski, et même Soustelle.

– N'est-ce pas, ils ne peuvent pas s'empêcher de jouer des coudes ! Ils veulent qu'on les voie.

Mais l'entourage peut imaginer ce qu'il veut ! Lui, de Gaulle, refusera toute concession avec le système, toute négociation avec ces gens de la Troisième Force. Une erreur ? Il hausse les épaules. À quoi servirait d'accéder au pouvoir pour y être entravé ?

Il est 16 heures, ce samedi 6 décembre 1947. Voici Foster Dulles. De Gaulle éprouve, à exposer ses solutions aux problèmes internationaux, une vraie jouissance, qui peu à peu efface sa colère, son malaise. Il brosse un tableau de l'Europe qui devrait s'unifier sur le plan économique. Il suit du regard la main de Foster Dulles, qui prend des notes sur le dos d'une enveloppe.

Mais il faudrait être à la tête de la nation, et le régime « épuisera jusqu'à la plus minime planche de salut » pour durer, quel qu'en soit le coût pour le pays !

Il faut donc reprendre le bâton de pèlerin, parler à Saint-Étienne. La ville ouvrière a choisi un maire RPF. Plus de cent mille personnes se pressent place des Ursules. De Gaulle vante une fois de plus l'association entre le capital et le travail.

« Assez de cette opposition entre les divers groupes de producteurs qui empoisonne et paralyse l'activité française ! » s'écrie-t-il.

Il rentre à Paris. Il faudra qu'il aille parler à Marseille, parce que les communistes, là-bas, doivent être submergés par le nombre, parce que cette ville est un de leurs points forts et qu'ils y ont agressé le maire RPF. Il faut leur montrer qu'ils ne peuvent y faire la loi. D'ailleurs, ils perdent du terrain. La CGT, le 9 décembre, a finalement décidé de mettre fin aux grèves, et ses adversaires dans le monde ouvrier se sont séparés d'elle, créant d'autres centrales syndicales, la FEN, la CGT Force ouvrière.

Mais cela suffira-t-il à faire du Rassemblement la force capable de rénover le système politique ?

Il faut toujours voir la réalité en face. Il pense à haute voix sans amertume, devant ses proches.

– Quoi que je fasse, dit-il d'une voix lente, vous aurez tout d'abord environ deux millions et demi de révolutionnaires, ceux qui souhaitent perpétuellement le chambardement. Je ne dis pas qu'ils ne soient pas estimables, mais ils me demeureront toujours strictement opposés. Et puis...

Il mordille l'extrémité d'un de ses doigts.

— Vous avez deux millions de ratés, de cocus, d'aigris et de jaloux. Ils constituaient la plus grosse partie de la clientèle radicale, puis ils sont passés au socialisme. Ceux-là en veulent aux gens en place pour cette raison qu'ils sont en place... Deux millions de ratés qui me demeureront opposés.

Il sourit, penchant un peu la tête.

— Troisièmement, vous aurez toujours contre moi un million de démocrates-chrétiens, ils n'aiment que le vaporeux, que l'irisé, que l'imprécis ; hors le brouillard, tout les choque. Il y a enfin un million de traditionalistes de droite, émigrés de l'intérieur, en voulant à la France d'être la France...

Il soupire. Parfois, certains de tous ceux-là, sauf les révolutionnaires, « feront semblant d'aller à de Gaulle » pour un temps.

— Mais je ne me fais aucune illusion.

Il sourit à nouveau.

— Alors... Eh bien, alors, il reste les autres ! Les autres, eux, viendront tous, s'agrégeront, oh... je le sais bien, par peur !

Il a le sentiment qu'il vit un moment étrange de sa vie. Parfois, il a la certitude de disposer de toutes les cartes : ce succès aux élections municipales, par exemple, cet écho qu'il rencontre lors des réunions publiques, cette inquiétude de la classe politique qui s'interroge avec angoisse sur ce que va faire le RPF. Et cependant, il a l'intuition que quelque chose lui manque, comme s'il était trop tôt encore, comme s'il devait franchir d'autres obstacles qu'il devine, subir d'autres souffrances.

Le 29 décembre, il est à Bourg-en-Bresse, à l'Hôtel de France, pour le mariage de Philippe. Le lendemain, il se rend à Poncin, au château d'Épierre. Tout autour, la forêt sombre. La chapelle est petite, austère, éclairée aux chandelles. C'est l'amiral Thierry d'Argenlieu qui officie.

De Gaulle regarde son fils droit et maigre dans son uniforme d'enseigne. Près de lui, Henriette de Montalembert, simple et belle dans sa robe de satin blanc. Voilà la chaîne qui se prolonge, l'histoire familiale qui se noue. Il pense à ses parents. Il regarde Yvonne de Gaulle, si digne près de lui. Il pense à Élisabeth, que les fonctions d'Alain de Boissieu ont retenue à Brazzaville.

Mais c'est l'image d'Anne qui revient. Il a fallu laisser Anne là-bas, à Colombey, en compagnie de la gouvernante, Mme Michignau.

Anne, si fragile.

Et dans la joie de cette cérémonie, il ne peut empêcher cette plaie de saigner.

Elle s'ouvre, béante, dans les derniers jours de janvier 1948.

Il entend Anne tousser. Elle est pâle, exsangue même. Elle respire mal et c'est comme si lui-même étouffait.

Le docteur Colomb, du village, l'ausculte, presque chaque jour. Est-ce la grippe, une angine ?

De Gaulle écoute le médecin, mais il sent que c'est plus grave. Le docteur Hurez, venu de Troyes, diagnostique une broncho-pneumonie double.

Anne ne veut plus rester sur le dos. Yvonne de Gaulle la soutient, la berce.

De Gaulle téléphone pour annuler une réunion qu'il doit tenir à Versailles.

Dans *Le Populaire*, un journaliste socialiste dira que de Gaulle invoque une maladie diplomatique de sa fille pour ne pas se rendre en Seine-et-Oise !

Mais Anne étouffe, malgré la piqûre de pénicilline et l'oxygène que le docteur Hurez tente de lui faire respirer.

Il la prend dans ses bras.

Elle est morte. Et c'est comme si la vie le quittait, comme si le monde perdait tout sens, comme si tout, de ce qu'il avait fait, n'avait été que vaine agitation, impuissante puisque Anne venait de mourir.

On ferme les volets de la Boisserie.

Le curé va bénir Anne.

De Gaulle s'assied près d'elle dans la petite chambre rose. Puis il va marcher quelques instants dans le parc.

Le silence et la pénombre enveloppent la Boisserie, ce vendredi 6 février 1948. Et souffle le vent d'hiver.

Plus tard, il murmure à Yvonne de Gaulle :

« C'était une âme dans un corps qui n'était pas fait pour elle. »

Il se sent si seul, comme abandonné, puisqu'elle est partie.

Il se souvient de tous ces moments passés près d'elle. Tant de douleur et d'attente dans son regard, et parfois une si vive lumière.

– Ne pleurez plus, dit-il à Yvonne de Gaulle. Anne est maintenant comme les autres.

On porte le cercueil dans le salon. Puis, parce qu'il faut respecter les traditions, parce qu'on est de ce pays, de ce village, ils viennent tous, les enfants de la paroisse conduits par le curé, les hommes et les femmes de Colombey-les-Deux-Églises, parce qu'elle va reposer sous cette grande dalle, dans cette vieille terre labourée de souffrances, ensemencée par l'Histoire.

« S'il y a un Dieu, c'est une âme libérée qu'Il vient de rappeler à Lui », dit-il.

Il s'assied près du cercueil pendant que les enfants de chœur de Colombey récitent leur chapelet. Une nonne venue d'un couvent de Chaumont prie aux côtés d'Yvonne de Gaulle.

Maintenant, il a le sentiment d'avoir vécu l'extrême. Il ne lui reste que sa propre mort à connaître.

Dans l'église, où les proches – Philippe et Henriette, les oncles et les tantes – et les villageois prient, le curé dit la messe des Anges.

Puis ce sera la terre. Puis ce sera le déjeuner dans la maison vide.

Et cet âcre désespoir qui le submerge.

Mais il doit écrire.

« Ma chère petite fille Élisabeth,

« Je vous écris à vous, naturellement la première, après le grand chagrin qui est venu sur nous. Votre pauvre petite sœur est morte vendredi 6 à dix heures et demie du soir...

« Elle est morte dans mes bras avec sa maman et Mme Michignau à côté d'elle... C'est une âme libérée. Mais la disparition de notre pauvre enfant souffrante, de notre petite fille sans espérance, nous a fait une immense peine. Je sais qu'elle vous en fait aussi.

« Puisse la petite Anne nous protéger du haut du ciel et protéger, d'abord, vous-même, ma bien chère fille Élisabeth !... »

Deuxième partie

Février 1948 – décembre 1953

Non, je ne suis pas Bonaparte !
Non, je ne suis pas Boulanger.
Je suis le général de Gaulle...

Charles de Gaulle à Nice, 12 septembre 1948.

6.

De Gaulle marche lentement dans le parc de la Boisserie, regardant cette terre noire où s'accrochent, ici et là, en cette mi-février 1948, des plaques de neige. Tout à coup, il s'arrête. Il distingue au bord du chemin une petite forme grise. Il s'approche. Il se penche et ramasse la grive morte. Il la tient dans ses mains rapprochées qui forment comme un nid inutile. Il va jusqu'à un petit mur, hésite, puis laisse tomber l'oiseau de l'autre côté, sur un tas de branchages. Il s'éloigne, marchant plus lentement encore.

Il avait cru, il y a quelques heures, dans son bureau, après avoir écrit deux pages de l'un de ses prochains discours, échapper à la tentation de l'abandon et du détachement. Et il sent qu'il a basculé à nouveau dans cette sorte d'état nauséeux, de léthargie où l'a plongé la disparition d'Anne. C'est comme si, depuis qu'elle est couchée sous cette croix de bois, dans le cimetière de Colombey-les-Deux-Églises, tout paraissait vain. Le monde aboli, l'action inutile. À quoi bon agir ? Pourquoi continuer ?

Il s'arrête à nouveau. La nuit tombe déjà. Il sait bien que seule une part de lui, la plus enfouie, l'entraîne aussi vers le désespoir et le renoncement. Qu'à la fin, il le sait aussi, il reprendra le fardeau, parce que la tâche n'est pas terminée. Mais il est entraîné dans le gouffre et il se laisse aller. Jamais son corps ne lui a paru aussi lourd, presque ankylosé. Il a eu le sentiment, en s'asseyant à son bureau, d'écrire de plus en plus difficilement, et ces deux pages qu'il a arrachées malgré tout à cette gangue dans laquelle il est pris, il les a raturées, recommencées. Un calvaire.

Mais peut-être la vie, maintenant, pour lui, sera-t-elle toujours cela. Et il lui semble même que c'est justice qu'il en soit ainsi, puisque Anne est morte, et qu'il doit souffrir pour elle.

Il rentre dans la Boisserie, il gagne son bureau, s'y enferme. Il retrouve ses dossiers, les lettres à signer, les journaux à lire. Il a l'impression que le monde entier est accordé à ce qu'il ressent.

Il pense à l'oiseau mort. Il murmure : « Pauvre bête. » Elle est à l'image de son humeur, de cette époque dominée par la mort, cette arme atomique qui peut tout effacer.

« Je me demande même si rien vaut maintenant la peine de rien. Aucune action n'a plus désormais de sens, aucune œuvre humaine. L'idée de nation a perdu sa signification. Que signifie désormais la France... »

Il feuillette les journaux, parcourt quelques articles.

Il a « l'impression d'être en 1940. C'est la même déliquescence, le même abandon ».

Il est amer. Qui ne l'attaque pas ? Factieux, fasciste, Bonaparte, Boulanger, général de coup d'État, homme des trusts, dit-on de lui. Là, c'est Duclos, aucune surprise. C'est un ennemi. Mais voici Bidault et les démocrates-chrétiens. Voici ceux qui étaient proches, Pleven, Mayer, Paul Reynaud. Et Blum, qui prétend avoir été surpris en janvier 1946 par la démission du général de Gaulle, alors qu'il en avait été averti. Cette mauvaise foi le révolte !

Il a envie de s'écrier : « Il n'y a rien à faire avec ce pays ! C'est la même vachardise qu'en 40 ou 44. » Les Français seraient-ils prêts à la servitude ? Mais c'est plus grave encore : « À l'échelle du monde, la même chose apparaît partout : on souhaite, on ne veut plus... Hier, c'était Vichy, aujourd'hui cela s'appelle la Troisième Force. » Dont Blum, précisément, est le grand théoricien.

Il découvre dans la *Revue historique de l'armée* un article du général Weygand. Ils ont osé demander à l'homme de l'armistice de parler de Foch ! Comme si rien ne s'était passé en 1940 !

On frappe à la porte du bureau. C'est Claude Guy.

Il écoute l'aide de camp. À Prague, Prague où les communistes ont pris le pouvoir, Masaryk, le ministre des Affaires étrangères, s'est suicidé, à moins qu'on ne l'ait défenestré.

De Gaulle reste un long moment silencieux. Peut-être a-t-il

empêché que la France connaisse une situation semblable, grâce à son action en 1944. Il a désarmé les communistes. Il les a intégrés, tout en les contrôlant, dans le jeu national. Et maintenant, en les attaquant, en les stigmatisant comme « séparatistes », en obligeant les hommes de la Troisième Force à se déterminer, à se dresser contre eux, pour ne pas être débordés par le RPF, il défend la République contre la subversion. Oui, il aura permis cela. Mais personne ne lui en saura gré. Pas Blum ! Pas Bidault !

– Nous allons entrer dans une période dont l'ignominie est à l'avance inimaginable, dit-il. Effarante et colossale ignominie.

Quant à la France... Il soupire.

– En 1940, murmure-t-il, j'avais confiance. Je me rends compte aujourd'hui que je n'avais pas éprouvé la profondeur de notre pourriture. Il n'est pas assez de dire qu'ils sont pourris ; cette pourriture, ils la recherchent, ils ne se sentent à l'aise qu'en son sein, il n'y a que le faisandé qui les attire...

Il se lève, va et vient dans le bureau. Il se sent mieux, comme si cette colère désespérée l'avait libéré.

– Nous ne sommes pas ici-bas pour rigoler, murmure-t-il.

Il se rassied à sa table. Il a un discours à terminer.

– Alors, eh bien, alors, dit-il, je n'ai plus le choix. Il faut l'écrire.

Il parle à Reims, à Senlis, à Beauvais. À Compiègne, le 7 mars, place du Palais, il lance : « À présent, ce sont les événements qui commandent de ne plus attendre... Quant à moi, je le déclare, tout est prêt pour assurer la direction du pays vers son salut et sa grandeur... Français, Françaises, eh bien, j'en appelle à tous ! »

La foule chante *La Marseillaise*. Et il lui semble que c'est la même foule qui entonne l'hymne national à Marseille, sur les quais du Vieux-Port, ou bien au parc Chanot où s'ouvrent, devant plus de deux mille délégués, les premières assises nationales du RPF.

Parfois, entre deux discours, deux voyages, il a, dans le petit salon de l'appartement de l'hôtel La Pérouse, un moment de fatigue. Mais il s'en dégage vite. Il y a urgence.

Les grèves paralysent à nouveau le pays, violentes, sanglantes, cruelles dans le bassin minier. Le ministre de l'Intérieur socialiste, Jules Moch, fait face avec détermination. La troupe reçoit l'ordre de faire usage de ses armes si nécessaire. Les affrontements se multiplient. Et ils ne sont que l'écho intérieur de la guerre froide qui se déchaîne, non seulement à Prague, mais à Berlin, où les Russes décrètent le blocus de la ville, ainsi isolée du reste de l'Allemagne.

« Les choses vont vite, dit-il, nous sentons souffler ce vent brûlant que nous connaissons bien et qui annonce la menace de l'orage. »

Les centaines de milliers de Français auxquels il s'adresse, à Saint-Cloud, à Verdun, à Nevers, à Nancy, à Metz, dans toutes les villes d'Alsace, à Orange, à Avignon, à Apt, à Aix-en-Provence, à Toulon, à Hyères, à Nice, à Antibes, à Ajaccio, à Bastia, à Grasse, à Voiron, à Aix-les-Bains, à Paris au Vélodrome d'hiver, à Lille, à Valenciennes, l'écoutent avec passion.

Il martèle : « Le vieux jeu des partis est terminé... Le système est à changer... La France est à refaire, la République à rénover... »

Parfois, sa voix se fait plus grave. Il a devant lui les étudiants du RPF. Il parle comme en confidence :

« Combien j'ai été heureux de vous voir, dit-il. Qui que l'on soit, quoi qu'on ait pu faire, on est un homme, c'est-à-dire un être à qui le réconfort est nécessaire. »

Et, élevant la voix, il lance : « Français, Françaises, aidez-moi. »

Il prend quelques jours de repos à Calais avec Yvonne de Gaulle, chez Jacques Vendroux. Il évite les curieux. Quand la voiture s'arrête, il cache son visage derrière sa main. Puis il retrouve la Boisserie. Il reprend le rythme quotidien d'une vie plus paisible, les promenades en fin de matinée, par les chemins entrelacés qui parcourent le parc où fleurissent les jacinthes, les narcisses, les pervenches et les jonquilles. Il prend le thé en compagnie d'Yvonne de Gaulle et de ses aides de camp.

Il ne peut dissimuler son indignation quand il lit les comptes rendus que les journaux consacrent à ses discours ou à ses conférences de presse. Ils ne disent rien de son projet d'association capital-travail. Ils déforment sa pensée quand, lors d'une conférence de presse, il condamne la politique étrangère du gouvernement, qui s'aligne sur les positions anglaises et américaines, favorables à la réunification de l'Allemagne et à son réarmement. « Ce que risque d'être la pression américaine est effarant, dit-il. Si jamais ce jeune pays est, par la force des choses, maître du monde, on n'ose imaginer jusqu'où n'ira pas son impérialisme. Ah ! Il faut les avoir à l'œil... »

Il rencontre Pleven, Bidault, « plat comme une punaise mais malin », à l'hôtel de La Pérouse, clandestinement bien sûr. Le président du Conseil, Robert Schuman, vient lui rendre visite un dimanche d'avril 1948, à la Boisserie. Mots, promesses, et puis rien. Le MRP s'accroche à ses postes, refuse de voter la dissolution de l'Assemblée nationale. Tous ont peur du raz de marée du RPF, qui, aux élections à l'Assemblée algérienne, puis au Conseil de la République, a remporté un succès. Alors, ces « beaux » démocrates reculent les élections cantonales... autant qu'ils peuvent, jusqu'au mois de mars 1949.

Il faut reprendre la route, parler encore, affronter l'hostilité d'une poignée de manifestants communistes à Chambéry qui tentent de l'empêcher de parler. Comme si on pouvait le bâillonner.

– Que m'importent les sifflets de quelques-uns, lance-t-il. Je m'en moque !

À Grenoble, on échange des coups de feu. On relève un mort parmi les manifestants communistes. Et la police, comme par hasard, s'est retirée avant les incidents.

« Oui, tout cela est bien étrange..., commente-t-il. On peut craindre qu'il ne se soit passé par là ce que, dans le jargon du régime, on appelle " une opération politique ". »

Mais que peut-il faire ?

Il est sur le balcon de la mairie de Nice. Toutes les rues sont pleines d'une foule enthousiaste qui crie : « De Gaulle au pouvoir ! »

Il écoute. Il répond : « Vous dites : au pouvoir ! Mais nous y allons ! »

La foule hurle, joyeuse. Il la regarde. Que peut-il ? Il ne veut pas de la dictature, du coup de force. Il veut être porté au pouvoir par le peuple et par les voies légales. Mais la Troisième Force s'accroche. Les ministères se succèdent. Schuman, puis les radicaux André Marie, Queuille. Qu'importent les scandales financiers qui éclaboussent André Marie, qu'importe le trafic des piastres indochinoises dans lequel sont impliqués des parlementaires et des généraux. Qu'importent les querelles entre démocrates-chrétiens et socialistes à propos de la laïcité. Tous se retrouvent pour faire face à de Gaulle, tant ils craignent que la victoire du RPF ne les balaie. Et le RPF, malgré ses succès électoraux, les deux millions de lettres que l'on adresse à de Gaulle lorsque Malraux, chargé de la propagande, lance la « campagne du timbre » – vaste souscription qui permet au mouvement de faire face à ses besoins financiers –, ne peut briser le système à lui seul. Et il n'a pas d'alliés sur les bancs de l'Assemblée.

De Gaulle écoute Malraux qui lui répète : « Dans le pays, il y a vous, les communistes, et rien. »

Mais ce *rien*, c'est la Troisième Force qui tient le pouvoir, pour n'en *rien* faire, certes, mais qui l'occupe.

– C'est Vichy qui recommence, murmure de Gaulle, le pays trahi par ses élites, c'est de plus en plus ignoble, partout une petitesse écœurante.

Il descend lentement en voiture les Champs-Élysées, cachant son visage. Le crépuscule incendie la ville. La voiture longe les quais de la Seine, se dirige vers l'esplanade des Invalides. Il demande au chauffeur de ralentir. Il veut contempler le dôme, ce paysage urbain où se résume l'histoire glorieuse du pays.

Il murmure : « Mais tout cela n'est plus à la mesure du monde actuel... »

Il se tourne vers Claude Mauriac, assis près de lui.

– Le monde est dirigé par des hommes d'une effarante médiocrité, dit-il.

Puis il soupire, hoche la tête, ajoute d'une voix ironique :

– Décidément, ce siècle est mal choisi pour rétablir le siècle de Louis XIV.

Et pourtant, il ne peut concevoir d'abandonner. Il dipose maintenant de l'organisation du RPF, dont Jacques Soustelle est le secrétaire général. Gaston Palewski préside le Comité national d'études. De Gaulle réunit chaque mois les délégués régionaux, chaque mercredi le conseil de direction, de treize membres, où bientôt seront admis des parlementaires. Il a tenu à conserver son cabinet personnel, dont le chef est depuis le mois d'avril 1948 Georges Pompidou. Mais ce n'est pas l'essentiel. Ces hommes qui l'entourent, il sait bien que pour beaucoup d'entre eux, c'est le pouvoir et ses « grenouillages » qui les attirent.

S'il persiste donc, c'est parce qu'il ressent l'obligation morale de faire tout ce qu'il peut, donc tout ce qu'il doit pour la nation.

« Jamais de ma vie, confie-t-il, permettez-moi de vous le dire, je n'ai senti à un pareil degré l'intensité du devoir. Il faut que nous prenions la France en charge pour la conduire, mais il faut qu'elle nous porte avec sa propre volonté, sans quoi nous ne saurions rien faire que des fictions. Voilà la tâche sacrée du Rassemblement. »

Mais que d'hostilité, de hargne, de haine même ! Il veut rétablir l'autorité de l'État, le réformer, et naturellement les « féodaux » se dressent contre lui. « Les féodaux de notre époque, dit-il, ont leurs fiefs dans les partis, les affaires, la presse, les syndicats. »

Il montre le titre de *Franc-Tireur*, un journal proche des socialistes : « Clemenceau vous aurait fourré au bloc, général ». Et la manchette poursuit : « Et puisque vous exigez avec tant de morgue la dissolution de l'Assemblée, si l'on commençait par dissoudre vos bandes de guerre civile. »

C'est leur accusation habituelle.

« Non, je ne suis pas Bonaparte, non, je ne suis pas Boulanger, lance-t-il, je suis le général de Gaulle comme on s'en est aperçu déjà, car il y a quelques années qu'il est question de lui. »

Mais c'est cela qui le frappe. Ses accusateurs font comme s'il n'y avait pas eu la France Libre, comme si, après la Libération, il n'avait pas remis le pouvoir aux mains du peuple, donné le droit de vote aux femmes, créé la Sécurité sociale, les comités d'entreprise. Et il serait un fasciste ! Et le RPF serait la droite face à la Troisième Force ! ! !

Il pense à tous ses compagnons de la France Libre, Brossolette, Moulin, Leclerc, quand il reçoit une lettre d'Élisabeth de Miribel qui, à Londres, tapa à la machine les premiers appels qu'il lança à la BBC.

Il relit plusieurs fois la lettre. Elle annonce qu'elle se retire au carmel de Nogent, « où elle ne cessera pas de servir la France à sa manière ».

Voilà ce qui l'oblige à poursuivre, malgré ce pessimisme qui l'étreint.

Il doit lui répondre.

« Chère Mademoiselle,

« Votre lettre et la nouvelle qu'elle m'apporte m'ont infiniment ému...

« Notre combat ne serait pas ce qu'il est si votre rôle et votre noblesse n'avaient pas provoqué la haine et les basses injures de l'adversaire. Je vous en demande pardon.

« Quant à la décision que vous avez prise d'aller dès à présent vers la divine lumière, elle ne peut que susciter le respect. Mais vous donnez l'exemple encore. Merci pour moi et pour tous les " nôtres "... »

Il écoute la messe dite, dans la chapelle de Colombey, par Thierry d'Argenlieu.

Il communie. Il a le sentiment que ce qui manque aujourd'hui, c'est le christianisme. Car une civilisation ne peut pas résister sans une mystique.

« Quelle que soit la direction dans laquelle on regarde, ce sont toujours les mêmes problèmes, c'est toujours le même drame. Il n'y a plus de ressort, dit-il. Au fond, ce nivellement n'apparaît jamais que lorsque le christianisme se retire... Dès qu'il disparaît complètement, toute résistance disparaît... Tous les peuples d'Europe arrondissent le dos... Je pense qu'il devait en être ainsi au temps des barbares. »

Il prie. Il imagine. Il faudrait une « fédération européenne », une réconciliation franco-allemande, seule manière sans doute de permettre à cette civilisation dont il est issu de survivre, de résister. Peut-être est-ce cela aussi, sa mission, le sens de « ce destin assez âpre » qui lui a été donné ?

Il médite dans son bureau de la Boisserie. La maison est silencieuse. Il pense à sa « chère petite fille Élisabeth », à Philippe et à Henriette, qui va bientôt être mère. Il se sent ému au-delà de ce qu'il pouvait imaginer à l'idée de la naissance de ce petit-fils, que Philippe et Henriette ont l'intention de prénommer Charles. Charles de Gaulle. Enfin, bientôt une voix d'enfant dans la Boisserie.

Il se confie à Élisabeth.

« Nous sommes bien seuls, votre maman et moi. La pauvre petite Anne, quel que fut son état, jouait tout de même son rôle de présence, de sujet d'intérêt et d'affection. Qu'il en soit comme Dieu l'a voulu !...

« Vous unirez vos pensées et vos prières aux nôtres dimanche prochain. Il y aura ce jour-là un an que votre petite sœur Anne nous aura quittés pour trouver la libération au Ciel où elle nous attend. »

C'est pour préserver cela, cette manière de concevoir la vie, qu'il doit continuer de mener ce combat qui si souvent lui paraît n'être qu'une suite d'actions médiocres, sans résultats décisifs, sans grandeur.

Il devine, en observant Malraux assis à droite lors des réunions du conseil de direction du RPF, combien celui-ci s'irrite de ces péripéties politiciennes dans lesquelles le mouvement est engagé.

Mais que faire d'autre, sinon présenter des candidats aux élections cantonales des 20 et 27 mars 1949, contester la manière dont les résultats sont présentés par le ministre de l'Intérieur Jules Moch, se féliciter des 546 sièges remportés, des 32 % de voix acquises, et condamner cette « combinaison politicienne », la Troisième Force, et dire qu'elle « n'existe pas, en fait, dans le pays » ?

Il le répète aux journalistes rassemblés le 29 mars au palais d'Orsay, mais il sait bien que la Troisième Force existe, qu'elle garde le pouvoir. Quelle issue alors ? Continuer à réclamer la dissolution de l'Assemblée nationale ? Et si elle refuse de se dissoudre ?

Il faudra attendre.

Il regagne la Boisserie.

Sur sa table, il trouve une pile de livres dont il lit les titres.

Il reste un long moment silencieux, puis il dit d'une voix joyeuse :

« Ah, en publie-t-on des Mémoires ! Quant à moi, j'attends que le flot ait passé. Alors, lorsqu'ils auront tous fini de raconter leurs histoires, leur histoire avec un petit "h" ou l'Histoire avec un grand "H", alors, mais alors seulement, moi, je publierai mes Mémoires... »

Cela aussi est son devoir. Une autre manière de faire l'Histoire.

7.

De Gaulle suit des yeux sa nièce, Martine Vendroux, qui se dirige au bras de son père vers l'autel de l'église Saint-Pierre de Calais. Bientôt, elle sera Mme de Martignac. La nef est pleine d'une foule curieuse. Et depuis quelques instants, sur la place Crèvecœur, face à l'église, de Gaulle entend monter une rumeur de plus en plus forte. On ferme les portes. Sans doute les Calaisiens ont-ils appris qu'il assistait au mariage de la fille de Jacques Vendroux et sont-ils venus pour l'apercevoir, l'applaudir.

Il éprouve à cette pensée un sentiment ambigu, fait de joie et d'amertume. Le peuple l'applaudit malgré le silence sous lequel la radio tente de l'étouffer, malgré aussi les calomnies et les accusations. Et cependant, il a de plus en plus l'intuition que la Troisième Force, en dépit de succès du RPF, ne peut être remaniée. Queuille est toujours président du Conseil. « Mourir en douceur, voilà le système de M. Queuille. » C'est la « doctrine des stupéfiants », le temps revenu des « lâches soulagements », du « chloroforme » !

Cette « équipe de la médiocrité » endort le pays. Et en même temps, elle s'emploie à présenter le RPF comme un parti de guerre civile !

De Gaulle se tourne. Yvonne de Gaulle, sereine, ne quitte pas des yeux Martine, la fille de son frère. Elle doit penser à ses propres enfants. Elle aurait sans doute souhaité une vie plus paisible, une famille rassemblée, alors qu'Élisabeth et Alain sont toujours en Afrique, Philippe et Henriette et leur petit Charles en

Bretagne. Elle a eu l'intuition des difficultés, et même du recul qu'allait devoir affronter le RPF. Elle a tout de suite compris que les incidents qui ont eu lieu à Grenoble – avec un mort – ou à La Seyne, entre des communistes et des membres du service d'ordre du Rassemblement, allaient être exploités par le gouvernement. Car cette Troisième Force est habile à la mise en scène de soi-disant « complots » gaullistes, de provocations. L'opinion se persuade ainsi que le système la défend contre les « extrêmes », que le gouvernement protège le pays. Ne vient-il pas d'adhérer au pacte Atlantique, signé à Washington le 4 avril ? Alors pourquoi faudrait-il soutenir le RPF, se rassembler autour de De Gaulle ? Et d'ailleurs, de Gaulle le reconnaît, « ce pacte vaut mieux que pas de pacte du tout... il n'est pas autre chose que la reconnaissance officielle de l'équilibre européen », mais qui peut voir, dans l'opinion et dans ce gouvernement, les menaces qu'il fait aussi peser sur l'indépendance et la souveraineté de la France ?

Il chasse ces pensées. On ouvre les portes de l'église. Il se place avec Yvonne de Gaulle derrière les jeunes époux et les parents des mariés. Il marche lentement vers la place Crèvecœur qu'il commence à apercevoir, pleine d'une foule bruyante.

Il est sur le parvis de l'église Saint-Pierre. Les cris éclatent. « Vive de Gaulle ! » Il s'avance. La foule l'entoure. Il entre dans ce flot. Il serre ces mains qui se tendent.

Il retrouve la Boisserie. La fenêtre du bureau est ouverte sur le parc. Il ressent cette force de la vie que le printemps met en mouvement. Les peupliers verdissent. L'air est léger. La nature vibre et l'émeut.

Il pense à ces « bien chers enfants ».

« Vous ne pouvez imaginer, écrit-il à Élisabeth et à Alain de Boissieu, combien je pense à vous et avec quelle affection. »

Il voudrait qu'ils soient ici, dans sa demeure.

Qu'existe-t-il d'autre, au fond, que la famille qui se prolonge en dépit du temps et des événements ? C'est avec les siens qu'il retrouve l'espérance.

« Maman et moi, nous avons bien besoin de vous revoir, dit-il encore. Pour vous écrire aujourd'hui, je n'ai aucune raison particulière. Simplement, celle de vous dire que je vous aime beaucoup. » Il les imagine ici. « La perspective de vous revoir... est pour moi comme pour maman un des rares aperçus joyeux de notre temps. »

Le reste, cette Histoire à laquelle il consacre sa vie, il lui semble à cet instant qu'il ne s'agit que d'une écume qui s'efface. Il revoit le visage de son petit-fils Charles, qui a passé ici quelques jours en compagnie de ses parents, Philippe et Henriette. Il prie pour qu'Élisabeth, « toute jeune femme de vingt-cinq ans », lui donne aussi un petit-fils. Ainsi vivra cette part de France qui est leur famille.

Il soupire. Il y a ces discours à écrire. Il doit parcourir la France, encore. Combien de villes ? Plus de trente dans les quelques mois qui viennent. Il faut que le RPF s'enracine, qu'il soit présent, et donc il faut que les habitants de Bordeaux et de Quimper, de Saint-Malo et de Belfort, de Blois et de Nyons, de Dijon et de Pamiers, le voient, le revoient, l'entendent. Il faut que les délégués régionaux, Olivier Guichard, Roger Frey, Pierre Juillet, André Astoux, Léon Delbecque, soient adoubés devant les compagnons.

Au travail, donc.

Il commence à écrire.

« Il faut bien dire que cela consiste à répéter toujours la même chose et que la chose devient fastidieuse. » Après, il faut les apprendre, les dire avec enthousiasme. Parfois, il doit prononcer dans des villes différentes quatre discours en deux heures. Il se sent las.

« Ah, murmure-t-il à Fouchet, qui organise ses déplacements, est-il vraiment nécessaire de me demander cet effort ? »

Mais il sait que c'est nécessaire.

Peut-on laisser la France dans cet état ? Les députés se battent à coups de poing et de pied dans l'enceinte de l'hémicycle. Les communistes s'accrochent à la tribune pour tenter d'empêcher le vote d'une loi condamnant les sabotages, qu'ils tentent ici et là pour s'opposer au départ d'armes et de renforts en Indochine, où la guerre contre le Viêt-minh s'intensifie.

« On se demande, lance-t-il, si l'on va encore parler au Palais-Bourbon, ou bien si la Garde républicaine ne devra pas y siéger en permanence. »

Les ministères tombent. Jules Moch tente de succéder à Queuille, renonce à former le gouvernement, est remplacé par Georges Bidault, et René Pleven, l'un des premiers compagnons de la France Libre, devient son ministre de la Défense.

De Gaulle est amer. Qui résiste à l'attrait du pouvoir ?

« Il faut savoir se moquer des places, dit-il. Il faut savoir souffrir... et puis, en tout, il faut savoir demeurer national. Il n'y a plus que ce qui est national qui accroche encore. Voilà le grand ressort. Voilà, qu'on le veuille ou non, l'avenir. »

Il se sent écartelé entre ses tâches quotidiennes qu'il doit accomplir s'il veut que le RPF demeure une force politique, et d'autre part la nécessité de penser une stratégie pour la France, qui implique d'amples perspectives et exige d'être au-dessus des luttes politiciennes, « ailleurs ».

Mais il doit arbitrer entre des candidats aux élections. Il faut ménager les susceptibilités de tel ou tel, reconnaître l'autorité de Chaban-Delmas, maire de Bordeaux, RPF et radical ! En Seine-et-Marne, c'est un autre radical apparenté RPF, Giacobbi, qui démissionne parce qu'on ne l'a pas retenu comme candidat à une élection partielle !

Il faut nommer des délégués, en licencier d'autres parce que l'argent manque, que le RPF est endetté.

Il faut remercier les donateurs qui versent à l'Union privée pour l'aide à l'action nationale du général de Gaulle, dont le président est Paul Claudel. Et malgré les sommes recueillies, les difficultés financières s'aggravent.

« Je ne suis pas le Père Noël... », murmure de Gaulle.

Il faut tenir, encourager Malraux, dont l'humeur est sombre car on ne voit pas de débouché autre que les élections législatives prévues pour 1951. Et le gouvernement prépare déjà une réforme électorale qui renforcera la Troisième Force quels que soient les résultats. Mais que faire ?

– De Gaulle tout seul, ce n'est rien, murmure-t-il. Avec le peuple français, ce peut être beaucoup.

Les uns, comme Soustelle, sont tentés par les manœuvres, l'insertion dans le jeu du pouvoir. Les autres – ainsi Malraux – voudraient une attaque frontale contre le régime.

– Le siècle est dur, dit de Gaulle. Le péril rôde. Il faut que la France veille et marche.

Mais c'est une longue attente. Bidault, à la tête du gouvernement, réussit même à rester en place sans les socialistes ! Le système, décidément, a du ressort !

Il faut rassurer Malraux, qui est de moins en moins présent, qu'Edmond Michelet remplace à la Propagande. Malraux qui, dit-on, répète : « On ne quitte pas un navire qui sombre. » Ce navire, c'est le RPF !

— Il peut arriver, dit de Gaulle, qu'un cataclysme survienne... Tout le monde dort. Il y a deux courants, les communistes et le nôtre. Tout se cristallisera sur nous ou sur les communistes. Il faut organiser pour tenir. Nous serons le seul recours.

Voilà le quotidien qu'il doit maîtriser et auquel il lui faut échapper.

— Quand on est un homme qui a dans ses mains le destin d'un pays comme la France, on est tenu de regarder loin, murmure-t-il.

Ce jour-là, en août 1949, il est à l'extrémité du plateau qui domine le site d'Alésia. Il fait beau. Jacques Vendroux est près de lui. Yvonne de Gaulle et sa belle-sœur se tiennent un peu à l'écart.

Il tend le bras. Il place les légions de César. Il dresse les pieux qui protégeaient la forteresse gauloise. Il revit la bataille en la décrivant, en exaltant la résistance de Vercingétorix aux Romains, sa volonté d'indépendance. Tout est toujours, face aux événements, affaire de volonté.

Il le dit à son fils, son « cher Philippe » devenu lieutenant de vaisseau.

« Quant à toi, tiens le coup ! Les jours sans clarté passeront immanquablement. Tu reverras des occasions d'agir en grand. »

D'ailleurs, la situation internationale change. Elle devrait contraindre la France à agir. Les Russes ont fait exploser leur première bombe atomique. La République fédérale allemande vient d'être créée et, en face d'elle, les Soviétiques font naître la République démocratique allemande. À l'Ouest, le chancelier Adenauer lance un appel à une union entre la France et l'Allemagne.

Pourquoi pas ? Pourquoi pas ? De Gaulle répète une idée qu'il avance depuis des années : « Il y aura ou il n'y aura pas d'Europe, suivant qu'un accord sans intermédiaire sera ou non possible entre Germains et Gaulois ! »

Mais face à ces défis, à ces enjeux cruciaux pour la France – la construction de l'Europe, l'entente avec l'Allemagne, la résistance aux Russes –, les journalistes l'interrogent pour savoir s'il a ou non passé un accord secret avec Georges Bidault !

Il regarde un journaliste qui, au cours d'une conférence de presse au palais d'Orsay, lui a posé cette question.

– Monsieur, dit-il d'une voix chargée de mépris, je ne suis pas un politicien qui fait une majorité dans la coulisse.

Il s'interroge. Qui peut comprendre ce qui l'anime ?

Le 11 avril 1950, on lui apporte un numéro de l'hebdomadaire *Carrefour*. En première page, il découvre sous un gros titre, « La Justice et l'Opprobre », un article de Rémy.

L'ancien agent secret de la France Libre, l'un des hommes les plus inventifs et les plus courageux, les plus téméraires, qui osait lors d'une mission en France acheter pour Mme de Gaulle une azalée en pot, rue Royale, et l'apporter avec lui dans le petit avion, un Lysander, qui le ramenait à Londres, Rémy, l'un des fondateurs du RPF, l'organisateur des réunions du mouvement, écrit : « La France de juin 1940 avait à la fois besoin du maréchal Pétain et du général de Gaulle... Il fallait à cette France... un bouclier en même temps qu'une épée. »

De Gaulle pose l'hebdomadaire. Comment est-il possible qu'un homme comme Rémy, l'un de ses plus proches compagnons, n'ait pas saisi sa pensée ? Qu'il affirme que la France avait « deux cordes » à son arc, le Général et le Maréchal ?! Qu'il justifie ainsi l'armistice et Vichy ?!

– Je croyais qu'on savait ce que j'ai fait et dit quant à Vichy depuis le 18 juin 1940 ! s'exclame de Gaulle. Je croyais que cela suffisait à démentir un million de fois les « deux cordes » !

Mais non ! Comment Rémy a-t-il pu vivre près de lui dix ans, sans avoir rien compris ?! De Gaulle n'est pas amer, il est accablé. Il n'en veut même pas à Rémy.

« Il y a une certaine sentimentalité autour de Vichy, autour du Maréchal..., dit-il. Rémy a cédé à cette sentimentalité ! »

Mais cela n'excuse rien.

De Gaulle marche longuement dans le parc de la Boisserie. Rémy, las sans doute de voir le RPF piétiner, s'enliser, a renoué avec ses amitiés d'avant-guerre. Il croit sans doute qu'il faut pour se renforcer faire l'unité avec les pétainistes.

Et puis, explique de Gaulle à ses proches, « la bourgeoisie vichyste cherche éperdument à se justifier », et Rémy lui en fournit le moyen.

Il faut donc publier un communiqué pour récuser la thèse de Rémy.

« Je ne puis admettre sur ce sujet l'opinion qu'exprime à présent le colonel Rémy... »

Il faut lui écrire une lettre personnelle.

« Mon cher ami,

« Pour moi, il y a trois choses dans cette affaire.

« La première, c'est mon amitié, mon estime, mon affection pour Gilbert Renaud, Rémy. Ça, c'est inaltérable, il n'y a pas de question.

« La seconde, c'est la position de fond... Cette position n'est pas la mienne...

« La troisième, c'est la façon dont vous avez procédé... »

Rémy ne l'a pas averti de son intention de publier cet article, Rémy n'a pas voulu en débattre au conseil de direction du RPF.

De Gaulle hausse les épaules. Les hommes sont ainsi.

« Laissons l'eau passer sous les ponts... », conclut-il.

Que dire d'autre ? Il parcourt avec une sorte d'indifférence accablée les commentaires qui, dans toute la presse, évoquent l'affaire, supputent, se gaussent, annoncent l'affaiblissement, voire l'éclatement du RPF.

Voilà la vie politique ! Voilà le marécage dans lequel il patauge.

Il pense à son neveu François de Gaulle – le fils de Jacques – qui veut s'engager dans les Pères blancs. Il pense à Élisabeth de Miribel, qui a pris l'habit de carmélite.

Il dit à François : « Il n'appartient qu'à toi-même de reconnaître si tu es appelé. Mais, si tu en es certain, je puis te dire – comme ton cher papa te l'aurait dit – que tu dois répondre. »

Ceux-là, François de Gaulle, Élisabeth de Miribel, ont choisi l'« ordre surnaturel ».

Lui, il est parmi les hommes, au milieu de leur désordre.

Il écrit à Élisabeth de Miribel :

« Vous aurez, n'est-ce pas, pour moi, pour les amis, pour les prêtres, une prière ? »

Il en a besoin.

8.

De Gaulle est seul dans son bureau de la Boisserie. Il regarde défiler à l'horizon ces nuages bas qui donnent à ce jour de mai 1950 les couleurs de l'automne. Il pense à la mort, à ces « rivages de l'autre vie », où déjà tant de ses proches ont abordé. La douleur n'a pas disparu. Elle est là, lancinante, chaque fois qu'il tourne les yeux vers le cimetière de Colombey et qu'il imagine la croix de pierre et la grande dalle qui maintenant recouvre le corps d'Anne. Tant de morts déjà. Les fils de sa sœur, Marie-Agnès. « Dieu a voulu que le destin s'accomplît plus vite pour eux que pour d'autres. Mais le terme est toujours le même. »

Bientôt, il sera couché lui aussi, aux côtés de sa fille, sous cette même dalle, qu'on a choisie si grande pour qu'elle pût abriter son corps, qu'il sent lourd.

Il a soixante ans cette année. Il l'a écrit à Philippe de Gaulle : « Pour ce qui est de moi, je me soucie peu de voir l'âge s'avancer. Mais je souhaite avoir assez de forces pour pouvoir servir notre pays dans les épreuves qui approchent. »

Tant d'êtres chers disparus ! « Puissent-ils, là où ils sont, nous assister au long de la route et surtout quand nous serons aux derniers pas. »

Soixante ans, en cette année 1950. Il hoche la tête. « Il faut bien s'accoutumer des années qui passent. » Tant de compagnons morts. Les noms, toujours les mêmes, lui reviennent. Il pense aussi à Mandel, au général Delestraint. Il y a quelques mois, au cours de ses voyages en province, il a tenu à célébrer la mémoire de ces deux hommes courageux. Il a dévoilé des plaques dans les villes où ils ont vécu. Et il a, ici et là, et aussi à Paris, inauguré des avenues, des boulevards, des places qui portent le nom de Leclerc, de Moulin, de Brossolette.

Et sont morts aussi, il y a quelques semaines seulement, ces hommes qui s'opposèrent à lui, le général Giraud, Léon Blum. Il pense au leader socialiste, « l'homme de la conciliation permanente, mettant au service de très petits pouvoirs un très grand talent de négociation ». Avec sa disparition, « ce qui est en train de se préparer, c'est la fin de l'illusion socialiste, parce que la personnalité de Blum en cachait la réalité. Ils vont redevenir un parti libéral bourgeois ».

Il soupire. Il ne peut pas longtemps éviter de penser à l'action politique, à l'histoire de ce pays.

Il ouvre la porte de son bureau, il traverse le hall, s'arrête un instant au pied de l'escalier.

La petite chambre rose au premier étage est à jamais vide.

Il aperçoit, dans le salon, Yvonne de Gaulle penchée sur son ouvrage. Elle est soucieuse, il le sait. Elle s'inquiète pour la Fondation Anne-de-Gaulle. « Les bonnes sœurs qui en assuraient le service sont rappelées par leur maison mère dans le Cantal, faute d'effectifs. » Mais ce n'est pas l'essentiel. Avec les élections législatives qui sont prévues pour le printemps 1951, il s'absente souvent. Il veut, il doit parcourir la France en tous sens, encore, encore. Yvonne de Gaulle reste ainsi souvent seule à la Boisserie. Elle n'a pas ses enfants auprès d'elle comme elle le souhaiterait. Et, il l'a dit à Philippe, elle se sent environnée par une « époque bien laide et qui la hante continuellement en raison du fait qu'elle est Madame Charles de Gaulle ». Elle subit, plus vulnérable que lui, toutes les attaques dont il est l'objet. Elle souffre pour lui. Elle s'indigne avec lui. Et, lui-même habitué depuis tant d'années aux calomnies et aux outrances de la vie politique, il se sent blessé par ce qu'il lit, ce qu'il entend, ce qu'il devine.

Il y a d'abord cette loi électorale, dite des apparentements, que le gouvernement prépare et qui doit permettre aux partis de la Troisième Force ligués entre eux – apparentés – de s'accorder une prime leur permettant de « rafler » avec un nombre de voix équivalent ou inférieur à leurs rivaux la majorité des sièges de députés dans un appartement où ils ont conclu un « apparentement », une alliance.

« Ignoble, une escroquerie morale », lance de Gaulle au conseil de direction du RPF. Et Malraux, de sa voix haletante, dit sur un ton sardonique : « Prenez un Français moyen, ajoutez un archevêque, retranchez le vénérable de la Loge, multipliez par un patron et divisez par un ouvrier : la racine carrée du résultat donne un député ! »

De Gaulle observe les membres du conseil. Il y a ceux qui souhaitent qu'on s'« apparente » avec les partis de la Troisième Force, dans un vaste front anticommuniste. Ainsi, le RPF participerait à la curée des sièges, et ces messieurs seraient élus.

De Gaulle s'y refuse.

« Vous me voyez avec Soustelle à mes côtés, discuter avec Bidault, flanqué de Teitgen ? »

Certains vont même jusqu'à souhaiter qu'il soit candidat ! Pourquoi pas à Lille, sa ville natale ! Il serait élu avec 75 % des voix !

— Vous me voyez, reprend-il en haussant les épaules, gentiment assis sur un banc dans l'hémicycle ? Vous me voyez mettre mon chapeau dans ma petite armoire de vestiaire du Palais-Bourbon ?

Il lui suffit d'un regard pour qu'il sache qu'il les choque. Comment ne comprennent-ils pas qu'il ne peut pas être l'un des six cents candidats du RPF ?

— C'est ma carte, de ne m'être jamais soumis à la loi commune, ajoute-t-il d'une voix forte. Je ne vais pas commencer, et d'ailleurs c'est moi que je présente dans toute la France.

Si eux ne l'ont pas compris, les adversaires, le socialiste Guy Mollet, le communiste Jacques Duclos qui a pris les rênes de la direction de son parti à la suite de l'attaque cérébrale de Maurice Thorez – qui est parti se faire soigner en Russie ! –, le radical Herriot, les Bidault et autres Teitgen du MRP l'ont parfaitement saisi, puisqu'ils l'accusent – une fois encore – de vouloir un « plébiscite » !

Il est, à les entendre, « l'apprenti dictateur ». Son programme, c'est « fascisme, misère, guerre ». Et les socialistes sont les plus agressifs. Le RPF serait un parti « stalinien » de caractère néofasciste. Il voudrait « rétablir à son profit le régime de Vichy ». Mais le sommet dans l'hypocrisie et l'abjection, c'est sans doute Herriot qui l'atteint en déclarant : « On nous dit : vous ne pouvez pas mettre dans le même panier Thorez et de Gaulle... Mais ce n'est pas ma faute s'ils s'y sont mis eux-mêmes... J'avoue, ajoute Herriot, que j'ai été choqué quand j'ai vu un chef militaire – de Gaulle ! – prendre un déserteur – Thorez ! –, qui eût été fusillé s'il n'avait pas été un homme politique, pour en faire un ministre... »

Les intentions des partis de la Troisième Force sont claires, leur propagande habile : il faut montrer aux électeurs modérés qu'« en votant gaulliste on vote communiste ». Et que les partis apparentés sont les meilleurs défenseurs de l'ordre et du calme publics, contre les « deux extrémismes », le communisme et le gaullisme.

Il sent la haine qui l'entoure. Il s'interroge. Il a l'intuition qu'elle plonge ses racines bien plus profondément que la politique. Que rejette-t-on dans sa personne ? Peut-être le fait qu'il est un « homme qui ne s'appartient pas », tout entier voué à une tâche, servir la nation, désintéressé, étranger aux petites combinaisons, aux médiocres ambitions. Il est le trouble-fête, celui qui ose, celui qui rompt. Dont la seule présence est une accusation, un remords. On ne lui pardonne pas de ne pas patauger dans les compromissions. On veut effacer ce qu'il a fait, ce qu'il a été depuis le 18 juin 1940.

« La rançon des grandes actions, dit-il, c'est la bassesse quand elle prend sa revanche. »

Nous en sommes parvenus à ce point.

Il est las. Il a, en quelques mois, tant prononcé de discours dans tant de villes, Castres, Toulouse, Oran, Alger, Grenoble, Clermont-Ferrand, Périgueux, Tours, Orléans, Rennes, Vannes, Saint-Brieuc, Coutances, Rouen, Pont-Audemer, Chaumont, Besançon, Dijon, Nancy, Metz, Vanves, Saint-Mandé, tant d'autres encore, que la fatigue le terrasse. Il est durement grippé en janvier 1951. La maladie le surprend par sa brutalité. Il peut à peine parler. Il maigrit. Il doit rester plusieurs jours à la Boisserie.

Mais comment interrompre le combat, comment laisser la maladie vaincre, alors que la situation lui semble d'une gravité extrême ?

Les forces communistes de la Corée du Nord ont, le 25 juin 1950, envahi la Corée du Sud et, depuis, malgré l'intervention américaine, leurs offensives se succèdent. « C'est un signal d'alarme qui retentit à travers le monde, dit-il. La tempête approche. » Et le jour où l'attaque communiste a lieu, il n'y avait pas de gouvernement français ! M. Henri Queuille avait été renversé, et ce n'est que quinze jours plus tard qu'on lui a trouvé un successeur en la personne de René Pleven ! De Gaulle a un mouvement de lassitude, laissant retomber ses bras.

— Je suis mélancolique, murmure-t-il, ce pays descend, descend.

Et l'hostilité qu'on lui manifeste n'en est que plus grande. Il secoue ceux qui ne veulent pas voir, ceux qui s'accommodent de la situation. Ses ennemis ne sont pas que les « séparatistes » communistes. Il y a un autre adversaire : « la veulerie, oui, la veulerie qui enlace un univers et une France fatigués »...

Il se redresse jusqu'à se cambrer.

— Pour la vaincre, il n'y a que nous.

Et il en ressent la nécessité. Il a le sentiment de l'urgence.

Partout, la France cède ou bien, pis, renonce. Robert Schuman a mis sur pied avec le Benelux, l'Italie et l'Allemagne une Communauté du charbon et de l'acier. Mais a-t-on pris suffisamment de garanties pour préserver les intérêts de la France ? Ou bien a-t-on obéi à une autre logique, celle des démocrates-chrétiens qui se trouvent au gouvernement à Paris, à Rome, à Bonn ? Schuman est ministre des Affaires étrangères, De Gasperi est président du Conseil, et Konrad Adenauer chancelier. Ces hommes-là – comme Monnet, l'inspirateur et le maître d'œuvre, et Dieu sait qu'il connaît Monnet, qui fila à Washington en 1940 et se rangea aux côtés du général Giraud ! – ont une autre idée que lui de la nation. Et le mouvement qu'ils ont lancé va nécessairement aboutir au réarmement de l'Allemagne, même si on le dissimule derrière un projet d'armée européenne. Et c'est Pleven qui défend cette proposition.

« S'il faut que la France ait une armée, martèle de Gaulle, il faut que ce soit la sienne ! »

Comment peuvent-ils oublier cela, alors que chaque année, depuis 1945, tombent en Indochine trois cent vingt-trois officiers, l'équivalent d'une promotion de Saint-Cyr, et où le Viêt-minh remporte une série de victoires en submergeant les postes de Cao Bang, de Lang Son ?

De Gaulle est bouleversé par ces nouvelles, par l'indifférence avec laquelle elles sont accueillies. Il ne veut pas attaquer le gouvernement à ce propos. Il sait bien qu'au début de la IIIe République Jules Ferry avait été renversé précisément à cause d'un désastre de Lang Son. Il préfère se taire. Il est des procédés qu'il n'emploiera pas.

Il suit les efforts qu'accomplit le général de Lattre de Tassigny envoyé en Indochine pour rétablir la situation, et il imagine la souffrance de De Lattre quand tombe, au combat, son fils.

Il se souvient de ses inquiétudes quand, durant la guerre, il restait longtemps sans nouvelles de Philippe de Gaulle. Il peut partager la douleur de De Lattre.

« Votre immense chagrin m'a touché au fond du cœur, écrit-il au général. Le lieutenant Bernard de Lattre de Tassigny a rempli de gloire son matin. Il sert maintenant la France auprès de Dieu. Je vous embrasse. »

Il tend sa volonté. Il faut réussir. « Nous allons la remettre debout, notre belle France ! » lance-t-il.

Chaque détail compte. Il veille aux investitures des candidats du RPF, écarte certains d'entre eux, s'efforce d'obtenir l'entrée en lice de personnalités réticentes. Mais Malraux se dérobe, comme le professeur Pasteur Vallery-Radot. D'autres encore. Il rédige le texte d'une « charte nationale » qui sera tirée à des millions d'exemplaires et dont la vente alimentera les caisses du RPF pour ces élections législatives dont on vient de fixer la date au 17 juin 1951.

Il multiplie les discours. Il peut, pour la première fois depuis 1946, s'exprimer à la radio, le 8 juin, dans le cadre de la campagne électorale. Il lance un appel.

« Écoutez-moi ! vous tous qui, par vos suffrages, allez fixer le destin !

« Le communisme, camouflé ou non, c'est la servitude.

« Les partis et leur régime, c'est l'impuissance, le danger.

« Votez pour le Rassemblement du peuple français.

« Alors, je vous le promets, nous bâtirons l'Union française, la grande œuvre de notre temps. »

Il veut croire au succès.

« Tout n'est pas fini dans ce peuple, et par conséquent pour ce peuple ! »

Il imagine.

« Quand le peuple aura parlé, je lui donnerai rendez-vous pour inaugurer l'entreprise. Où donc ? Aux Champs-Élysées. »

Les hommes de la Troisième Force crient à la menace de coup d'État, alors qu'ils volent les sièges avec leur système des apparentements !

Cette hypocrisie le révulse.

Il va voter sous les flashes des photographes dans la mairie de Colombey-les-Deux-Églises. Puis il attend. Il a parcouru à pas lents le parc de la Boisserie. Enfin il regagne, à Paris, la rue de Solferino. Et le 18 juin 1951 – un 18 juin comme il y a onze ans –, il apprend que le RPF ne rassemble que 21,7 % des suffrages. Le Rassemblement est le groupe le plus puissant de l'Assemblée, avec 106 députés, mais les communistes ont recueilli plus de voix, même s'ils n'obtiennent que 103 sièges.

De Gaulle se tait en examinant les résultats.

Ce nouveau Parlement est ingouvernable avec ces 84 MRP, ces 77 radicaux, ces 87 élus qui se réclament de la droite classique, ces 25 indépendants d'outre-mer. Aucune majorité n'existe sur l'une des questions importantes qui pourtant vont devoir être tranchées : l'armée européenne, la laïcité, la situation en Indochine et dans l'Union française, car les difficultés se multiplient en Afrique du Nord. Quant à la situation intérieure, l'inflation est un mal endémique qui ronge le pays.

De Gaulle regarde les mines défaites de ses compagnons. Le RPF ne peut accéder au pouvoir. Adieu, les rêves !

Il dévisage ces hommes. Il pense aux 106 députés. Comment ne seraient-ils pas tentés de « grenouiller » eux aussi, pour un poste ministériel ?

Il se lève.

« Dans l'ensemble, dit-il, vous avez fait ce que vous avez pu, c'est-à-dire beaucoup. Vous avez été un peu déçus, car on croit toujours. Nous avons connu cela à Dakar, en Syrie, à la Libération... »

Il fait quelques pas.

– Le combat ne fait que commencer, il faut le poursuivre.

Il retrouve la Boisserie.

Il passe des heures dans son bureau, à compulser des dossiers d'archives qu'il a fait constituer en vue de la rédaction de ses *Mémoires de guerre*.

Il relit les pages qu'il a écrites déjà. Il a même envoyé à Churchill les passages qui concernaient leur première rencontre le 8 juin 1940, dans le bureau du Premier ministre à Downing Street.

Onze ans, déjà ! Que d'obstacles surmontés, que d'abîmes frôlés, que d'échecs, et pourtant...

Il sort. Dans le parc de la Boisserie, l'été fait exploser de toute part la vie, plus forte que toutes les déceptions.

À chaque pas, il lui semble que sa détermination et sa confiance sont aussi entières qu'il y a onze ans.

Il faut, une fois encore, ne jamais céder. Après 1940, il y a eu 1944. La France, à la fin des fins, se redresse toujours.

Le 15 juillet 1951, il se rend à Camaret pour inaugurer le monument aux Bretons de la France Libre.

Il voit l'immense croix de Lorraine de granit érigée à l'extrémité de la pointe des Pois, qui s'enfonce comme une proue dans l'océan. Le temps est radieux. La foule vibrante. Elle fait silence quand commence la messe dite sur un autel dressé au pied du monument.

Il reconnaît l'abbé Laudrin, l'ancien aumônier des Forces françaises libres.

Il prie comme la foule.

Puis il s'avance vers la tribune.

« Cette fois encore, et comme toujours, commence-t-il, les doutes, les faiblesses, les compromissions ne tireront pas la France d'affaire. »

Il laisse le vent emporter les applaudissements.

« Il faut la foi, la force, la fidélité, lance-t-il. Le témoignage que la Bretagne en a donné, comme une leçon impérissable, voici qu'il s'exprime désormais par la croix de Camaret, fièrement levée devant les hommes, humblement dressée devant Dieu.

« La vague ne détruit pas le granit. »

9.

De Gaulle est assis, les mains croisées sur son bureau. Il se sent accablé, irritable. Il fait si chaud, ce 24 juillet 1951. L'orage écrase Paris de sa rumeur lourde qui n'explose pas.

— C'est une sale époque, murmure de Gaulle en se levant.

Il va vers la fenêtre de cette pièce qui, dans l'immeuble qu'occupe le RPF, donne sur la rue de Solferino. La chaussée est déserte.

De Gaulle se retourne. Il montre à Georges Pompidou les titres des journaux. Le président du Conseil Queuille a, selon les usages, démissionné après les élections législatives, et depuis le président Auriol lui cherche un successeur. En vain, semble-t-il. La France est donc sans gouvernement ! Beau résultat ! Et à la première séance de la nouvelle Assemblée, le 5 juillet, le doyen d'âge, un certain Pébellier, a fait l'éloge de Pétain et du gouvernement de Vichy, se déclarant solidaire des personnalités condamnées à l'inéligibilité pour collaboration !

— Pétain est mort, murmure Pompidou.

Hier. Dans la villa de l'île d'Yeu où il séjournait depuis le mois de juin après que le président de la République eut commué sa peine de détention en forteresse en résidence surveillée.

De Gaulle a un mouvement de colère. Il a brusquement l'impression d'un immense gâchis. Pétain est mort, la France n'a plus d'État et on célèbre les vertus de Vichy !

Fallait-il, onze années après 1940, que la nation connaisse cela ? !

— Pétain est mort, répète Pompidou.

100

– Oui, le Maréchal est mort, coupe de Gaulle.

– C'est une affaire liquidée, reprend Pompidou.

De Gaulle secoue la tête.

– Non, c'est un grand drame historique, dit-il d'une voix sourde, et un drame historique n'est jamais terminé.

Il se rassied.

– C'est une sale époque, marmonne-t-il.

Il redresse la tête.

– Mais ça ne fait rien, conclut-il, les dents à demi serrées.

Le siège du RPF, en cette fin juillet, est silencieux. De Gaulle compulse les comptes du RPF que lui soumet Bozel, le trésorier, avant de quitter ses responsabilités : quatre-vingts millions de dettes. Et peu d'espoir de nouvelles ressources. Ceux qui versaient, particuliers, entreprises ou banques, le faisaient en escomptant la conquête rapide du pouvoir. Seuls quelques particuliers vont continuer de donner leur obole. Les autres...

De Gaulle hausse les épaules. Les hommes aussi s'en vont. Georges Pompidou lui-même a fait comprendre qu'il préparait son départ pour dans quelques mois. Il a des ouvertures du côté de la banque Rothschild. Comment empêcher les uns et les autres de penser à leur carrière ? Quant à ceux qui sont devenus députés, ils risquent dans l'hémicycle d'oublier leurs serments. Jacques Soustelle est devenu le président du groupe parlementaire, et naturellement il commence à se laisser prendre au jeu des « palabreries ». Vincent Auriol l'a convoqué à l'Élysée pour le « consulter » comme tous les autres présidents de groupe. Il en a été flatté.

De Gaulle l'écoute faire le compte rendu de sa conversation avec le président de la République. Tout est apparemment clair. Soustelle a défendu les positions intransigeantes du RPF, et cependant, dans sa voix, dans son attitude, quelque chose a changé.

– Il faut que nous soyons l'opposition et c'est tout, dit de Gaulle. C'est comme pendant la guerre. Il fallait résister, sans plus...

Mais combien de résistants ?

De Gaulle s'impatiente.

Terrenoire, le nouveau secrétaire général du Rassemblement, rapporte les réticences que manifestent déjà certains députés RPF venus des partis de droite, Edmond Barrachin, Legendre. Ils contestent l'idée même de discipline de vote, que Soustelle veut imposer aux parlementaires.

– À la fin des fins, s'écrie de Gaulle, Soustelle est-il capable de présider le groupe ? S'il ne l'est pas, il faut le jeter à la porte, tout Soustelle qu'il soit !

Il rentre à la Boisserie. Le temps est toujours orageux. Les événements aussi déplaisants que la touffeur qui oppresse. Les partis s'opposent sur le thème de la laïcité ! Au moment où la France doit affronter des problèmes majeurs qui peuvent peser sur son destin de nation, alors que Robert Schuman, ministre des Affaires étrangères, reconduit dans le gouvernement Pleven, s'obstine à fondre l'armée française dans une Communauté européenne de défense, les députés se chamaillent à propos du cléricalisme ! De Gaulle se calme en marchant dans le parc malgré la chaleur, puis la pluie d'averse. Il décide dans les jours qui suivent de faire une courte promenade en Franche-Comté, en compagnie de son beau-frère Jacques Vendroux, de son épouse et d'Yvonne de Gaulle. Le ciel est plus dégagé, les paysages que domine la vieille forteresse de Bourmon sont amples. Ils invitent l'imagination à se libérer des entraves de la médiocrité. Ici, l'on respire. L'histoire est là, comme en chaque lieu de France, dans ces bourgs aux allures médiévales et le long de ces routes qui reprennent le tracé des voies romaines.

Mais de retour à la Boisserie, puis à Paris, de Gaulle est saisi par l'aggravation de la situation au RPF. Les meilleurs songent à partir. Il faut les retenir, leur écrire : « Non ! Je n'accepte pas que vous quittiez notre Rassemblement, même s'il s'y est produit des erreurs... Pour nous tous, il n'est que de servir. »

Et puis il y a ceux qui pensent à « se servir », qui le harcèlent de requêtes en tout genre. De Gaulle s'indigne, convoque Georges Pompidou. Il faut « régler ces points ridicules, faire comprendre, si c'est possible, de quoi il retourne ! ». Mais peut-être ce correspondant qui multiplie les lettres « me prend-il pour un faisan » ?

Il soupire. Tels sont la vie politique et le RPF qui, quels que soient ses efforts, est écartelé entre le désir des parlementaires d'en faire un parti comme les autres, et l'impuissance qui pousse les plus exigeants à s'éloigner.

– Le régime bouffe nos députés, dit de Gaulle.

Il a un geste d'indifférence.

– Mais de moins en moins le gouvernement va compter dans la suite des événements.

Mais il est inquiet. Et si la France était morte ? Si le pays n'aspirait plus à la grandeur ? Si le peuple n'était plus soulevé par aucune ardeur ? Ces pensées, ces questions, dès qu'il est seul, l'obsèdent. La nation est-elle emportée par le découragement ?

Il reçoit une lettre de Philippe, toujours affecté comme lieutenant de vaisseau à Port-Lyautey. Aux premiers mots qu'il lit, sa joie éclate. Henriette de Gaulle vient de mettre au monde un deuxième fils, Yves. Moment de plénitude. Bonheur d'Yvonne de Gaulle. Projet d'un court voyage au Maroc à l'automne de 1951.

« Vous pouvez vous dire que votre jeune ménage et vos deux si beaux petits garçons sont la lumière d'une vie assez remplie de soucis et de mélancolie », écrit-il.

Mais le bonheur se dissipe. Les inquiétudes reviennent. Philippe lui-même est si déçu par les moyens que l'État met à la disposition de son armée, par la médiocrité de ses conditions de vie, par la lourdeur d'une administration qui finalement l'affectera à une base en Algérie, qu'il songe à quitter l'armée ! Que lui dire ?

« Sache que je ressens profondément tout ce que tu ressens toi-même et qui est l'un des effets de la crise traversée par notre pauvre cher pays. Rien ne me prouve plus clairement que le devoir est de lutter pour le relèvement de la France. »

Comment le convaincre de poursuivre sa carrière ?

« Je ne connais pas un seul de mes contemporains qui, ayant quitté l'armée, n'ait regretté de l'avoir fait. »

Quant aux interrogations de Philippe, il faut qu'il sache que « presque toute la jeunesse en est là, en France et dans beaucoup d'autres pays ». Pour quelques-uns, dont « la réussite peut paraître facile », « pour combien d'autres l'existence est-elle matériellement médiocre et incertaine, ou étroitement terre à terre, ou liée à un milieu professionnel sans distinction ni intérêt (tous tes cousins germains ou issus de germains en sont là !) ».

Et puis pourquoi ne pas lui révéler aussi que, « si je suis mort ou hors de course lors de l'éruption du volcan, c'est toi, mon fils, qui devra devenir le de Gaulle du nouveau drame. Pour cela, il sera infiniment préférable que tu sortes d'un milieu propre et, crois-moi, respecté ».

Il est affecté par ces difficultés que connaît Philippe et qui sont le reflet de la situation du pays.

À Paris, le manège tourne avec ses secousses, nées de querelles mineures sur les bourses aux élèves de l'enseignement catholique. Le président du Conseil Pleven tombe. Auriol consulte. De Gaulle parcourt les journaux, écoute les déclarations radiodiffusées des uns et des autres.

– L'atmosphère est plus veule que jamais, commente-t-il. Le régime se traîne dans une odieuse impuissance, n'ayant absolument qu'un seul but : éviter de Gaulle par tous les moyens de l'inertie, de Gaulle étant symbole et synonyme de l'effort.

On est dans les premiers jours de janvier 1952.

« L'année sera rude pour la France. Indochine, Afrique du Nord, budget, situation économique et sociale politiquement agitée », ajoute-t-il.

Mais il faut dire aussi les mots de l'espoir.

« Nous sommes la seule route, reprend-il. Comment les plus myopes ne le verraient-ils pas ? »

Mais la colère l'emporte quand, le 9 janvier 1952, il apprend que Soustelle a, de nouveau, été reçu par Vincent Auriol, qui lui a suggéré de former le prochain gouvernement ! Naturellement, il s'agit de tendre un piège au RPF, de montrer soit qu'il ne peut rassembler une majorité, soit qu'il se laisse avaler par le système des partis. Et ainsi provoquer son éclatement.

Il attend Soustelle, rue de Solferino, dans la salle de réunion.

– Cher ami, commence de Gaulle, nous nous demandions justement lequel, d'Auriol ou de vous, aurait mangé l'autre...

Il fait effort pour écouter calmement Soustelle qui pérore, évoque le communiqué qu'il a publié à la sortie de l'Élysée. Et, tout à coup, il ne peut plus se retenir.

– Vous êtes tous les mêmes ! s'écrie-t-il. Il suffit de dérouler un tapis rouge sous vos pas pour que vous marchiez dessus, quelle que soit la direction où il mène...

– Ce communiqué..., répète Soustelle.

– Mais c'est idiot, jette de Gaulle, qu'est-ce que cela signifie ?

Il fixe Soustelle. Il lui semble que des larmes coulent sur le visage du président du groupe parlementaire RPF.

Il se lève.

– Voilà, au revoir, messieurs.

Que leur dire de plus ? L'ambition, le désir de paraître les aveuglent. Et le système va les noyer.

– Eh bien, vous les avez vus, murmure-t-il à Fouchet.

Puis, brusquement, il sent que la colère l'abandonne. Il est accablé. Tant d'efforts déployés, ville après ville, discours après discours, pour constituer le Rassemblement, en faire la force qui pourrait, en toute légalité, rénover les institutions et le pays, puis être contraint de constater que le mouvement piétine et va se disloquer.

Il fait entrer Georges Pompidou. Il l'écoute expliquer qu'il faut être prêt à saisir une opportunité. Il lui semble entendre le discours qu'aujourd'hui il n'a pas la force de tenir.

– J'ai fait le Rassemblement pour changer le régime, dit-il à voix basse. J'ai échoué. J'ai pourtant tout mis de moi.

Il hésite. Il baisse la tête.

– Peut-être est-ce en partie de ma faute, reprend-il. Mais je ne puis me changer.

Il s'interrompt, soupire longuement.

– D'ailleurs, ajoute-t-il encore plus bas, je ne crois pas beaucoup au rôle des hommes.

C'est le creux profond de l'hiver. Il marche sur le sol gelé du parc de la Boisserie. Il lui semble entendre la nature gémir : « Me voici stérile et glacée. Combien de plantes, de bêtes, d'oiseaux que je fis naître et que j'aimais, meurent sur mon sein qui ne peut plus les nourrir ni les réchauffer. »

Il pense au général de Lattre de Tassigny, qui vient de mourir d'un cancer mais sans doute tué par la mort de son fils qu'il a choisi de rejoindre au « royaume de la Lumière ». Cette perte le touche profondément. Non seulement – il le dit à Mme de Lattre – « c'est un grand malheur pour la France », mais tant de souvenirs lui reviennent, qui remontent « au début même de nos vies ». Jean de Lattre avait été l'un des élèves d'Henri de Gaulle. C'est un fil de plus de la trame de la vie qui se défait.

Il se rend à Paris afin de s'incliner devant la dépouille de De Lattre aux Invalides. Mais il est révolté par l'attitude des ministres, des politiciens, qui se partagent la dépouille de De Lattre à leur profit, l'honorent à titre posthume en lui conférant la dignité de Maréchal.

Il rentre à la Boisserie. Il faut qu'il prenne ses précautions, « pour qu'à mon enterrement je ne sois pas le jouet de l'histrionisme du régime et que je sois délivré de la présence des politiciens ».

Il s'enferme dans son bureau de la Boisserie. Dehors, en ce 16 janvier 1952, le jour s'arrache difficilement à la nuit. Il a pris trois enveloppes, la première destinée à Georges Pompidou, les autres à sa fille Élisabeth et à Philippe de Gaulle. Il écrit : *Pour mes obsèques.*

Il veut fixer chaque détail.

« Ma tombe sera celle déjà où repose ma fille Anne et où un jour reposera ma femme. Inscription : *Charles de Gaulle (1890-...).* Rien d'autre. »

Une cérémonie « extrêmement simple ». « Ni président, ni ministres, ni bureaux d'Assemblées, ni corps constitués. » Les armées françaises, mais leur participation « devra être de dimension très modeste, sans musiques, ni fanfares, ni sonneries ».

Silence.

Ni discours ni oraison funèbre.

Des emplacements réservés seulement pour « ma famille, mes compagnons membres de l'ordre de la Libération, le conseil municipal de Colombey ».

« Et puis les hommes et les femmes de France et d'autres pays du monde pour accompagner mon corps jusqu'à ma dernière demeure. »

Silence. La mort avec seulement ce que sa vie a créé.

Il écrit rapidement les dernières lignes.

« Je déclare refuser d'avance toute distinction, promotion, dignité, citation, décoration, qu'elle soit française ou étrangère. Si l'une quelconque m'était décernée, ce serait en violation de mes dernières volontés. »

Il se sent libéré d'avoir repoussé même dans l'après-vie les risques de concession au système. Mais, d'ici là, vivre, se battre malgré tout.

« Il faut toujours accepter de souffrir, nous sommes faits pour souffrir surtout moralement », murmure-t-il.

Et puis, au fond de lui, sous l'écume de l'accablement ou du désespoir qui parfois le recouvre, il garde la certitude qu'un jour sa parole sera entendue. Peut-être trop tard, peut-être ne sera-ce qu'après sa mort. Mais cette heure-là viendra. Les événements peuvent d'ailleurs bousculer le régime de manière inattendue. Winston Churchill ne vient-il pas de retrouver le pouvoir après la victoire des conservateurs ? Et Eisenhower sera, dit-on, le futur candidat à la présidence des États-Unis. Peut-être est-ce le retour des acteurs de la Seconde Guerre mondiale qui s'annonce.

Il rencontre Eisenhower à Paris, au mois d'avril, au dîner offert par l'ordre de la Libération, dont Eisenhower est titulaire.

Il le retrouve avec un sentiment d'amitié, l'entraîne à part à la fin de la soirée. Il fait doux. Il se sent sûr de lui.

– Nous serons appelés, vous et moi, à diriger nos deux pays, commence-t-il.

Il perçoit l'étonnement d'Eisenhower.

– Vous serez appelé avant moi, continue de Gaulle. Mais je serai inévitablement appelé à mon tour, car il n'y a pas d'autre choix, et pendant que nous sommes ensemble, je crois qu'il serait bon que nous nous entendions sur quelques points qui pourraient provoquer des frictions et des difficultés entre nous.

Pacte Atlantique, Communauté européenne de défense, Communauté du charbon et de l'acier, si un jour il peut orienter la politique de la France, il reviendra sur tous ces engagements pris par le gouvernement français. Il le dit à Eisenhower en ce printemps de 1952. Il doit s'expliquer. Il est partisan de la construction européenne, mais non d'un abandon de la souveraineté nationale.

« Il faut que la confédération ait une consistance, des pouvoirs, une structure solide. Au lieu de cela, qu'a-t-on fait ?... On a fait des caricatures. »

Quant à la Communauté européenne de défense, « la nation ne saurait dans ses profondeurs ratifier l'abandon, ni la dépendance qu'on vient d'accepter en son nom ».

Plus tard, seul, il laisse libre cours à son indignation. C'est comme s'il revivait, sous d'autres couleurs, les années 30-40, quand, dans les rangs des élites, chacun refusait de défendre la nation : communistes tournés vers Moscou, gens d'extrême droite regardant vers Rome ou Berlin, pacifistes refusant de voir venir la guerre.

Il répète : « Ce pays s'abandonne, et dès qu'il y a un abandon à consentir, on retrouve une forte majorité dans les Assemblées !... Ils n'ont qu'une idée, faire un protectorat américain de la France, un protectorat qui n'est du reste pas protégé. »

Il sait qu'on l'accuse, ici et là, dans la presse, d'être l'ennemi des États-Unis. Pourquoi refuse-t-on de comprendre qu'il ne refuse que la soumission ?

« Nous voulons avoir les Américains comme alliés, mais nous ne voulons pas les avoir pour maîtres. »

Qui peut entendre cela ?

Les communistes, maintenant, se présentent en champions de l'indépendance nationale, parce que cela sert la diplomatie russe. Ils organisent des manifestations antiaméricaines violentes. Ils crient : « U.S. go home ! » Le 28 mai 1952, dans plusieurs villes, ils se battent contre la police, dénonçant la présence du général américain Ridgway qui vient de servir en Corée.

Quelle que soit la sincérité des militants, il ne ressent que du mépris pour leurs dirigeants qui changent de « ligne » au gré des circonstances. Et qui l'injurient en le traitant de « faux soldat, faux résistant, faux combattant ».

Il se sent seul. Et puis il reçoit une lettre de Londres. Il se souvient de cette Augustine Bastide qui fut, en 1943, leur cuisinière. Ce n'est que la voix d'une femme simple, mais qui exprime la même confiance qu'autrefois, « les mêmes sentiments d'honneur et de patriotisme » qu'au temps de la France Libre.

Il en est touché. Tout demeurera possible tant que des gens simples, pareils à cette femme, le soutiendront. Il le dit au secrétaire général du RPF, Louis Terrenoire : « N'importe quel compagnon, n'importe quel Français peut m'écrire. Les militants, ajoute-t-il, je dois leur dire des choses vraies. » Puis il répond à Augustine Bastide :

« Les temps sont gris, mais rien n'est perdu. Il n'est que de marcher tout droit. »

Il sait, depuis des décennies, que le prix à payer pour cette rigueur et cette obstination est la solitude. Elle lui convient. Il n'a vraiment besoin que des siens.

Il pense souvent à ses deux petits-fils, « le cher et beau petit Yves », le « noble et audacieux Charles ».

Il l'écrit à Philippe :

« Nous espérons, maman et moi, vous revoir tous les quatre prochainement... Songez – toi et Henriette que nous aimons – et d'abord pour ta maman, qu'il n'y a pas d'autre joie que celle de vous voir et de voir vos chers petits garçons. »

Pour le reste, il affronte assez souvent les hommes pour ne pas ressentir le désir de les côtoyer au-delà du nécessaire. Il reçoit une invitation de Jean Auburtin, son ami d'avant-guerre.

« Nous n'allons jamais nulle part à Paris, sous peine d'être entraîné... », répond-il.

Mais il accepte d'accueillir des visiteurs à l'hôtel La Pérouse, ou bien à la Boisserie.

Le 3 mars 1952, au milieu de l'après-midi, voici, à Colombey-les-Deux-Églises, Terrenoire et Soustelle.

Il les fait entrer dans son bureau, écoute Soustelle.

Le manège a continué de tourner à l'Assemblée nationale.

Après Pleven, le radical Edgar Faure, qui lui a succédé le 15 janvier, vient d'être renversé. Auriol a consulté, souhaité un gouvernement Paul Reynaud – que, naturellement, Soustelle a rencontré –, et maintenant Auriol pousse vers la présidence du Conseil Antoine Pinay, sénateur maire de Saint-Chamond, qui, selon le propos d'Herriot, a une « tête d'électeur ».

Plusieurs députés du RPF, venus des partis de droite et menés par Edmond Barrachin, Legendre, Frédéric Dupont, souhaitent voter pour Pinay et réclament une fois de plus la liberté de vote pour les parlementaires du groupe.

Pinay ! Un homme honorable, certes, mais à la manière des gens habiles. Il a rendu service à la Résistance et a ainsi évité l'indignité nationale qui lui était promise puisqu'il avait, en juillet 40, voté les pleins pouvoirs à Pétain et siégé au Conseil national de Vichy.

Soustelle continue d'expliquer que les députés « dissidents » exercent une pression quotidienne sur lui. Il est prêt à démissionner de la présidence du groupe.

De Gaulle se lève, raccompagne Soustelle et Terrenoire jusqu'au portail.

— Votre rôle consiste à être déchiré et à recevoir des coups des deux côtés, dit-il à Soustelle. Ce sera votre façon de participer à la grande épreuve nationale qui nous atteint tous.

Il ne rentre pas aussitôt. Il parcourt, dans la nuit tombante, les chemins du parc de la Boisserie. Le groupe parlementaire se divisera-t-il ? Certains le quitteront-ils ?

Il sent s'amorcer la courbe descendante. Il va essayer de maintenir en vie le Rassemblement, mais peut-être le temps viendra-t-il où il faudra qu'il se retire, abandonnant l'entreprise à laquelle il a tant donné, se vouant alors à l'écriture des *Mémoires de guerre*, prenant ainsi date dans la conscience de ce peuple, et qui sait...

Le moment n'est pas encore venu.

Le 4 mars 1952, à 16 h 30, il arrive rue de Solferino pour la réunion du conseil de direction qui doit se tenir à 17 heures. Tension. Hargne de certains députés, de Barrachin et de Legendre. Puis le lendemain, 5 mars, dans une salle poussiéreuse du Musée social, rue Las-Cases, non loin de l'Assemblée, il réunit les parlementaires, à la veille du vote d'investiture du gouvernement Pinay.

Il observe ces hommes, dont certains détournent les yeux. Combien d'entre eux se rallieront à Pinay ? Il se force à les convaincre, à les entraîner, mais c'est comme si toute son âme résistait. Il ne réussit à dire d'une voix conciliante que :

— Faites-moi confiance, comme je vous fais confiance.

Puis il durcit le ton.

« Il est moins question que jamais de composer avec le régime et de le prolonger, donc de voter Pinay... Quand ils seront au bord de l'abîme, c'est à nous qu'une fois encore ils auront recours. Soyez donc fermes et ne transigez pas ! »

Il ne sent aucun enthousiasme. Il devine qu'on va l'accuser de pratiquer la politique du pire, alors qu'il ne s'agit que de refuser les compromissions.

Il le dit encore le lendemain, jour du vote, aux délégués régionaux réunis rue de Solferino.

– Les patrons poussent Pinay, explique-t-il, il faudrait être idiot pour se prêter à ça. Il est possible qu'il y ait quelques remous, notamment chez nos parlementaires, qui sont dans la main des patrons. Eh bien, ils s'en iront !

Il voit Terrenoire entrer. Le secrétaire général apporte les résultats du vote. Pinay est investi. Vingt-sept députés RPF ont voté pour lui.

De Gaulle se lève. « Péripétie », dit-il.

Il faut faire face encore. Tenir une conférence de presse le 10 mars, dire aux journalistes avides, goguenards : « Étant donné les événements, étant donné ce qui se passe et ce qui nous attend, je ne m'hypnotise pas sur ce qui se passe dans l'hémicycle ». « C'est en dehors des exigences des partis qu'on fait l'union nationale... »

Puis il rentre à la Boisserie. Des photographes le guettent à Colombey. Il hait cela, cette vulgarité, cette intrusion dans sa vie privée.

Si la vie politique se limitait à cela, ces réunions d'élus, cette pression des journalistes, il l'abandonnerait aussitôt. Heureusement, il rencontre le peuple. Il s'y mêle, le 1er mai, sur la pelouse de Bagatelle, et c'est toujours le même enthousiasme qui l'entoure, le submerge. Il y a devant lui, autour de lui, plus de cent mille personnes auxquelles il peut lancer : « À nous d'unir la nation ! À nous de faire qu'au-dessus de la France en marche s'élève non le chant des esclaves ni le refrain des décadences, mais la chanson du renouveau ! »

Heureusement, il y a le 18 juin, la cérémonie en l'honneur des martyrs du mont Valérien, le silence au moment de l'hommage, et puis la passion des acclamations.

Il est rasséréné. Le jardin de la Boisserie est fleuri. Bientôt, Philippe et Henriette avec leurs enfants viendront animer la maison et le parc. La vie continue, pleine et riche.

« L'affaire Pinay n'est rien d'autre que l'ultime chance de la facilité jouée par les intérêts sans aucune foi populaire », explique-t-il.

Il lit les reportages que l'on consacre au président du Conseil, si simple, si modeste, si économe des deniers publics, prétend-on.

Comédie, mise en scène.

« Mais il y a en ce moment de l'euphorie dans certains milieux. » Cela ressemble à ce qui s'est passé à Alger en 1943. Pinay, « c'est assez l'entreprise Giraud ».

« M. Pinay donne bonne conscience à ceux, nombreux, qui ont abdiqué ou s'abandonnent. »

« Je me tiens pour l'instant un peu en retrait... mais prêt à diriger l'offensive du gaullisme, c'est-à-dire l'effort national, dès que l'échec de l'expérience en cours aura déchaîné l'angoisse. »

Mais il faut d'abord présider la réunion du Conseil national dans la grande salle de la mairie de Saint-Maur, les 4 et 5 juillet 1952.

Il s'installe à la tribune face à ces six cent seize délégués qui hurlent quand les députés « dissidents » – « nos adversaires ! » s'écrie Malraux – expliquent leur vote en faveur de Pinay.

De Gaulle se lève.

— Mes compagnons...

Il tend le bras dans un geste d'apaisement.

— Je vous en prie, vous voyez de quoi il retourne. Veuillez imiter mon comportement, moi qui ne dis rien...

Il écoute Barrachin, Legendre.

Il pense : « Les modérés, les perpétuels ratés de l'histoire... Il n'y a rien à attendre d'eux... Que le diable les emporte ! Il faut envisager la reconstitution de l'école de l'effort, c'est-à-dire de la Résistance. Ceux qui ont cette philosophie sont avec nous. L'avenir électoral est là, dans le regroupement de ceux qui combattent et veulent rénover le pays. L'affaire de la droite est perdue. »

L'atmosphère dans la salle est étouffante. Il croise les mains sur ses genoux. Il s'efforce de ne pas céder à la colère. Il imaginait la hargne de ceux qui interviennent – Barrachin, Legendre. Elle ne le surprend pas, et pourtant elle le blesse.

Il dit en parlant lentement, penché vers les délégués :

« Ceci est un débat extrêmement grave : il s'agit de savoir si, pour empêcher les démons, on doit entrer dans leurs rangs. Il s'agit simplement de savoir si, pour empêcher qu'on fasse le mal, on doit participer à l'opération qui consiste à le faire... Nous n'entrerons à aucun prix dans un système mauvais et qui va continuer égal à lui-même, c'est-à-dire déplorable et ruineux pour le pays. »

Il se rassied. Il écoute Malraux, qui s'écrie : « Si vous abandonnez une idée, l'idée dont vous avez vécu, ce n'est pas un incident, c'est un suicide ! »

Puis se succèdent les orateurs. Et le 5 juillet, alors que vingt-six parlementaires viennent d'annoncer leur démission du groupe RPF de l'Assemblée nationale, de Gaulle s'avance à nouveau vers la tribune.

D'abord dire la vérité, nue.

« Certains ont cru plus commode, ou, pour mieux dire, plus rentable, de retourner jouer, comme avant, leurs jeux qui ne sont pas les nôtres. C'est très humain, même si ce n'est pas très joli. »

Il laisse les applaudissements déferler.

Maintenant, il doit galvaniser cette assemblée. Leur dire qu'il conserve l'espoir. Si tel n'était pas le cas, lance-t-il, je serais « dans mon village, laissant passer l'Histoire ».

Il enfle la voix.

« L'avenir est à ceux qui savent souffrir pour triompher. Ne croyez-vous pas que ç'a été là, depuis 1940, la philosophie de ce que j'ose appeler le " gaullisme " ? »

Les délégués se lèvent, l'acclament. Il lance :

« Vive la République ! Vive la France ! »

Puis vient *La Marseillaise*.

10.

De Gaulle lève la tête. La fenêtre est ouverte. Pas un souffle de vent. Les arbres du parc de la Boisserie sont enveloppés par une brume de chaleur. Au-delà, le plateau s'étend, immense et vide, avec, ici et là, les reflets jaunes de l'herbe rase brûlée par le soleil. L'été est immobile.

Et tout à coup, des cris et des rires, comme un éclair de joie. Ses petits-fils, Charles et Yves, sont là, courant dans le jardin. Il va pouvoir les rejoindre dans quelques minutes, dès qu'il aura terminé cette lettre à Geneviève, sa nièce.

Il pense à cette jeune femme résolue, héroïque, résistante de la première heure, arrêtée en juillet 1943 puis déportée à Ravensbrück. Dieu a permis qu'elle revienne, qu'elle soit mère. « Chère Geneviève. »

Il recommence à écrire.

« Il est de fait que les Français sont dans un marasme moral profond. Mais il est dans le devoir, dans la fonction de certains de représenter, de faire valoir, au milieu d'eux, le courage qui est le salut. Tu le sais bien, toi... »

Il est fier d'elle, de toute sa famille. Pas un de Gaulle qui n'ait failli.

Il reconnaît la voix du petit Charles. Il l'a dit à ses parents, Philippe et Henriette : « Charles est une personnalité. Il est d'une intelligence et d'une activité remarquables et on peut augurer au mieux de son avenir. Le petit Yves est un magnifique bébé, certainement très bien doué, lui aussi. »

Il termine la lettre. Il a hâte d'aller dans le jardin, de prendre place près d'Yvonne de Gaulle dans le cercle, de regarder ses enfants Philippe et Élisabeth, leurs conjoints Henriette et Alain de Boissieu, de jouer avec ses petits-fils dans la touffeur de l'été. Rien d'autre ne peut lui apporter cette sensation de paix, de bonheur et de plénitude. Comment pourrait-il affronter l'hostilité, surmonter les déceptions, retrouver l'élan nécessaire pour continuer à agir, s'il n'avait pas autour de lui, dans sa maison, les siens ? Ce sont eux qui remplissent et donnent un visage humain à la vie, qui incarnent la continuité de la famille et donc de l'Histoire et de la France.

Il quitte le bureau. Du perron, il les voit. Il observe longuement Yvonne de Gaulle, dont le visage exprime une sorte de ravissement tranquille. Ils sont tous là, ses enfants. Il croise son regard. Elle aussi, à cet instant, elle doit penser à Anne.

Mais leur fille est avec eux, en eux.

Puis ils s'en vont. Reste le devoir.

Il est à sa table de travail. L'horizon est déjà gris. Le parc prend les couleurs nostalgiques de l'automne. Philippe a rejoint sa base de l'aéronavale, à Lartigue, près d'Oran. Les conditions de vie y sont austères. La famille vit à l'hôtel. La solde est maigre. Henriette de Gaulle attend un troisième enfant.

Il écrit à Philippe. « Je t'enverrai, d'ici à quarante-huit heures, 50 000 francs pour t'aider à l'hôtel. Mais doucement ! »

La somme couvre à peine cinq journées d'hôtel. Mais comment faire plus. Pas de fortune. Peut-être même Yvonne de Gaulle est-elle contrainte de vendre parfois des pièces d'argenterie pour assurer les fins de mois. L'indépendance et la liberté ont un prix. Quant aux droits d'auteur, peut-on imaginer tirer profit pour soi de ce qui est le récit de l'histoire de la France ? S'ils existent, ces droits, serviront-ils à financer la Fondation Anne-de-Gaulle ? Et d'ailleurs, les *Mémoires* ne sont pas achevés, loin s'en faut !

De Gaulle dispose de part et d'autre de la table les documents dont il va avoir besoin pour la rédaction du chapitre qu'il veut commencer ce matin. Mais il sent, comme chaque fois qu'il se dispose à écrire, une résistance en lui. Il n'écrit pas facilement. Et puis, murmure-t-il, « je veux en faire une œuvre. Churchill, lui, dans ses *Mémoires*, tire trop à la ligne ».

115

Rigueur dans le récit et dans les portraits. Il veut bâtir un monument qui soit digne de l'aventure de la France Libre, des hommes qui y sacrifièrent leur vie. Une œuvre pleine de la grandeur de la nation et restituant l'héroïsme, le tragique, les difficultés d'un moment de son destin.

Il reçoit Claude Guy. Il l'écoute lui parler de la possibilité de publier dans la presse des extraits de ses *Mémoires*.

Il secoue la tête. Les aspects commerciaux de la publication de son œuvre le révulsent.

« J'ai la vanité de penser que ma prose a quelque valeur littéraire, dit-il. Il est possible que j'appartienne à la vieille école. Il y aurait quelque inconvenance à céder aux offres alléchantes auxquelles je déplore que Churchill ait souscrit. »

Il se lève, fait quelques pas.

— Voyez-vous Vauvenargues ou Saint-Simon se faisant publier en pièces détachées dans un quotidien de Paris ?

Et puis il ne veut céder à aucune illusion. Il ronge son ongle un long moment, laissant Claude Guy expliquer que ces *Mémoires* largement diffusés dans la presse pourraient « au plus noir du tunnel... éclairer la route » des Français.

Il hausse les épaules.

— Je ne dis pas que ces pages tomberont dans l'infifférence générale, commence-t-il d'un ton désabusé, mais j'affirme qu'elles ne changeront rien à rien ! D'ailleurs, vous pouvez compter sur le régime pour répandre partout que le général de Gaulle a menti. Quant au *Figaro* de ce régime, il publiera maintes lettres de protestation, et vous pouvez compter sur les Weygand et autres Jean Monnet pour donner à cette occasion de leur voix de fausset.

Il hoche la tête.

« Moralement, murmure-t-il, ce sont toujours les temps de l'épreuve, c'est-à-dire ceux où il faut se tenir droit. »

Et surtout, il croit à l'exactitude et à la densité de ce qu'il écrit. Pas un de ses visiteurs auxquels il a lu des passages de ses *Mémoires* qu'il n'ait senti ému, fasciné. Et il a besoin de cette écoute attentive. Il s'accorde le plaisir de relire des chapitres à haute voix devant tel ou tel de ses visiteurs. Il guette les réactions de Claude Guy ou de Jacques Vendroux.

Il fait asseoir ce dernier dans le fauteuil Empire placé à sa droite, face à la fenêtre. Il met ses lunettes. Il tient les feuillets dans la main gauche et il commence à lire, ponctuant les phrases d'un mouvement de la main droite.

« Toute ma vie je me suis fait une certaine idée de la France », commence-t-il.

Il lit, emporté par son texte, par le souvenir. Il lui semble qu'il connaît vraiment ce qu'il a vécu depuis qu'il l'a écrit.

Au fur et à mesure qu'il lit, il pose les pages en les retournant sur le bureau acajou.

– Alors, qu'est-ce que vous en pensez ? demande-t-il à la fin.

Il sait, à l'émotion qu'exprime le visage de son beau-frère, que celui-ci a été bouleversé par les premières pages. D'un geste, il empêche Jacques Vendroux de répondre. D'ailleurs, lui suggérerait-on, des modifications qu'il ne les exécuterait pas. Il écrit comme il vit, en s'engageant tout entier tel que son destin l'a fait. Comment pourrait-il vivre et écrire différemment ?

– Il faut faire pour le mieux, murmure-t-il, le reste est l'affaire de Dieu.

Il répète cette phrase à Louis Terrenoire, Jacques Soustelle, Georges Pompidou et le général Kœnig, qui sont assis en face de lui, dans le bureau de la Boisserie. Comment leur faire comprendre, à eux qui se sont consacrés à la construction et à la vie du RPF, qu'il doit, lui, de Gaulle, prendre ses distances ? Il doit à tout prix s'éloigner de ceux qui s'agitent dans le « cloaque » parlementaire et électoral.

– Ne nous confondons pas, dit-il, avec les six cents malheureux qui sont enfermés dans le Parlement.

Il devine que ces proches, qui, depuis plus de cinq ans, se dépensent pour le RPF, sont désorientés. Certes, Pompidou est sur le départ. Il a déjà choisi son remplaçant à la tête du cabinet, un homme jeune, discret et calme, Olivier Guichard. Kœnig fait toujours partie des cadres de l'armée. Mais Soustelle et Terrenoire, et bien sûr les députés, ou ceux qui espéraient être élus grâce au RPF, sont devenus des hommes politiques. Et il doit condamner les « jeux, poisons et délices » du « système où ils se complaisent ».

Il les écoute. Il doit agir avec prudence, laisse faire naturellement les choses afin que le RPF s'amenuise, se décompose de lui-même sans qu'il ait à le renier. Mais il doit s'en dégager à tout prix.

Il se lève, entraîne ses invités dans le parc. L'automne est bien là. Il parle tout en marchant.

– On ne peut rassembler les Français que sous le coup d'un péril, dit-il, quand ils ont peur. Je les ai rassemblés en 1944, quand il s'agissait de les libérer des Allemands, en 1947, contre le communisme.

Il s'arrête.

– On ne peut pas rassembler les gens à froid.

D'ailleurs, les résultats sont là !

À une élection partielle qui se tient dans le premier secteur de la Seine, le candidat du RPF – il s'agit pourtant d'Albert Ollivier, un écrivain remarquable, proche de Malraux, auteur d'un admirable *Saint-Just* – recueille dix mille voix, là où Pierre de Gaulle, un an avant, en rassemblait cent mille !

Il hausse les épaules. Il remue du bout du pied les feuilles mortes qui s'entassent au bord du chemin.

– On est sur un pays de plus en plus bas, et je ne vois pas ce que je puis faire pour l'arracher de sa torpeur. Ça dort. Ça s'est exprimé par M. Pinay. Ça aurait pu s'exprimer par un autre nom : le désir de ne plus porter le fardeau de la France...

Il recommence à marcher, raccompagne ses visiteurs jusqu'au portail. La nuit tombe déjà. Il faut les rassurer. Les réunions du conseil de direction du RPF se tiendront comme d'habitude, et il n'est pas question de supprimer le Conseil national ou de dissoudre le RPF. Il parlera aux Assises, au Vélodrome d'hiver, en novembre. Soit. Mais, il martèle le sol du pied :

– Il faut détacher à tout prix le RPF de l'action électorale et parlementaire.

D'ailleurs, le manège va recommencer à tourner.

– Le pauvre M. Pinay se trouve maintenant devant le mur du son, c'est-à-dire l'opposition de tous les intérêts. Je ne crois pas qu'il puisse le percer. Il y faudrait un autre régime que celui qu'il chevauche. Nous allons donc à des secousses.

Il imagine les députés RPF, et ceux qui ont déjà voté pour l'investiture de Pinay, attirés à nouveau par les mirages gouvernementaux, le rêve ministériel. Leur demander de ne pas participer au « système », c'est exiger d'eux l'impossible.

– Ah, si j'étais mort, comme tout serait plus simple ! lance-t-il d'une voix goguenarde.

Il rentre. Il relit les pages de ses *Mémoires* qu'il a écrites ce matin. Il revit ces mois de juin 40 durant lesquels Paul Reynaud, politicien expérimenté, homme intelligent et lucide, n'a pas réussi à se dégager à temps du marécage des combinaisons politiques. Et s'y est noyé, perdant le pays.

Il faut éviter ce risque à tout prix : « La stratégie politique doit obéir aux mêmes principes que la stratégie militaire : pour dominer la situation et préparer l'avenir, il faut échapper au tourbillon. »

Et, pour cela, ne rien accepter qui puisse créer une ambiguïté, laisser croire qu'il fait partie du système.

Il lit la lettre que lui adresse Pierre de Chevigné, le secrétaire d'État à la Guerre, afin de l'avertir que le ministère l'a inscrit dans la « liste des officiers généraux » ! Comme n'importe quel général !

Il répond d'un trait.

« Le 18 juin, je suis sorti des cadres de l'armée pour des raisons et dans des conditions qui n'ont évidemment aucun précédent. Il est vain et abusif d'affecter aujourd'hui de m'y faire fictivement entrer, comme s'il était possible de normaliser, suivant l'échelle de la nomenclature, ce qui, précisément, ne peut et ne doit pas l'être. »

Il tend la réponse à Guichard, puis il ajoute dans un mouvement rageur :

– Je ne demande rien, je ne veux pas figurer sur cette liste.

Il est, c'est ainsi, un homme à part. Il doit l'être. Il doit symboliser une légitimité qui échappe au classement. Il ne peut pas – il ne doit pas – accomplir certaines tâches. Il faut, même si le RPF n'a plus d'argent, même si l'on doit licencier la plupart de ses cadres, qu'il conserve, lui, un cabinet, des collaborateurs. Il le faut. Parce qu'il doit tenir le rang qui est dû à ce qu'il incarne.

– Je suis de Gaulle, dit-il à Louis Terrenoire. Il y a des choses que je ne puis pas faire. Ce n'est pas ma faute, c'est ainsi. J'ai donc absolument besoin d'un secrétaire général qui consacre tout son temps à cette tâche.

Même la maladie ne doit pas le réduire à la condition commune. Il faut la surmonter.

Il est opéré de la cataracte le 27 décembre 1952. Il est seul dans la nuit durant plusieurs jours, puis il doit, l'œil à demi fermé, porter des lunettes noires, remplacées peu après par des verres épais. Il sait bien qu'il a soixante-deux ans. Qu'il est un homme comme les autres, entre les mains de Dieu. Mais son destin n'est pas commun, et donc il doit agir selon sa propre loi. Les médecins lui ont conseillé de ne pas se promener dans le parc alors que le froid est vif, car son œil reste fragile. Pourtant il sort. Il est d'une autre trempe. La maladie le plie, mais elle ne le brisera pas, ne le modifiera pas.

Et pourtant la fatigue, la lassitude, la douleur le harcèlent. Il enlève ses lunettes, les regarde, les montre à Alain de Boissieu.

— Vous voyez de Gaulle passant une revue des troupes avec des lunettes épaisses sur le nez ? dit-il en maugréant.

Il secoue la tête.

— Non, ce n'est plus possible, il faut savoir tourner la page.

Des mots. À peine une tentation vite effacée.

Car comment accepter ce qu'ils font de la France ?! Tout l'indigne. Rien ne le surprend. Pinay est renversé. René Mayer est investi, et 81 députés RPF sur 84 ont voté pour lui, et naturellement tous ceux qui avaient déjà voté pour Pinay, les « dissidents » du groupe. Mayer parvenu au pouvoir grâce aux voix du RPF ! Et ces députés n'ont pas réussi à obtenir de lui une déclaration claire sur cette Communauté européenne de défense, où les Jean Monnet, les Robert Schuman, les Georges Bidault veulent dissoudre l'armée de la nation et soumettre ainsi la France aux États-Unis et à l'Allemagne !

Alors, lunettes ou pas lunettes, il faut intervenir !

« Je ne sais pas qui gouverne la France, dit-il. Le ministre des Affaires étrangères, c'est Foster Dulles. Le ministre de la Défense, c'est le général Eisenhower. Le ministre de la Reconstruction, c'est l'abbé Pierre, et le président du Conseil... »

Il montre les affiches immenses apposées dans Paris par une agence de publicité qui veut se faire connaître : GARAP.

— Le président du Conseil, c'est Garap !

« Avec la CED, nous devenons la Légion étrangère des Américains, poursuit-il. Jamais on n'a gagné une guerre avec la seule Légion. Ce " truc " a été inventé par des types qui n'ont jamais été soldats ! »

Il ne faut à aucun prix que la CED soit votée. Qu'en serait-il de la France ?

Il prend à part Edmond Michelet. Il aime ce patriote chrétien, ce résistant. Michelet a-t-il lu le discours qu'a prononcé Jean Monnet à Aix-la-Chapelle ? De Gaulle a une moue de mépris. Monnet a passé la guerre à Washington ! Puis il a été du clan Giraud. C'est naturellement l'inventeur de la Communauté européenne du charbon et de l'acier et de la Communauté européenne de défense : « Il se prend pour Charlemagne... » Contre ces gens-là, il faut, comme durant la Résistance, rassembler les Français.

Il pense à Charles Tillon, ce dirigeant communiste de la Résistance que son parti vient de condamner. « Tous ces communistes qui ont lutté avec nous sous la Résistance, ils étaient communistes, c'est une affaire entendue, mais ils étaient aussi des patriotes... Leur place est chez nous. »

Puis il écoute Michelet lui annoncer que le comte de Paris souhaite le recevoir. Il hoche la tête. Il est prêt à rencontrer le comte de Paris là où le prince voudra, « étant donné que le prince est partout chez lui ».

Il sait bien que les imbéciles vont déclarer qu'il est communiste ou monarchiste ! Quand l'accepteront-ils pour ce qu'il est, un moment de la France ? ! C'est ainsi. Qui peut comprendre qu'il dit cela en toute humilité ?

Ce n'est pas à lui qu'on rend hommage, mais, à travers lui, à une « certaine idée de la France ». Et cette idée-là, elle doit être respectée, honorée, comme si celui qui la portait était un chef d'État. Il le dit à Olivier Guichard, qui l'accompagne dans un périple africain de vingt-cinq jours (en mars-avril 1953), puis lors d'un voyage dans l'océan Indien (en octobre de la même année).

Il voyage dans le DC-4 que lui a offert, en 1945, le président Truman. L'avion est piloté par un équipage militaire. Le général et Yvonne de Gaulle sont assis dans une cabine, à l'avant de l'appareil. Le système a dû accepter ces voyages « quasi » officiels.

Il s'éloigne de Paris. Il se sent déjà mieux. Dans l'avion, il lit *Lord Jim* de Joseph Conrad. Il écrit. Il invite Olivier Guichard ou le commandant de Bonneval, son aide de camp, à partager son repas.

Il va de Dakar à Tunis, d'Addis-Abeba à Tamatave, de Fort-Lamy à Djibouti, d'Abéché à Antsirabé. Il ne sent pas la fatigue. Il a l'impression de retrouver une vigueur juvénile. Il rencontre partout des anciens de 40. À Niamey, il reconnaît cet officier au visage de reître, Massu.

— Qu'est-ce que vous pensez de l'avenir ? lui demande-t-il en l'attirant dans un coin sombre de la terrasse. Me voyez-vous revenir ?

Massu s'engage à l'aider.

Un jalon ici. Un repère là. Et puis ces foules, ces chants, ces danses, ces personnalités d'abord prudentes et réticentes – elles sont socialistes parfois, elles représentent le régime, et qu'est-il, lui, sinon un personnage du passé ? – qui se pressent autour de lui, dont il sent qu'elles reconnaissent instinctivement son autorité, sa légitimité.

Il a besoin d'éprouver cela. C'est comme si, par ce contact, aux confins du désert ou dans les palais des gouverneurs ou du Négus, au milieu de la foule bariolée, exubérante, il s'assurait que ce qu'il pense de son rôle et de sa place dans l'histoire est fondé. Il se ressource par ce voyage dans sa mémoire, en ces lieux où il forgea pas à pas sa légitimité. Il pense à Leclerc, à Éboué. À son échec devant Dakar. À ces premiers « vive de Gaulle ! » qu'il entendit à Douala et à Brazzaville. Il est impatient, irrité quand Olivier Guichard et Jacques Foccart, un chargé de mission qui connaît parfaitement l'Afrique, lui apportent les dernières nouvelles des jeux politiques qui continuent de se dérouler à Paris.

— Vous commencez à m'emmerder avec votre RPF, leur lance-t-il.

Puis il se reprend.

— Quand on veut traverser une rivière et que le fond est vaseux, il vaut mieux aller passer ailleurs.

Il a eu raison de vouloir prendre du champ. René Mayer vient d'être renversé et les « présidents du Conseil pressentis » commencent leur tour de piste. Et chaque fois, maintenant, les députés RPF se précipitent, à une poignée de fidèles près, pour entrer dans la ronde. Elle dure trente-cinq jours ! Pendant plus d'un mois, la France reste sans gouvernement ! Auriol essaie de pousser sur le devant de la scène Paul Reynaud, Mendès France, puis Georges Bidault ! Sept pressentis et, pour finir, Joseph Laniel, un bon notable normand qui fut membre du CNR, pour qui votent les

RPF et les dissidents du RPF. Et en échange, enfin ! le 16 juin 1953, trois députés RPF seront ministres, et deux secrétaires d'État !

Belle victoire !

Qu'a-t-il à voir avec cela ? !

« La nation, faute d'être conduite, retombe dans ses vieilles divisions, dit-il. Celles-ci l'abaissent et la paralysent... Ni la gauche ni la droite ne peuvent gouverner. Quand elles affectent de le faire ensemble, c'est pour se neutraliser ! »

Il faut que les choses soient claires :

« Le Rassemblement doit s'écarter d'un régime stérile et qu'il ne peut pour le moment changer. »

Aux dernières élections municipales d'avril 1953, le RPF n'a obtenu que 10,6 % des voix. Il en rassemblait près de 40 % en octobre 1947 !

Tous ces efforts, cette marche dans le marécage pour en arriver là !

« Voici venir la faillite des illusions. Il faut préparer le recours », conclut-il.

Quant aux membres du RPF qui participent à un gouvernement : « Ils se trouvent par là même en dehors du Rassemblement. »

Il se sent libéré d'avoir ainsi tranché. Que les députés RPF, sous la présidence de Chaban-Delmas, créent une Union républicaine et d'action sociale, que les dissidents inventent un Groupe d'action républicaine et sociale, cela ne le concerne plus directement.

Il écrit. Il se rend sur les hauts lieux de la Résistance. Il arpente la mémoire de la nation. Il exalte l'héroïsme des parachutistes de la France Libre. « Maintenant, que la bassesse déferle ! Eux regardent le ciel sans pâlir et la terre sans rougir. » Il se rend au mont Valérien le 18 juin. Et il est ému comme à chaque visite par le silence de la crypte et l'enthousiasme de la foule.

Il lui semble qu'il a franchi une nouvelle étape. Il se sent plein d'énergie. Il a oublié l'« épreuve désagréable » de l'opération de la cataracte. Il joue avec ses lunettes. Il réussit à deviner les visages même quand il ne les porte pas. Il a surmonté cette épreuve-là.

Maintenant, il doit expliquer aux délégués du RPF la situation où se trouvent la France et le Rassemblement. Il les réunit. Il les observe. Ce sont des hommes fidèles. Eux n'aspiraient pas à une carrière politique. Et demain, ils seront autour de lui, même après une longue « traversée du désert ».

« Il y a dans l'Assemblée nationale actuelle, dit-il, une espèce de pulvérisation manifeste... Bref, il n'y a plus moyen dans ce milieu... de maintenir une cohésion réelle, d'acceptation de la discipline... C'est la raison pour laquelle j'ai renoncé. »

C'en est donc fini, du RPF.

« Mais la mission reste... nous devons changer le régime. »

Il s'interrompt. Il faut que les choses soient formulées nettement.

« Ça veut dire que de Gaulle prend le pouvoir. C'est cela que ça veut dire, ou rien du tout ! »

Il laisse passer les applaudissements.

« Si de Gaulle n'était pas entré à Paris, continue-t-il, ce n'était pas la victoire de la Résistance. »

Il lève les bras.

« C'est ainsi, je n'y peux rien, nous sommes obligés de prendre les choses comme elles sont. »

La fin de l'année 1953 approche. Il a conscience qu'une page se tourne. Il ne regrette pas la tentative du RPF, mais la liquéfaction est telle, la lassitude si générale, qu'il arrive à la conclusion qu'« on ne peut rien faire qu'à chaud », à l'occasion d'un « coup de torchon ». Il faut donc attendre, guetter, prendre date, s'appuyer sur le sentiment national, dénoncer ce « funambulesque traité d'armée européenne, cette monstruosité qui consisterait à perdre l'armée française dans une hégémonie militaire allemande ».

Mais sur qui s'appuyer pour agir ?

Par accès, le pessimisme le submerge. Churchill va à nouveau être chassé du pouvoir. Eisenhower a été élu président des États-Unis, mais il semble ne prendre aucune initiative. Staline est mort.

« Le monde s'effondre dans l'inertie et dans la mort, murmure de Gaulle. Nous sommes au temps des pygmées... »

Comment le peuple pourrait-il se rassembler alors que le pays semble si las ? « Insolence des vichystes, lâcheté du marais ! » La boue déferle ! Scandales divers où l'on tente d'impliquer le RPF.

Mais, surtout, désarroi, pourrissement des problèmes, grèves qui se multiplient. Émeutes à Casablanca, où le résident général dépose le sultan. Tension à Tunis. Violence endémique en Algérie. Et la guerre d'Indochine s'aggrave. Les troupes du Viêt-minh multiplient les offensives, que l'état-major tente de stopper en fortifiant la cuvette de Diên Biên Phu.

Impasse partout.

« Il y a un décrochage saisissant entre la vie réelle et la politique, dit-il. Et c'est là tout le drame français. La question est de savoir comment ce divorce sera résolu... Notre tâche est de déterminer les conditions dans lesquelles la politique de la nation pourra réépouser la vie. »

Sera-ce possible ?

Malgré ses accès de pessimisme, il a l'impression étrange que le plus mauvais moment est passé pour la France, parce que aucune puissance, ni la Russie ni les États-Unis, n'a imposé réellement son imperium, qu'il y a donc pour la nation la possibilité de survivre. Mais, en même temps, il lui semble que « jamais l'opinion et la masse française n'ont été plus veules, plus indifférentes, plus égoïstes » !

Nation contradictoire ! Nation gauloise ! Il se sent seul.

« La gauche m'avait abandonné au lendemain de la Libération parce qu'elle est contre l'État. La droite m'a abandonné ensuite parce qu'elle est contre le peuple ! »

Sa tâche : rassembler le peuple et l'État.

Mais ce ne peut plus être par le moyen du RPF.

Il songe à ces compagnons anonymes qui se sont engagés dans le Rassemblement, qui parfois y ont sacrifié leur carrière. Il sait que certains sont désespérés, amers. Mais il doit prendre la décision d'annuler les assises nationales qui devaient se tenir les 7 et 8 novembre 1953. Il ne peut entretenir plus longtemps des illusions. Et s'il veut conserver une chance de parvenir au pouvoir, il faut qu'il soit sans attache partisane.

Il va s'expliquer, donner le 12 novembre, à l'hôtel Continental, la dernière conférence de presse de l'année 1953, à la veille de l'élection d'un nouveau président de la République, puisque le septennat de Vincent Auriol s'achève.

Certains journalistes imaginent même qu'il pourrait se présenter à l'élection ! N'ont-ils rien compris à ce qu'il est, à ce qu'est son dessein ?

« Pendant la guerre, dit-il, aux jours de la plus sombre épreuve, je me suis quelquefois laissé aller à penser : " Peut-être ma mission consiste-t-elle à rester dans notre Histoire comme l'ultime élan vers les sommets. Peut-être aurais-je écrit les dernières pages du livre de notre grandeur... " Mais bientôt, sentant renaître en mon âme la foi avec l'espérance, je me disais au contraire : " Peut-être le chemin que je montre à la nation est-il celui d'un avenir où l'État sera juste et fort, où l'homme sera libéré, où la France sera la France, c'est-à-dire grande et fraternelle ! " »

Il regarde la foule des journalistes assis devant lui. Il lance, en se levant :

– J'en suis encore là aujourd'hui.

Ce sont les derniers jours de décembre 1953. Le parc de la Boisserie s'enfonce dans la nuit glacée. Le feu brûle dans la cheminée du salon. De Gaulle parcourt les journaux. À Versailles, les parlementaires, réunis en congrès, ne réussissent pas à dégager une majorité en faveur d'un candidat. On envisage même, après plusieurs tours de scrutin, qu'Auriol pourrait se succéder à lui-même.

De Gaulle regagne son bureau. Les dossiers contenant les feuillets du manuscrit de ses *Mémoires* s'entassent sur un coin de la table.

Il commence une lettre à Philippe.

« Pour moi, je suis plongé actuellement dans le premier (c'est-à-dire le dernier) chapitre de mon livre. Je voudrais avoir tout fini dans le courant de février et donner alors la chose aux éditeurs.

« Inutile de te dire que je ne me mêle en rien de l'élection du président du régime. Cela ne peut aboutir qu'à instaurer, une fois de plus, la médiocrité. »

Le 23 décembre 1953, il écoute la radio dans le salon de la Boisserie. Un journaliste, d'une voix claironnante, tente de dominer le brouhaha, puis des applaudissements et *La Marseillaise* qu'entonnent les parlementaires. Il annonce qu'après six jours et treize tours de scrutin un sénateur de la Seine-Maritime, un certain M. René Coty, vient d'être choisi pour succéder à Vincent Auriol.

De Gaulle hoche la tête, replie ses lunettes, murmure :

– Le régime a fini par élire pour son président celui qui le représente le mieux : un inconnu sans relief et rassurant pour les bourgeois qui veulent dormir.

Troisième partie

1er janvier 1954 – 2 janvier 1956

Sans le froid, pas d'abbé Pierre... Quand la France aura froid, je pourrai agir moi aussi.

Charles de Gaulle à Louis Terrenoire,
10 février 1954.

11.

De Gaulle, ce 6 janvier 1954, s'arrête sur le seuil de la salle du rez-de-chaussée du n° 5 de la rue de Solferino. Il distingue mal les visages de ces employés du Rassemblement qui l'attendent. Il doit leur présenter ses vœux. Il chausse puis enlève ses lunettes. Il reconnaît Olivier Guichard, Louis Terrenoire. Il s'irrite. Sa vue baisse. Il est dans sa soixante-quatrième année. Il va devoir subir sur l'autre œil aussi l'opération de la cataracte. À cet instant, il a le sentiment d'une injustice. Il ne se rebelle pas contre les conséquences de l'âge, mais contre le temps qui va lui manquer peut-être pour tenter de réformer cette nation.

Il fait quelques pas. La lumière est faible, cependant il devine les traits des uns et des autres. Il perçoit l'anxiété de ces hommes et de ces femmes. Ils savent que le Mouvement est toujours endetté, que des huissiers s'en vont parfois sonner au portail de la Boisserie pour présenter des impayés ! Que les députés « gaullistes », qui ont décidé, autour de Chaban-Delmas, de s'appeler désormais « républicains sociaux », vont prendre à leur charge les cotisations et pénalités d'arriérés de la Sécurité sociale dues par le RPF ! Comment le Mouvement pourrait-il encore conserver des permanents ou continuer de faire paraître son hebdomadaire ? !

De Gaulle sent cette atmosphère angoissée.

– Notre pays est très bas, commence-t-il d'une voix sourde. Mais il viendra un jour où il sera las de la boue des marécages. Ce sera notre tour... Rien ne dure, excepté la France. La bassesse n'aura donc qu'un temps. Quant à notre œuvre, elle ne fait que commencer.

Il s'interrompt.

– Le régime ressemble à celui de la décadence romaine, quand on élisait un cheval comme consul...

Il entend quelques rires. Il poursuit, d'un ton gouailleur :

– S'il y avait des fauves dans le monde, les veaux seraient mangés, mais il n'y a pas de fauves, il n'y a que des veaux.

On applaudit. On rit. Il écarte les bras.

– Je vous aime bien, dit-il, comptez sur moi comme je compte sur vous.

Il remonte dans son bureau. Terrenoire évoque une élection partielle qui doit avoir lieu en Seine-et-Oise, où s'opposeront deux candidats gaullistes.

Voilà pourquoi il veut que le Rassemblement se dégage des batailles électorales.

La colère le saisit.

– Je croyais avoir dit clairement que je ne m'occupais plus des élus, quels qu'ils soient, et dans quelque sens que ce soit.

Il a le sentiment d'avoir été trahi.

« Il eût suffi que les élus du Rassemblement restassent fidèles au chef de fil, reprend-il, cohérents entre eux et systématiquement opposés au régime pour que la réforme s'imposât dans la pulvérisation politique et parlementaire qui est en cours. Il s'est produit le contraire... »

Il ne se laissera plus entraîner à jouer sur la scène politique du régime. Il faut qu'il se tienne à l'écart. Il ne doit rien avoir en commun avec le « système ».

Il refuse brutalement d'assister aux obsèques de Diethelm, son ancien ministre, un homme qu'il estimait. Mais pourquoi se retrouver dans le cortège des notables, entre Le Troquer – nouveau président de l'Assemblée nationale – et Joseph Laniel, le président du Conseil ?

Il interrompt Terrenoire qui, une fois de plus, présente la requête d'un aide de camp qui souhaite que le général de Gaulle lui remette la Légion d'honneur. Pourquoi de Gaulle dirait-il, en épinglant la décoration : « Au nom du président de la République, et en vertu des pouvoirs qui me sont conférés » ?

On ne lui a rien « conféré ». Sa légitimité prend sa source hors du régime.

Et il faut oser affirmer cela.

Il écrit au maréchal Juin, qui vient de refuser d'obéir à une convocation du ministre de la Défense, puis du président du Conseil, qui lui reprochent d'avoir pris position contre la Communauté européenne de défense.

« Tu as très bien fait, écrit-il à Juin. Dans cette grave affaire comme dans d'autres que nous avons vécues ensemble antérieurement, je t'ai reconnu comme mien, car, là où tu es, tu ne sers que la France en dépit des bassesses de ce temps. »

Des journalistes s'étonnent. Aurait-il, lui, lorsqu'il était chef du gouvernement, accepté qu'un officier général, maréchal, refusât de se rendre à une convocation ?

Il redresse la tête. Peuvent-ils comprendre ce que signifie : « Je t'ai reconnu comme mien » ? Il est le suzerain légitime. C'est ainsi.

Il dit d'une voix forte : « Moi, j'étais la France, l'État, le gouvernement. Moi, je parlais au nom de la France. Moi, j'étais l'indépendance et la souveraineté de la France. C'est d'ailleurs pourquoi, en définitive, tout le monde m'a obéi. »

C'est cela qu'il voudrait que le pays comprenne.

Le pouvoir auquel il aspire est d'une autre nature que celui qu'exercent les politiciens.

Il parcourt les derniers feuillets du manuscrit de ses *Mémoires*. Il est ému par la qualité du travail d'Élisabeth, qui a dactylographié le texte, déchiffrant son écriture. Et Alain de Boissieu, maintenant à l'École de guerre, a relu le texte. Cet appui des siens lui est indispensable. Il voudrait donner ce manuscrit à son vieil ami Étienne Repessé, des éditions Berger-Levrault, mais il doit choisir Plon, parce que Poincaré, Clemenceau, Joffre, Foch, Churchill ont été publiés par cet éditeur.

« Si je vous ai fait de la peine, soyez sûr que je serais plus chagriné que vous », écrit-il à Repessé.

Mais quelle que soit l'amitié qui le lie à son compagnon de captivité en Allemagne en 1918, il doit offrir à ce livre toutes ses chances, et le placer dans un lignage digne de l'histoire qu'il évoque. Et puis ces *Mémoires* doivent être aussi le moyen de garder ouvertes les portes de l'avenir.

Il oscille entre l'espoir, la volonté de prendre le pouvoir et le sentiment que les Français l'ont relégué dans le passé. Ces questions le harcèlent quand, avec ses proches, il marche malgré le froid dans les chemins du parc de la Boisserie.

– C'est une vieille histoire chez les Français, commence-t-il. Jeanne d'Arc a été brûlée par les Anglais, mais ce sont les Français qui l'ont fait brûler. À partir du moment où c'était gagné, elle n'intéressait plus personne. De même, si Ravaillac a assassiné Henri IV, il y avait, croyez-moi, beaucoup de gens qui approuvèrent Ravaillac.

Il n'écoute pas ceux qui tentent de le contredire. Il peut lui-même exprimer l'autre face de l'histoire de ce pays à laquelle il ne cesse pas de penser.

– L'abbé Pierre, murmure-t-il, oui, il a suffi qu'un homme agisse en dehors des chemins officiels pour que les Français marchent, mais il a fallu aussi le froid. Sans le froid, pas d'abbé Pierre.

Il s'arrête. Le vent qui souffle sur le plateau et courbe les arbres du parc est glacial.

– Quand la France aura froid, dit-il d'un ton grave, je pourrai agir moi aussi.

Le froid est là, il en est sûr, mais le peuple frissonne-t-il ?

Est-il sensible à la situation du camp de Diên Biên Phu, encerclé par le Viêt-minh ? Et qui, malgré l'héroïsme des défenseurs, va tomber, il le prévoit ? Sait-il, le peuple, que la Communauté européenne de défense est une « colossale fumisterie et un essai d'abdication nationale » ?

Sur ce point, un mouvement se dessine.

Il reçoit clandestinement, à l'hôtel La Pérouse, Jules Moch, le président de la Commission des Affaires étrangères de l'Assemblée. Ce socialiste est un opposant farouche au traité de la CED. Et la division est telle à ce sujet dans tous les partis que le gouvernement Laniel ne peut que tomber.

Et puis il y a l'Afrique du Nord : troubles en Algérie, en Tunisie, au Maroc.

De Gaulle a le sentiment d'être en face d'une tragédie dont il connaît le dénouement, mais il ne peut en empêcher le déroulement puisqu'il ne dispose pas du pouvoir.

« Et le régime est incapable de trancher dans aucun sens une grave question nationale... Notre pays est à la remorque parce qu'il n'est plus personne et il ne pourra l'être tant que subsistera le régime des partis. »

Il raccompagne Terrenoire, le fidèle secrétaire du RPF, jusqu'à la gare de Bar-sur-Aube. Il regarde longuement cette colline de Sainte-Germaine, que la légende dépeint comme une résistante gauloise suppliciée par les Romains. Il montre la « montagne » de Colombey.

– C'est là que je serai enterré, dit-il. Et on dressera une grande croix de Lorraine en pierre qui se verra de très loin.

Terrenoire proteste.

– Dieu veuille que ce soit le plus tard possible, dit-il.

– Quelle importance, au regard du système solaire ? murmure de Gaulle.

C'est cela, la vie, cette insignifiance dans le grand fleuve du temps et de l'univers, et cette nécessité du devoir quotidien, ce destin qu'il faut assumer, parce qu'à sa place on doit, si on le peut, peser sur les événements.

Il est tendu. Il écoute la radio qui, heure par heure, rend compte de la bataille de Diên Biên Phu. Il imagine le combat de ces hommes, dont certains furent à ses côtés. Il partage la souffrance des familles de ceux qui tombent.

Il reçoit le faire-part de deuil de l'un de ses camarades de promotion, le général Méric de Bellefon, dont le fils vient d'être tué là-bas.

« Ce sont les sacrifices les plus purs, écrit-il, tel celui de ton jeune et glorieux fils, qui, un jour, rendront à la France son âme.

« Que Dieu veuille avoir en sa garde celui qu'il vient d'appeler à lui. »

Il comprend la colère des officiers qui ont hué, à l'église Saint-Louis-des-Invalides, le président du Conseil Joseph Laniel, puis, le même 4 avril 1954, bousculé le ministre de la Défense René Pleven, à l'Arc de triomphe.

Il s'interroge. Est-ce le signe qu'une partie du pays frémit, comprend, se rebiffe contre le « système » ?

Et que faire pour utiliser ce moment ? Et saisir l'occasion à laquelle il pense, ce « coup de froid » qui peut réveiller le pays ?

Il médite longuement en marchant dans le parc, puis il prend sa décision. 1954, c'est le dixième anniversaire de la Libération. Il convoque une conférence de presse à l'hôtel Continental.

« Le dimanche 9 mai, date du lendemain de la victoire à laquelle j'eus l'honneur de conduire la France, l'État et les Armées, et jour de la fête de Jeanne d'Arc, j'irai à l'Arc de triomphe », dit-il.

Il s'interrompt un long moment pour laisser les journalistes noter ses propos. Il sent leur frémissement, leur curiosité.

« J'arriverai seul et sans cortège à 4 heures de l'après-midi. Sous la voûte, je serai seul pour saluer le soldat inconnu. Ensuite, je partirai seul.

« Je demande au peuple d'être là pour marquer qu'il se souvient de ce qui fut fait pour sauver l'indépendance de la France, et qu'il entend la garder... Tous, tant que nous sommes, qui nous trouverons présents, ne dirons pas un seul mot, ne pousserons pas un seul cri. Au-dessus de ce recueillement, de cet immense silence, planera l'âme de la patrie. »

L'atmosphère, les jours suivants, se tend. Il en a l'intuition. Quel Français, quel soldat peut rester insensible quand tombent l'un après l'autre les points d'appui de Diên Biên Phu et que sont parachutés sur la cuvette les derniers renforts ? La défaite est donc au bout de cette guerre d'Indochine que le régime n'a pas su conduire ou conclure. Maintenant, en même temps qu'une conférence pour l'armistice s'ouvre à Genève, ce même gouvernement sollicite une intervention américaine, des bombardements aériens, et pourquoi pas l'emploi de la bombe atomique ? Ça, une politique ? !

Le 8 mai 1954, tout est fini. Diên Biên Phu est tombé.

Il ne peut maîtriser son émotion. Peut-être est-ce un signe du destin que cette cérémonie du 9 mai qu'il a voulue depuis plus d'un mois coïncide avec ces premières images d'officiers français qui, prisonniers, marchent vers les camps du Viêt-minh ?

Il se sent résolu comme jamais.

Il est dans son bureau, au 5, rue de Solferino.

– Je reviendrai au pouvoir, dit-il, je le veux.

Il va et vient dans la pièce.

– Je vais voir ce qui se passera demain, poursuit-il, mais je crois qu'il y aura beaucoup de monde. Dans quelques jours, je ferai une déclaration à propos de Diên Biên Phu, puis, s'il y a une crise ministérielle qui se prolonge, j'interviendrai...

Le 9 mai, il voit dans la lumière printanière, au moment où il débouche sur les Champs-Élysées, venant de l'avenue George-V, la foule serrée sur les trottoirs. Elle crie son enthousiasme. Il est ému, au point de ne pouvoir respirer. C'est la première fois, depuis huit ans, qu'il est ainsi, à Paris, là où il s'est mêlé au fleuve populaire, le 26 août 1944, face aux Français.

Sur le terre-plein de l'Arc de triomphe, il reconnaît certains de ses vieux compagnons, qui se sont dispersés au fil des années dans les différentes parties du système et qui se sont à nouveau rassemblés. Et puis il y a les anciens combattants de la France Libre.

Il ne reste que quelques minutes. L'émotion est trop forte, et surtout il ne veut pas d'incidents, de mouvements de foule. Il veut par sa présence seulement donner un signe.

Il remonte en voiture. Il regarde. Il jauge.

– Le peuple n'est pas tellement là, murmure-t-il.

Il rentre à Colombey. Il marche dans le parc. Ce n'est pas encore le moment, le peuple ne s'est pas tourné vers lui. Et peut-être ne le fera-t-il jamais ?

Il répète : « Aujourd'hui, il ne faut surtout pas que j'aie l'air d'entrer dans le jeu. » Il faut que le RPF reste à l'écart. Dans quelques mois, peut-être, « la décantation aura continué. On ne nous confondra pas avec les histoires parlementaires ».

Cela, c'est la raison. Mais il ressent, après la tension de cette journée du 9 mai, une impression de vide. Il se reproche d'avoir cru, ne fût-ce qu'un bref moment, à la possibilité d'un rassemblement instinctif et spontané du peuple autour de lui. Il le sait pourtant, les choses sont pour lui toujours plus lentes, plus difficiles qu'il n'imagine.

Il relit une nouvelle fois son manuscrit. Pourquoi les choses seraient-elles plus simples aujourd'hui qu'elles ne le furent entre 1940 et 1944 ?

Peu à peu, il retrouve la paix intérieure. Il pense aux trois fils de Philippe et d'Henriette, au dernier, Jean, qu'il ne connaît pas encore. Il écrit :

« Maman se préoccupe de n'avoir pas de lettre d'Henriette depuis bientôt deux mois. Elle se demande toujours en pareil cas si quelque chose d'ennuyeux n'est pas arrivé à Henriette ou à un enfant et qu'on ne veuille pas le lui dire. Pensez tous les deux qu'elle vous a dans l'esprit et dans le cœur, ainsi que vos trois petits garçons, d'une manière continuelle. »

Il est fier de Philippe, dont le dossier militaire porte la mention, il l'a appris récemment, « Hors de pair », et qui va être affecté comme officier-chef du service aviation sur le porte-avions *Lafayette*, dont le port d'attache est Toulon.

Est-ce un effet de l'âge ? Il se sent de plus en plus proche de son fils. Il lui écrit :

« Sache que, suivant ce mot de l'Écriture, "j'ai mis en toi toutes mes complaisances "... Je suis aussi content et fier que possible de cette réussite de plus en plus accentuée et reconnue de mon cher fils, de mon vieux garçon, en qui j'ai mis toutes mes espérances... »

Il s'interroge : quelles sont les espérances de la France ? Le 12 juin 1954, Joseph Laniel, au terme d'un débat dramatique sur l'Indochine à l'Assemblée, vient de remettre sa démission, et René Coty a commencé ses consultations.

Le 19 juin, Pierre Mendès France est investi, après avoir récusé les voix des députés communistes et proposé un programme dont le but est de mettre fin, en quelques semaines – avant le 20 juillet –, à l'engagement de la France en Indochine.

Mendès France réussira-t-il ? Il estime l'homme courageux, le Français libre. Mais que peut-on, à l'intérieur d'un système inchangé ?

Le 18 juin, alors qu'il rentre de la cérémonie au mont Valérien, il reçoit un message de Mendès : « En ce jour anniversaire qui est aussi celui où j'assume de si lourdes responsabilités, écrit le nouveau président du Conseil, je revis les hautes leçons de patriotisme et de dévouement au bien public que votre confiance m'a permis de recevoir de vous. »

Ce pourrait être, ce devrait être un gaulliste ! Il l'a été, d'ailleurs. Et il séduit Kœnig, Christian Fouchet, qui deviennent ministre de la Défense et des Affaires tunisiennes et marocaines. Quant à Chaban-Delmas, il est ministre des Travaux publics et des Communications, deux autres républicains sociaux sont secrétaires d'État.

Que l'attrait du pouvoir sur les hommes est fort ! Que de mensonges ils sont prêts à se fabriquer pour y parvenir !

Il songe à ces compagnons, qui l'ont consulté avant d'accepter leur fonction, auxquels il n'a donné aucune consigne et qui, tous trois, ont cru – sincèrement, sans doute – qu'il les autorisait à entrer dans le ministère Mendès France !

Mais il ne faut pas être compromis par cette expérience qui échouera. Il écrit rapidement un communiqué :

« Quelles que puissent être les intentions des hommes, l'actuel régime ne saurait produire qu'illusions et velléités. Je demande aux Français de croire que, ni directement ni par personnes interposées, je ne prends part à aucune de ses combinaisons.

« Le redressement national est possible. Il commencera quand sera mis un terme au système sans tête, sans âme, sans grandeur, rebâti contre moi après la victoire et qui, depuis, gaspille les chances de la France et les hommes qui pourraient la servir. »

Il se sent désabusé, amer, dans ce bureau du 5, rue de Solferino, entouré par le silence d'un siège du Rassemblement, vide.

– Le cabinet Mendès France, dit-il, mais c'est l'opération Pétain !

Il sait qu'il choque Terrenoire et qu'il est excessif. Mais pourquoi devrait-il taire ce qu'il pense ?

– Quand il y a des retraites, des abandons, continue-t-il, on va chercher des nationaux pour les couvrir. Qu'un Kœnig, qu'un Fouchet deviennent ministres, cela m'est égal... Mais ce que je n'admets pas, c'est qu'ils apportent leur caution à de nouvelles reculades... Pétain pouvait, lui aussi, dire des choses justes quand il parlait du redressement nécessaire de la France, mais on ne fonde pas le redressement sur la capitulation !

Il est injuste avec Mendès France, Kœnig, Fouchet. Il ne l'ignore pas. Mais, sur le sens de ce qui se passe, il est sûr d'avoir raison.

Et puis il songe à Mendès, bombardier dans l'escadrille Lorraine de la France Libre, à Kœnig, héros de Bir Hakeim, à Fouchet, qui rejoignit Londres dès juin 40. Voilà des hommes probes et valeureux.

Il secoue la tête.

— C'est décourageant de fabriquer des hommes et de les voir gaspillés, murmure-t-il.

12.

De Gaulle se lève, arrête d'un geste brusque la radio. Il maugrée. À quoi bon continuer d'écouter ces commentaires sur la conférence de Genève réunie pour mettre fin à la guerre de Corée et d'Indochine ? Mendès France peut bien répéter tous les samedis soir, dans ces causeries radiophoniques qu'il a instituées : « Gouverner, c'est choisir », la conférence est déjà jouée !

De Gaulle se tourne, invite André Astoux, qui fut l'un des délégués du RPF, à le suivre dans le parc de la Boisserie.

Après la pénombre et la fraîcheur de la maison, il est surpris par l'éclat de cette journée d'été qui bruisse de toute part. Il commence à marcher, lançant sa canne jusqu'à l'horizontale puis frappant le sol.

— Mendès a été investi parce qu'il veut abandonner l'Indochine, dit-il. Mais je ne vois pas pourquoi il obtiendrait un cessez-le-feu s'il ne capitule pas sur les conditions politiques. Les communistes ont gagné, ils le savent et ils en profiteront.

Il secoue la tête.

— Si Mendès ne réussit pas, reprend-il, on trouvera un « sous-Mendès » qui capitulera. Il y aura toujours une majorité pour cela.

Il martèle le sol du bout de sa canne.

— Il n'y a de majorité que pour cela. Kœnig a eu tort de mêler son nom et son prestige à cette affaire...

Il s'arrête. Il se souvient. Il y a dix ans, cet autre été, celui de la gloire, de la fierté nationale retrouvée, Kœnig était le commandant en chef des Forces françaises de l'intérieur, et aujourd'hui, dix ans plus tard, l'armée française est battue à Diên Biên Phu, et Kœnig est ministre de la Défense du gouvernement Mendès, qui ne peut que capituler.

Il y a dix ans, c'était la reconquête de l'indépendance et de la souveraineté de la nation. Et aujourd'hui, le traité de la Communauté européenne de défense va la soumettre, s'il est ratifié, à une autorité étrangère ! Que va faire Mendès France sur ce point ? Et quelle sera l'attitude de ces ministres « gaullistes » ?

— Des hommes qui m'ont touché de plus près, dit-il lentement, comme à regret, tels que Soustelle, Palewski, Billotte, j'ai toujours désiré que leur attitude se conformât à la mienne.

Il soupire.

— Mais il y a eu, je le sais bien, les maréchaux de l'Empire !

Ils se sont ralliés à Louis XVIII, et les Kœnig, les Chaban, les Fouchet, à Mendès France !

Il s'installe dans son bureau. Les épreuves du tome I de ses *Mémoires* sont posées sur un coin de la table, au milieu de laquelle s'entassent déjà les premiers feuillets du tome II. Voilà l'exigence du moment.

— Je suis plongé, dit-il, dans mon deuxième volume de *Mémoires*. Le premier paraît le 25 octobre. Nous verrons ce que cela donnera.

Il a un mouvement de tête.

— Je parle, bien entendu, de ce qu'il donnera quant à l'effet produit dans l'opinion.

Or, c'est elle qui, en fin de compte, décidera de tout. Et il pense qu'elle se tournera vers lui, s'il ne s'est pas compromis avec le régime, car celui-ci ne peut connaître que l'échec et les abandons.

Le 20 juillet, comme cela était prévisible, la conférence de Genève a mis fin à la guerre d'Indochine. Et la France s'en va.

Le 31 juillet, Mendès, accompagné par Christian Fouchet, se rend à Tunis, prononce à Carthage un discours plein de concessions aux nationalistes tunisiens.

— J'aurais peut-être fait les mêmes, murmure de Gaulle, mais...

La contagion va gagner le Maroc, et surtout l'Algérie. Que fera le régime ?

— Comment Mendès pourrait-il, sans de fortes institutions, incarner l'intérêt national ?

De Gaulle lève les avant-bras, ouvre les mains.

– Or, reprend-il, il faut toujours que cet intérêt soit représenté d'une façon ou d'une autre, que ce soit par la continuité ou par le génie d'un homme. Pendant des siècles, ce fut la monarchie, qui disparut d'ailleurs quand elle cessa de le représenter. Puis ce fut Bonaparte, à cause de toute la gloire qu'il apportait à la France. En 1940, il n'y avait personne, car ce n'était pas ce pauvre Lebrun... Ce fut alors l'effondrement du régime. On alla chercher Pétain, puis, peu à peu, la France fabriqua de Gaulle...

Il s'interrompt, reste longuement silencieux. Dix ans depuis 1944 ! Ce peuple l'a-t-il oublié ? Il pense à Thiers qui fut ministre en 1840 et qui ne le redevint que trente et un ans plus tard, en 1871.

– Thiers a profité de ces trente années pour écrire l'*Histoire du Consulat et de l'Empire*, dit-il.

Puis il soupire. La nation est à ce point enfoncée dans l'apathie qu'il se demande comment lui redonner de l'énergie.

– Je ne sais plus par quel bout prendre ce pays, murmure-t-il.

Il veut explorer toutes les pistes, ne négliger aucune carte.

Il rencontre, le 13 juillet 1954, le comte de Paris.

Ils marchent côte à côte dans le jardin d'une résidence de Saint-Léger-en-Yvelines. Le temps est radieux.

De Gaulle observe cet homme dont le nom s'enracine dans la plus profonde histoire nationale. Mais que peut aujourd'hui le chef de la Maison de France ? Il est une part de la légitimité. Et il faut, quand on veut incarner la nation, ne pas rejeter cette histoire-là. Il expose au prince la vision qu'il a de la situation. Le régime est lancé sur une pente descendante. La République ne se prolonge que dans quelques individualités, Pinay, Mendès, mais qui ne pourront dominer les périls qui s'annoncent.

– L'Algérie est une poudrière, conclut de Gaulle.

Il quitte le prince.

Il se sent encore plus seul face à son destin. On ne viendra vers lui qu'au moment où il apparaîtra comme l'unique recours possible. Il ne peut pas compter sur les élites. Elles ont si souvent choisi de pactiser avec l'ennemi !

– La bourgeoisie est d'instinct contre le peuple, dit-il.

Il secoue la tête, garde les yeux mi-clos, le menton sur la poitrine.

– Mais, poursuit-il, elle sait très bien utiliser les hommes politiques de gauche avec lesquels elle peut dîner en ville.

Il redresse la tête.

– C'est parce qu'elle sait que je ne suis pas de ceux-là qu'elle m'a combattu.

Et il se sent fier de cette hostilité-là.

Il doit donc tracer sa route seul, prendre date, avertir. Et cueillir les premiers fruits de son intransigeance.

Les ministres gaullistes de Mendès France démissionnent du gouvernement pour affirmer leur hostilité à la Communauté européenne de défense. Ils estiment insuffisantes les concessions que Mendès a obtenues à Bruxelles. Le traité d'armée européenne doit être présenté devant l'Assemblée le 30 août et Mendès, prudemment – mais doit-on être prudent, quand il s'agit de la France ? – annonce qu'il n'engagera pas son gouvernement sur ce vote. Est-ce cela, le courage politique ? Il pense à Paul Reynaud qui, lui aussi, en 1940, manœuvrait comme un politicien averti. Mais c'est ainsi que Pétain et les partisans de l'armistice prirent le pouvoir !

Mendès n'est-il qu'un nouveau Paul Reynaud ? Un homme lucide comme lui, et tout aussi empêtré dans le jeu politique ?

De Gaulle ne comprend pas le président du Conseil. Sa prudence est d'autant moins légitime qu'une majorité se dessine contre la CED. Les socialistes de la SFIO sont divisés. Les communistes sont hostiles au projet, comme les républicains sociaux.

Il faut donner le coup de grâce à ce traité. De Gaulle publie, le 26 août 1954, une déclaration.

« Dix ans après la Libération, dit-il, il semble qu'une fois encore un sursaut venu des profondeurs va sauvegarder l'indépendance de la France. La conjuration... paraît sur le point d'échouer devant le refus national... [mais] on peut voir le gouvernement, sur une question dont dépend l'existence même de la France, refuser d'engager la sienne ! »

Le 30 août, l'Assemblée nationale, par 319 voix contre 254, rejette le traité d'armée européenne.

Il a gagné. Pour la première fois depuis des années, il a le sentiment que les choses changent dans le pays.

« La nation vient de remuer, commente-t-il. Cette réaction de salut peut bientôt en entraîner d'autres. Pour moi, malgré les bassesses du présent, je ne renonce pas plus qu'hier à la grandeur de la France. »

Il ne veut pas céder à ce sentiment de joie qu'il sent monter en lui. Mais il ne peut l'étouffer. Il a l'impression qu'« un souffle de redressement, quoique extrêmement timide et léger, commence à rider parfois l'eau dormante qu'est notre pays ».

Bien sûr, il le sait, le rejet de la Communauté européenne de défense signifie le réarmement de l'Allemagne. Cela vaut mieux qu'une France dominée, soumise, privée de sa souveraineté. De toute façon, il a la certitude qu'on ne pouvait empêcher la nation allemande de posséder à nouveau une armée, dès lors que, dans l'affrontement de la guerre froide, les États-Unis et l'Angleterre l'avaient décidé. Il n'est surpris ni par les accords de Londres ni par ceux de Paris, qui prévoient ce réarmement allemand. Et l'Assemblée nationale va l'accepter. Au moins, la France a préservé son indépendance !

Saura-t-elle l'utiliser ? Tout dépend de la nature du régime.

Et il lui semble que la décomposition s'accélère. Des scandales secouent le gouvernement. Les documents secrets intéressant la Défense nationale circulent dans différents milieux. Il ne s'étonne pas. Comment pourrait-il en être autrement ?

« Depuis que le premier gamin venu peut devenir ministre, comment voulez-vous qu'il y ait des secrets d'État ! s'exclame-t-il. Tous ces galopins ne savent pas ce que c'est que l'État ! D'ailleurs, il n'y a plus d'État, ni même de Défense nationale, puisqu'ils l'ont confiée aux Américains ! »

Il se défie du ministre de l'Intérieur de Mendès, François Mitterrand. Il a une moue de mépris quand il lit qu'un certain commissaire Dides, mêlé à cette « affaire de fuites », est un ancien du RPF.

— Il n'y a pas eu un cocu, un pédéraste, un escroc, un voleur qui n'ait été membre du RPF, lance-t-il.

Voilà ce que sont les partis ! Ils drainent le meilleur et le pire.

Il va et vient dans son petit bureau de la rue de Solferino. Il s'arrête devant Louis Terrenoire, qui a donné trois années de sa vie au RPF et s'est dévoué comme un compagnon désintéressé.

Il hausse les épaules.

– Les hommes sont les hommes, dit-il, l'élévation a sa chance seulement dans l'extrémité. Le monde tend naturellement à la formule de l'ancien Grand-Guignol : après un acte de drame, un de comédie.

S'il sent toujours en lui le gouffre du pessimisme creusé dans son âme et que jamais vraiment il ne pourra colmater – et il se demande souvent s'il le veut, peut-être le pessimisme est-il le nom que l'on donne à la lucidité ? –, il lui semble aussi que le terrain autour de lui est dégagé. C'est la solitude, sans doute. Mais cet isolement est sa force. On le voit. Les Français l'écoutent, le lisent.

Il reçoit de tous les milieux des lettres de Français bouleversés par le premier tome des *Mémoires de guerre*, qui vient de paraître. En un mois, quatre-vingt-quinze mille exemplaires ont été vendus !

Il lit les articles que tous les journaux lui consacrent. Il a eu raison d'appeler ce volume *L'Appel*. C'est comme s'il avait réussi à recréer autour de lui, par cet effort individuel de l'écriture qui reprend tout le passé glorieux, l'unité de la nation. Il le sent ainsi. Les sentiments patriotiques demeurent donc vifs. Le lien entre lui et la nation est toujours fort. Et il n'est au pouvoir de personne de le trancher. Ce succès, il le vit comme un acte de justice. On le reconnaît pour ce qu'il est.

Il ne veut pas céder à l'optimisme, pourtant il ne peut s'empêcher de dire : « Il y a maintenant des rides à la surface, et elles ne sont pas défavorables. »

Il prend le volume premier de ses *Mémoires*, le feuillette, le montre à ses proches.

– Après cela, dit-il, les Vichyssois n'ont plus rien à dire !

Il se sent tellement fort, plus sûr de lui que tous ces hommes qui occupent le pouvoir.

À 14 h 15, le 14 octobre, il accueille, dans le petit salon de son appartement de l'hôtel La Pérouse, le premier d'entre eux, Pierre Mendès France.

Le président du Conseil a les traits tendus. De Gaulle l'écoute. Comment cet homme intelligent ne voit-il pas qu'il est déjà condamné ?

De Gaulle l'interrompt.

– Le régime peut vous permettre... de le soulager de ses fardeaux, commence-t-il, mais le régime ne vous permet pas de faire une politique constructive, une politique française. Il ne vous permet pas d'avoir un gouvernement. Il vous laisse seulement le choix entre un cabinet formé de dix-huit pieds de banc ou un cabinet dans lequel se trouveraient vos rivaux.

Mendès écoute, tassé dans son fauteuil.

— De temps en temps, des gens peuvent bien agiter leurs chapeaux parce que vous êtes nouveau et sympathique, continue de Gaulle, mais, quand vous aurez bien débarrassé le régime de ce qui le gênait, alors le régime se débarrassera de vous.

Mendès toussote, questionne.

— Comment changer le régime ? Comment donner du tonus à ce pays ?

De Gaulle se lève, va à la fenêtre.

— J'ai essayé de changer de régime, dit-il, vous ne m'avez pas beaucoup aidé et j'ai échoué.

Il se retourne.

— Quant à vous, vous n'êtes même pas résolu à essayer...

Puis on parle du passé, de cette année 1945, quand Mendès France a démissionné du gouvernement provisoire, en désaccord avec la politique économique préconisée par Pleven et choisie par de Gaulle.

— Pleven péchait par facilité, et vous par excès de rigueur, dit de Gaulle.

Il raccompagne Mendès.

— Mes vœux vous accompagnent, dit-il.

Il le regarde s'éloigner. Il ne veut rien faire contre lui. Mais Mendès tombera.

Le 1ᵉʳ novembre 1954, des attentats se produisent dans toute l'Algérie. « Toussaint rouge ». De Gaulle n'est pas surpris. Voilà des mois, des années même qu'il pressent que l'incendie couve. C'est l'épreuve décisive pour le régime. Que peut faire Mendès, ou un autre président du Conseil ? Attendre un Diên Biên Phu algérien, puis capituler ?

Il pense à ces hommes et à ces femmes que l'on assassine en Algérie. À cet instituteur, Guy Monnerot, abattu avec son épouse sur une route des Aurès, ce 1ᵉʳ novembre, comme une victime symbolique.

Mendès a beau proclamer que « l'Algérie, c'est la France », Mitterrand, ministre de l'Intérieur, que « l'action des fellaghas ne permet pas de concevoir en quelque forme que ce soit une négociation... elle ne peut trouver qu'une forme terminale, la guerre », le régime n'a pas les moyens de résoudre ce problème. Ni les autres qui se posent au pays.

Il doit le dire.

Le 4 décembre 1954, il monte à la tribune dressée dans le Palais des Sports à Versailles pour la Journée nationale du RPF. Il a longtemps hésité à accepter l'organisation de cette réunion. Maintenant, il regarde ces quatre mille personnes qui l'acclament, qui se lèvent quand Terrenoire évoque les *Mémoires de guerre*.

Il commence à parler. Il veut rendre hommage à « l'ardeur, la valeur, la vigueur de l'actuel président du Conseil », et à ces hommes de qualité qui servent le régime.

Il devine l'étonnement de l'auditoire. Il s'écrie :

« Mais le système lui-même où ces hommes sont incorporés, d'où pourrait-il recevoir l'inspiration de l'intérêt national ? »

On applaudit.

« Je considère comme de mon devoir de n'être aucunement mêlé aux intrigues, combinaisons, chutes, avènements et toujours illusions qui remplissent ce qu'on appelle la vie politique, et qui sont en contradiction avec l'intérêt de la France. »

D'un geste, il interrompt les acclamations.

« Mais je me réserve de montrer au pays la route, de le rappeler à ce qu'il pourrait être... »

Un instant il s'arrête, avant de dire plus fort :

« Et dès lors qu'une crise grave ferait renaître en lui le courant du salut public, je me réserve d'intervenir directement par n'importe quelle voie, fût-elle électorale. »

L'assistance est debout.

« Au reste, je ne sais quel souffle, passant sur notre pays, commence à faire lever les têtes... Or, tout comme le gouvernement, la France se prouve en marchant ! »

C'est la fin de l'année 1954, un temps lugubre.

De Gaulle s'avance jusqu'au portail de la Boisserie pour accueillir le comte de Paris, qui a tenu à faire une visite, manière de rendre celle que lui avait faite de Gaulle. Dans ce salon, de Gaulle présente toute sa famille à « Monseigneur ». La rencontre est brève, protocolaire, mais il a le sentiment qu'elle le lie un peu plus encore à l'histoire française, qu'elle est comme une reconnaissance de sa place dans la suite des temps de la nation.

Et il a besoin de sentir cela, parce que l'avenir s'annonce sombre.

En Algérie, la rébellion s'étend malgré l'envoi de renforts qui ratissent les Aurès.

Il apprend, le 25 janvier 1955, que Jacques Soustelle a accepté d'être nommé gouverneur de l'Algérie.

C'est comme si, en choisissant Soustelle, Mendès France avait voulu placer le gaullisme au centre de la poudrière.

Et Soustelle, naturellement, s'est prêté au jeu, au lieu de rester en dehors. Le 5 février 1955, de Gaulle accueille sans être surpris l'annonce de la chute de Mendès. Le leader radical n'était plus utile et il avait dressé trop d'intérêts hétéroclites contre lui. Trop énergique, trop vertueux !

Voilà le sort que réserve le système aux meilleurs !

De Gaulle s'interroge. Comment intervenir ? Trop tôt encore. Il doit attendre, « ne prendre aucune part à ce qui se passe à l'intérieur du régime ».

Il écrit un mot à Jacques Vendroux.

« L'année qui vient sera, à beaucoup d'égards, difficile. Il faut se tenir entre gens de la même sorte. »

13.

De Gaulle s'assoit lourdement à son bureau. Son corps s'affaisse, écrasé par cette nouvelle reçue ce matin : Xavier, le frère aîné, est mort le 9 février 1955 à Bordeaux.

Il relit la lettre. Il faut qu'il réponde. Mais il sent qu'il est incapable de recommencer ces lettres aussitôt. La peine est trop forte.

Il revoit Xavier ce jour de 1918, quand leur père avait voulu que ses quatre fils, tous officiers, tous survivants, se placent côte à côte afin qu'il pût les photographier.

Il recherche la photo, la regarde longuement. Xavier et Jacques sont morts. Restent Pierre et lui.

Aujourd'hui, il se sent si vieux. Dans quelques semaines, on opérera son deuxième œil de la cataracte. Et il devra accepter une longue convalescence douloureuse, peut-être jusqu'à la mi-avril.

« Je suis un pauvre homme qui perd la vue, qui l'aurait même perdue entièrement sans intervention chirurgicale », a-t-il écrit pour s'excuser de ne pouvoir assister au mariage de sa nièce, Véronique de Gaulle, la fille de Pierre.

Il veut garder cette opération secrète, tenter même de ne plus y penser, mais l'annonce de la mort de Xavier a fait sauter toutes les censures.

« Je suis un pauvre homme qui perd la vue », répète-t-il.

Il est dans sa soixante-cinquième année. Et Xavier est mort, comme Jacques, comme, et depuis si longtemps déjà, le père, la mère, Anne.

150

Il se rend compte qu'il ne s'est jamais consolé de la disparition des siens, de ses parents d'abord. Peut-être a-t-il, depuis des années, pensé à eux avec une sorte de douceur, comme s'ils pouvaient, de là où ils sont, être fiers de lui, de ce qu'il a fait et qu'il leur doit.

Xavier est mort, et le désespoir est le plus fort. La douleur a cédé la place.

Il écrit à son neveu, Michel Caillau :

« Dans une famille aussi unie à tous égards que la nôtre, la mort de l'aîné d'une génération est une cruelle épreuve, d'autant plus que ton oncle Xavier était essentiellement bon et attaché aux siens... »

Il reste immobile dans la lumière grise de ce jour de pluie, face à l'horizon brouillé.

Il a l'impression qu'un nouveau gouffre amer s'est creusé en lui. Il a froid. Il se sent privé d'une affection qui, depuis qu'il avait ouvert les yeux à la vie, ne lui avait jamais fait défaut. Xavier, son aîné de trois ans, était son compagnon de jeu, le frère toujours attentif, toujours présent.

Il l'a perdu. Et le silence s'est étendu. Il n'entendra plus la voix de Xavier l'encourager, le soutenir.

La mort des siens, c'est l'enfermement en soi, avec sa mémoire, avec sa foi. Xavier est mort.

Il murmure : « Que Dieu maintenant l'accueille dans Sa divine lumière. »

Il se sent encore plus proche des siens, plus attentif à leur destin, comme si la mort de Xavier avait tout à coup donné aux choses et aux êtres leur véritable importance. Qu'est-ce que la vie politique quand un frère meurt ?

Il suit avec détachement les péripéties habituelles d'une crise ministérielle.

« Les hommes passent, les nécessités nationales demeurent », a dit en vain Pierre Mendès France dans son dernier discours à l'Assemblée nationale. Il a été renversé au milieu des huées. Et c'est le manège qui tourne, les intérêts personnels qui s'expriment, les égoïsmes de parti qui se révèlent.

Le président Coty consulte, désigne des présidents du Conseil « pressentis », Pinay, le MRP Pflimlin, le socialiste Pineau, tous incapables d'aller jusqu'au bout du chemin. Enfin, le radical Edgar Faure, habile et brillant, obtient la confiance de l'Assemblée le 23 février 1955. Pinay est ministre des Affaires étrangères, Pflimlin ministre des Finances et Kœnig ministre de la Défense.

Comment un tel gouvernement, où cohabitent gaullistes et partisans déterminés de la souveraineté européenne, pourrait-il faire face aux problèmes du pays ?

Grèves ici. Là, manifestations de « rappelés » à l'armée qui protestent contre leur envoi en Algérie où la guerre s'étend. Situation insurrectionnelle au Maroc – où le mouvement nationaliste réclame le retour de l'ancien sultan. Et l'impuissance du régime a fait naître en France des mouvements extrémistes qui rassemblent les petits commerçants derrière un tribun, Pierre Poujade, avec pour tout programme le refus de payer l'impôt. Le régime ne peut se défendre qu'en manœuvrant, en multipliant les « vilenies », en tâchant de compromettre les anciens du RPF dans des scandales.

« L'infamie du régime et de ses politiciens est décidément insondable », répète de Gaulle.

Il comprend l'indignation, la colère de ses compagnons, d'un Michel Debré, qui insiste pour qu'il intervienne vigoureusement dans le débat pour tenter d'arrêter cette décadence nationale.

Il a un point de vue contraire.

Il convoque une nouvelle fois les journalistes à l'hôtel Continental. Il veut, en ce 30 juin 1955, lancer un dernier avertissement avant de se retirer de la scène.

– Tout laisse prévoir, commence-t-il, qu'un long temps s'écoulera avant que nous nous retrouvions.

Il tient ses lunettes à deux mains. La dernière opération de la cataracte a réussi. Il voit distinctement les visages attentifs.

– Mon intention, reprend-il, est en effet de ne pas intervenir dans ce qu'il est convenu d'appeler « la conduite des affaires publiques ».

La politique telle qu'il l'entend, dit-il, « est un art et un service, non point une exploitation, c'est une action pour un idéal à travers des réalités ».

Qui peut croire que c'est le cas aujourd'hui ?

Les questions des journalistes fusent : l'Algérie, le Maroc, la Tunisie, l'Indochine, l'Algérie encore.

Il lève la main, rythme d'un mouvement du bras sa réponse :

— Je dis qu'aucune autre politique que celle qui vise à substituer l'association à la domination dans l'Afrique du Nord française... ne saurait être ni valable, ni digne de la France... Mais...

Il s'interrompt.

— Mais cette solution n'est pas à la portée de l'actuel régime.

On le harcèle avec des questions sur les prochaines élections législatives prévues pour le printemps 1956.

Il hausse les épaules.

— Je me ris et en même temps me désole de voir la perpétuelle illusion des Français qui attachent à des combinaisons politiques de l'importance et de la portée, alors qu'elles n'en ont aucune !

Dans la salle, il y a comme un frémissement. Ils vont encore mieux comprendre ce qu'il pense.

— Je me désintéresse d'avance totalement, je le dis très haut, de ce qui pourra se passer, et dont je sais que ce ne sera rien, aux élections générales de 1956 !

Voilà. Les choses sont dites. Il lui reste, par un communiqué, à suspendre toutes les fonctions des délégués du RPF et les cotisations au Rassemblement pour 1956. Il limite le Mouvement à un secrétariat général de quelques personnes, et à un bulletin de liaison ronéotypé.

Que les députés républicains sociaux tiennent congrès, se réclament du « gaullisme », cela n'a plus guère d'importance !

Il s'est, enfin, dégagé du « cloaque ». Il se sent comme une statue du commandeur dressée, telle une vigie, au-dessus de la mêlée boueuse.

Il va répondre à ceux qui, comme François Mauriac, l'accusent d'orgueil, et presque de démission. Il lit avec irritation cet article dans lequel Mauriac regrette « la figure historique qu'il vous plaît de sculpter alors que vous êtes encore plein de vie, alors que tout un peuple continue de croire et d'espérer en vous » !

Allons donc !

« Les Français n'ont aucune envie de voir les choses comme elles sont », répond de Gaulle.

Et puis : « Pour servir la France, mieux vaut cultiver l'espérance qu'entretenir l'illusion. C'est en rejetant celle-ci que nous serons fidèles à celle-là. »

Il reçoit des lettres de compagnons : Terrenoire, Debré, quelques autres. Ils se sentent, comme Mauriac, abandonnés, peut-être trahis. « De Gaulle est la plus grande désillusion de ce temps », écrit même l'un d'eux.

Que voudrait-on qu'il fît ! Il s'emporte, interpelle Debré.

« Oui, la descente continue.

« Vous me suggérez de dire ou d'écrire quelque chose. N'ai-je pas, depuis quinze ans, beaucoup dit, beaucoup écrit, beaucoup agi ? Et voilà !

« Au moment même où vous m'adressiez votre lettre, avaient lieu de soi-disant cérémonies pour l'anniversaire de la libération de Paris. Aucun, absolument aucun de ceux qui eurent à parler ce jour-là, n'a même prononcé mon nom, tant on a peur de l'effort, tant on préfère la décadence ! »

Qu'imaginent-ils, ceux qui insistent pour qu'il en appelle, une nouvelle fois, au peuple ? Que celui-ci le suivrait ? Ce sont des rêveurs.

Il rencontre une nouvelle fois le comte de Paris, dans la discrétion d'une villa de Rueil-Malmaison.

— J'ai voulu encore faire un test à l'Arc de triomphe, le 9 mai 1954, dit-il. Si j'étais parti de là pour la Chambre, au milieu des Champs-Élysées, beaucoup se seraient déjà égaillés, à la Concorde j'aurais encore eu un petit nombre, au Pont j'aurais été seul.

Il secoue la tête.

— Non, personne n'approuvera ni ne soutiendra une entreprise personnelle. Par contre, si les événements devenaient graves... alors, oui, tout le monde approuvera et soutiendra cette action...

Alors, attendre, guetter, et écrire ce tome II des *Mémoires, L'Unité*. Imaginer qu'un jour « on aura le concours de tous et l'approbation unanime ». Et puis se préoccuper des siens, de ceux dont l'affection donne la force, de ceux qui, parce qu'ils sont de la même famille, font confiance pour toujours.

Il se rend, en compagnie d'Yvonne de Gaulle, de Jacques Vendroux et de son épouse, sur la tombe de leurs parents au cimetière de Coulogne, à Calais.

Il marche sur la plage de Wissant, au cap Gris-Nez. Il retrouve ce sable gorgé d'eau, cette plage à marée basse qu'il a tant de fois parcourue avec sa sœur et ses frères alors qu'ils étaient enfants, puis adolescents. Les souvenirs se bousculent. Pendant qu'Yvonne de Gaulle ramasse des coquillages, il raconte. La vie est une trame qu'il faut garder serrée.

Il rentre à Colombey. C'est à nouveau le froid, le sol gelé. Il se soucie des études du « petit Charles », que Philippe, officier embarqué, ne peut suivre chaque jour.

« Je puis te dire par expérience que la qualité du collège où il sera va être d'autant plus importante », écrit de Gaulle.

Il sait que Philippe ne dispose que de sa solde de lieutenant de vaisseau.

« Dis-moi quelle est, au point de vue des dépenses, la différence entre le meilleur collège (qui doit être celui des Maristes) et une autre solution plus " commode " (transport compris). Cette différence, je te l'offre, ainsi qu'à ton cher petit garçon. »

Philippe ne sollicite jamais rien, mais c'est son devoir de père que de l'aider sur le plan matériel autant qu'il est possible.

Pour sa carrière, en revanche, il ne peut être question d'intervenir. Tout au plus, peut-on obtenir des renseignements sur ce que la marine prévoit pour Philippe. Et pour le reste, que le travail et la valeur décident.

« C'est le moment de travailler, en vue de l'examen futur – à l'École de guerre navale –, autant que tu pourras et quelle que doive être la date. »

Il reprend la plume. Le manuscrit du tome II des *Mémoires* avance. Il se sent porté par les critiques qui continuent de paraître ici et là. Il est heureux et amusé qu'un Clement Attlee le qualifie dans une revue britannique de « *good patriot and bad politician* » ! Quel meilleur compliment peut-on lui faire ! Il répond au leader travailliste : « À un certain degré de détresse nationale, j'ai toujours cru que la politique était une chose trop grave pour qu'on la laisse aux " bons politiciens " ! »

Edgar Faure est l'un d'eux ! Cela ne l'empêche pas d'être renversé le 29 novembre 1955. L'Assemblée nationale est dissoute, et les élections avancées au 2 janvier 1956.

Il a le sentiment que la crise nationale est proche de son

paroxysme. Mais il ne veut se mêler de rien. Il se contente de suivre la brève campagne électorale, qui oppose le Front républicain – des socialistes aux radicaux –, soutenu par *L'Express*, ce nouvel hebdomadaire qui essaie d'exprimer le besoin de réforme, aux partisans de Poujade, au MRP, aux communistes et aux diverses petites formations de droite. Que peuvent les républicains sociaux, ces « gaullistes » qui ont choisi d'être dans le système ?

Rien.

Il n'est pas étonné, en écoutant les résultats, d'apprendre que les gaullistes ne recueillent que 4,4 % des voix. Le Front républicain l'a emporté, mais les « poujadistes », conduits par Pierre Poujade et de jeunes extrémistes comme ce Jean-Marie Le Pen, un étudiant en droit, rassemblent près de 12,5 % des électeurs !

Un sondage, publié à la veille des élections, a révélé que 1 % seulement des Français souhaitaient que de Gaulle devienne président du Conseil.

Il est seul dans le bureau de la Boisserie. Il écrit à son neveu, François de Gaulle, père blanc à la mission de Koudougou, en Haute-Volta.

« Mon cher François, mon Révérend Père,

« Ce combat sans fin que tu mènes est un témoignage de foi, d'espérance, de charité, dont je fais, veuille le croire, mon profit moral...

« Notre pays se traîne dans un état de dépression attristant et inquiétant... Je ne suis nullement optimiste pour le présent... Mais les sources ne sont pas taries et je garde " les ailes de l'espérance ". »

Quatrième partie

3 janvier 1956 – 15 mai 1958

Si l'ambiance venait à changer, alors oui,
il faudrait agir. Cette ambiance nouvelle,
que ceux qui le peuvent la préparent
dès à présent.

Charles de Gaulle à Pierre Lefranc,
1er janvier 1958.

14.

De Gaulle s'arrête, regarde. Au loin, au-delà des collines du Var et du massif des Maures, il aperçoit la mer scintillante. Le ciel de cette journée de la mi-janvier 1956 est d'un bleu limpide. Il se tourne. Jacques Vendroux s'est immobilisé à quelques pas. De Gaulle lève sa canne, montre la tache rouge que forment les toits de Brignoles. À l'ouest de la ville, il repère les bâtiments de l'hôtel de l'Abbaye de La Celle, où il séjourne en compagnie d'Yvonne de Gaulle et du couple Vendroux.

Il observe quelques secondes son beau-frère. Il a donné sa confiance à cet homme dès leur première rencontre en 1921. Le frère d'Yvonne de Gaulle est intelligent et fin. C'est un patriote courageux qui a montré son dévouement au bien public pendant l'occupation, puis à la mairie de Calais et à l'Assemblée nationale. Jacques Vendroux a-t-il réussi à surmonter la déception de sa défaite aux élections du 2 janvier ? C'est pour lui permettre d'oublier qu'il fallait l'entraîner, dès les résultats connus, dans cet hôtel confortable situé au milieu de la campagne varoise, déserte en cette saison.

Chaque jour, ils ont marché, ou bien, conduits par Fontanil, ils ont roulé dans la 15 CV Citroën sur les routes de l'arrière-pays jusqu'à Vence ou le long de la côte vers Nice. Mais Jacques paraît encore préoccupé.

– Je n'attendais absolument rien des élections au point de vue de l'intérêt du pays, dit de Gaulle. Le résultat était inévitable. Les jeux étaient faits.

Il se remet à marcher.

– Les électeurs ont à leur disposition tout ce qu'il leur faut en fait de partis pour représenter leurs intérêts particuliers, d'ailleurs contradictoires.

Il s'arrête à nouveau, tend sa canne vers Jacques Vendroux.

– Du même coup, la législature ne donnera absolument rien, sinon, bien entendu, un manège de ministères.

Avec sa canne, il trace dans la terre du chemin des lignes qui se croisent. Il aura soixante-six ans cette année.

– Vous voyez, on se croit fort, courageux, invincible, murmure-t-il. Et puis, lorsqu'on vous ouvre le crâne ou les yeux...

Il soupire. Il est sûr que, d'impuissance en impuissance, le régime finira par sombrer. Mais lui, aura-t-il encore la force de prendre les rênes du pays pour le guider ?

Il secoue la tête.

– Dans le petit jeu actuel des combinaisons et de la politicaille-rie, reprend-il, personne ne viendra me chercher. Seul un grand courant du peuple pourrait, avant qu'il ne soit trop tard, me ramener « aux affaires ». Mais ce courant ne peut naître que d'événements graves, je veux dire spectaculairement graves, au point que les gens prendront conscience du danger qui les menace.

Il hausse les épaules. Le moment n'est pas venu.

Le socialiste Guy Mollet constitue un gouvernement. Il a rassemblé les plus brillants parlementaires de la nouvelle génération politique, Mendès France est ministre d'État sans portefeuille, Mitterrand est chargé de la Justice, et Chaban-Delmas des Anciens Combattants. Les socialistes Pineau et Defferre sont, l'un, aux Affaires étrangères, l'autre, à la France d'outre-mer. Et ce Defferre annonce qu'il prépare une loi-cadre pour favoriser l'évolution de l'Afrique noire, la conduire hors du système colonial. L'indépendance du Maroc et de la Tunisie est acquise. Reste l'Algérie, et c'est le général Catroux qui vient d'être nommé ministre résident.

– Pour le moment, murmure de Gaulle, je ne vois absolument pas par quel bout prendre les choses.

Attendre, donc. Rentrer à la Boisserie, se remettre à écrire ses *Mémoires*, achever le tome II afin qu'il paraisse avant l'été 1956.

On quitte donc l'hôtel de l'Abbaye de La Celle, la Provence, et voici déjà, dans la vallée du Rhône, la bourrasque et le froid. On s'installe pour pique-niquer dans une bergerie. On retrouve en Champagne la terre que le gel semble noircir.

Dans le parc de la Boisserie, il découvre le « froid très dur et très tenace ». Il voit sur le perron Louise et Philomène, les employées de maison, qui nourrissent les oiseaux. Ils ont si froid, ils sont si affamés qu'ils s'approchent sans prudence, voletant, chancelant sur leurs pattes grêles.

De Gaulle s'avance, mais les oiseaux ne s'égaillent même pas.

Telles sont les lois de la vie. La faim fait disparaître la peur et la prudence. Le besoin change tous les comportements.

Il entre dans la maison, il entraîne Jacques Vendroux dans son bureau. Il lui tend le chèque qu'il a préparé à son intention.

« Il perçoit l'embarras et l'émotion de son beau-frère.

« Vous allez traverser une période difficile, dit de Gaulle. Il est probable que, à votre âge, vous ne reprendrez pas une vie professionnelle que vous avez sacrifiée à la politique. L'établissement de votre titre de retraite va demander un certain délai. Je ne veux pas que ce voyage où nous vous avons entraîné constitue pour vous la moindre charge. »

Il saisit le bras de Jacques Vendroux.

– Faites-moi l'amitié de prendre ceci sans protester... Nous devons nous aider réciproquement.

Il se remet à sa table de travail. La maison est silencieuse, encerclée par le froid intense de cet hiver 1956 où le brouillard ne laisse place qu'à la neige. Souvent, il regarde devant lui, par-delà ces trois portes-fenêtres du bureau hexagonal qui ouvrent sur le couchant. Mais l'horizon est noir. Il se penche. Il rature. Chaque phrase est un obstacle qu'il faut franchir. Et il recommence l'ascension, changeant un mot, précisant une idée, pour qu'à la fin il obtienne cette expression ciselée qu'il relit à mi-voix. Il a l'impression, alors qu'il écrit les dernières phrases du tome II de ses *Mémoires*, qu'il parle d'aujourd'hui et de ce qu'il ressent et de ce dont il rêve : « Pour ce qui est des rapports humains, mon lit est donc la solitude. Mais, pour soulever le fardeau, quel levier est l'adhésion du peuple ! Cette massive confiance, cette élémentaire amitié, qui me prodiguent leurs témoignages, voilà de quoi m'affermir. »

Et c'était en 1944 ! Où sont-ils aujourd'hui, ces témoignages ?

Il se rend à Paris, chaque semaine, le mercredi et le jeudi. Il comprend qu'Olivier Guichard, Jacques Foccart, le commandant de Bonneval ou Xavier de Beaulaincourt – chargé du courrier – s'efforcent d'obtenir des personnalités influentes qu'elles sollicitent une audience. Mais les interlocuteurs se font rares en ce début d'année 1956. Guy Mollet, investi par une large majorité, paraît sûr de lui. Il assure qu'en Algérie la « loi et les prophètes sont pour le gouvernement : cessez-le-feu, élections, négociations ».

De Gaulle voudrait ne pas se sentir concerné. Et pourtant, il est persuadé que ce gouvernement, quelles que soient les intentions et les qualités des hommes qui le composent, ne peut réussir.

« À quoi bon parler, quand on ne peut pas agir, dit-il. La parole doit être le prélude à l'action ! »

Mais la colère l'emporte. Guy Mollet, à Alger, est pris dans la tourmente. Le 6 février, il est bombardé de tomates, hué, insulté par les pieds-noirs qui contestent le choix de Catroux comme ministre résident, et qui obtiennent la démission de ce dernier.

Ça, un État ? Ça, une politique ? À quoi servent les « pouvoirs spéciaux » que l'Assemblée accorde au gouvernement ? Pourquoi envoyer en Algérie des « rappelés », si c'est pour ne pas avoir de politique claire ?

Dans son bureau de la rue de Solferino, de Gaulle reçoit le nouveau résident en Algérie, Robert Lacoste, un homme énergique. Il accorde une audience à Pierre Mendès France, déjà inquiet de la politique du gouvernement, dont il fait pourtant partie.

Pourquoi dissimuler à ces ministres ce qu'il pense, son amertume, son pessimisme ? Il faut qu'il parle, afin que sa pensée prenne forme.

« L'Afrique du Nord n'est plus à perdre, dit-il. Elle est perdue ! Demain, ce sera le reste ! Et l'Alsace-Lorraine ? Ils trouveront bien un moyen de l'européaniser. »

Il hausse les épaules, il a un geste du bras pour exprimer sa lassitude.

– Les Français n'ont rien dit après Diên Biên Phu, je ne parle pas de la poignée qui est allée gifler Pleven. Ils ne disent rien et ne diront rien quand nous quitterons Alger.

Voilà ce qu'il pressent. Cela devient une obsession. Il reçoit Pineau, le ministre des Affaires étrangères, Savary, le secrétaire d'État aux Affaires tunisiennes et marocaines, et ce jeune philosophe passionné, Maurice Clavel. Savary fut un Français Libre et les deux autres des résistants. Ce sont des hommes courageux et estimables auxquels il doit dire la vérité.

« La seule solution s'appelle l'indépendance, martèle-t-il. C'est dans la nature des choses, de l'histoire, de la géographie, et même du sentiment, si j'en crois le droit des peuples à disposer d'eux-mêmes. »

Mais la question que le régime ne peut résoudre, c'est le « comment » de cette indépendance.

« Le fait est inscrit dans l'histoire, répète-t-il, tout dépend du comment. »

Il perçoit l'étonnement de ses interlocuteurs. Ils insistent :

– Mon général, puisque vous le pensez, dites cela en public.

Il hausse les épaules.

– Le moment n'est pas venu. Cela irait au bas de la cinquième page des journaux.

Il écoute Pierre Mendès France qui imagine qu'il pourrait faire une démarche auprès du président Coty, afin que celui-ci charge de Gaulle de constituer un gouvernement lorsque viendra la crise politique qui balaiera, comme c'est probable, Guy Mollet.

Il secoue la tête. Gouverner avec ces institutions ? D'ailleurs, reprend-il :

– Ils ne feront plus jamais appel à moi, ou ce sera trop tard... Oui, trop tard.

Il reste un long moment silencieux.

– Le régime descend les marches une à une jusqu'à l'abîme, ajoute-t-il, et le diable vous emportera. L'Algérie, vous, le régime, vous la perdrez dans quelques mois ou dans quelques années...

Il laisse retomber ses mains sur le bureau.

– Si vous, le régime, vous m'aviez laissé au pouvoir, alors, peut-être aurais-je pu, en conservant des liens étroits avec le sultan du Maroc et le bey de Tunis, vous garder l'Algérie pour une vingtaine d'années...

Mais, aujourd'hui, il est bien tard.

« L'Algérie ne forme pas encore un État, mais elle constitue une nation. On ne peut pas tenir une nation par la force des baïonnettes. Il faut amener l'Algérie à maturité. »

Qui peut imaginer la souffrance qu'il ressent devant des événements dont il prévoit les conséquences pour le pays sans pouvoir intervenir dans leur déroulement, sans pouvoir tenter de le ralentir ou de l'empêcher ?

Il est sombre. Il se sent accordé à cet hiver rigoureux, à ces jours où la mort rôde, frappant la famille de Jacques Vendroux, laissant des oiseaux sans vie sur le bord des sentiers de la Boisserie, des soldats égorgés, des paysans massacrés dans les djebels d'Algérie, faisant resurgir le souvenir de tous les proches qui ont disparu.

Il se souvient de Xavier, mort, il y a un an, un an seulement, un an déjà.

« Que de deuils nous accompagnent le long du chemin ! » murmure-t-il.

Il reste de longs moments immobile, comme engourdi par le froid, ne voulant pas détourner sa pensée de ce malheur qu'il sent rôder.

« Il faut avoir du chagrin pour la France, ajoute-t-il. Elle en vaut la peine, et puis c'est un service à lui rendre. »

Il ne veut rien laisser paraître de cette humeur morose, presque désespérée, qui s'insinue en lui et à laquelle il ne résiste pas, parce qu'il trouve, à souffrir ainsi, comme une raison de plus de persévérer dans ce qu'il est. C'est une épreuve, peut-être la plus dure, celle où la solitude n'est pas drapée dans l'héroïsme et les enjeux d'une guerre mondiale, mais où elle doit affronter les petitesses d'un régime médiocre.

Mendès France démissionne. On prépare une expédition contre l'Égypte, parce que Nasser a nationalisé le canal de Suez. Il feuillette rageusement les rapports que le gouvernement a décidé de lui faire parvenir afin de le tenir informé des préparatifs de l'opération, qui sera conduite en accord avec les Israéliens et les Anglais.

– Affaire mal engagée, qui se déroule dans la procédure, dans la glu comme on pouvait le prévoir, dit-il. Nous avons un gouvernement de fantoches. Je dis de politiciens, oui, de politichiens, de politi-petits-chiens !

Et cependant, il sent que quelque chose change, comme si, en même temps que l'hiver cédait peu à peu, l'opinion sortait de sa léthargie.

Il se rend à Toulon, pour assister à la communion privée de son petit-fils Charles. Et il éprouve, pour la première fois depuis des semaines, une joie profonde. La certitude, tout à coup, que rien n'est jamais perdu s'impose à nouveau à lui.

Il l'écrit à Philippe, qui, toujours en mer à bord du *La Fayette*, n'a pu assister à la communion de son fils.

« Peu à peu, des signes apparemment d'un léger changement dans l'état d'esprit de la masse française quant aux affaires de la France. Chez quelques-uns, il y a maintenant une franche excitation. Chez la plupart, on constate moins d'indifférence et d'abandon qu'il y a quelques mois... »

À Paris, l'atmosphère est toujours sombre, et pourtant il a « l'impression d'une espèce de gestation ». Les lettres sont plus nombreuses. On recommence à se tourner vers lui, à espérer en lui. Et qui d'autre existe, d'ailleurs ? Les communistes ? « La mystique est crevée, dit-il. Le communisme ne peut plus gagner la partie au nom de l'amélioration de la condition humaine. »

Il lit le rapport du nouveau dirigeant du Parti communiste soviétique, Khrouchtchev, qui dénonce les crimes de Staline. Il se souvient de cette nuit de décembre 1944 où il avait affronté des heures durant, le « dictateur tapi dans sa ruse ». Qui peut désormais encore attendre un espoir du communisme ?

Il y aura encore des électeurs, des intellectuels communistes, mais, il en est sûr, « la force d'expansion du communisme est atteinte ».

Les communistes et leurs électeurs, plus ou moins vite, ne pourront plus ignorer les aveux de Khrouchtchev sur la réalité du stalinisme. Une faille vient de s'ouvrir au cœur du système.

C'est une nouvelle cause de faiblesse pour le régime et le gouvernement de Guy Mollet que les députés communistes avaient soutenu.

Il devine aux messages qu'on lui envoie, aux interviews que les journalistes sollicitent, qu'il apparaît comme un recours.

Il reçoit une lettre du maréchal Juin, qui l'incite à intervenir.

C'est un signe, parce que Juin, il le sait, est un homme prudent, qui n'a pas répondu à l'appel du 18 juin, qui ne s'est rallié qu'en 1943, la victoire des Alliés acquise.

Mais, quelles que soient les pressions, il ne doit pas se laisser dévier de sa route. Il répond à Juin.

« Ta confiance me touche et m'émeut.

« Pour l'instant, je crois que, pour moi, le silence est la plus impressionnante attitude que je puisse prendre, et, pour l'effet qu'il produit, le meilleur service qu'il me soit possible de rendre au point de vue de l'opinion publique.

« En tout cas, si je parle un jour, ce sera pour agir. Alors, j'en suis sûr, nous serons ensemble encore une fois. »

Oui, quelque chose bouge, en ce printemps 1956.

Il lit les premiers articles consacrés au deuxième volume de ses *Mémoires de guerre*, et il sait que la partie est gagnée. On s'arrache le livre. Le succès s'annonce aussi grand que pour le premier tome.

Ils n'ont donc pas réussi à l'effacer de la mémoire de la France.

Au mont Valérien, le 18 juin, pour la cérémonie du souvenir, jamais la foule n'a été aussi enthousiaste. Et, quand il se rend, quelques jours plus tard, à Cerdon, pour célébrer les combats du maquis de l'Ain, des milliers de personnes se sont rassemblées.

Il avait oublié ce plaisir qu'il ressent à parler, à communiquer sa foi. Il s'écrie : « Elles sont loin d'être taries, les sources vives de la patrie ! »

Il en est sûr, maintenant, quelque chose a commencé à souffler qui l'entraîne. Il a quitté le fond obscur de la solitude. Peut-être cela ne conduira-t-il à rien. Mais il doit se laisser pousser par ce vent qui se lève.

Il voit les drapeaux de la promotion Saint-Cyr-Coëtquidan claquant dans le vent qui couche la lande. Il est l'invité des majors de l'École.

Il se sent chez lui parmi ces jeunes hommes. « Cela me fait remonter le penchant de mes années », dit-il. Il veut parler sans précaution. Il regarde ces officiers assis, raides, en face de lui. Il évoque le passé, cette armée façonnée par des générations.

« En l'honneur de tous ceux qui l'ont faite depuis l'aurore de l'histoire, messieurs, lance-t-il, levez-vous... »

Ils sont debout au garde-à-vous. Il attend une minute, puis il lance :

– Veuillez vous asseoir.

Il évoque « les faiblesses, les médiocrités, les bassesses » où se trouve aujourd'hui plongée la France. Mais : « Saint-cyriens, je vous le dis, je ne désespère aucunement de l'avenir de la France. »

Il quitte l'école. Il mesure, à l'intensité de l'émotion qu'il a ressentie à s'adresser à ces officiers de demain, à semer dans leur esprit la confiance dans l'avenir de la nation, combien est fort en lui le désir d'agir.

Pourtant il est persuadé que le temps de l'action n'est pas encore venu. Le régime doit aller au bout de son échec. Il faut le laisser montrer son impuissance. Et s'il réussit...

Il ne peut envisager cette hypothèse. Si le régime se prolongeait, ce serait la fin des ambitions françaises, de cette France qui rayonne dans le monde, qui est présente aux antipodes.

C'est elle qu'il veut voir.

Il écrit à Guy Mollet :

« Mon cher Président,

« J'ai l'intention de me rendre, au cours du mois d'août, dans nos départements des Antilles et dans nos territoires du Pacifique. Je crois devoir vous en faire part.

« M. Guichard pourra, si vous le désirez, faire connaître à votre cabinet le détail de mon voyage. »

Foule, ferveur, *Marseillaise*, « Vive de Gaulle ! Vive la France ! ».

Il n'est pas une étape où l'enthousiasme ne déferle.

Il va de la Guyane à la Martinique et à la Guadeloupe. Peu importe le cyclone qui ravage l'île, brise les bananiers, cassant les arbres et décoiffant les maisons, la foule manifeste sa joie, son attachement à la France. Il l'incarne.

Il embarque sur un navire des Messageries maritimes, le *Calédonien*. Il arpente le pont durant la longue traversée jusqu'à la Nouvelle-Calédonie.

Il dévide ses souvenirs avec Olivier Guichard. Il regarde Yvonne de Gaulle, paisible, heureuse et rassurée d'être à ses côtés.

Tahiti, ses danses. Il se souvient des premiers ralliements à la France Libre.

« Tahiti, dit-il, quand la France roulait à l'abîme, Tahiti n'a pas cessé de croire en elle. »

Puis c'est Nouméa, Djibouti, Fort-Lamy, Ajaccio, Paris.

Il sent, quand il retrouve la rue de Solferino, la Boisserie, qu'il est plein d'une énergie renouvelée, d'une certitude renforcée.

Il raconte ce voyage, émouvant, passionnant.

« La France est dans le Pacifique. Elle n'y est pas beaucoup, mais elle y est, et, croyez-moi, elle n'est pas minable.

« Nous sommes " faits " pour être un grand peuple, même quand nous nous renions nous-mêmes, poursuit-il. La déception de nombre de Français à l'égard d'une France faible et médiocre les porte à s'en détourner (communistes, Chateaubriand-Brasillach, partisans de l'Europe des Six). C'est l'État qui a fait la France, on peut dire malgré – bien qu'avec – les Français, en leur donnant des ambitions et une fierté communes. L'absence d'État défait la France. »

Telle est bien la situation !

Il lui suffit de quelques semaines pour retrouver l'amertume et la souffrance, d'autant plus vives qu'il se souvient de ces manifestations à Nouméa, à Fort-de-France, dans les plus petites des îles. Et maintenant, il faut affronter cette impuissance, cette désorganisation de l'État.

Le président du Conseil n'est pas averti du détournement d'un avion marocain qui transporte les chefs du Front de libération nationale algérien. Il couvre, se félicite de leur arrestation. Et Savary démissionne. Puis c'est l'envoi de parachutistes à Suez, au moment même où se déclenche la révolution hongroise contre les Soviétiques. Et Moscou et Washington exigent le retrait des troupes franco-anglaises de Port-Saïd. On obéit. En Algérie, c'est la « gangrène ». Un attentat – organisé par qui ? – est dirigé contre le général Salan, nouveau commandant en chef, soupçonné d'être responsable de la « perte » de l'Indochine. On accuse Michel Debré d'être parmi les responsables du complot. Et pourquoi pas de Gaulle ?

Il méprise ces calomnies. Il condamne ce régime qui a déjà perdu l'Algérie, qui n'a pas su choisir face à l'Égypte une politique, qui est allé de l'action militaire à la reculade.

– On s'est mis à la remorque d'Israël et des Britanniques, dit-il à Savary. On a attendu les Anglais. Les Anglais arrivent toujours trop tard. Le pouvoir est inexistant à Paris. On a réuni le copain Mollet, le copain Bourgès-Maunoury, le copain Pineau, et la France a suivi au lieu de diriger !

Quant à l'Algérie ! Elle sera indépendante !

« La définition des liens à maintenir entre la France et l'Algérie devrait suivre l'indépendance et non la précéder. »

Il a le sentiment insupportable d'un gâchis humain, d'occasions manquées, de montée de la boue, de la colère aussi.

Il écrit à Philippe.

« Tout l'ensemble, Algérie, Suez, etc., suscite dans d'assez larges milieux une émotion et des réactions que je n'avais pas constatées depuis dix ans. Cela est vrai notamment dans l'armée (surtout en Afrique du Nord). On va voir. Je verrai. »

Il décide de se rendre au Sahara au mois de mars 1957, seul, malgré la volonté d'Yvonne de Gaulle de l'accompagner. Mais les risques sont trop grands.

Il voit les nouvelles installations pétrolières surgies dans le désert, à Hassi Messaoud. Il passe les troupes en revue. La France est puissante encore.

Il marche aux côtés d'Alain de Boissieu, qui a obtenu un commandement en Algérie.

« C'est tout de même impressionnant, dit-il à son beau-fils, que la France ait envoyé quatre cent mille soldats de l'autre côté de la Méditerranée. Il faut en profiter pour gagner rapidement sur le terrain. Ensuite, il faudra prendre des décisions courageuses pour le reste... Le régime en sera-t-il capable ? »

Il s'arrête, chausse ses lunettes. Il a pu assister aux cérémonies sans les porter. Il se sent vigoureux, prêt à prendre le commandement si le pays le veut. Il écrit rapidement à Yvonne de Gaulle.

« Ma chère petite femme chérie,

« J'ai du chagrin d'être loin de toi pour la première fois depuis pas mal d'années. Mais l'ambiance d'ici et celle qu'on me fait prévoir à Tindouf et à Atar me confirment dans la certitude qu'il n'y avait pas d'autre possibilité... »

Il retrouve Alain de Boissieu.

« Enfin, dit-il à mi-voix, je me suis rendu compte que je pouvais surmonter des épreuves physiques... Alors, gagnez, cher Alain, sur le terrain, et puis je me manifesterai quand il sera temps pour aider à faire le reste. »

Il n'est que temps.

Le pays est secoué dans ses profondeurs. Le général Massu gagne la « bataille d'Alger » contre le terrorisme du FLN, mais avec quels moyens ?

De Gaulle accepte de recevoir le général Pâris de Bollardière, qui a dénoncé la torture, qu'on a condamné à des arrêts de rigueur. Il connaît ce parachutiste intrépide, ce Français Libre.

« Vous avez bien fait, dit-il à Bollardière, vous avez montré le chemin de l'honneur. »

Mais si l'armée se brise, si elle se dresse contre le régime, comme le craignent certains politiciens, alors c'est la fin de la nation, pour longtemps. Et peut-être une chance à saisir, le moment de rentrer en scène.

Or, la situation se dégrade encore. Le FLN assassine à Paris un ancien président de l'Assemblée algérienne, Ali Chekkal. Il égorge, à Melouza, près de trois cents villageois coupables d'être profrançais. Mais, à Paris, on dénonce la torture pratiquée par les « parachutistes ». « C'est le fascisme qui règne en Algérie », déclare Pierre Mendès France. Les intellectuels protestent, s'indignent. Un mathématicien communiste, Maurice Audin, a disparu à Alger après avoir été arrêté par l'armée. Sans doute a-t-il succombé au cours d'un interrogatoire.

Comment le régime pourrait-il faire face à une telle situation alors que Guy Mollet a vu sa majorité s'effriter à chaque scrutin ? Le 21 mai, il démissionne.

Et le manège se remet à tourner. Quel sera le successeur de Guy Mollet ? Pleven ? Pflimlin ? Ce sera Bourgès-Maunoury.

Qui peut croire que ce radical sera capable, avec une Assemblée où il n'obtient que 240 voix contre 194 et 150 abstentions, de résoudre les problèmes qui se posent à la nation ?

De Gaulle en est sûr : « Rien ne peut aboutir et dans aucune direction, sans un complet changement de notre régime politique et moral. »

Le 29 mai 1957, de Gaulle voit entrer dans son bureau, rue de Solferino, Olivier Guichard. Le chef de cabinet sourit, tend un exemplaire de *Combat*. En première page, un article de Maurice Clavel, intitulé : « L'appel au général de Gaulle ». L'écrivain-philosophe s'adresse aux politiciens. De Gaulle lit :

« Je crois que le général de Gaulle peut encore sauver la France et la République. Pas vous. Il ne reviendra pas aux affaires pour remettre les vôtres en marche. Il ne reviendra pas, surtout pas pour un coup d'État qui vous rendrait le lustre et la virginité. »

De Gaulle replie le journal, enlève ses lunettes.

« En effet », murmure-t-il.

15.

De Gaulle pose sur la table la lettre de sa nièce Geneviève de Gaulle-Anthonioz et l'article d'une sociologue, Germaine Tillion, qu'elle lui a demandé de lire. Toutes deux anciennes déportées, toutes deux bouleversées par ce qui se passe en Algérie, Germaine Tillion s'efforçant de comprendre les causes de cette guerre. Il soupire. Le fossé se creuse chaque jour entre les musulmans et les Français. Il pense à cet écrivain kabyle, Jean Amrouche, catholique, de culture française, qu'il a rencontré et qui, lui aussi, n'aperçoit plus d'autre solution que l'indépendance.

Il doit répondre à Geneviève.

« L'affaire d'Algérie se traîne malgré beaucoup d'efforts et de dépenses, écrit-il. Plus elle dure, et plus elle devient cruelle et sombre. Je ne sais pas, cependant, comment l'actuel régime pourrait la résoudre. Il lui faudrait se mettre en contradiction avec sa propre nature. »

Et c'est le « pateaugeage politique et financier, comme d'habitude ».

Il est accablé. Il repousse ce paquet de lettres venues de tous les coins de France. Des anonymes, des notables, des anciens de la France Libre l'incitent à intervenir. Il a un mouvement de colère :

« Comment se substituer à un peuple ? C'est aux Français d'abord de manifester leur dégoût du régime et leur volonté de le changer ! »

Il se lève, va jusqu'au salon, s'installe en face d'Yvonne de Gaulle pour lire les journaux.

Il lui semble, commente-t-il à mi-voix, que le « fond de l'opinion française continue à s'améliorer, quoiqu'avec une certaine lenteur ».

Yvonne de Gaulle lui a jeté un rapide coup d'œil interrogatif.

C'est vrai, qu'il oscille comme s'il était porté par la foule. Parfois, comme lorsqu'il est rentré de la cérémonie rituelle, le 18 juin, au mont Valérien, il se sent soulevé par l'enthousiasme de la foule. Mais il lui suffit de quelques jours pour qu'il s'enfonce. Et il recherche alors délibérément toutes les raisons du pessimisme. Il faut descendre au plus bas, pour être sûr qu'on résistera au désespoir. Et il veut s'éprouver.

Il rencontre Maurice Schumann, qu'il n'a plus vu depuis des années. Le député MRP l'interroge sur les solutions qu'il pourrait promouvoir en Algérie. De Gaulle hausse les épaules.

– C'est fini, dit-il d'un ton désabusé. Je ne reviendrai jamais au pouvoir.

Et puis tout à coup, d'une voix calme, il commence à exposer les trois options qui s'offrent à la France en Algérie : « francisation, association, sécession ». Et, tout en parlant, il mesure combien il ressent le besoin d'agir, combien l'action, la nécessité de prendre des décisions et d'être soumis aux contraintes de la réalité lui donneraient cette énergie, cette résistance, dont parfois il doute de les posséder encore.

N'est-il pas un vieil homme ? Soixante-sept ans !

Il accepte de s'entretenir une nouvelle fois avec le comte de Paris. Il le retrouve dans la résidence du conservateur du parc de Saint-Cloud.

– Le régime est en faillite, dit-il, cela est sûr et sans rémission... La faillite durera jusqu'au choc qui doit arriver. Et tout est possible.

Il regarde longuement le comte de Paris.

– Vous, vous êtes éternel, murmure-t-il, moi, je ne suis que l'homme qui passe. Vous avez cet unique privilège d'être toujours là, Monseigneur.

Il écrit le troisième tome des *Mémoires*. Il voudrait le terminer pour le mois d'août 1958. Mais il s'interrompt souvent. Les années dans lesquelles il s'enfonce sont déjà celles de l'après-Libération, quand le grand flot du peuple enthousiaste commençait à se retirer et que reparaissaient les politiciens.

Il prend le livre dont on parle pour le prix Goncourt. Il aime ce Don Cesare que le romancier Roger Vailland campe et qui subit *la loi*, celle de la vie. Le temps passe. Le désir s'émousse. Don Cesare est *désintéressé*.

Il se sent désintéressé. Il veut aller jusqu'au bout de cette attitude, pour mieux se connaître, savoir s'il peut vaincre aussi cette tentation du détachement. Et soumettre à cette épreuve ceux qui l'entourent, Foccart, Guichard, Bonneval – devenu colonel –, Michel Debré. Resteront-ils debout, combatifs, s'il leur tient des propos désabusés, « désintéressés » ?

Il sait que ses proches répètent ses propos, entre eux, quand ils se retrouvent à déjeuner, chaque mercredi, à la Maison de l'Amérique latine.

Certains parlent aux journalistes, s'échinent pour que « le Général » continue à demeurer présent dans l'actualité.

De Gaulle s'irrite de ces idées qu'on lui prête.

« Je renie tout ce que je n'ai pas écrit », dit-il.

Et puis il s'inquiète. Pour qu'on se rassemble autour de lui, il faut qu'il reste cette statue du commandeur, mystérieuse et secrète. Il se souvient. Il a dressé autrefois, dans *Le Fil de l'épée*, le portrait du chef. Il ne faut pas qu'il se laisse prendre aux pièges que tendent les journalistes ou les politiciens qui se servent de son nom dans leur propre stratégie. Il faut couper les ailes à ces commentaires, à ces fausses confidences.

Il convoque Olivier Guichard, commence à dicter un texte :

« Le cabinet du général de Gaulle communique :

« Les propos attribués parfois dans la presse au général de Gaulle par certains de ses visiteurs, à la suite de conversations occasionnelles et fragmentaires, n'engagent que ceux qui les lui prêtent.

« Quand le général de Gaulle croit utile de faire connaître à l'opinion ce qu'il pense, on sait qu'il le fait lui-même et publiquement.

« Cela s'applique, notamment, à l'Algérie. »

Tant pis pour ceux de ses proches qui s'efforcent de créer un mouvement d'opinion en sa faveur. Qu'ils continuent si bon leur semble ! Mais lui, il en est sûr, doit s'envelopper de silence.

Il faut que quelques-uns, Philippe, son beau-fils, Alain de Boissieu, quelques autres, qui sont liés à lui par la famille, le comprennent. Il doit leur expliquer :

« Étant donné le tour que prennent les choses, confie-t-il à Boissieu, la seule attitude que j'aie à prendre en ce moment, c'est le silence qui, évidemment, est le contraire de l'indifférence ! »

Comment se « désintéresser », d'ailleurs, quand, Bourgès-Maunoury renversé, la France est à nouveau sans gouvernement ? Le président Coty recommence à faire tourner le manège : c'est le défilé des « pressentis », toujours les mêmes : Guy Mollet, Pleven, Pinay, qui propose la constitution d'un gouvernement de salut public – Pinay ! –, Robert Schuman, Guy Mollet encore, qui présente un beau gouvernement devant l'Assemblée qui lui refuse la confiance.

Et l'on meurt en Algérie !

Il a le sentiment que ce n'est plus une crise gouvernementale de plus qui se déroule, mais bien la crise du régime qui approche de son terme. Et pourtant, il a l'intuition que le moment n'est pas encore venu d'intervenir.

Olivier Guichard entre dans le bureau de la rue de Solferino. Il insiste, de sa voix posée :

– Laissez-moi convoquer la presse. Vous lui annoncerez que vous irez demain voir le président de la République pour lui dire que ça ne peut plus durer. M. René Coty est un bon Français, vous verrez que c'est lui qui quittera l'Élysée.

Que d'illusions ! De Gaulle ne peut s'empêcher de ricaner.

– Mais non, Guichard, il y a les huissiers.

Il sourit en voyant l'étonnement de Guichard, qui balbutie :

– Quoi, les huissiers ?

– Oui, les huissiers sont pour le régime !

Il se lève. Il s'approche de Guichard, qui reste immobile, décontenancé.

— Un jour, le préfet de police, ajoute-t-il, viendra me dire : Il n'y a plus personne à l'Élysée, mon général, voulez-vous vous y rendre ?

Mais, naturellement, « ils » ont trouvé quelqu'un d'autre, un jeune et brillant radical, Félix Gaillard, et Chaban-Delmas est du convoi gouvernemental comme ministre de la Défense nationale !

On dit que Chaban sera utile ! Il va créer une « cellule » à Alger, dirigée par Léon Delbecque, qui fut délégué RPF pour le nord de la France. Il serait assisté de Lucien Neuwirth, lui aussi RPF, qui anima le mouvement dans la région de Saint-Étienne. À ces deux hommes — tous deux brillants officiers de réserve — seraient adjoints un autre compagnon, Guy Ribeaud, ami de Soustelle, et le commandant Jean Pouget, qui fut parmi les derniers parachutés sur Diên Biên Phu avant d'être l'un des prisonniers du Viêt-minh, dans les conditions atroces du camp n° 1. Avec ces hommes-là, on peut faire une efficace propagande gaulliste, et notamment dans l'armée.

De Gaulle ne commente pas ces informations qu'on lui transmet. Il ne veut rien savoir de cela, rien dire à ce propos. Il répond à Chaban :

« Vous prenez, écrivez-vous, " la responsabilité de la Défense nationale ". Il me semble malheureusement que cette responsabilité française a été pour une large part abandonnée à des gouvernements et à un commandement qui ne sont pas ceux des Français. »

Si Chaban s'accommode du pacte Atlantique, libre à lui ! Mais qu'il ne compte pas, quoi qu'il fasse, sur l'approbation de De Gaulle.

Il faut agir de même avec Soustelle, président de l'Union pour le salut et le renouveau de l'Algérie française, à laquelle adhère aussi Georges Bidault.

Il n'est pas question de se laisser compromettre ou engager par ces hommes-là, quelles que soient leurs bonnes intentions !

Il doit demeurer libre. Et conserver le silence. Il répond à Pierre Lefranc, l'un des premiers résistants puisqu'il organisa la manifestation du 11 novembre 1940 à l'Arc de triomphe de l'Étoile et y fut blessé :

« Pas plus que vous, je ne désespère de notre pays. Je doute seulement que, dans la conjoncture, quelque message que ce soit puisse retourner le cours des choses. Si l'ambiance venait à changer, alors, oui, il faudrait agir. Cette ambiance nouvelle, que ceux qui le peuvent la préparent dès à présent. »

Il ne peut pas aller au-delà. Mais il pense, en parcourant les routes de la Somme puis de la Bretagne en cet automne 1957, à ces hommes – tel Lefranc – pour qui la France est une préoccupation personnelle, intime.

Il est assis aux côtés de Jacques Vendroux, qui a préparé minutieusement ce voyage privé de quelques jours. C'est une manière de s'éloigner des rumeurs parisiennes, de prendre du champ, de laisser l'orage grossir, la crise mûrir sans y être impliqué.

De Gaulle se penche, aperçoit par la lunette arrière la seconde voiture dans laquelle ont pris place Yvonne de Gaulle et sa belle-sœur. Puis il revient à la carte, aux notes que Vendroux a rédigées. Il veut tout savoir, du relief, des monuments, de l'histoire de cette campagne française que l'on traverse.

Au-delà de la Somme, après Abbeville, il fait arrêter la voiture au sommet du mont Caubert. L'émotion le saisit. Il fait quelques pas sous un ciel bas. Là où il se trouve devaient être placés les canons allemands qui, dans les derniers jours de mai 40, tentaient d'arrêter la contre-offensive qu'il avait lancée avec la 4e division cuirassiers.

Comment ne pas penser à l'héroïsme des combattants d'alors, que d'un trait de plume les partisans de la défaite tentèrent d'effacer ?

Il remonte en voiture.

On roule. On fait halte dans des hôtels et des restaurants discrets. Le personnel est surpris, intimidé : « Quel honneur pour nous, mon général ! »

Il sent la relation étrange, faite d'affection et de respect mutuel, qui le lie à ces Français anonymes.

On repart. On passe une nuit au Mont-Saint-Michel et, le matin, sous une pluie fine, on visite le cloître et l'abbaye.

Cette construction austère et flamboyante, ce défi aux éléments qu'il découvre, l'exalte.

– C'est sans doute, dit-il, la seule forteresse, physique et morale, que ses assiégeants, les pirates, les Anglais, les protestants rebelles, ne purent jamais prendre.

Voilà la France, son âme dressée.

On s'enfonce dans la Bretagne afin de gagner la pointe du Raz. On s'arrête au roc de Trévézel, point culminant du Finistère.

L'air est vif. Il a l'impression d'être une figure de proue face au vent. Il a besoin d'exprimer ce qu'il ressent.

– Vous voyez, Jacques, commence-t-il d'une voix grave, cette épine dorsale qui résiste depuis des centaines de millénaires à tous les vents, à tous les orages, à tous les cataclysmes, c'est non seulement la Bretagne qu'elle symbolise, mais la France tout entière.

Il fait quelques pas, menton levé, aspirant à pleins poumons ce souffle venu de l'océan.

– Notre pays, dit-il, ne supportera plus très longtemps la faiblesse de ceux qui le dirigent. C'est le peuple qui, par sa volonté, le sortira une fois encore de l'abîme où l'on est en train de le faire sombrer. Le drame de l'Algérie sera sans doute la cause d'un sursaut des Français. Voilà plus de trente années que je lutte pour eux. Ils le savent. Et même ceux qui me combattent le savent. Il ne se passera plus longtemps avant qu'ils ne soient obligés de revenir me chercher !

Il demeure silencieux. Il commence à descendre vers les voitures garées au pied de la côte.

– Allons retrouver ces dames, qui doivent se demander ce que nous sommes devenus, dit-il.

Il a regagné ses bureaux de la Boisserie et de la rue de Solferino.

On se presse désormais pour solliciter une audience. Le gouvernement Gaillard est déjà en difficulté. Il observe Guichard, qui a de plus en plus de mal à dissimuler son excitation, commente les articles, les sondages d'opinion : le général de Gaulle a une popularité aussi forte que celle de Félix Gaillard. Il devance tous les autres leaders.

De Gaulle reste impassible. Serait-il donc pour les Français l'égal d'un Félix Gaillard ?

Il répète qu'il est « désintéressé ». Et il s'amuse de l'exaspération et du désespoir qu'il fait naître chez Guichard ou chez Michel Debré. Il sent ce bouillonnement, autour de lui, de ceux qui lui sont restés fidèles, qui ont refusé d'entrer dans le système et qui trépignent. Delbecque, Neuwirth, Pouget, Ribeaud multiplient, dit-on, les initiatives à Alger, couverts par leur ministre Chaban-Delmas. Et Michel Debré, pendant ce temps, dénonce « ces princes qui nous gouvernent », donc Chaban ! Il sent bien que Michel Debré voudrait une approbation, qu'il sollicite une directive. Que pense le Général de cet article dans lequel il crie : « Honte à M. Gaillard, honte à son équipe... La révolte est proche, et peut-être la révolution ? »

De Gaulle se tait, puis dit d'une voix lente :

« Pour la France, souhaitons simplement qu'elle se rappelle un jour qui elle est... Puisse la France redevenir la France. »

Mais il n'est pas facile de rester « désintéressé ».

Il frappe du poing son bureau. Elle n'est plus elle-même, la France, quand elle laisse faire cela : l'aviation a bombardé, ce 8 février 1958, le village tunisien de Sakkiet Sidi-Youssef : 75 morts, 80 blessés, deux camions de la Croix-Rouge internationale endommagés.

Ce sont les chefs militaires en Algérie qui ont, sans en référer au gouvernement, exercé leur « droit de suite ». Et Robert Lacoste, résident en Algérie, Chaban, ministre de la Défense, et Félix Gaillard, président du Conseil, couvrent l'entreprise qu'ils n'ont pas ordonnée !

De Gaulle s'indigne. Bêtise. Le président tunisien, Bourguiba, retire son ambassadeur à Paris. Les Américains et les Anglais, trop heureux, acceptent une mission de bons offices. De Gaulle frappe à nouveau du poing. C'est Robert Murphy, l'homme d'Alger en 1942-1943, le conseiller du général Giraud, qui va animer cette mission !

Voilà dans quelle situation, par son impuissance, le régime place la France !

Il faut intervenir maintenant. Et ne même pas s'intéresser aux conséquences personnelles de cette intervention. Quand une armée agit sans en référer au pouvoir politique, c'est la nation qui risque de sombrer. Il a toujours pensé cela. Il a toujours été opposé aux coups d'État, aux pronunciamientos. Il l'a écrit dès les années 30. Il n'a jamais pensé, ni en 1944 ni en 1946, à se déjuger. Il ne peut pas accepter que la France, en 1958, subisse ce sort humiliant, suicidaire pour son rôle dans le monde.

Il décide de recevoir, à la Boisserie, l'ambassadeur tunisien Masmoudi, avant que celui-ci regagne Tunis. Il faut qu'on sache où est la France, qui est la France.

Il accueille l'ambassadeur avec sympathie. Il est 18 heures. On parle. Il conseille le calme. Il ne faut pas « insulter l'avenir », répète-t-il.

Et voilà déjà que la nuit tombe. Il est 20 heures. Mme de Gaulle prépare des sandwiches au gruyère pour l'ambassadeur. Il le raccompagne jusqu'au portail de la Boisserie, puis il retourne à son bureau et commence à écrire.

« Le général de Gaulle a donné audience le 9 février à M. Masmoudi, ambassadeur de Tunisie, qui avait exprimé le désir de le saluer avant de se rendre à Tunis. »

Il s'arrête.

Il rompt donc le silence. Il met en route un processus qui va se dérouler de manière inexorable, il le sait. Il risque aussi de décevoir les partisans farouches de la guerre en Algérie, ceux qui veulent l'étendre à la Tunisie. En recevant l'ambassadeur Masmoudi chez lui, il se découvre.

Il recommence à écrire. Il est un moment où la prudence devient lâcheté.

« L'association de la France et de la Tunisie, poursuit-il, est, de l'avis du général de Gaulle, plus désirable que jamais pour l'Occident et pour le monde. »

Il relit le texte du communiqué. Il l'aurait écrit ainsi s'il avait été en charge des affaires de la France. Guichard va le diffuser. Et il suffira d'attendre.

Mais cette attente-là a changé de nature. Il se sent comme un guetteur à sa vigie, prêt à lancer un ordre. Il est maintenant persuadé que la situation va évoluer rapidement.

Les journaux publient le communiqué, le commentent à l'infini. Le gouvernement est irrité, presque ridiculisé. Masmoudi n'a-t-il pas déclaré s'être rendu à Colombey pour rencontrer « celui qui incarne la vraie conscience française » ? On rappelle que Bourguiba aurait dit, il y a quelques mois : « Le général de Gaulle pourrait être la chance ultime pour obtenir de l'opinion française qu'elle comprenne et qu'elle accepte cette grande reconversion sans aucun sentiment de frustration et d'humiliation, et pour réussir cette construction nouvelle. »

Ce sont les derniers instants du régime, il en est sûr. Mais tout faux pas peut compromettre la situation.

Maintenant, il doit se taire à nouveau, guetter le moment.

Tout se dégrade. Grèves ici, pour les salaires. Manifestations de policiers, violentes, devant l'Assemblée nationale. Félix Gaillard nomme un nouveau préfet de police de Paris, qui arrive de Constantine, Maurice Papon. Débat sur le bombardement de Sakhiet à l'Assemblée. « Affreux spectacle, gueules écœurantes », dit Michelet. Mendès France intervient et en appelle à de Gaulle. Mauriac écrit, dans son bloc-notes de *L'Express* : « Le pays savait qu'il pourrait recourir à lui quand tout paraîtrait perdu. Eh bien, cette heure a sonné. Nous sommes au dernier acte de *Dom Juan*. Encore un peu de temps, et il n'y aura plus personne. »

Trop tôt. De Gaulle ne veut rien changer à ses habitudes. Il écrit dans le bureau de la Boisserie, en ce mois d'avril 1958, les derniers chapitres du tome III des *Mémoires*. Puis, le mercredi, il se rend rue de Solferino, après avoir déposé Yvonne de Gaulle à l'hôtel La Pérouse.

Il écoute le colonel de Bonneval faire son rapport, transmettre un message de Jacques Foccart : « L'association des Français Libres a décidé de mettre en jeu ce qu'elle représente de poids et d'influence... »

Il interrompt Bonneval, lui interdit de parler de l'action de Delbecque, Pouget, Neuwirth et Ribeaud à Alger.

Il ne veut rien savoir. Ce jeu-là n'est pas le sien, même si ces hommes le servent. Lui ne leur devra rien. Il n'a de comptes à rendre qu'à lui-même, à son destin, à la France.

Comme à l'habitude, Guichard dépose sur le bureau un dossier contenant les principaux articles consacrés au général de Gaulle durant les dernières semaines. Il les parcourt rapidement.

– Mais où peuvent-ils donc trouver tout ça ? marmonne-t-il en fixant Olivier Guichard.

Il sait bien que celui-ci joue le rôle d'« agent de liaison », donnant des indications à certains journalistes, Georgette Elgey, qui écrit dans *Paris-Presse*, Jean-Raymond Tournoux, qui tient une chronique dans *Combat*.

Il relit les articles. Tous annoncent son retour, dans les formes légales, après que le président Coty l'eut chargé de constituer un gouvernement auquel l'Assemblée accorderait sa confiance !

Dans *Le Monde*, Maurice Duverger, qui décrit le même processus, intitule son article : « Quand ? ».

De Gaulle ferme le dossier de presse.

Il est calme comme il l'était avant une attaque, en 1915 ou en mai 1940. Ou bien quand il entrait dans la grande salle du 10, Downing Street, ou qu'il devait, au Kremlin, faire face à Staline, ou, au Maroc, subir les propos de Roosevelt.

Il a tant vécu, déjà ! Il aura soixante-huit ans à la fin de cette année. Il n'y a plus de temps à perdre s'il veut pouvoir encore donner à ce pays ce qui lui reste de force. Mais il ne faut pas céder à l'impatience.

Il rentre à la Boisserie. Il donne à Élisabeth les feuillets de son manuscrit qu'elle doit dactylographier. Il lit *La Métamorphose des dieux*, que vient de lui envoyer Malraux.

« Grâce à vous, que de choses j'ai vues ou cru voir, qu'autrement je devrais mourir sans avoir discernées ! Or, ce sont justement de toutes les choses celles qui en valent le plus la peine ! » lui écrit-il.

C'est le printemps. Il marche lentement dans la douceur de l'air de ce mois d'avril 1958 que parfois un coup de vent froid vient ternir. Mais les oiseaux sont partout, enveloppant les arbres de leurs pépiements.

Il s'arrête, regarde la campagne. Elle est déserte. Les jeunes s'en vont. Il distingue au loin la tache plus sombre de quelques arpents de vigne. Un souvenir. Qui cultive encore ?

Il se remet à marcher. Il est brusquement saisi par un sentiment d'angoisse. Une civilisation, un pays peuvent mourir aussi par l'absence d'hommes. Et peut-être les événements politiques ne sont-ils que la ride superficielle des courants plus profonds qui emportent les nations.

Et pourtant, il faut faire sa tâche dans le moment d'histoire où l'on vit.

Le 15 avril 1958, Olivier Guichard lui téléphone de la rue de Solferino. Il ferme à demi les yeux en l'écoutant. Le gouvernement Félix Gaillard, accusé, par Soustelle notamment, d'avoir accepté les « bons offices » anglo-américains, de préparer un « Munich » en Algérie, est mis en minorité à l'Assemblée nationale et démissionne.

La crise est ouverte.

Peut-être est-ce le moment ?

Enfin !

16.

De Gaulle pose son stylo. Il relit les dernière lignes de la lettre qu'il vient d'écrire à Maurice Druon. Cet écrivain lui a adressé il y a quelques jours ses romans historiques, *Les Rois maudits*. De Gaulle en a achevé hier soir la lecture. Manière de ne pas se laisser engloutir dans ces événements qui se succèdent : Coty, qui consulte Bidault, Pleven, des radicaux et un MRP député de Strasbourg, Pierre Pflimlin. Manière de garder du recul face aux nouvelles qu'apporte Guichard : un Comité républicain pour l'appel au général de Gaulle s'est constitué. Des milliers de lettres arrivent à l'Élysée, pour exiger de Coty qu'il charge de Gaulle de constituer un gouvernement. Les murs des principales villes de France sont couverts d'affiches, représentant *La Marseillaise* de Rude, et portant ces seuls mots : « Appelons de Gaulle ». Ce sont des jeunes du RPF, tel Jacques Dauer, des compagnons comme André Astoux, des résistants comme Marie-Madeleine Fourcade, qui ont organisé cette campagne.

Tout bouge vite.

Et cependant, il est persuadé qu'il doit rester en dehors de cette opération, comme un menhir sur lequel se brisent vents et vagues.

Alors lire, puisqu'il est trop distrait pour continuer à écrire les derniers chapitres du tome III de ses *Mémoires*.

Il reprend la lettre à Maurice Druon.

« J'ai lu les quatre ouvrages d'histoire. Laissez-moi vous dire que je les ai fort admirés. Ce que l'on fait au service de la France est naturellement dramatique et nos rois, qui sont vos héros, ont accompli des tragédies. Vous le montrez d'une manière saisissante. Mais vous faites voir aussi que l'État et le pays furent, au total, les bénéficiaires de tout, y compris des cruautés commises en leur nom. »

Il se lève, commence à marcher dans son bureau.

Quel choix doit-il faire aujourd'hui pour que « l'État et le pays » soient au total « bénéficiaires de tout » ?

Tel est l'enjeu. Voilà ce qui doit dicter sa décision.

Il sort de son bureau, traverse le hall, entre dans le salon-bibliothèque. Yvonne de Gaulle dresse la tête. Elle n'a pas besoin de parler pour qu'il sache ce qu'elle pense. Qu'il doit rester à l'écart de ces événements où il n'y a que coups à prendre, qui risquent de ternir l'aura ou la renommée de l'homme du 18 juin, de celui de la Libération et de la victoire.

Mais a-t-il le choix ?

Comme s'il pouvait ne pas entrer dans le jeu alors qu'il sent et sait qu'on est à « la veille d'un déchirement désastreux de la nation et devant l'anéantissement du système prétendument responsable ».

S'il n'agit pas, tous ceux qui complotent détruiront la République. Il connaît ces généraux médiocres, ces hommes d'extrême droite, héritiers de la Cagoule et des ligues des années 30, dont il se souvient si bien, ces colonels exaltés qui veulent mener une « guerre révolutionnaire » et pour qui il n'est sûrement qu'un paravent dont ils escomptent se servir, aspirant déjà à le rejeter comme un vieil homme abusé, utilisé, afin de pouvoir mettre en place le régime autoritaire dont ils rêvent. Il y a aussi ces boutiquiers d'Alger, ces gens qui ont suivi Pétain, Darlan, Giraud, et n'ont crié : « Vive de Gaulle ! » qu'au dernier moment. Eux aussi rêvent d'imposer leur loi à Paris, de faire la guerre par la métropole et d'interdire ainsi à la France de se dégager du passé colonial pour garder son rang parmi les grandes nations.

S'il n'intervient pas, alors la France sera brisée, peut-être saccagée par une guerre civile, car le pays refusera de se soumettre à une partie de l'armée appuyée par les pieds-noirs.

Il voit. Il pressent tout cela. Mais à quel instant faire entendre sa voix ? Et dans quel but ? Pour simplement jouer les arbitres entre des factions, comme un vieux sage, ou bien pour profiter de la crise, afin de réformer les institutions, reprendre la barre, rassembler les Français ?

Il sait qu'il a choisi.

Il va marcher dans le parc. Il se tourne. Yvonne de Gaulle le suit des yeux. Elle sait aussi.

Et la question revient, lancinante. Quand doit-il intervenir ?

« J'ai peu d'heures pour m'y décider, murmure-t-il. Car les révolutions vont vite. Cependant, il me faut fixer le moment où, fermant le théâtre d'ombres, je ferai sortir " Dieu de la machine ", autrement dit où j'entrerai en scène. »

Il est calme. Quand l'enjeu est grand, rien n'est pire que l'impatience. Il ne faut avancer que porté par les événements et surgir d'eux. Il ne doit pas s'imposer à la nation. Que pourrait-il bâtir avec un pays qu'il aurait conquis après un coup de force, dont il aurait violé les institutions ?

Il a besoin du consentement, de l'approbation, de l'enthousiasme. Et cela suppose qu'il respecte la légalité.

Il pense aux accusations dont on l'a accablé au temps du RPF et qui vont se multiplier.

Il a un mouvement de colère de tout le corps.

S'il voulait le pouvoir pour lui-même, si son ambition était seulement le pouvoir, il pourrait emprunter n'importe quelle route, s'appuyer sur tous ceux qui veulent en finir avec le système.

Mais il veut le pouvoir pour agir, entraîner le pays. Il doit donc rejeter les solutions imposées par la force. Il doit rassembler, et pour cela manœuvrer. Il ne pourrait rien faire d'un pays soumis, agenouillé. Il a besoin d'une France redressée.

Il le sait, il va falloir jouer une rude partie.

À Alger, Delbecque, Pouget, Neuwirth, Ribeaud ne sont, quel que soit leur talent, qu'un petit groupe face aux colonels Trinquier, Thomazo, Argoud, Bigeard, « révolutionnaires ». Et il faut compter aussi avec les généraux prudents, tel Salan, le commandant en chef, qui, craignant la Haute Cour, resteront fidèles au système tant qu'ils ne le sentiront pas perdu. Il y a les activistes algérois, cet ancien étudiant, Lagaillarde, ce Martel, un royaliste, ce cafetier poujadiste, Ortiz, meneur de foule.

Et à Paris, tous les politiciens, à des degrés divers, lui sont hostiles. Ils feignent de croire au danger du pouvoir personnel, du coup de force. Et ce sont eux pourtant qu'il doit se concilier, s'il veut – et il veut – accéder au pouvoir par les voies légales.

Il faut donc se servir de la peur que les uns ont des autres, de la menace que peut faire peser l'armée sur les institutions, pour obtenir le ralliement des partis politiques, et, surtout, il doit demeurer ainsi libre, ne devant rien à personne, et devenir l'homme en qui toutes les forces convergent et se transmuent, et qui les met au service de la nation.

« Il s'agit pour commencer de reprendre en main l'État », dit-il à Yvonne de Gaulle.

Voilà le but.

Il reprend sa marche dans le parc. Le soir tombe. Il se souvient de ce qu'il a écrit autrefois, il y a si longtemps, dans ce livre, *Vers l'armée de métier*, dont il avait pesé chaque mot, élaborant ainsi, avec sa rude expérience d'officier, une stratégie pour celui qui veut commander aux hommes.

Il se souvient de Londres, d'Alger, de Paris, du RPF aussi, de toutes ces péripéties qui lui ont tant appris sur lui-même, sur les hommes, sur le pouvoir. C'est de cela qu'il doit s'inspirer, maintenant, alors que commence, il en est persuadé, la grande épreuve.

Voilà douze ans que le pouvoir s'est éloigné, et voici qu'il s'approche. S'il sait agir, si les circonstances s'y prêtent – mais elles sont favorables –, il pourra s'en saisir.

Il marche lentement. Les mots lui reviennent.

« Il faut qu'un maître apparaisse, indépendant en ses jugements, irrécusable dans ses ordres, crédité par l'opinion, serviteur du seul État, dépouillé des préjugés, dédaigneux des clientèles... Homme assez fort pour s'imposer, assez habile pour séduire, assez grand pour une grande œuvre, tel sera le ministre, soldat ou politique à qui la patrie devra l'économie prochaine de sa force. »

Il a été cet homme-là. Il va l'être à nouveau. La patrie va lui devoir l'« économie prochaine » d'une guerre civile.

Mais, d'abord, ne pas bouger. Observer. Recevoir ces visiteurs de plus en plus nombreux qui demandent audience, le mercredi et le jeudi, rue de Solferino. Il doit écouter Guichard, Bonneval, Michel Debré, Foccart. Analyser les informations qu'ils livrent, tirer la leçon de l'échec de Bidault, de Pleven, des radicaux dans leur tentative de former un gouvernement.

Il doit aussi laisser faire les gaullistes à Alger, à Paris. Mesurer l'inquiétude qui gagne les milieux politiques. Et conserver le silence.

Ou alors, pour se protéger de toute fébrilité et garder la maîtrise de soi, demander à Jacques Vendroux de préparer un voyage touristique en Ardèche, pourquoi pas ? Le périple en Bretagne a été agréable, enrichissant.

Et se remettre à écrire, réussir à s'absorber dans cette résurrection du passé. Et parfois, repousser si loin de soi les événements, pour mieux abolir toute tentation de s'y mêler trop tôt, que le pessimisme, le désespoir, la fatigue, tout à coup, s'abattent.

Il se sent fatigué, comme si vraiment il était hors jeu définitivement, vieil homme de plus de soixante-sept ans. Et murmurer alors à l'un de ses neveux qui passe par la Boisserie : « C'est fichu... Ce pays ne se redressera pas. »

Et ne voir de salut que dans les enfants, qui prolongeront la France, en dépit des vicissitudes de l'Histoire.

Et puis, soudain, sentir qu'on reprend pied, parce que l'histoire un moment ralentie se remet en mouvement.

Il apprend qu'une manifestation de plusieurs dizaines de milliers de personnes s'est déroulée le 26 avril à Alger et que l'on a entendu crier, dans ce cortège ordonné, sans violence : « Vive de Gaulle ! »

Il faut qu'il sache avec précision ce qu'il en est de la situation à Alger, dans l'armée.

Que fait le général Massu, l'un des premiers compagnons de la France Libre ? Quel est le rôle de ces colonels, Trinquier, Argoud, Bigeard, des régiments de parachutistes, le 3e régiment de parachutistes coloniaux, le 1er régiment étranger de parachutistes, notamment, et des unités territoriales qui, sous le commandement du colonel Thomazo, quadrillent la ville d'Alger ? Trinquier s'est confié à qui a voulu l'entendre. Au général Faure, qui commande les blindés en Allemagne, et qu'il a récemment rencontré. Au général Miquel, qui est à la tête de la région militaire de Toulouse. Au colonel Gribius, responsable des chars à Rambouillet, à Saint-Germain – tous prêts à marcher sur Paris en cas de coup de force « communiste » livrant l'Algérie au FLN. Trinquier a dit : « De Gaulle, au début, il peut servir, mais, après, nous l'éliminerons, car il ne comprendrait pas. »

Ces officiers-là, il faut donc autant les utiliser que les contenir, et être résolu, si besoin est, dans l'intérêt du pays qu'ils veulent subvertir, à les briser.

Dans cette fin du mois d'avril, alors que Pleven tente toujours de constituer un gouvernement, de Gaulle reçoit, le 27, Léon Delbecque, puis, trois jours plus tard, Lucien Neuwirth. Il écoute, il questionne d'une voix désabusée. Il observe ces deux hommes dont il sait qu'ils agissent pour lui à Alger, et qu'ils sont en relation permanente avec Guichard ou Foccart. Mais il se tait quand ils tentent d'obtenir de lui un ordre précis, un conseil, une incitation. Il doit, quoi qu'il souhaite, rester impassible, ne pas être impliqué dans ce qui se passe là-bas.

Delbecque insiste, dresse le tableau d'une situation explosive, d'une armée qui est prête à faire sécession, si, à Paris, le gouvernement s'engage dans la voie des négociations avec le FLN.

– Alors, mon général, que ferez-vous si... ? demande une fois de plus Delbecque.

De Gaulle se lève.

– Je prendrai mes responsabilités, dit-il seulement.

Il sent Delbecque déçu, mais il ne doit pas en dire plus.

Maintenant, il écoute Neuwirth. Il estime cet homme courageux, qui fut l'un des parachutistes de la France Libre et que les Allemands fusillèrent avec un groupe de ses camarades, le laissant pour mort. Neuwirth annonce lui aussi le prochain soulèvement de l'armée et d'Alger.

– Ça bouge vers vous, répète Neuwirth.

De Gaulle hausse les épaules.

– Pensez-vous, en Algérie, on n'est pas pour de Gaulle. On peut faire quelque chose avec Bigeard, mais pas avec de Gaulle.

Neuwirth secoue la tête.

– Mon général, nous sommes d'une génération à qui vous avez appris qu'on peut croire quelque chose contre toute espérance.

De Gaulle veut rester impassible, et pourtant la foi de Neuwirth le bouleverse, lui confirme qu'en effet l'histoire « bouge ».

– Nous sommes certains, poursuit Neuwirth, qu'il se passera des événements en Algérie. Il ne faut pas qu'ils dérapent, poursuit-il. Nous voulons qu'ils aboutissent à votre retour à la tête du pays.

De Gaulle se tait longuement.

– Qu'est-ce que vous allez faire ? demande-t-il enfin à Neuwirth.

– Mon général, on fera appel à vous.

De Gaulle se lève, raccompagne Neuwirth, ouvre la porte d'une main, pose l'autre sur l'épaule de Neuwirth.

– Je vous répondrai, dit-il.

Il rentre à la Boisserie. Il devine l'anxiété d'Yvonne de Gaulle, sa réserve devant sa décision de s'engager dans le jeu. Il n'a même pas eu besoin de lui parler. Rien de ce qui survient à l'un, de ce qu'il pense, n'est étranger à l'autre. Ils sont les deux visages éternellement liés d'une seule vie.

Il se sent maître de lui, sûr de la manière dont il faut qu'il avance, résolu et prudent, car les adversaires sont innombrables, et d'abord parmi les élites. Comme en juin 40.

Il lit, le 2 mai, sans surprise, l'éditorial d'Hubert Beuve-Méry, le directeur du journal *Le Monde*, qui, dans les grandes occasions, intervient sous le pseudonyme de Sirius.

Il en parcourt les premières lignes. Chaque mot est un coup de poignard perfide, donné d'une main gantée, comme par mégarde, au nom de la vérité. Toutes les accusations habituelles y sont reprises. De Gaulle est celui qui se prend pour le Sauveur, qui va jouer le même rôle que Pétain ; de Gaulle est l'homme qui, à la Libération, n'a pas replacé le pays « dans un courant ascendant ». Et : « Derrière lui, monarchiste de tendance mais respectueux, comme il l'a prouvé, des principes démocratiques, d'autres ne tendraient-ils pas la voile de l'aventure ? »

De Gaulle ferme le journal. Il se souvient de ces semaines de 1944, quand il a pris la décision de favoriser la naissance de ce quotidien, soutenant l'équipe de journalistes et Hubert Beuve-Méry qui voulaient créer un journal remplaçant *Le Temps* d'avant-guerre.

Et voilà ce qu'ils écrivent !

Il ne peut compter que sur lui-même et sur le mouvement du peuple, dans ses profondeurs.

Ce 2 mai, il apprend que Pleven renonce à former le gouvernement. Les socialistes ont décidé de ne pas le soutenir afin d'empêcher leur camarade Robert Lacoste, dont ils condamnent l'action, de demeurer ministre résident en Algérie.

Il a l'intuition que, après bientôt trois semaines de piétinement, l'échec de Pleven relance la crise.

Comment le pays et le président de la République pourraient-ils encore accepter que la nation, en guerre, reste plus longtemps sans gouvernement ?

Il écoute un envoyé du général Ély, chef d'état-major de l'armée, qui rapporte que les généraux ont fait parvenir un *Mémorandum* au président Coty, lui indiquant que l'armée ne pourra pas accepter un gouvernement qui abandonnerait l'Algérie.

Il est persuadé qu'on approche du paroxysme, du moment le plus grave de la crise, quand l'armée intervient dans le jeu politique. Ce qu'il n'a jamais accepté.

Au téléphone, il écoute Guichard qui, sibyllin, parce qu'il craint des écoutes sur la ligne, lui annonce qu'il souhaite le rencontrer au plus tôt.

Qu'il vienne, ce 7 mai, dîner à Colombey.

Il fait doux. Les portes-fenêtres du bureau sont entrouvertes. De Gaulle va et vient, la tête un peu levée.

Le général Ganeval m'a transmis, explique Guichard, un message du président de la République. Coty estime qu'une explosion est imminente, que l'armée peut à tout instant se tourner contre les institutions. Il souhaite vous rencontrer afin de vous demander à quelles conditions, avec quelle procédure vous pourriez envisager votre retour légal aux affaires à la tête du pays.

De Gaulle s'immobilise un court instant. Il ne faut pas qu'il laisse l'émotion l'envahir. Car voilà le premier signe clair. Enfin ! Le chef de l'État lui-même entrouvre une porte.

Mais il ne s'agit pas de s'engouffrer. Il faut toujours craindre le piège. On n'avance que lorsqu'on a protégé ses flancs.

Il faut que Coty aille plus loin, que la situation mûrisse encore.

Se découvrir prématurément serait la faute majeure. Il faut placer Coty dans l'obligation de jouer le prochain coup. Renverser les rôles. C'est Coty qui cherchait à connaître les intentions de De Gaulle. Il faut lui répondre qu'on veut l'entendre. À vous de pousser votre pion, monsieur le Président !

Il dicte mot à mot à Guichard, lentement, la réponse qui devra être faite au général Ganeval : « Dans l'ordre actuel des choses, le général de Gaulle n'envisage pas de se rendre à l'Élysée. Si le président de la République a quelque chose à lui dire, il n'a qu'à utiliser un procédé qui a déjà été employé : faire remettre une lettre à laquelle le général de Gaulle répondra d'une façon précise. Cette correspondance fera naturellement l'objet d'une entente préalable. C'est-à-dire qu'elle sera, suivant le souhait des parties, ou bien totalement et définitivement secrète, ou bien provisoirement secrète, ou bien publique. »

Il sait que, maintenant, chaque heure compte. L'avalanche s'est déclenchée. Il la sent rouler. Et c'est à cet instant qu'il ne faut pas se laisser emporter.

Il ne veut rien changer à son emploi du temps. Rien. Il continue d'écrire ses *Mémoires* dans le bureau de la Boisserie. Il s'efforce de ne lire les journaux, de n'écouter la radio qu'aux heures où il le fait d'habitude.

Cela donne le temps aux événements de se décanter. Il s'assied. Il ouvre la radio dans le salon de la Boisserie. Le président Coty a chargé Pierre Pflimlin de constituer le gouvernement. Protestations et inquiétudes à Alger. Pflimlin a évoqué il y a quelques jours la possibilité d'avoir des négociations avec le FLN.

Guichard revient.

– La situation est explosive, dit-il.

De Gaulle lève la main. Il faut calmer Guichard. Il baisse la tête. Il ne faut pas que Guichard perçoive le moindre tressaillement de son visage, si par aventure il laissait un sentiment transparaître.

– Le 9 mai, dit Guichard, le général Salan a adressé un télégramme d'avertissement au nom de l'armée.

De Gaulle croise les bras.

Peu à peu, donc, inexorablement, les chefs militaires s'engagent dans la rébellion. Mais, il le sent, ils le font à regret. Il les connaît bien. Ils veulent éviter l'« irréparable ». Ils sont divisés entre eux, comme toujours. Ils tiennent à leur solde, à leur retraite. Sans doute sont-ils poussés par leurs capitaines, par ces colonels de parachutistes et les activistes d'Alger. Il suffirait, pour qu'ils rentrent dans le rang et se soumettent, de leur donner une raison de rester dans la légalité. Il doit être cette raison.

Il pense à Delbecque, à Neuwirth, à tous ceux qui, à Alger, avancent un nom. Il faut qu'ils continuent. Mais il ne doit en rien les encourager. Il faut qu'il garde les mains libres.

Il s'assied en face de Guichard.

Son chef de cabinet a le visage tendu.

— Le FLN, dit-il, a annoncé le 9 mai l'exécution de trois soldats français, qu'il détenait depuis plusieurs semaines. Ils auraient été fusillés le 25 avril.

Il serre les poings. Ce sang répandu ! Le FLN joue la politique du pire. Il veut exacerber les passions, créer un fossé infranchissable entre lui et la France, car comment accepter l'assassinat de ces trois jeunes hommes : Decourteix, Feuillebois, Richomme ?

— Plus grave encore, continue Guichard, Robert Lacoste, avant de quitter l'Algérie, a déclaré aux généraux, lors de la cérémonie au cours de laquelle on lui remettait la médaille militaire : « N'acceptez rien contre votre honneur, prenez garde d'un Diên Biên Phu diplomatique ! »

Lui aussi joue la politique du pire.

De Gaulle hausse rageusement les épaules. Sont-ils conscients des forces qu'ils déclenchent, ceux qui attisent ainsi la crise ? ! Et c'est lui que ces belles âmes du *Monde* accusent, alors que le pays est depuis près de quatre semaines sans gouvernement et que Robert Lacoste est socialiste, et Pierre Pflimlin MRP, et Félix Gaillard, qui continue d'expédier les affaires courantes, radical !

Il est irrité, révolté même.

Guichard continue de parler. Il indique que Jacques Soustelle veut retourner à Alger et qu'il sollicite l'avis du général de Gaulle à ce propos.

— Dites-lui que je n'ai rien à lui dire, lance de Gaulle.

Soustelle le consultait-il quand il jouait le président du Conseil pressenti sur le perron de l'Élysée, après avoir rencontré Vincent

Auriol, ou bien quant il devenait président de l'Union pour le salut et le renouveau de l'Algérie française ?

Il reste seul. Il lit les journaux. Un article, ici : « De Gaulle, c'est l'aventure. Et après ? Si c'est la noble aventure du destin retrouvé, le vent du large, l'histoire reconquise ? Peut-être l'aventure de la France qui recommence... Mais le régime, c'est l'abîme. » Un autre texte, là : « De Gaulle c'est le fascisme, le pouvoir personnel, la guerre, le coup d'État militaire. »

Mots !

Tout compte fait, il le sait.

Guichard lui lit par téléphone l'article qu'Alain de Sérigny publie dans *L'Écho d'Alger* : « Je vous en conjure, parlez, parlez vite, mon général, vos paroles seront une action. »

Autrefois, Sérigny fut pétainiste, giraudiste ! Comment pourrait-il avoir confiance à long terme dans ces hommes-là ? Mais, pour l'heure, il ne peut rejeter ce soutien qu'il n'a pas sollicité.

À la radio, on annonce que de petits groupes de manifestants ont parcouru les rues de Paris et tenté de se rassembler place de la Concorde, aux cris de « Vive de Gaulle ! De Gaulle au pouvoir ! »

Il s'inquiète.

Il ne veut être imposé ni par l'armée ni par la rue. C'est la crise qui le pousse en avant. Le général Salan vient de faire savoir, alors que Pflimlin forme son gouvernement – Pleven aux Affaires étrangères, Edgar Faure aux Finances, et un autre Faure, Maurice, à l'Intérieur –, que l'armée serait apaisée par un gouvernement de Gaulle.

Qu'y peut-il ? Il est là. Cela suffit pour qu'on se tourne vers lui. Il serait évidemment plus simple qu'il soit une belle statue, et qu'on aille déposer sur son socle une couronne.

Mais il est vivant, messieurs !

Il marche calmement dans le parc de la Boisserie. Il imagine la tension de ceux qui sont au cœur du cyclone, à Alger, sur l'esplanade des Glières, ce mari 13 mai, où la manifestation en souvenir des trois soldats fusillés dégénère en émeute. Le siège du gouvernement général est envahi, les bureaux pillés.

Il n'écrit pas. Il laisse la radio raconter minute par minute le déroulement des événements.

Les étudiants de Pierre-Lagaillarde forcent les grilles avec la complicité des parachutistes du 3ᵉ RPC, la bienveillance des colonels, l'appui des unités territoriales du colonel Thomazo, et la foule algéroise se déchaîne. Il entend Massu proclamer : « Moi, général Massu, je viens de former un Comité de salut public pour qu'en France soit formé un gouvernement de salut public présidé par le général de Gaulle. »

Il arrête la radio.

Ne pas se laisser entraîner. Attendre encore. Sans doute Delbecque – vice-président de ce Comité de salut public – et Neuwirth, Pouget, les quelques autres vrais compagnons, ont-ils réussi à pénétrer ce comité né de l'émeute tolérée – souhaitée, peut-être favorisée – par la partie « révolutionnaire » de l'armée.

Mais cela ne suffit pas.

Il ne sera pas imposé par un coup d'État, il refuse d'être un général de pronunciamiento. La France vaut mieux que cela. Et il ne soldera pas sa gloire dans une aventure militaire conduisant à une guerre civile.

Il se réinstalle à son bureau.

Il va répondre à l'ambassadeur Léon Noël qui lui a envoyé un livre d'analyse des textes que Sainte-Beuve consacre à Talleyrand !

Il feuillette le livre qu'il a déjà lu. Il faut laisser, entre les événements et soi, l'épaisseur du temps.

Il écrit :

« J'ai été extrêmement intéressé par votre ouvrage... Je pense à vous ces jours-ci en voyant la crise de l'État venir à son paroxysme. Du mal sortira-t-il, pour une fois, par hasard, un bien ? »

Par hasard ?

Il veut tenter d'orienter le hasard.

Il n'hésite pas quand, par téléphone, Guichard l'interroge, ce mardi 13 mai.

– J'imagine, mon général, que vous préférez, en raison des circonstances, rester jusqu'à nouvel ordre à Colombey ?

– Mais non.

Demain, comme chaque mercredi, il sera rue de Solferino.

Ne rien changer à son emploi du temps, lancer à Pierre Lefranc : « Vous avez vu le coup de Massu ? », mais ne rien ajouter. Puis, dans le bureau de la rue de Solferino, ce 14 mai, écouter Olivier Guichard et Jacques Foccart rendre compte des derniers événements de la nuit. Pflimlin a été investi dans une atmosphère tendue, apeurée. Les députés ont condamné l'appel de Massu. Son « Moi, général Massu... » les a scandalisés. Mais Pflimlin n'a obtenu que 274 voix alors que 329 députés ont choisi l'abstention ou le vote contre.

Ne pas réagir quand Foccart explique qu'il a organisé une manifestation sur les Champs-Élysées qui, hier soir, a rassemblé plus de cinq mille personnes. Il a même été quelques instants arrêté.

De Gaulle se lève. Il est temps. Il doit déjeuner à l'hôtel La Pérouse avec le général de Rancourt, compagnon de la Libération, et chef des transports aériens. Et cet après-midi, avant de repartir pour Colombey, il donnera audience au prince Napoléon qui rentre d'Algérie.

Il se tourne vers Guichard. Que celui-ci veuille bien venir déjeuner à Colombey, demain, jeudi 15 mai.

Le calme de la Boisserie. La situation qui se précise. À Alger, les soldats du 1er régiment étranger de parachutistes tiennent le gouvernement général. Leur chef, le colonel Trinquier, cherche à pousser l'armée vers le pouvoir. Et puis cette foule sur l'esplanade qui a, dit-on, hué le général Salan, acclamé Massu, et qui reste houleuse. Salan, auquel le gouvernement Pflimlin a donné les pleins pouvoirs afin qu'il coiffe Massu.

Voilà ce qu'est ce régime qui se contente d'une fiction d'autorité !

Comment laisser la France s'enfoncer ainsi dans l'anarchie, à la merci de quelques colonels, de vieux comploteurs d'extrême droite et d'une population que manipulent les extrémistes !

Il commence à rédiger le texte d'une déclaration, car il faut maintenant faire un pas avant qu'il soit trop tard, et même s'il ne possède pas toutes les cartes. Il faut qu'on sache que, dans cette partie cruciale pour le pays, il est prêt à entrer dans le jeu.

Ce 15 mai, il écoute avec Olivier Guichard les dernières nouvelles d'Alger. Salan a prononcé un discours du balcon du gouvernement général et il a lancé à la foule, après « Vive l'Algérie française ! » : « Vive de Gaulle ! » Et la foule l'a longuement acclamé.

Voilà le moment. Le représentant de l'État en Algérie, investi de tous les pouvoirs civils et militaires par le gouvernement de la République, en appelle à de Gaulle publiquement.

De Gaulle va lui répondre.

Il lit à Guichard le texte de la déclaration qu'il lui faudra communiquer à l'AFP afin qu'elle soit publiée en fin de cette journée du jeudi 15 mai 1958.

« La dégradation de l'État entraîne infailliblement l'éloignement des peuples associés, le trouble de l'armée au combat, la dislocation nationale, la perte de l'indépendance. »

Il s'arrête. Il pèse à nouveau chaque mot. Il faut que ce texte puisse être accepté par le plus grand nombre de Français.

Il reprend :

« Depuis douze ans, la France, aux prises avec des problèmes trop rudes pour le régime des partis, est engagée dans ce processus désastreux.

« Naguère, le pays, dans ses profondeurs, m'a fait confiance pour le conduire tout entier jusqu'à son salut.

« Aujourd'hui, devant les épreuves qui montent de nouveau vers lui, qu'il sache que je me tiens prêt à assumer les pouvoirs de la République. »

Il tend le texte à Guichard.

Il ne peut plus reculer. Il faudra qu'il aille jusqu'au bout.

Il sait qu'en avançant il s'expose à être attaqué de toutes parts.

C'est ce 15 mai 1958 que la grande partie commence.

Cinquième partie

16 mai 1958 – 15 janvier 1959

Je suis un homme qui n'appartient
à personne et qui appartient à tout le monde.

Charles de Gaulle, 19 mai 1958.

17.

De Gaulle ouvre l'une des portes-fenêtres de son bureau de la Boisserie. Il regarde longuement le ciel d'un bleu délavé de ce 16 mai 1958. Il se dirige lentement vers le parc. Il murmure : « Les faits vont s'accomplir. » Cette phrase le hante et le trouble depuis hier, depuis qu'il a remis ce communiqué à Olivier Guichard. Il éprouve une sensation étrange.

Il s'arrête. Il se souvient.

En mai 1940 – Dieu qu'il était jeune alors, même pas cinquante ans, et il est dans sa soixante-huitième année –, il avait eu le même sentiment, aussi puissant qu'en cet instant.

« Les faits vont s'accomplir. »

Cette certitude, c'est peut-être cela, avoir un destin.

Il marche lentement. Rien pourtant n'est joué.

L'Assemblée vient de voter à une forte majorité – avec les voix des députés communistes – l'état d'urgence. Et les socialistes ont décidé de rejoindre le gouvernement de Pflimlin : Guy Mollet est vice-président du Conseil, Jules Moch ministre de l'Intérieur, et Albert Gazier ministre de l'Information, en fait chargé de la censure, que l'état d'urgence autorise.

Ce matin même, le général Ély, chef d'état-major de l'armée, a démissionné. La crise est donc là, dont l'issue est imprévisible. Le risque de guerre civile existe. Est-ce que Salan et Massu, les généraux, vont réussir longtemps à contrôler ces colonels qui rêvent d'un pouvoir militaire « révolutionnaire » et veulent balayer ce régime que maintenant les communistes soutiennent, le rendant aux

yeux de ces officiers, souvent anciens de Diên Biên Phu et prisonniers du Viêt-minh, encore plus insupportable ?

Et pourtant, malgré et à cause de cela, il a la conviction que « les
faits vont s'accomplir ».

Il se sent habité par cette certitude irraisonnée, aussi intime que
la foi.

Il continue sa promenade.

Il a même le sentiment d'être le spectateur d'une histoire qui se
déroule en dehors de lui et dont il connaît le terme : « La situation
ne peut avoir d'autre issue que de Gaulle. »

Mais, il doit agir. Il est aussi l'acteur principal, celui par qui les
choses adviennent. Et l'impression étrange qu'il ressent trouve son
origine dans cette dualité : il est comme dédoublé. Il sait qu'il va
réussir, et il est serein, détaché, en même temps il doit être aux
aguets, habile, rusé, séducteur, prudent, attentif à chacune des
pièces de l'échiquier.

Il va vaincre. « Les faits vont s'accomplir. » Mais chaque coup
de la partie engagée doit être médité en fonction des circonstances,
des rapports de forces, de l'attitude des uns et des autres.

Il rentre, lit *Le Monde*. Sirius l'accuse de « paroles mal-
heureuses », d'une « approbation implicite de la révolte algérienne ». « La sécession, conclut le directeur du quotidien, est ainsi
confirmée et encouragée. »

Il hausse les épaules. Pourquoi Pflimlin n'a-t-il pas destitué le
général Salan, au lieu de lui déléguer tous les pouvoirs, pourquoi
n'a-t-il pas ordonné l'arrestation de Massu et des colonels s'il s'agit
de rebelles ? Pourquoi le gouvernement laisse-t-il se créer ici et là –
à Toulouse, dans d'autres villes – des comités de salut public ? Si,
comme le prouve la démission du général Ély, « l'armée dans son
ensemble ne soutient plus le régime », est-ce la faute à de Gaulle ?

Il rejette le journal. Il n'y a qu'un danger : « le déchirement
national », la guerre civile. Et lui seul peut l'éviter, lui seul peut, en
s'appuyant sur la hiérarchie militaire et en contraignant le régime à
céder la place, contenir ceux qui veulent – au sein de l'armée ou
parmi les extrémistes – détruire la République.

Et les événements vont vite, très vite.

Il reçoit Jacques Foccart qui lui présente, le 17 mai, l'évolution de la situation telle que Delbecque et Neuwirth la vivent à Alger. Deux officiers de l'état-major de Massu, le commandant Vitasse et le capitaine Lamouliatte, doivent incessamment gagner la France, atterrir dans le Sud-Ouest, prendre contact avec les généraux Miquel à Toulouse et Descours à Lyon, pour envisager une « descente » sur Paris d'unités parachutistes, les unes venant d'Alger, les autres de Pau. Ce serait l'opération « Résurrection ».

Autre nouvelle : Jacques Soustelle a déjoué les policiers qui le surveillaient et il est arrivé à Alger.

Ne pas commenter. Mais Soustelle, parce qu'il a des ambitions personnelles, peut compliquer le jeu.

Foccart continue. La rue de Solferino, dit-il, est redevenue une ruche. Une nouvelle campagne d'affiches a été lancée dans toute la France. Des heurts se produisent ici et là avec les communistes. Moch, au ministère de l'Intérieur, a mobilisé toutes ses forces pour le maintien de l'ordre.

Voilà le risque. Des camps qui s'opposent. D'un côté, l'armée, de l'autre, le régime. Il faut empêcher cette dérive, rester dans la légalité.

Il dit d'une voix lente à Foccart :

« Je vous demande de ne vous occuper de rien, de ne voir personne. »

Évidemment, Foccart, Debré, Guichard, Lefranc continueront d'agir. Et c'est nécessaire. Ceux-là sont des fidèles. Mais il faut qu'ils comprennent que le but n'est pas de briser la République pour changer le régime, mais de le refonder, et cela suppose de rassembler et non de pousser aux actions extrêmes.

Il faut à tout prix empêcher l'affrontement. Il est sûr du général de Rancourt, qui commande le transport aérien. Celui-là, ancien de la France Libre, n'acceptera de transporter des troupes, d'Algérie en France, ou de Pau à Paris, que si de Gaulle en donne l'autorisation.

Voilà la clé de la crise. Il faut qu'il soit ou qu'il devienne, pour tous les autres acteurs placés aux points névralgiques, la seule référence, celui sans qui rien ne peut et ne doit s'entreprendre. Et il doit à la fois tenir et retenir l'armée, et faire céder les hommes du régime. Pour ces derniers, les « formes » comptent. Il faudra donc faire des concessions pour les rassurer, leur donner l'illusion que ce sont eux qui choisissent de Gaulle.

Dans l'après-midi du 18 mai, un officier se présente à la grille de la Boisserie. C'est Alexandre de Marenches, officier d'ordonnance du maréchal Juin. Il apporte une lettre de soutien de son chef. Juin est une pièce importante dans le jeu de l'armée. Il faut le remercier de son avis, lui dire : « Je crois qu'en ce moment, c'est la chance suprême qui s'offre à la France en Algérie. Mais je crois aussi que les hommes en place ne sauront pas la saisir parce qu'ils se préféreront à l'intérêt national. On verra la suite. »

Mais il faut aussi répondre à Guy Mollet, qui s'est inquiété, à l'Assemblée nationale, du communiqué du 15 mai. Le secrétaire général du parti de la SFIO a déclaré : « Nous avons souffert, moins de ce qu'il dit que de ce qu'il ne dit pas. » Il faut le rassurer, car les socialistes sont la clé de voûte du régime. S'ils se rallient, la partie est gagnée. S'ils s'opposent... tout sera plus difficile, et peut-être alors l'intervention de l'armée sera-t-elle inéluctable. Et c'est cela qu'il faut empêcher.

Il faut donc parler, tenir, le lundi 19 mai, une conférence de presse au palais d'Orsay.

Il arrive en voiture en compagnie du colonel de Bonneval. Paul Fontanil, le chauffeur, roule lentement entre les colonnes de cars de CRS. Des policiers ceinturent le palais d'Orsay. Jules Moch imagine-t-il un coup de force ? Ou bien croit-il qu'il peut impressionner de Gaulle par ce déploiement d'une véritable armée de CRS en armes ? À moins qu'il ne veuille persuader les journalistes que le régime peut réagir ?

De Gaulle prend l'ascenseur.

« Y a-t-il du monde ? » demande-t-il à Guichard et à Foccart.

La salle est comble. Il s'assied derrière une petite table recouverte d'un tapis vert. Il attend quelques minutes, jouant avec ses lunettes.

« Il y aura tantôt trois années que j'ai eu le plaisir de vous voir », commence-t-il.

Il a décidé d'employer « le ton du maître de l'heure ». Il a le sentiment qu'il l'est, malgré les gesticulations de Jules Moch, dont on vient de lui murmurer qu'il inspecte à l'instant même le service d'ordre, autour de l'hôtel d'Orsay.

– Ce qui se passe en ce moment... peut être le début d'une sorte de résurrection... Il pourrait m'être possible d'être utile encore une fois à la France.

Il laisse son regard errer sur ces journalistes, ces proches qu'il reconnaît : Debré, Michelet, Fouchet, Malraux, Chaban. Il aperçoit François Mauriac et ses fils, Jean et Claude.

– Utile, continue de Gaulle, parce que je suis un homme seul, que je ne me confonds avec aucun parti, depuis trois ans je n'ai fait aucune déclaration.

Il hausse le ton, menton levé.

– Que je suis un homme qui n'appartient à personne et qui appartient à tout le monde. Utile comment ? Eh bien, si le peuple le veut, comme dans la précédente crise nationale, à la tête du gouvernement de la République française.

Il tend la main. Il va répondre aux questions. Il se sent porté par la conviction, la foi en lui, en son destin.

Il dit que, pour lui confier le pouvoir, « il faudrait adopter une procédure exceptionnelle ». Il dit :

« Certains traitent de généraux factieux des chefs qui n'ont été l'objet d'aucune sanction de la part des pouvoirs publics, lesquels même leur ont délégué toute l'autorité. »

Un journaliste se lève :

« Certains craignent que, si vous reveniez au pouvoir, vous attentiez aux libertés publiques. »

De Gaulle se penche en avant, les coudes sur la table.

– L'ai-je jamais fait ? interroge-t-il d'une voix grave qui devient gouailleuse. Au contraire, je les ai rétablies quand elles avaient disparu. Croit-on qu'à soixante-sept ans je vais commencer une carrière de dictateur ?

Il se lève.

– J'ai dit ce que j'avais à dire. À présent, je vais rentrer dans mon village et m'y tiendrai à la disposition du pays.

Il est satisfait. Le pays n'ignore plus ce qu'il veut. Les politiciens sont placés devant un choix clair : ou bien l'affrontement avec l'armée, qui les rejette, et un pronunciamiento de colonels, et sans doute la guerre civile. Ou bien accepter de céder la place, dans un « processus » qui respectera les formes de la légalité.

Il s'éloigne de la salle aux côtés de Foccart et de Guichard.

– J'offre une solution, répète-t-il, mais je crois qu'il faut se hâter d'en décider parce que les choses et les esprits vont vite.

Il se tourne vers Foccart.

– Ai-je été bon ? demande-t-il.

Foccart balbutie.

– Excellent, excellent, répète-t-il.

– Eh bien, à la bonne heure, murmure de Gaulle.

Il doit faire le point avec ses proches. Il va et vient dans le bureau de la rue de Solferino. De la fenêtre, il aperçoit des cars de police. Peut-être faudrait-il qu'il envisage une protection militaire autour de la Boisserie. Moch ou quelqu'un d'autre – peut-être l'un de ces colonels fascisants – peut envisager de faire disparaître la solution qu'il représente.

Il hausse les épaules. Si les faits doivent s'accomplir, comme il en est sûr, il faut qu'on le laisse en vie. Il est donc invulnérable.

Il interroge Foccart. Où en est-on ?

Le commandant Vitasse de l'état-major du général Massu, reprend Foccart, est à Paris. Il doit revoir Lefranc. L'armée se prépare à lancer dans quelques jours l'opération Résurrection sur Paris. Elle attend l'autorisation du général de Gaulle, mais Vitasse assure qu'elle s'impatiente.

De Gaulle baisse la tête. Il ne faut pas que cette carte lui glisse entre les mains et que d'autres s'en emparent. Il l'a dit à la conférence de presse : « L'armée est l'instrument de l'État, il convient qu'elle le demeure. Mais encore faut-il qu'il y ait un État. »

Il se sent déjà l'État. Il faut prendre contact avec le général Lorillot qui a remplacé Ély à l'état-major général de l'armée. Il faut lui demander de transmettre officiellement – il hausse la voix –, officiellement, un télégramme pour le général Salan, afin que celui-ci dépêche un officier à de Gaulle pour rendre compte de la situation. Il faut que « l'armée reste cohérente ». Et il n'est pas question, dit-il en se retournant, qu'il s'adresse à tel ou tel officier qui se serait, de lui-même, attribué une responsabilité, Comité de salut public ou pas. Il n'entre en relation qu'avec des autorités constituées. Que Foccart et les autres le sachent !

– Ne faites rien, dit-il à Foccart en s'éloignant.

Maintenant, il faut attendre, laisser les autres réagir. Il s'est placé au centre du jeu. À chacun de se déterminer. Ils ne pourront pas ne pas bouger.

Il reste dans son bureau de la Boisserie. Le courrier s'accumule. Il répond à Morandat, l'un des premiers Français Libres parachutés en France : « La question, c'est l'unité nationale, la République et, en Algérie, pour le moment, tout ce qui peut faire fleurir la fraternité. » Il répond au socialiste André Philip, son ancien ministre qui l'accuse d'avoir répondu à l'appel des factieux : « Il y a des factions en métropole et en Algérie. Vous-même êtes d'une de ces factions. Je n'en appelle pas aux factions. Je ne réponds pas à leurs appels. J'en appelle à l'unité du peuple français. »

Mais un homme de parti peut-il comprendre un homme qui se veut seul ?

Il se promène dans le parc. Le téléphone sonne plus rarement. Ce sont des heures d'attente, comme entre deux attaques, quand l'artillerie a cessé de pilonner pour un bref répit avant un nouvel assaut.

Il rassure Jacques Vendroux, qui lui a transmis des informations sur la situation dans le Nord :

« Dans cette ambiance générale, qui est en profondeur sympathique, mais très molle, la portée peut être assez prolongée, dit-il. Il me semble cependant que les choses sont maintenant en route vers le mieux. »

C'est le jeudi 22 mai. Voici le premier signe. Il se rend à la grille de la Boisserie pour accueillir Antoine Pinay. Il faut le séduire, même si Pinay est déjà convaincu puisqu'il est là à répéter qu'il faut dénouer la crise et qu'un gouvernement présidé par de Gaulle est la seule solution. Voici Georges Boris, proche de Mendès France et vieux compagnon de Londres, qui s'en vient, le vendredi 23, faire part des inquiétudes des républicains. Le rassurer. Mendès France n'a-t-il pas été, à Londres puis en 1944, un témoin du retour de la République grâce à de Gaulle ? Mais peut-être Mendès France est-il trop aveuglé par ses propres ambitions, son espoir d'être l'homme de la situation, de jouer le premier rôle. Et il n'y a pas de place pour deux.

Le samedi 24, il accueille avec satisfaction Georges Pompidou. Il marche longuement avec lui dans le parc. Pompidou doit abandonner la banque Rothschild, c'est le moment. Il faut que dès aujourd'hui il prenne la direction du cabinet, le réorganise en fonction de l'accession au pouvoir. Il observe Pompidou, devine malgré la maîtrise de l'homme, un moment de doute, à peine un mouvement des sourcils épais.

« Les choses sont maintenant en route, murmure de Gaulle, les faits vont s'accomplir. »

Pompidou a-t-il lu les déclarations de Pinay qui, à son retour de Colombey, a répété partout : « Le général, mais c'est un brave homme ! » Et Bidault, qui déclare dans l'hebdomadaire *Carrefour* : « Je suis aux côtés du général de Gaulle » !

C'est la fin de l'après-midi du samedi 24 mai. Il est à nouveau seul. Tout à coup, le téléphone. Il se dirige lentement vers son bureau. Il écoute : un Comité de salut public vient de se créer en Corse. Les parachutistes en garnison à Calvi ont investi Ajaccio et Bastia – où ils rencontrent quelques difficultés. Ils ont été rejoints par des hommes venus d'Algérie.

Il allume la radio. Neuwirth serait arrivé dans l'île avec le député Pascal Arrighi. Le Comité de salut public serait animé par Henri Maillot, un cousin du général de Gaulle, précisent les journalistes.

Voilà. Maintenant, il va falloir accélérer la partie, car, sinon, ceux qui ont pris la décision d'investir la Corse déclencheront l'opération Résurrection avec ou sans son accord. Il faut donc utiliser au mieux cet événement. Il doit montrer au régime qu'il ne dispose plus du pouvoir. Et qu'il y a des hommes prêts à risquer leur carrière, leur vie, pour que de Gaulle prenne la tête du pays.

Qui veut mourir pour MM. Pinay et Pleven, MM. Pflimlin ou Guy Mollet ? Pour une République que ces politiciens ont vidée de toute grandeur ?

C'est le temps de l'urgence qui commence, ce lundi 26 mai, à 8 h 30, quand il reçoit Olivier Guichard dans son bureau. Guichard est porteur d'une lettre de Guy Mollet. De Gaulle lit d'abord cette phrase tracée en haut de la page : « Toute cette lettre dictée à la hâte, écrit Mollet, est nettement insuffisante, incomplète, je le sais. Mon émotion est mon excuse. »

Il la parcourt. Bien. Il a loué Mollet lors de la conférence de presse du 19 mai, saluant en lui le résistant qui se trouvait à ses côtés sur le balcon d'Arras en 1944.

« Mon général,

« Nous ne nous connaissons pas, écrit Mollet. Contrairement à ce que vous avez pu penser, je n'étais pas à vos côtés à Arras, puisque j'étais encore lieutenant en Normandie. Quant à moi, je vous ai bien sûr vu, mais de loin, comme tous ceux qui vous ont suivi, aimé, sans plus. »

Il repose la lettre. Celle d'un patriote honnête. Il fait un signe à Guichard. Il va répondre aussitôt.

« Mon cher Président,

« Votre lettre me donne à penser que nous sommes bien près d'être d'accord sur le fond des choses... »

C'est le moment de donner le coup d'épaule décisif. La lettre de Mollet est celle d'un homme prêt à se rallier. Le coup de force sur la Corse a montré au régime son impuissance. Des comités de salut public se sont créés dans plusieurs départements. La rumeur d'une opération des parachutistes sur la France commence à être répandue par les journalistes. La radio en a même donné le nom de code, *Résurrection*.

Il imagine que Neuwirth, Guichard, Debré, Lefranc, Delbecque ne sont pas étrangers à ces rumeurs qui affolent. Mais il faut aussi qu'ils retiennent les officiers.

Il faut, dit-il, convoquer immédiatement le préfet de Haute-Marne, lui remettre un message pour le chef du gouvernement Pierre Pflimlin. Il le dicte.

« Les événements qui se précipitent et qui menacent gravement l'unité de la nation française me semblent exiger qu'un contact direct soit établi d'urgence entre le gouvernement et moi-même. »

Il ajoute la même phrase à la lettre destinée à Mollet. Et il fixe le lieu de la rencontre, dans la résidence du conservateur de Saint-Cloud. Un ami. Il attend sans impatience. Pflimlin va accepter.

Dans le vaste salon, île éclairée au milieu de la futaie de Saint-Cloud, de Gaulle regarde s'avancer, « calme et digne », Pierre Pflimlin. Comment le président du conseil aurait-il pu refuser cette rencontre alors que son ministre de l'Intérieur prévoit le déclenchement de l'opération Résurrection pour le 27 ou le 28 mai, demain ou après-demain ?

Pflimlin commence à parler. Il demande que de Gaulle use de son prestige pour ramener l'armée à la discipline.

– Rien ne montre mieux que votre demande quelle solution s'impose à la République, dit de Gaulle.

Pflimlin doit quitter « une fonction qu'en somme il n'exerce pas ».

C'est l'aube. Les routes vers Colombey sont désertes, ce mardi 27 mai. De Gaulle est immobile dans le fond de la voiture. Maintenant, il ne faut plus lâcher prise. À chaque heure, un acte. Il faut les contraindre à céder. Il a le sentiment que les choses sont déjà accomplies. Qu'il est en charge des affaires de la France. Peu importe que Pflimlin n'ait pas encore démissionné. Il faut faire comme s'il l'avait fait. La réalité doit l'emporter sur les apparences. Et, au terme de péripéties dont il faut qu'elles soient les plus brèves et les plus calmes possible, les apparences s'ajustent toujours sur la réalité.

Il ferme les yeux. Il en a été ainsi, après quatre ans, en 1944. Il va en être ainsi dans quelques jours. Il en est sûr.

À 12 h 30, ce mardi 27 mai, il dicte par téléphone à Bonneval un communiqué.

« J'ai entamé hier le processus régulier nécessaire à l'établissement d'un gouvernement républicain capable d'assurer l'unité et l'indépendance du pays. Je compte que ce processus va se poursuivre et que le pays fera voir par son calme et sa dignité qu'il souhaite le voir aboutir.

« Dans ces conditions, toute action, de quelque côté qu'elle vienne, qui met en cause l'ordre public risque d'avoir de graves conséquences. Tout en faisant la part des circonstances, je ne saurais l'approuver.

« J'attends des forces terrestres, navales et aériennes présentes en Algérie qu'elles demeurent exemplaires sous les ordres de leurs chefs : le général Salan, l'amiral Auboyneau, le général Jouhaud. À ces chefs, j'exprime ma confiance et mon intention de prendre incessamment contact avec eux. »

Il relit le texte. Il force la main à Pflimlin, qui n'a pas, hier soir, démissionné. Mais il arrête l'opération Résurrection, et il ne donne aucun gage aux hommes des comités de salut public. Il reste dans la légalité. Les hommes du régime comprendront-ils assez vite qu'ils n'ont qu'une solution, se rallier ?

Il n'y a que quelques heures à attendre.

Il sait, il sent que la France est entrée dans un défilé. Certes, elle en sortira. Mais elle peut tomber aussi dans l'une de ces embuscades que si souvent l'Histoire lui a tendues.

Il écoute la radio. Les députés ont voté une réforme constitutionnelle ! Avec les voix communistes ! Il est bien tard ! Le groupe socialiste, par 111 voix contre 3, vient de déclarer qu'il ne se ralliera « en aucun cas à la candidature du général de Gaulle, qui, dans la forme où elle est posée et par les considérants qui l'accompagnent, est et restera en toute hypothèse un défi à la légalité républicaine ! ».

Il a un haussement d'épaules.

Et le sabordage de la République provoqué par l'impuissance du régime, en tiennent-ils compte ?

Il apprend qu'à Alger la phase préparatoire de l'opération Résurrection vient de commencer, puisque le message « Les carottes sont cuites une fois » a été diffusé par la radio.

Est-ce que la France va trébucher dans ce défilé, alors que l'issue est évidente ? Alors que, dans *Le Monde*, le directeur, Sirius, condamne ceux qui « s'accrochent à cette légalité privée de toute vérité » ? Ah ! Certains hommes changent vite de point de vue !

Mais les politiciens comprendront-ils qu'il est le seul rempart contre l'action de l'armée ? Et, s'il faut se servir de cette menace militaire pour refonder le régime, il y est prêt. Pour que la refondation se fasse dans la légalité, il faut que la pression militaire soit maintenue. Il sait que la manœuvre est délicate, qu'elle comporte des risques. Mais il a confiance. Plus que jamais il lui semble qu'il est dans une période de sa vie où il tire toutes les bonnes cartes, comme lors d'une réussite miraculeusement conclue.

Il est 10 heures du matin, ce mercredi 28 mai. L'on approche du paroxysme de la crise. Tout va se jouer dans les heures qui viennent. Bonneval ouvre la porte du bureau et introduit le général Dulac, chef d'état-major de Salan, qui est arrivé il y a quelques heures d'Alger.

De Gaulle l'observe. Il faut jouer serré. Se servir de l'armée et la retenir. Ne pas s'engager et cependant ne pas démobiliser ceux qui veulent lancer l'opération Résurrection.

Il questionne brutalement Dulac.

— Ils ne veulent pas de Gaulle, alors que faites-vous ?

Il écoute Dulac décrire les phases de Résurrection, Salan et Massu arrivant avec la première vague de parachutistes.

Il doit peser chaque terme.

— Il eût été immensément préférable que mon retour aux affaires s'effectuât par la voie du « processus », dit-il.

Il ne veut pas, il ne doit pas s'engager lui-même.

— Il faut que j'apparaisse comme l'homme de la réconciliation et non comme le champion d'une des factions en train de s'affronter, reprend-il.

Il se lève, reconduit Dulac.

— Il faut sauver la baraque, martèle-t-il. Vous direz au général Salan que ce qu'il fait et ce qu'il fera, c'est pour le bien de la France.

Il connaît Salan et les généraux. Sans un ordre formel, ils ne se décideront pas. Mais ils feront pression sur les hommes du régime, et c'est ce qu'il faut. Et ils seront d'autant plus convaincants, menaçants, qu'ils sont soumis à la pression de leurs colonels, et qu'ils craignent la fracture de l'armée. Et qu'ils ne peuvent rien sans de Gaulle, garant de l'unité.

Il va marcher dans le parc. La partie approche de son terme, la menace va peser sur Pflimlin et les socialistes.

Il reçoit une lettre de Vincent Auriol.

« C'est votre ministre d'État de 1945 qui vient vers vous... et qui, pour vous donner sa confiance, n'attend que d'être assuré que vous ramènerez au devoir des officiers qui ont désobéi. »

Comme si l'on pouvait le suspecter de vouloir laisser l'armée imposer son pouvoir à l'autorité politique ! N'ont-ils pas lu ce qu'il a écrit depuis les années 20 ? Ne savent-ils pas ce qu'il a fait en 1944 ? Il va répondre à Auriol.

« Le déclenchement et le développement des événements en Algérie se sont accomplis en invoquant mon nom, sans que j'y sois aucunement mêlé... J'ai proposé de former par la voie légale un gouvernement... Or, je me heurte du côté de la représentation nationale à une opposition déterminée... Cet échec de ma proposition risque de briser les barrières – en Algérie et dans l'armée – et même de submerger le commandement. »

Il va placer Auriol et les socialistes devant leurs responsabilités.

« Comme je ne saurais consentir à recevoir le pouvoir d'une autre source que le peuple ou, tout au moins, de ses représentants – ainsi en ai-je fait en 1944 et 1945 –, je crains que nous n'allions à l'anarchie et à la guerre civile.

« Dans ce cas, ceux qui, par un sectarisme qui m'est incompréhensible, m'auront empêché de tirer encore une fois la République d'affaire quand il en était encore temps porteront une lourde responsabilité. Quant à moi, je n'aurai plus, jusqu'à ma mort, qu'à rester dans mon chagrin. »

Il sort de son bureau. Les enfants de Philippe sont là, dans le parc, en compagnie de leur mère, Henriette de Gaulle. Il les regarde. Pour eux, il faut à tout prix éviter que le pays ne bascule. Et, pour cela, il faut d'abord ne pas montrer cette angoisse qui, à ce moment, l'étreint. Il faut persévérer dans la foi en soi, en son destin.

Tout à coup, à la fin de la matinée, la radio annonce que Pflimlin vient de présenter sa démission. Enfin !

Ce mercredi 28 mai est bien la journée décisive.

Il écoute les comptes rendus de la grande manifestation que les partis de gauche ont organisée pour barrer la route au fascisme. Il entend les cris hurlés par les cent cinquante mille manifestants qui défilent de la Nation à la République : « Le fascisme ne passera pas ! De Gaulle au musée ! »

Mendès France, François Mitterrand, Jacques Duclos et le ministre Gazier conduisent la manifestation. Et il y a même, à leurs côtés, Daladier, l'homme de Munich !!

Il a à la fois la conviction que ce cortège est un rituel funèbre, que rien ne peut empêcher que le régime soit renversé, la République refondée par lui, et en même temps il est inquiet. Cette foule peut donner l'illusion de la force aux hommes politiques. Elle peut aussi faire croire aux colonels anticommunistes que le pouvoir va être pris par leurs adversaires, que c'est le Front populaire communisant qui va l'emporter, et non de Gaulle. Et ils peuvent déclencher leur intervention en métropole.

Il faut aller vite.

À la demande du président Coty, ce mercredi 28 mai, dans la nuit, il rencontre les présidents Le Troquer – pour l'Assemblée nationale – et Gaston Monnerville pour le Sénat. C'est le même salon de la résidence du conservateur de Saint-Cloud où il a rencontré Pflimlin. Il est 23 heures. Il les écoute un instant présenter leurs exigences. Il faut que les formes de l'investiture soient respectées, insistent-ils. Il faudra donc un vote des deux Assemblées.

Il dit : réforme constitutionnelle, pleins pouvoirs pendant six mois, puis la nouvelle constitution soumise au peuple, par voie de référendum.

– Ce serait un plébiscite ! s'exclame Le Troquer.

Cet homme fut son ministre de la Guerre à Alger. Il descendit les Champs-Élysées à ses côtés le 26 août 1944.

Le Troquer s'interroge sur ses intentions.

– Je n'accepterai jamais le pouvoir de la main des rebelles, dit de Gaulle.

Le Troquer se lève.

– Je vous connais bien, je me souviens d'Alger. Vous avez l'esprit d'un dictateur. Si vous revenez au pouvoir, avec vous, ce sera l'ère du pouvoir personnel. C'est pourquoi je m'y oppose.

De Gaulle se lève à son tour.

– Eh bien, si le Parlement vous suit, je n'aurai pas autre chose à faire qu'à vous laisser vous expliquer avec les parachutistes et rentrer dans ma retraite en m'enfermant dans mon chagrin.

Il est amer. La dictature serait donc, selon Le Troquer, une question de « caractère » ! Et non d'institution ! La bêtise de ces propos le révolte.

Il est 5 heures du matin, ce jeudi 29 mai. Il arrive à Colombey.

Peut-être la voie légale est-elle impossible. On lui téléphone. À travers les propos sibyllins de Guichard, il comprend que Delbecque a lancé son deuxième message, celui qui déclenche l'opération Résurrection : « Les carottes sont cuites, deux fois ». Il s'enferme dans son bureau. C'est le moment où l'histoire hésite.

Il est calme.

Il écrit à Philippe.

« Henriette et vos si chers enfants nous quittent. Les événements ont agité leur séjour. Mais combien nous avons été, ta maman et moi, heureux de les voir.

« D'après mes informations, l'action serait imminente du sud vers le nord.

« J'ai reçu hier Le Troquer et Monnerville, que m'envoyait le président Coty pour voir avec moi à quelles conditions je pourrais former le gouvernement dans l'actuel régime... mais il est infiniment probable que rien ne se fera plus dans le régime qui ne peut même plus vouloir quoi que ce soit.

« Au revoir, mon cher vieux garçon. Je t'embrasse de tout mon cœur. Ta maman en fait autant.

Ton papa. »

Il cachette l'enveloppe. Est-il réellement inquiet ? Au fond de lui-même, malgré ce qu'il vient d'écrire, il ne peut réellement croire au pire, à l'affrontement, à l'entrée en lice de l'armée en France, aux parachutistes dans les rues de Paris, contre des grévistes ou des manifestants, ne fussent-ils qu'une poignée. Il a, depuis toujours, rejeté l'idée de coup d'État, de 18 Brumaire ou de 2 décembre. Il a confiance dans la sagesse du pays. Et, surtout, il a la certitude d'être la seule solution pour la nation.

Téléphone.

Vincent Auriol demande l'autorisation de faire publier dans *France-Soir* l'échange de leurs lettres.

Il donne son accord. C'est un déclic, il en est sûr. Le signal, sans doute, du ralliement des socialistes.

Les choses bougent. Il en éprouve la sensation physique.

Peu après, on annonce que Coty a envoyé un message aux députés.

Il est envahi par une joie paisible. Il écoute calmement la lecture par Le Troquer, devant l'Assemblée nationale, du texte de Coty.

« Nous voici maintenant au bord de la guerre civile... Dans le péril de la patrie et de la République, je me suis tourné vers le plus illustre des Français... À quelles conditions accepterait-il d'assumer la charge accablante du pouvoir ?... Il reste à surmonter des difficultés considérables... Je demande au général de Gaulle de bien vouloir venir conférer avec le chef de l'État... Si je me suis trompé, je ne manquerai pas d'en tirer aussitôt les conséquences inéluctables... »

Coty vient de jeter le poids de sa fonction dans la partie. Il menace de démissionner. Comment les députés refuseraient-ils maintenant la solution « de Gaulle » ? Il n'y aura pas de guerre civile. La France va échapper au pronunciamiento.

De Gaulle se sent joyeux et en même temps la gravité l'envahit. Il faudra terminer la guerre en Algérie, refonder la République. Tâche immense !

Il soupire. Il faut d'abord régler les formes de l'accession au pouvoir.

Quant à l'opération Résurrection, voilà trois ou quatre jours que les parachutistes doivent être consignés dans l'attente de leur départ. Il va falloir que leurs colonels lèvent la consigne. Il n'y aura pas d'opération Résurrection.

À 19 h 30, il entre pour la première fois à l'Élysée par la grille du Coq. Il traverse le grand parc. Coty sur le perron. Coty débordant d'émotion. Voilà l'homme qui a évité le pire. « Il se range à mon plan : pleins pouvoirs, puis congé donné au Parlement, enfin constitution nouvelle à préparer par mon gouvernement et à soumettre au référendum. J'accepte d'être investi le 1er juin par l'Assemblée nationale, où je lirai une brève déclaration sans prendre part au débat. »

Foule des journalistes, communiqué. Retour à Colombey.

Au bord de la route, dans la nuit, il aperçoit de petits groupes qui agitent les bras au passage de la voiture. Il entend leurs cris que l'obscurité semble dévorer : « Vive de Gaulle ! »

C'est le vendredi 30 mai. « Les faits se sont accomplis. » Tout le reste n'est que péripétie. Il reçoit à la Boisserie Vincent Auriol, Guy Mollet, Maurice Deixonne – président du groupe parlementaire socialiste. Il devine l'émotion respectueuse de Guy Mollet. Puis, plus tard, arrive le maréchal Juin, qui assure que l'armée est unie derrière de Gaulle.

Il marche seul dans le parc qu'envahit le crépuscule. Le voici donc, même si les votes n'ont pas encore eu lieu, à la tête du pays.

Il s'arrête.

« Sur ma maison je regarde alors tomber le dernier soir d'une longue solitude. Quelle est donc cette force des choses qui m'oblige à m'en arracher ? »

Il gagne Paris, s'installe à l'hôtel La Pérouse. Le samedi 30 mai, à 15 heures, il attend dans le grand salon de l'hôtel les présidents des groupes du Parlement, Pinay, Daladier, Guy Mollet, Ramadier, Mitterrand, Pierre-Henri Teitgen. Il les accueille plein d'égards. Il veut être conciliant. L'essentiel est acquis. Alors, sauvons les apparences. Et puis rassemblons. La France a besoin de tous ses fils. Mitterrand seul se cabre, parle de pronunciamiento.

– Nous n'aurions, dit-il, à vous entendre, mon général, pour faire face à ce genre de tragédie, qu'un seul recours, vous-même, mais vous êtes mortel.

– Je vois où vous voulez en venir, répond de Gaulle. Vous voulez ma mort.

Il rit.

– J'y suis prêt.

Puis il fixe Mitterrand.

– Vous êtes un homme politique, monsieur Mitterrand. C'est bien. Il en faut. Mais, en certaines circonstances, les hommes politiques doivent savoir se hausser au niveau des hommes d'État.

Le dimanche 1er juin 1958, à 15 heures, il entre dans l'hémicycle de l'Assemblée nationale, seul.

Il se souvient de cette séance du mois de janvier 1946. Il avait dû répondre à une interpellation d'Herriot, qui lui « faisait la leçon au sujet de la Résistance ».

Il n'était jamais revenu dans cette salle sombre.

Mais il sent la curiosité et même la sympathie. Il ne veut prononcer que quelques mots. Puis il sortira. Il n'écoutera pas les discours critiques de Mendès France, de Mitterrand, de Duclos ou de François de Menthon ou d'Isorni.

L'investiture est votée par 329 voix contre 224. Les communistes crient : « À bas la dictature ! Le fascisme ne passera pas ! »

Fascisme !

Il constitue son gouvernement. Malraux sera délégué à la présidence du Conseil, chargé des Affaires culturelles. Pflimlin,

Mollet, Houphouët-Boigny, Jacquinot sont ministres d'État. Pinay est aux Finances, Debré à la Justice. Toutes les formations politiques, à l'exception des communistes, sont représentées. Il choisit de hauts fonctionnaires, Couve de Murville et Pierre Guillaumat, pour diriger les Affaires étrangères, les Armées.

Et comme ministre de l'Intérieur, le plus ancien fonctionnaire du ministère dans le grade le plus élevé, Émile Pelletier.

Ça, un gouvernement de dictature !

Il sait qu'à Alger les colonels protestent déjà : Soustelle est absent du gouvernement alors que Pflimlin et Mollet s'y trouvent !

C'est ainsi. Ils vont apprendre ce qu'est l'État !

Le 2 juin, il retourne à l'Assemblée, qui va se prononcer sur les « pleins pouvoirs » et la modification du texte donnant au gouvernement le droit de réformer la Constitution.

Des députés se pressent autour de lui, le félicitent. Ils votent chaque fois, à plus de 320, les textes soumis. Demain, la session parlementaire sera suspendue.

Il sort de l'hémicycle. Il regagne l'hôtel La Pérouse, mais c'est la dernière fois. Il va s'installer à matignon, rue de Varenne, comme tout chef de gouvernement.

Il regarde le petit salon de l'hôtel où, depuis douze ans, il est venu régulièrement, presque chaque semaine. Temps du RPF. Temps de la solitude. Cette époque s'achève.

Il a le sentiment qu'il va prendre la place à laquelle il est destiné. Comme il y a dix-huit ans.

« Me voici obligé, autant que jamais, d'être ce de Gaulle à qui tout ce qui arrive au-dedans et au-dehors est personnellement imputé, dont chaque mot et chaque geste, même quand on les lui prête à tort, deviennent des sujets de discussion dans tous les sens et qui, nulle part, ne peut paraître qu'au milieu d'ardentes clameurs.

« Éminente dignité du chef, lourde chaîne du serviteur ! »

18.

Ce 3 juin 1958, il monte rapidement l'escalier en marbre rose de l'hôtel Matignon. Jamais, depuis des années, il n'a senti en lui autant d'énergie. Il traverse à grands pas les salons, obligeant les huissiers et Pierre Lefranc, qui sera son chef de cabinet, à courir presque pour ouvrir les portes, indiquer que Georges Pompidou, le directeur de cabinet, a choisi de s'installer dans ce bureau, Olivier Guichard, le directeur adjoint, prendra place dans cette petite pièce, voisine du bureau du Général. Là, Bonneval, Beaulaincourt, Foccart. De Gaulle s'arrête. Il ne veut pas d'un cabinet qui soit seulement composé d'hommes venus du RPF. C'est de l'État qu'il s'agit maintenant, et non d'un mouvement politique. Que l'on convoque René Brouillet, son ancien directeur de cabinet en 1944, ce haut fonctionnaire sera chargé des Affaires algériennes, en compagnie de Bernard Tricot, un conseiller d'État. Pour les Affaires étrangères, le conseiller sera Marc Boegner, qui secondera Couve de Murville. Aux Finances, il choisira Roger Goetze, ancien directeur du Budget, proche de Mendès France.

Point de confusion entre l'État et la politique d'un parti, fût-il le parti gaulliste.

Il continue de traverser les bureaux, les salons. Il n'y a pas de temps à perdre. Il faut que cette machine se remette en route. Il pénètre dans ce qui sera son appartement. Il imagine la déception d'Yvonne de Gaulle lorsqu'elle découvrira ces quatre petites pièces, d'autant plus que, tout cet été, il devra rester ici, dans ce salon minuscule auquel on accède depuis la chambre en traversant la salle de bains. La chambre est agréable, dotée de larges et hautes fenêtres, mais le salon est sombre, les arbres du parc masquant la lumière.

C'est ainsi.

Il regagne son bureau, s'y installe. Il reste à sa table quelques minutes immobile et silencieux. Il n'éprouve ni joie ni exaltation, mais un sentiment de plénitude, un immense désir d'action. Il faut bousculer vite les habitudes de ce régime ankylosé. Il faut fonder en quelques semaines une autre République. Ce sera la tâche de Michel Debré, de René Cassin et des jeunes conseillers d'État qu'il a réunis autour de Raymond Janot. On constituera une commission de parlementaires et de juristes pour mettre au point les textes élaborés par ces experts. Il faudra en terminer à la fin du mois d'août pour soumettre cette nouvelle constitution au peuple. Puis il faut rétablir l'équilibre financier. Pinay rassure. Mais c'est Pompidou et Roger Goetze qui élaboreront la politique financière et économique. Dans quelques semaines, on lancera un grand emprunt, qui bénéficiera de la confiance de la nation. Et reste la tâche principale : prendre à bras-le-corps le problème de l'Algérie.

Il se lève, commence à marcher dans le bureau, s'arrête devant les fenêtres. Le parc de Matignon est immense, mais la vue est bornée par les immeubles voisins. Il a un instant la nostalgie des grands horizons libres de la Champagne, du parc de la Boisserie qui s'enfonce dans le ciel. Il ressent déjà le besoin de ces espaces sans limites où il peut rêver. Il pense de nouveau à la contrainte qu'il impose à Yvonne de Gaulle alors qu'elle n'aspire qu'à la paix, à la vie familiale. Il faudra ménager des moments de retrait, là-bas, dans leur demeure.

Il soupire. Il se retourne. Il y a à faire. Vite.

Il dicte. Télégrammes au sultan du Maroc, à Bourguiba. Il faut que les chefs d'État sachent que c'en est fini des hésitations du régime. Il est la France. Et il veut régler ce « drame » algérien. C'est cela, sa tâche première. Il s'installe à nouveau à sa table. Il reçoit, ce 3 juin, le général Salan.

Il l'observe. L'homme est habile, capable, séduisant même, et pourtant « quelque chose d'ondoyant et d'énigmatique qui me semble assez mal cadrer avec ce qu'une grande et droite responsabilité exige de certitude et de rectitude ».

– Et alors, commence de Gaulle, après l'euphorie du Forum, que va-t-on faire ?

Il écoute Salan, puis le général Jouhaud qui l'a rejoint, parler de l'intégration. Leur grand mot ! Il faut les laisser dire, évoquer cette « ruineuse utopie : l'Algérie française ». Comprendraient-ils qu'on ne peut avoir, face à un tel drame qui mêle toutes les passions, de plan préétabli, dont on pourrait à l'avance fixer « exactement les détails, les phases, le rythme de la solution » ? Il a seulement quelques certitudes : l'assimilation des musulmans au peuple français ou leur assujettissement sont impossibles. On pourrait, dans le meilleur des cas, aboutir à ceci : « À l'exemple de la France, qui, à partir de la Gaule, n'a pas cessé de rester en quelque façon romaine, l'Algérie de l'avenir, en vertu d'une certaine empreinte qu'elle a reçue et qu'elle voudrait garder, demeurerait à maints égards française. »

Mais il faudra s'adapter au gré des circonstances, avancer progressivement. « Sans jamais changer de cap, il me faudrait donc manœuvrer jusqu'au moment où, décidément, le bon sens aurait percé des brumes. »

C'est cela, la responsabilité du chef, s'il ne veut pas que le navire chavire, submergé par une « vague de stupeurs et de fureurs ».

Il se lève.

– Le ministre de l'Algérie, c'est moi, dit-il, et vous, Salan, vous serez mon délégué général.

Demain, 4 juin, il se rendra à Alger, puis dans les principales villes d'Algérie. Et il sera accompagné par Max Lejeune, ministre du Sahara, Louis Jacquinot, ministre d'État, et Pierre Guillaumat, ministre des Armées. Il devine l'inquiétude de Salan, qui craint les réactions de ses colonels parachutistes, des activistes, face à des hommes du système, comme Lejeune et Jacquinot.

– Mais non, mais non, ces messieurs m'accompagneront et tout ira bien.

Il va plonger dans la fournaise. Il le sait. Ces hommes des comités de salut public – militaires et civils – tiennent l'opinion. À chaque instant, tout pourra basculer. Quelques cris, des complicités dans l'armée et la police – elles existent – suffiront. Et il est si facile, dans ces circonstances, de tuer un homme. Sans compter le risque qu'il y a à rassembler des foules alors que la guerre se poursuit, qu'il peut y avoir des attentats, provocateurs, du FLN, ou des extrémistes.

Il commence à écrire son discours d'Alger. Il faut, dès les premiers mots, « saisir le contact des âmes ». Il faut qu'il « jette des mots apparemment spontanés dans la forme mais au fond bien calculés dont je veux [que la foule] s'enthousiasme sans qu'ils m'emportent plus loin que je n'ai résolu d'aller ».

Tout se jouera là. Il doit s'exposer, être présent, quels que soient les risques.

Il n'y a pas d'autre voie. On se redresse. On sort de la tranchée. On attaque. En avant !

Le soleil. La chaleur. La foule. Les couleurs bariolées.

C'est la fin de la matinée du mercredi 4 juin 1958, dans les rues d'Alger, autour du palais d'Été. Les cris « Vive de Gaulle ! » sont parfois recouverts par « Vive Massu. Vive Soustelle ! ». Et puis ces bousculades. Il cherche des yeux les ministres Jacquinot et Lejeune. Il aperçoit ces parachutistes au regard et aux attitudes pleins de morgue. Il apprend que les deux ministres ont été enfermés, gardés, houspillés, comme certains journalistes venus dans la caravelle du Général. Jean Mauriac a dû dissimuler – sur le conseil d'un officier – son nom. C'est le désordre et la menace.

Il faut qu'ici on comprenne que l'État a désormais une volonté et un visage, et que de Gaulle ne se laissera pas traiter comme Guy Mollet.

Il reçoit Jacques Chevallier le maire libéral d'Alger, condamné par le Comité de salut public. Il interrompt Massu qui s'est avancé en tant que président de ce comité.

– Vous avez été le torrent et la digue, lui dit-il.

Massu a-t-il compris que le Comité de salut public, c'est le passé ?

Il arrive au gouvernement général. L'esplanade est remplie d'une foule hurlante. Les orateurs acclamés se succèdent au balcon, fustigeant le « système et ses salauds ».

On crie : « Vive Soustelle ! Vive l'armée ! »

Il s'avance. Il faut que, dès les premiers mots qu'il va lancer, la foule soit saisie. C'est maintenant. Il voit cette étendue tumultueuse devant lui dans l'éclat de la fin de journée.

– Je vous ai compris, lance-t-il.

On l'acclame. Il a gagné.

– Je vous ai compris, reprend-il, je sais ce qui s'est passé ici. Je vois ce que vous avez voulu faire. Je vois que la route que vous avez ouverte en Algérie, c'est celle de la rénovation et de la fraternité... Eh bien, de tout cela je prends acte au nom de la France !

Il suit mot à mot le discours qu'il a écrit.

« Ici, dit-il, il n'y a que des Français à part entière, dans un seul et même collège... Pour ces dix millions de Français, leurs suffrages compteront autant que les suffrages de tous les autres. »

Tout en parlant, il regarde cette foule au milieu de laquelle les burnous des musulmans ressemblent à des récifs blancs.

Il va franchir un nouveau pas, appeler ceux qui se battent à renoncer à la guerre. Il va saluer « ceux qui mènent sur ce sol un combat dont je reconnais, moi, qu'il est courageux – car le courage ne manque pas sur la terre d'Algérie –, qu'il est courageux mais qu'il n'en est pas moins cruel et fratricide ».

Il sent l'épaisseur du silence.

« Oui, moi, de Gaulle, à ceux-là, j'ouvre les portes de la réconciliation. »

« Jamais plus qu'ici, et jamais plus que ce soir, je n'ai compris combien c'est beau, combien c'est grand, combien c'est généreux, la France ! »

« Vive la République ! Vive la France ! »

La Marseillaise éclate, puissante, enthousiaste. Il quitte le balcon. Dans le bureau, il aperçoit sur certains visages des larmes d'émotion, mais il devine sur la plupart des autres la déception, l'inquiétude, l'amertume. Qu'imaginaient-ils, qu'il fallait parler pour satisfaire une faction ? Il est la France, et non le porte-parole du Comité de salut public ! Il ne doit des comptes qu'à la nation. Il interpelle Massu. Pourquoi les ministres ont-ils été détenus ! L'État doit être respecté.

Il regagne le palais d'Été. Tout à coup, la fatigue l'accable. Il est en sueur. La chaleur ne s'est pas dissipée avec la nuit qui vient.

Il enlève sa vareuse, enfile un peignoir, se laisse tomber dans un fauteuil.

– Je boirais bien quelque chose, un whisky avec beaucoup d'eau, murmure-t-il.

Le colonel de Boissieu le sert. Il a confiance en son gendre.

— Alors, qu'en pensez-vous ? demande-t-il. Je ne me suis pas trop engagé ?

Il boit, les yeux mi-clos, secoue la tête cependant que Boissieu regrette qu'il ne se soit pas prononcé sur l'Algérie française.

— C'est exprès que je ne l'ai pas fait, car l'Algérie française des colons, ce n'est pas l'Algérie française de l'armée, et encore moins celle des musulmans. Je vais essayer de trouver la solution la plus française pour mettre un terme à ce drame. Mais il est déjà bien tard. Ah, si l'on m'avait suivi au moment du discours de Constantine de 1943...

Il se lève.

— Depuis cette époque, nous avons perdu la face en Indochine, le Maroc et la Tunisie ont acquis leur indépendance malgré nous.

Il soupire.

— Enfin, je vais essayer, mais j'ai dix ans de trop ! Que de temps a été perdu par ce régime insipide qui n'a cessé de me combattre pour m'empêcher de revenir aux affaires !

Il fait quelques pas.

— Il ne faut pas, reprend-il, que l'armée essaie de me déborder dans cette affaire, de m'imposer une solution, il faudra me suivre dans mes démarches... Dites bien à vos camarades que s'ils me désobéissent, s'ils me débordent, s'ils me résistent lors des négociations, chaque fois je serai obligé de jouer une carte en dessous de la précédente.

Il fixe Boissieu.

— Un référendum va avoir lieu en Algérie le 28 septembre, n'empêchez pas les listes des nationalistes ou de ceux qui désireraient voter non de se constituer. Si les rebelles descendaient de leurs repaires pour venir participer au référendum, cela prouverait qu'ils veulent régler les problèmes autrement que les armes à la main. Ce serait le commencement de la paix.

Il baisse la tête, vide son verre.

— S'ils ne descendent pas, il faudra prévoir autre chose. Je ne suis pas homme à me laisser enfermer dans une seule hypothèse.

Foule et cris à nouveau. Et sensation que les adversaires s'organisent, qu'ils ont compris qu'il ne leur cédera pas. Il faudra donc trancher, à vif. Et même se séparer, s'il le faut, des plus proches. De Soustelle, peut-être, dont les manifestants d'Oran acclament le nom, empêchant de Gaulle de parler. « Mais taisez-vous donc », leur lance-t-il. Il est irrité. Il répond à Soustelle, qui répète « intégration », « Algérie française » : « Allons, Soustelle, relisez Lyautey ! Ces peuples veulent voir respecter leur sentiment national. »

Il écoute à Radio-Alger la lecture d'un article de Léon Delbecque publié ce matin du 5 juin dans *L'Écho d'Alger* : « Nous n'avons pas franchi le Rubicon pour y pêcher à la ligne. Nous irons jusqu'au bout... »

De Gaulle s'indigne. Qu'imagine-t-il, ce « petit monsieur », faire la loi parce qu'il a rendu quelques services ? Et que croient-ils, ces membres des comités de salut public, qu'ils vont diriger le pays ?

– Vous n'allez pas continuer à faire la révolution, leur dit-il. Ce que vous avez à faire, c'est d'acquérir les esprits à l'unité nationale, à l'appui du général de Gaulle, sans d'ailleurs lui forcer la main...

Il commence à ressentir la fatigue. La lumière crue de ces journées de juin lui écorche les yeux. Après Constantine, après Oran, il découvre cette foule qui se presse sur la place, devant l'hôtel de ville de Mostaganem. Les musulmans sont les plus nombreux. Il commence à parler dans la chaleur étouffante de ce vendredi 6 juin :

« Il n'y a plus, ici, je le proclame au nom de la France et je vous en donne ma parole, que des Français à part entière, des compatriotes, des concitoyens, des frères qui marchent désormais dans la vie en se tenant par la main. »

S'élèvent les acclamations, les youyous des femmes, après qu'on a traduit cette phrase.

Il entend les cris « Algérie française ! ». Il ne veut pas répéter le slogan des activistes, et cependant il veut répondre à ces musulmans qui l'acclament, qui crient : « Vive la France ! » Il dit : « Vive l'Algérie ! », puis il ajoute après quelques secondes : « française ».

Plus tard, il apprend que des officiers de l'« Action psychologique » ont manipulé la bande d'enregistrement du discours, faisant disparaître les secondes de silence, lui faisant crier le slogan « Algérie française », alors qu'il a veillé à séparer les deux mots. Il répète qu'il n'assume que ce qu'il écrit. Et ces deux mots, il ne veut

pas qu'ils figurent dans le texte du discours. Mais ils lui ont
« échappé ». Il faut qu'il en convienne. Il s'est laissé entraîner par
la fatigue et ce qu'il a vu, « cet élan de fraternité réelle, provoqué
par l'armée, dirigé contre les pieds-noirs, contre le statu quo. Je n'ai
voulu épargner aucune chance ». Il hausse les épaules : « C'était
superficiel », conclut-il.

Naturellement, ils vont marteler ces quelques mots, assurer que
de Gaulle les a trompés.

Il s'emporte contre le Comité de salut public qui publie une
« motion péremptoire ». Il dit à Salan :

« L'autorité régulière, et d'abord vous-même, ne sauriez prendre
parti au sujet de ce que ce comité ou toute autre organisation politique peut exprimer ou demander. »

Il y a une œuvre nationale à réaliser. Un État fort. Le temps des
comités est révolu. Et l'autorité militaire elle-même doit céder la
place. C'est le pouvoir civil qui doit l'emporter.

« Pouvoirs militaires ! » s'exclame-t-il avec indignation.

Voilà ce qu'ils disent, les partisans du Comité de salut public.

Mais depuis qu'il réfléchit à ce sujet, depuis 1916, en Allemagne, dans les camps de prisonniers, il a toujours voulu que
l'armée soit aux ordres du pouvoir politique. Il y a l'exécutif, le
législatif et le judiciaire. Pas de pouvoir militaire. L'armée n'est
qu'un glaive au service de l'État.

Quant à l'Algérie...

Il invite Pierre Lefranc à s'asseoir près de lui dans la voiture qui
le ramène de l'aéroport de Villacoublay à Matignon. Un crépuscule
aux reflets violets voile le ciel de ce vendredi 6 juin 1958. Les avenues sont presque désertes. Après la chaleur et la foule d'Algérie,
les tensions et les passions, c'est ici un autre monde. La voiture file
à toute vitesse derrière les motocyclistes qui ouvrent la route.

Il a besoin de parler. Lefranc est un homme sûr et fidèle.

– Ils rêvent, commence-t-il. Ils oublient qu'il y a neuf millions
de musulmans pour un million d'Européens. L'intégration, c'est
quatre-vingts députés musulmans à l'Assemblée. Ce sont ceux qui
feraient la loi. L'armée, qu'est-ce que c'est ? Quelques colonels qui
se prennent pour Giap ! Les Français là-bas ? Les gros n'ont rien
compris. Ils se cramponnent. Les petits sont affolés. Les fonction-

naires, ce sont partout les mêmes, monsieur le contrôleur des poids et mesures...

Il se penche. Ici et là, des badauds le reconnaissent, applaudissent. Il répond d'un geste, levant son bras.

— Nous ne pouvons pas garder l'Algérie, reprend-il. Croyez bien que je suis le premier à le regretter, mais la proportion d'Européens est trop faible. Si nous étions plus nombreux... mais neuf contre un ! Et puis, maintenant, la Tunisie et le Maroc jouissent déjà de leur indépendance. Même si on ferme les frontières, les idées passent et personne ne pourra empêcher les Algériens de vouloir ce que leurs voisins possèdent déjà.

Est-ce la fatigue ? Il se sent accablé. Les cartes, dans ce drame algérien, sont déjà distribuées. Il ne peut que tenter de conduire honorablement vers sa fin, en essayant de garder quelques atouts, cette partie qu'il n'a pas engagée, dont il hérite au pire moment.

Il murmure :

— La fraternisation, c'est une illusion. Si l'on disait aux Français d'Algérie : la fraternisation, c'est l'égalité entre vous et les musulmans, ils en feraient une tête ! Et ils renverraient vite les Arabes dans leurs gourbis... Il faudra trouver une formule de coopération où les intérêts de la France seront ménagés.

Il devine le désarroi de Pierre Lefranc.

— Et les Français qui sont là-bas ? demande le chef de cabinet.

— Et aussi les intérêts des Français, dit de Gaulle, mais j'ai peur qu'ils n'acceptent aucun changement.

La voiture entre dans la cour de Matignon. Il descend. Il a l'impression de tout savoir déjà de ce qui va survenir en Algérie, et pourtant il va falloir tenter de conduire cette affaire, de sauver ce qui peut l'être.

Il monte lentement l'escalier de Matignon.

Allons ! Au travail ! « Ayant taillé, il faut coudre. » La France doit retrouver sa voix.

Il reçoit des messages de la plupart des chefs d'État. Il a l'impression de renouer le fil, comme si cette « traversée du désert » n'avait été qu'un bref intervalle. Il écrit à Eisenhower, maintenant président des États-Unis. Que de souvenirs en commun ! Il reçoit Harold Macmillan, qu'il a connu à Londres. Et puis Foster Dulles et le ministre allemand de la Défense, Strauss. Il écrit à Khrouchtchev.

Il se sent là où il doit être. Il occupe la fonction vers laquelle toute sa vie l'a dirigé. Il sera le président d'une Ve République. La nouvelle constitution peu à peu se met en place. Un Sénat, un Premier ministre, un président de la République élu par une Assemblée de soixante-seize mille grands électeurs, eux-mêmes élus. L'Assemblée nationale devant laquelle le Premier ministre est responsable conserve son droit de censure. Mais l'exécutif dispose de moyens forts pour agir. Et le président de la République possède l'arme de la dissolution de l'Assemblée et du droit, en cas de nécessité, de disposer de pouvoirs étendus. Ce sera l'article 16 de la Constitution.

Il écoute les juristes. Il intervient. Il faut faire vite. Le référendum est prévu pour le 28 septembre.

Il se souvient du discours de Bayeux, le 16 juin 1946, où il avait donné les grandes lignes de son projet constitutionnel. Il aura fallu douze ans ! Mais il y est parvenu. Il éprouve un sentiment de sérénité. Il a accompli ce qu'il devait.

Maintenant, il s'engage dans sa dernière mission. Il veut y mettre toute l'énergie dont il peut disposer encore. Il sait qu'Yvonne de Gaulle s'inquiète du poids de la charge. Elle craint pour sa santé. Il hausse les épaules. Il saura, comme il l'a toujours su, dompter son corps.

Il est heureux d'accueillir Jacques Vendroux et sa femme. Il l'écoute parler de la situation dans le Nord, à Calais. Il songe même à s'y rendre. Il veut garder une vie privée et des relations, retourner régulièrement à la Boisserie. Il regarde Yvonne de Gaulle. Certes, sans doute pas avant la fin de l'été.

Il faut utiliser ces mois pour jeter les fondements de la Ve République, alors que mille indices, les gestes des gens dans la rue, les lettres reçues, le prouvent, il existe « un sentiment certainement très favorable pour une très, très grande majorité ».

Il va s'adresser au pays, utiliser pour la première fois la télévision, dresser le tableau des efforts à accomplir, des buts à atteindre.

« Tout cela, n'est-ce pas trop pour nous ? murmurent ceux qui, à force de croire que rien ne peut réussir, finissent par le désirer, ceux qui ont pour secrète devise celle de Méphistophélès, démon disert du désespoir : " Je suis l'esprit qui nie tout. " Mais, pour l'instant, personne n'écoute Méphistophélès. »

Le départ des réformes est donné. Il sent même autour de lui, chez Guichard, Debré, Pompidou, chez Roger Frey, qui devient secrétaire général du nouveau parti gaulliste, l'Union pour la Nouvelle République (UNR), une énergie joyeuse, celle des commencements.

Il les observe. Il faut aussi se méfier de leurs initiatives. Et, surtout, ne jamais être dépendant d'eux et de qui que ce soit. Et ne pas se laisser étouffer par les tâches.

« Dites à Élisabeth, écrit-il à Alain de Boissieu, qu'après qu'elle m'aura envoyé le sixième chapitre je lui ferai parvenir les trois premiers à taper en trois exemplaires. Car je ne renonce pas du tout à finir mes *Mémoires de guerre*. »

Et puis s'évader de la pression des lieux de pouvoir. Il se rend pour quelques heures chez Jacques Foccart, à Luzarches, près de Paris, pour pouvoir retrouver le calme d'une promenade dans la campagne.

Mais Foccart ne peut se taire, insiste pour que Soustelle fasse partie du gouvernement. De Gaulle s'arrête.

– Eh bien, soit ! Je vais lui coller l'Information. Mais écoutez-moi bien : vous verrez qu'il me trahira !

Soustelle a composé avec le système. Il a sa politique personnelle en Algérie. Les acclamations l'ont grisé. Mais il ne sera pas le seul à ne pas vouloir comprendre qu'on ne peut réaliser en Algérie ce rêve d'intégration.

Ils seront même nombreux.

Il s'en rend compte en inspectant les unités de l'armée à Constantine, à Tizi Ouzou, à Fort-National, dans la chaleur accablante des premiers jours de juillet. Il regarde ces capitaines, ces commandants qui mènent le combat difficile contre la guérilla, protègent, soignent, instruisent les populations des villages. Comment ne pas les désespérer ? Comment leur dire que leurs efforts sont nécessaires pour une issue politique et ne conduiront pas à ce qu'ils espèrent : l'intégration, l'Algérie française ?

Ceux-là qui se battent ont droit au respect. Et puis il y a les « activistes », les « colonels », qui veulent conduire leur politique. Ceux qui tentent de garder le pouvoir conquis le 13 mai. Ceux-là sont des adversaires, peut-être un jour plus que cela.

Il secoue la tête. À Alger, il refuse de recevoir les membres du Comité de salut public. Il s'adresse à une centaine d'officiers rassemblés au palais d'Été.

« Le temps des slogans est terminé », lance-t-il.

C'est le gouvernement de la France qui dirige la politique de la nation. Il se tourne vers Guy Mollet, ministre d'État. Il a tenu à l'avoir à ses côtés. Au mois de février 1956, Alger, à coups de tomates, avait contraint Guy Mollet, président du Conseil, à reculer. Il faut que cet affront fait à l'État soit effacé. Et il faut que les officiers comprennent qu'ils doivent rentrer dans le rang. Il est sûr que, dans son ensemble, l'armée obéira. Peut-être quelques officiers qui ont fait de « l'Algérie française » une mystique se dresseront-ils contre l'État. Contre de Gaulle.

Mais faudrait-il, pour éviter ce risque, leur céder ? Les laisser transformer l'Algérie en une terre où les lois démocratiques ne s'appliquent pas ? Où les journaux français sont saisis et où même les déclarations d'André Malraux, ministre, condamnant la torture, sont censurées ?

Que pourra la France si elle garde une telle plaie au flanc ?

Il accueille à Paris, le 14 juillet, des personnalités venues de toute l'Afrique, affirmant de cette manière la profondeur et l'étendue de l'influence française. Mais que deviendra-t-elle si la guerre d'Algérie continue ?

Il rentre à Matignon. Il faudrait en finir maintenant avec cette guerre. Mais il sait bien qu'il est encore trop tôt.

Il reçoit Edgar Faure. Il apprécie l'intelligence mobile de cet homme vif, inventif. Ils marchent côte à côte dans le parc.

— Voyez-vous, dit de Gaulle, l'erreur la plus commune pour tous les hommes d'État, c'est de croire dur comme fer qu'il existe à chaque moment une solution pour chaque problème. Il y a pendant certaines périodes des problèmes qui n'ont pas de solution.

Il s'arrête. Il se penche vers Edgar Faure.

— C'est actuellement le cas de l'Algérie.

19.

De Gaulle s'arrête au milieu du chemin qui se perd entre les grands chênes. Il respire lentement, les yeux mi-clos. Voilà deux mois, depuis qu'il est à Matignon, qu'il n'éprouve pas un tel sentiment de liberté, de légèreté et presque d'insouciance. Il se tourne. Jacques Vendroux et sa femme marchent aux côtés d'Yvonne de Gaulle. Derrière eux, au-delà de la forêt, il aperçoit la ligne brillante de la côte. Une brume de chaleur recouvre la Manche, ce dimanche 27 juillet 1958, mais ici, dans la futaie, sous l'épaisseur des frondaisons, il fait frais.

Voilà près d'une heure qu'ils marchent ainsi dans le bois de Licques. Il a besoin de cette solitude, de cette nature, de cette intimité familiale, dans l'appartement de son beau-frère, à Calais. Ce soir, ils retrouveront Philippe et Henriette de Gaulle en vacances à Wissant avec leurs trois enfants. Il en éprouve déjà une bouffée de bonheur. La vie se noue dans la profondeur du temps, malgré les tempêtes qui creusent inlassablement cette houle des événements, à laquelle il se mêle. Mais, pour ne pas se laisser dériver, il faut, comme aujourd'hui, reprendre pied, en soi, aux côtés des siens.

Il regarde Yvonne de Gaulle. Elle est sereine, heureuse. Pourrait-il, sans elle, affronter cette violence quotidienne de la vie politique ? À Matignon, il aime la retrouver chaque jour au moment du déjeuner et, malgré la présence d'un ou deux collaborateurs qui évoquent à table les questions en suspens, c'est un moment de paix. Et puis il y a le dîner en tête à tête, dans la petite salle à manger de Matignon. Là, l'étreinte de l'actualité se desserre. Et il peut ensuite travailler à nouveau, écrire ses discours, ou bien présider les séances des juristes qui mettent la dernière main au projet de révision constitutionnelle.

Longues journées. Lourde contrainte. Il a déjà prononcé plus d'une vingtaine de discours. Il a, à deux reprises, parcouru l'Algérie, et maintenant il veut accomplir un long périple en Afrique, puisqu'il a opté pour que le référendum constitutionnel du 28 septembre soit, pour les peuples des anciennes colonies, le moyen de choisir entre la « Communauté française », union d'États, et la sécession, c'est-à-dire l'indépendance.

Il se remet à marcher. Il voit, venant vers lui, une petite fille dans une robe claire. Au loin, dans sa vision floue, il devine un couple, sans doute les parents. La petite fille esquisse une révérence, lui tend un bouquet de fleurs, puis s'en va en courant.

Il est ému. Cette confiance des Français anonymes, cette affection qu'il a tant de fois sentie lorsque, dès les premiers pas sur le sol français, en juin 1944, il s'est avancé dans la foule, c'est comme une source vivifiante, qui efface les doutes qui si souvent sont venus l'assaillir.

Il remonte en voiture. On atteint après quelques kilomètres la place de Tardinghen, déserte. Il suit des yeux Yvonne de Gaulle qui, avec des gestes qu'il lui a vu faire depuis des décennies, ramasse des coquillages, cependant qu'il marche aux côtés de Jacques Vendroux sur le sable humide.

— Tout va très vite, tout s'enchevêtre, murmure-t-il. Mais nous pouvons de nouveau avoir une politique.

Il a répondu favorablement à une lettre de Khrouchtchev qui réclame une conférence internationale pour régler les problèmes du Moyen-Orient, où les troupes américaines sont intervenues, débarquant au Liban. Il a refusé de mêler la France à cette action. Et il a commencé de réfléchir à un mémorandum, qu'il présentera à Londres et à Washington pour qu'au sein de l'Alliance atlantique la France soit l'égale des États-Unis et de l'Angleterre. Et qu'on ne vienne pas arguer du fait qu'elle ne dispose pas de l'arme atomique ! Il a voulu, dès son arrivée à Matignon, étudier le dossier des recherches nucléaires. Il a été fasciné « au point de vue humain, au point de vue spéculatif, au point de vue du progrès... » par le nucléaire. « C'est vraiment quelque chose de merveilleux et dont on ne peut pas s'empêcher d'être transporté. » Oui, l'esprit de l'homme est puissant. Et les Français ne sont pas distancés. Il se rendra en visite à Marcoule, où se trouve l'une des premières piles nucléaires. La France doit développer cette source d'énergie.

— Je n'oublie pas de penser à ce qui peut être nécessaire à la puissance militaire de la France par rapport à d'autres nations, murmure-t-il.

Il soupire. Il faut aller vite.

— Rétablir la paix en Algérie est la grande affaire, martèle-t-il.

Et puis il y a la réforme des institutions. Il dispose maintenant d'un « cahier rouge », qui contient les propositions des experts. Il faut les soumettre au vote d'un Conseil consultatif constitutionnel, que va présider Paul Reynaud. Après, ce sera le référendum.

Il s'assied dans la voiture à côté de Vendroux. Il se sent bien dans cette nouvelle Citroën, une DS, qu'il utilise depuis quelques jours seulement. Entre Paris et Calais, Paul Fontanil, le chauffeur, a poussé des pointes de vitesse sans que, comme c'était le cas dans la Citroën 15 CV, on soit secoué.

On longe la plage. Il regarde, en dissimulant son visage de la main, ces familles paisibles qui, alors que tombe le crépuscule, quittent lentement le bord de mer. Il est responsable devant eux. Et ce sont eux, le peuple, qu'il veut consulter, sans intermédiaire. Et c'est pourquoi le référendum lui paraît l'une des pièces essentielles de cette nouvelle constitution. Il secoue la tête. Il se souvient de ces discussions entre experts qu'il a tranchées.

— Comme d'habitude, dit-il à Jacques Vendroux, tous ceux qui ont à y voir veulent apporter leur grain de sel... et souvent dans le sens de la complaisance aux nostalgiques de la confusion des pouvoirs. Mais je ne laisserai rien passer qui puisse porter atteinte à l'autorité de l'État. En ce domaine, Debré, qui a bien compris l'importance de l'affaire et se montre têtu comme une mule, m'est fort utile.

La voiture s'arrête à un feu rouge. Il tourne la tête. Une vieille femme est là qui le regarde, les yeux écarquillés, qui tend le bras, le montre du doigt et se met à crier : « Vive de Gaulle ! Vive de Gaulle ! »

Le feu passe au vert. Fontanil démarre. La voix se perd.

Adieu, les grands chênes. Adieu, la solitude peuplée de rêves, de réflexions, de nostalgie. Et pourtant, il veut trouver le temps – dût-il

passer ce qu'il reste de ses nuits – de terminer ses *Mémoires*...
Affaire privée, qui ne doit en rien empiéter sur le temps dû à la
fonction. Il veut que ce soit Élisabeth qui continue de taper le
manuscrit et non l'une des innombrables secrétaires de la présidence du Conseil. Il relit les chapitres dans le silence de la nuit,
les fenêtres ouvertes sur le parc. Il doit remercier Élisabeth.

« C'est parfaitement bien tapé. Vous avez tout à fait raison de me
recommander le septième chapitre », celui du départ du gouvernement en 1946, il y a douze ans déjà, de l'histoire. Il lui faut écrire la
conclusion.

« Mais si vous saviez quel est le tourbillon des choses ! »

Il doit d'abord reprendre en main l'armée. Il faut que les officiers
cessent d'exprimer leurs avis. Il va le répéter à Pierre Guillaumat,
ministre des Armées :

« Le " trouble " éventuel des cadres militaires sur ce point,
comme sur d'autres, ne saurait être opposé à ma décision et à celle
du gouvernement. »

Il faut que la discipline soit rétablie.

Il dicte une lettre à Salan.

« Mon cher Général,

« Mon attention est appelée sur des actes de torture ainsi que des
exécutions sommaires... »

Ces faits doivent être déférés devant la Commission de sauvegarde des droits et libertés individuels. Et il compte recevoir régulièrement M. Patin, son président, un magistrat qui a toute son
estime.

Pas d'indulgence pour les officiers qui accomplissent de tels
actes. Mais que les belles âmes sensibles qui accusent l'armée de
tous les méfaits dénoncent avec autant de vigueur les crimes du
FLN ! Et qu'elles mesurent la difficulté de la tâche quand l'adversaire auquel on s'adresse refuse d'entendre, ignore que l'on conclut
ses discours par « Vive l'Algérie et la France ! » comme s'il s'agissait déjà de deux pays séparés, qu'on parle de même d'Algériens,
qu'on regrette les « combats absurdes », qu'on offre la « paix des
braves » !

Et comment ces rebelles et leur soutien ici ne voient-ils pas que
cette paix n'est possible, sans une crise majeure de la nation, que

parce qu'il a, avec l'armée, avec le peuple, des relations singulières, que pas un autre Français n'est capable de nouer ? Et que, grâce à elles, il peut empêcher les dérives de l'armée. Il écrit au général Massu.

« Mon cher Massu,

« Ceci est de moi à vous.

« Vous êtes un soldat. Quel soldat ! Vous devez le rester.

« C'est ainsi que vous resterez mon compagnon et mon ami. Mais ma tâche n'est pas la vôtre.

« Le général Gilles va à Alger sur mon ordre. Vous saurez être avec lui en confiance et en discipline. Cela, j'y compte et je le sais.

« À bientôt, mon cher Massu. J'approche de mon terme. Mais nous n'avons pas fini d'être nous.

« Bien amicalement. »

Bientôt, il faudra remplacer Massu et le général Salan, à Alger.

« Le tourbillon des choses » : dans la chaleur d'août, il faut partir pour l'Afrique, pour dire : « Les Africains choisiront », partir là-bas pour « me faire entendre et me faire voir », qu'on sache que la France a désormais un visage et une politique.

Il arrive à Fort-Lamy le 21 août. Il parle. Le lendemain, il est à Tananarive, puis ce seront Brazzaville, Abidjan.

Convaincre. Dire que, le 28 septembre, les peuples, les nations devront choisir entre la Communauté et l'indépendance.

La chaleur. La fatigue. Les acclamations. Et puis, à Konakry, en Guinée, l'hostilité du président Sékou Touré, le discours haché par les slogans scandés : « Indépendance ! Indépendance ! »

Répondre : « Ne vous y trompez pas, pour la France, aujourd'hui, le colonialisme est fini. C'est dire qu'elle est indifférente à vos reproches rétrospectifs. Désormais, elle accepte de prêter son concours à l'État que vous allez être. Mais elle envisage fort bien d'en faire l'économie. Elle a vécu très longtemps sans la Guinée. Elle vivra très longtemps encore si elle en est séparée. »

La route qui conduit à l'aéroport de Konakry au terme de sa visite est déserte. Hier, elle était remplie de groupes agressifs. Sékou Touré tient son peuple. Il est « jeune, brillant et ambitieux ». De Gaulle, au bas de la passerelle, lui serre la main. « Adieu, la Guinée. »

À Dakar, il regarde sur la place Protêt cette foule bruyante qui crie : « Indépendance ! Indépendance ! » si fort qu'il a l'impression que, malgré les micros, on ne peut entendre son discours. Il élève la voix encore :

« Messieurs les porteurs de pancartes, crie-t-il, si vous voulez l'indépendance, prenez-la ! Nous ne contraignons personne, nous demandons qu'on nous dise *oui* ou qu'on nous dise *non*, le 28 septembre. »

La nuit tropicale est tombée d'un seul coup. Il est seul sur le balcon de sa chambre qui surplombe la mer et l'île de Gorée. De là partirent des centaines de milliers d'esclaves.

Il se sent las. Il semble, au dire de Jacques Foccart, que son discours a retourné l'opinion, d'ailleurs manipulée, et donc tous les territoires, à l'exception de la Guinée, voteront oui.

Mais combien durera cette Communauté française ?

Il écoute Jean Mauriac qui s'enthousiasme :

– Mon général, vous construisez pour l'éternité un Commonwealth à la française !

Il secoue la tête, grimace une moue.

– Pensez-vous ! La Communauté, c'est de la foutaise ! Ces gens-là, à peine entrés, n'auront qu'une idée, celle d'en sortir.

Mais il faut tenter l'impossible, faire ce pari. Il murmure :

– Il n'y a pas de politique qui ne prenne pour base à la fois les sentiments et les réalités.

Il a un haussement d'épaules, un sentiment de fatigue. Selon des informations recueillies par le SDEC, les services de renseignements français, qui a intercepté des messages entre les groupes du FLN et Tunis, l'ordre a été donné de l'abattre à son passage à Alger. Et peut-être parmi les activistes d'extrême droite, peut-être même des officiers, la même consigne a été donnée.

Il ne ressent aucune inquiétude, mais une sorte de détermination triste, presque désespérée.

L'Histoire, les hommes sont ainsi.

Il arrive à Alger. D'un mot, il refuse de recevoir les membres du Comité de salut public. Il y a désormais un gouvernement et des autorités qui agissent. Le temps des comités est révolu.

Il donne audience au palais d'Été à des personnalités algériennes. Il écoute ces hommes modérés, puis il se rend, dans la petite villa qu'occupent Alain et Élisabeth de Boissieu, dans le jardin du palais d'Été.

Après ce voyage harassant, cette pression des foules, cette humidité accablante, il se repose enfin, avec les siens, dont il sent l'affection. Il évoque les conversations qu'il vient d'avoir avec les Algériens.

– Ils veulent bien de l'association, confie-t-il, ils ne veulent pas de l'intégration. J'ai bien fait de ne pas me laisser enfermer dans cette solution.

Il le dira, tout à l'heure, à Radio-Alger, mais dans d'autres termes, en invitant les Algériens à voter oui au référendum du 28 septembre :

« L'évolution de l'Algérie, c'est cela qui, au temps où nous sommes, importe ici par-dessus tout. »

Il retrouve Paris, ces rumeurs, ces accusations. Il serait Bonaparte. Il serait le fascisme. Il serait l'incarnation du pouvoir personnel.

Place de la République, le 4 septembre 1958, du haut de la tribune dressée au pied de la statue de Marianne, en ce jour anniversaire de la proclamation de la IIIe République, il entend au loin des manifestants communistes qui scandent : « Le fascisme ne passera pas. Non à la dictature ! » Il voit voleter des ballons multicolores auxquels sont accrochées des banderoles où il lit « NON ». Non au référendum sur la Constitution.

C'est ce que répètent les communistes, Pierre Mendès France, François Mitterrand, Daladier et Pierre Poujade. Mais la majorité du parti socialiste, le parti radical et toutes les autres formations politiques appellent à voter oui.

Il lève les bras en forme de V. Il a dans la tête les mots que Malraux avant lui a prononcés, il y a quelques instants, depuis cette même tribune :

« Ici Paris ! Le Paris de tous les quartiers, depuis la porte d'Italie jusqu'au rond-point de la Défense : écoute, pour la France, République de bronze, la réponse de la vieille nef glorieuse : Ici Paris, Honneur et Patrie. Une fois de plus au rendez-vous de la République et au rendez-vous de l'Histoire, vous allez entendre le général de Gaulle. »

Il attend que les acclamations cessent. Les quelques cris des manifestants viennent battre la tribune comme une vague qui meurt.

« C'est en un temps où il lui fallait se réformer ou se briser que notre peuple, pour la première fois, recourut à la République... », commence-t-il.

Il n'entend plus les protestations lointaines. Il faut dire ce qui a été entrepris et conclu depuis ce 1er juin 1958, cette constitution nouvelle.

« Nous l'avons fait, sans avoir entre-temps attenté à aucun droit du peuple, ni à aucune liberté publique. »

Qu'ils hurlent « Le fascisme ne passera pas ! », les faits sont là.

« La nation qui, seule juge, approuvera ou repoussera notre œuvre. Mais c'est en toute conscience que nous la lui proposons... Je vous demande de répondre oui ! Si vous ne le faites pas, nous en reviendrons le jour même aux errements que vous savez... Vive la République, vive la France ! »

Il lève à nouveau les bras. Il entonne *La Marseillaise*, que la foule reprend, vibrante.

Il descend de la tribune et, à grands pas, se dirige vers la foule. Il veut qu'on ouvre les barrières. Il veut entrer dans le peuple, être de ce peuple. Il serre les mains. Il croise les regards. Il sent les corps contre lui. Qu'il ne soit jamais séparé de ce peuple ! Et s'il l'était, il faudrait qu'il s'en aille, et c'en serait fini de sa mission, de son destin !

« Me faire entendre et me faire voir. »

Il est à Rennes, à Bordeaux, à Strasbourg, à Lille. Il parle encore, le 26 septembre, devant les caméras de la télévision et les micros.

« Le référendum de dimanche sera un acte du peuple, c'est-à-dire simple et portant loin... Je vous appelle à répondre oui, et à le faire en masse... Je crois répondre d'avance à l'idée que, d'âge en âge, nos enfants se feront de la patrie. À chacune, à chacun d'entre vous, je confie le sort de la France. »

« Plébiscite », écrivent les journaux hostiles.
« Un grand homme honoraire, c'est dangereux pour une nation... le

lien qui doit nous unir à lui – dévouement, fidélité, honneur, respect religieux – il porte un nom : c'est la foi jurée qui unit la personne, ou, si l'on préfère, le lien de vassalité », répète Jean-Paul Sartre.

Il hausse les épaules. Qu'est-ce qu'un suzerain qui se soumet au vote de ses vassaux ? Un républicain ! Que vont-ils dire de ces résultats : 84,9 % de votants, le plus fort pourcentage de toute l'histoire électorale française !

Il se sent fier, heureux. Il traverse les salons de Matignon. Il va vers ses collaborateurs les plus proches qui ont dressé un modeste buffet. Les *oui* recueillent 79,25 % en métropole, 96 % en Algérie, de 99 à 78 % dans les territoires d'outre-mer, sauf en Guinée où le *non* l'emporte massivement.

Triomphal, entend-il répéter autour de lui. Trois millions et demi d'Algériens ont voté malgré les consignes d'abstention du FLN.

Il s'éloigne. Sartre parle déjà, à propos de ces résultats, de « ces grenouilles qui demandent un roi » !

Qui donc respecte le peuple ?

Et à qui ce peuple accorde-t-il sa confiance ?

Jamais comme en cette fin septembre 1958 il ne s'est senti à ce point *justifié* dans son action, jamais son destin n'a à ce point répondu aux aspirations clairement manifestées de la nation. Jamais il n'a ressenti avec autant d'intensité la force que lui donne cette légitimité.

Il la portait en lui, mais elle était sa vérité personnelle en juin 1940. La nation, au fil de ces quatre années, l'a reconnue pour sienne et l'a sacrée en août 1944. Puis, à nouveau, elle est restée en lui, comme une certitude absolue, mais qui ne vaut que si le peuple l'accepte. Voilà qui est fait. Voilà qui légitime tout ce qu'il a entrepris depuis le 1er juin, sans attenter en rien aux droits et aux libertés démocratiques.

Il a eu raison de parler haut et fort dès le 17 septembre aux Anglais et aux Américains, pour que l'OTAN ne soit pas seulement la « chose » des États-Unis.

Il a eu raison d'inviter à la Boisserie le chancelier Adenauer, pour marquer que la réconciliation franco-allemande était son souci principal. Tête-à-tête avec le chancelier, puis dîner de quatorze couverts, comme pour accueillir un parent respecté auquel on ouvre pour la nuit la porte de la chambre d'ami, qu'on observe avec satisfaction au moment où, dans la bibliothèque, il regarde les titres des livres, en commente certains.

Voilà ce que c'est que d'appartenir à la même civilisation, et il ressent cette communauté de culture et d'histoire avec émotion.

Il faut, dit-il, que « l'Europe devienne pratiquement une réalité sur les plans politique, économique et culturel. Dans cet esprit, la mise en œuvre des traités du Marché commun et de l'Euratom sera poursuivie ».

Il raccompagne le chancelier Adenauer jusqu'à la grille de la Boisserie, puis il revient sur ses pas, lentement. L'automne étend sur le parc ses couleurs rousses. L'employée de maison envoyée par Jacques Vendroux pour aider au service s'apprête à repartir pour Calais. Il est heureux d'avoir fait ce choix d'une visite privée pour donner le ton aux relations de la France avec l'Allemagne.

Il rentre dans son bureau, examine le dernier envoi d'Élisabeth qui a continué de taper le manuscrit des *Mémoires*.

« Merci, merci pour tous les chapitres et pour les deux premières annexes de documents. »

Il ajoute :

« La visite d'Adenauer à Colombey s'est très bien passée. Maman a tout parfaitement arrangé. Peut-être au dîner du soir (quatorze couverts) Philomène et Marie Nagot (celle-ci venue de Calais) auraient-elles gagné à être renforcées pour servir à table. Mais maman tenait à ce que la maison fût, à tous égards, ce qu'elle est. Après tout, c'était sans doute mieux ainsi. »

Maintenant, à nouveau l'Algérie.

Il éprouve, en montant dans la caravelle qui va le conduire à l'aéroport d'Oran, puis, de là, à Alger et à Constantine, un sentiment de fierté. Il va avoir soixante-huit ans. Mais il réussit à refouler au plus profond de lui la fatigue et l'âge. À Constantine, il va présenter un plan de développement de l'Algérie. Mais sera-t-il entendu ?

Le FLN a créé à Tunis un Gouvernement provisoire de la République algérienne, et ce GPRA [1] a été aussitôt reconnu par la Tuni-

----

1. Gouvernement provisoire de la République algérienne.

sie et le Maroc. Les combats se poursuivent. Les tueurs du FLN ont même tenté d'abattre Jacques Soustelle. « Vous êtes passé à travers les balles. C'est que le destin ou la Providence en avait ainsi décidé », lui a-t-il écrit. Peu de chances, donc, qu'ils écoutent les appels à la négociation. Et pourtant, il faut redire, marteler :

« Pourquoi tuer ? Il s'agit de faire vivre ! Pourquoi détruire ? Le devoir est de construire. Pourquoi haïr ? Il faut coopérer ! Cessez donc ces combats absurdes ! Aussitôt, l'espérance refleurira en tous points de l'Algérie, aussitôt se videront les prisons. Aussitôt s'ouvrira un avenir assez grand pour tout le monde, en particulier pour vous-mêmes. »

Comment ne comprennent-ils pas que ce qui vient de se passer en Guinée, qui a choisi l'indépendance, pourra se produire ici, dans la paix ! Pourquoi ne saisissent-ils pas la complexité de la situation avec ces comités de salut public, cette partie de l'armée hostile à toute négociation ?

Il faut donc avancer, malgré toutes ces forces contraires. Interdire, le 14 octobre, aux militaires de faire partie des comités de salut public, préparer la succession de Salan, lui dire, dans la caravelle qui vole d'Oran à Alger :

– Salan, vous méritez mieux que l'Algérie. Je veux faire de vous un haut-commissaire pour le Pacifique et ambassadeur à Tokyo. Mme Salan et votre fille s'y trouveront très bien...

Admettre que Salan veuille rester en place jusqu'aux élections qui doivent se tenir le 30 novembre, mais prévoir qu'il sera remplacé par Paul Delouvrier, un haut fonctionnaire.

Il rentre à Paris, mais comment peut-on oublier l'Algérie ?

Voici qu'on dépose sur son bureau des tracts qui sont diffusés à Alger : « Algériens, Algériennes, nous sommes trahis... Tous au forum pour manifester contre les partis politiques qui veulent liquider l'Algérie française, pour exiger le retour des militaires aux comités de salut public ! »

Dans combien de temps crieront-ils : « À bas de Gaulle » ? Dans combien de temps recommenceront-ils leur 13 mai, avec à nouveau tous les risques d'un déchirement national, d'une crise dans l'armée ?

Il faut avancer vite.

Le 23 octobre 1958, il entre dans le grand salon de Matignon où sont rassemblés près de trois cents journalistes.

— Je me félicite de vous voir, commence-t-il. La dernière fois que j'ai eu ce plaisir, c'était au mois de mai dernier, comme l'atmosphère était lourde...

Tout en parlant, il les regarde. Leur attitude a changé. Il s'étonne lui-même de ce qui a été accompli en moins de cinq mois : nouvelle constitution, référendum gagné, et maintenant élections qui s'annoncent.

Il ne doit pas s'en mêler directement.

— Cette impartialité m'oblige à tenir essentiellement à ce que mon nom, même sous la forme d'un adjectif, ne soit pas utilisé dans le titre d'aucun groupe et d'aucun candidat.

Il ne se fait pas d'illusions. Tous les candidats de l'Union pour la Nouvelle République invoqueront son patronage, cela, il en est sûr. Mais il faut garder ses distances à l'égard de ce parti. C'est à cette condition qu'il demeurera libre, soumis seulement à son destin, au service de toute la France.

Il écoute les questions. Oui, il doit le redire, il a donné pour directives au général Salan de laisser s'exprimer, lors des prochaines élections, toutes les opinions. Il s'interrompt. Il se redresse. Il veut qu'on mesure l'importance de chaque mot :

— Les hommes de l'insurrection ont combattu courageusement, dit-il. Que vienne la paix des braves et je suis sûr que les haines iront en s'effaçant... Le destin politique de l'Algérie est en Algérie même. Ce n'est pas parce qu'on fait tirer des coups de fusil qu'on a le droit d'en disposer. Quand la voie démocratique est ouverte, quand les citoyens ont la possibilité d'exprimer leur volonté, il n'y en a pas d'autre qui soit acceptable. Or, cette voie est ouverte en Algérie... Il faut la suivre. Il n'y en a pas d'autre...

Il décide de quitter Paris ce vendredi 24 octobre, pour retrouver le silence et la solitude de la Boisserie, laisser entre les propos qu'il a tenus, la main qu'il a tendue et ce qui va suivre, un espace, celui du temps, celui de cette Champagne qu'enveloppent les brouillards d'automne.

Le samedi 25, il feuillette les journaux, lit les dépêches dans son bureau. Il semble qu'en France certains de ses adversaires – ainsi

Mendès France – l'aient compris et soutiennent sa démarche. Mais il devine dans les articles de *L'Echo d'Alger*, dans l'attitude de Jacques Soustelle, une réprobation encore masquée mais réelle.

Et puis voici que tombe la réaction du GPRA. Refus des Algériens.

Il sort marcher dans le parc.

Ils n'ont pas compris. Ils ne mesurent pas ce qu'ils vont perdre si la guerre continue, s'ils ne se résolvent pas à construire l'Algérie future avec tous ceux qui la peuplent ! Et si, de leur côté, les pieds-noirs sont hostiles à toute évolution !

Sans doute le FLN est-il divisé, déchiré même, comme l'est souvent un mouvement clandestin qui oscille entre le désir de négociation et la fuite en avant, et c'est sans doute ce qui le paralyse.

Il doit rassurer ses collaborateurs.

– Bon, cela n'est pas très grave, dit-il. Simple péripétie sur le chemin d'une négociation importante. Des choses comme cela ne peuvent pas aller toutes seules, ni tout droit. Mais ils ont tort... À moins que le FLN et le GPRA ne veuillent en finir avec la présence française, fût-elle contrôlée par un État algérien indépendant.

Et cela aussi est possible.

Il rentre dans son bureau. Il termine la lecture d'un roman de Maurice Clavel, *Le Jardin de Djemila*.

Sincérité, « ardent talent » de Clavel qui sent, comprend la situation.

« Le chemin de la paix et de l'amitié est le plus rude qui soit, quand il s'agit d'y retrouver tels de nos Algériens farouches. Mais c'est le seul qui conduise quelque part. »

Sinon ? Sinon la mort pour tant et tant d'innocents !

Il pense aux siens disparus, si présents quand les journées d'automne couvrent la terre de leur linceul gris.

Il se souvient de ce poème qui, à chaque saison des morts, revient, lancinant :

> *Voici novembre assis auprès de l'âtre*
> *Avec ses maigres doigts chauffés au feu ;*
> *Oh ! tous ces morts là-bas sans feu ni lieu,*
> *Oh ! tous ces morts cognant les murs opiniâtres*
> *Et repoussés et rejetés*
> *Vers l'inconnu de tous côtés...*

Il a tant de fois récité ce poème de Verhaeren, appris dans son adolescence !

Il pense à la fille de Jacques Vendroux, que la maladie vient d'emporter. Il ressent une « peine infinie », qui ravive toutes ses peines passées, ne laissant qu'une seule consolation.

« Celle qui vient de partir n'a plus rien de commun, maintenant, avec ce monde rude et sombre. Que nos prières servent à son âme délivrée. »

Il se lève. Allons ! La tâche dans ce monde n'est pas achevée.

20.

« Quelle tristesse », murmure de Gaulle, ce 6 novembre 1958.

Il voit s'avancer vers lui, sur la pelouse du parc de l'hôtel Matignon, Winston Churchill. Il le rejoint, ne pouvant détacher ses yeux de ce visage de vieil homme au regard vague, aux traits enflés, à la peau blafarde et qui marche d'un pas hésitant. De Gaulle se place près de lui. Ils passent en revue les unités des trois armes qui rendent les honneurs. Devant chaque soldat, Winston Churchill s'arrête, le fixe. Il a un sourire étrange, comme s'il rêvait. Pourra-t-il aller jusqu'au bout ?

La fanfare joue le *God Save the Queen*, puis *La Marseillaise*. Churchill va-t-il chanceler ?

« Quelle tristesse ! » De Gaulle fait un pas. L'aide de camp, le capitaine Sabot, lui tend la croix de la Libération. Tous les compagnons de l'Ordre sont présents.

Il accroche la médaille au manteau noir de Churchill. Il détourne les yeux. Il ne veut pas laisser son regard s'attarder sur ce visage flétri.

Il veut parler, mais il a la gorge nouée par l'émotion. Il dit d'une voix sourde :

« Les années passent. Mais l'histoire est là. Aujourd'hui, sa lumière est sur vous. »

Il respire longuement pour tenter de contenir cette tristesse qui l'étreint devant cet homme avec qui il fit l'Histoire.

« Je tiens, reprend-il, à ce que Sir Winston Churchill sache ceci : la cérémonie d'aujourd'hui signifie que la France sait ce qu'elle lui doit.

« Je tiens à ce qu'il sache ceci : celui qui vient d'avoir l'honneur de le décorer l'estime et l'admire plus que jamais. »

L'émotion le bouleverse quand Churchill commence à parler, cherchant ses mots. Tant d'images reviennent, souvenirs de conflits violents et d'espoirs partagés, tout cela devenu Mémoire, Histoire.

« Je suis particulièrement heureux que ce soit mon vieux compagnon et ami, le général de Gaulle..., dit lentement Churchill. Il restera à jamais le symbole et l'âme de la France et de sa fermeté inébranlable en face de l'adversité. Je me souviens lui avoir dit, lors des sombres jours de 1940 : " Voici le Connétable de France ", c'est un titre qu'il a bien mérité depuis... »

Il dit encore : « Vive la France ! »

Puis, assis dans un large fauteuil, le cigare aux lèvres, une coupe de champagne à la main, il ânonne des récits décousus.

« Quelle tristesse », murmure de Gaulle à nouveau.

Il reste seul. Mois de novembre, mois des morts, mois de ses soixante-huit ans.

Si jamais...

Il n'acceptera pas de rester au pouvoir si la vieillesse l'ensevelit, si les mots s'enfuient de sa mémoire. Ce jour-là peut être proche...

Soixante-huit ans. Il écrit ses prochains discours. Les phrases s'enchaînent sans effort. Il écoute, il lit les vœux qu'on lui adresse. Il reste immobile, puis, d'une voix tranquille, il dit comme un constat :

« À cet âge, un anniversaire est aussi un avertissement. »

Il rentre dans son bureau. Il s'assied. Il ouvre *Inventions*, le livre que vient de lui envoyer Pierre Jean Jouve. Il aime les vers de ce poète qui est aussi un « gaulliste ». Il répond à Jouve :

« Si j'ose me dire quelquefois :
" Pauvre étoile, par d'autres étoiles marquée
Tu apprends à mourir ",
un témoignage tel que le vôtre ne m'est que plus précieux. »

Il répète : « Tu apprends à mourir. »

Peut-être serait-ce là le sens profond de la vie, s'il n'y avait pas le destin, les combats qu'il implique, l'action qu'il impose, et le devoir de s'y soumettre qu'il exige.

La mort viendra quand le destin sera accompli. Mais, pour l'heure, il frappe encore obstinément à la porte.

Les élections législatives se déroulent les 23 et 30 novembre 1958. Il faut répondre aux compagnons qui sollicitent un appui.

« Je ne patronne aucune formation politique, quelque estime que j'aie pour ceux qui la mènent. »

Il faut bien, cependant, goûter à ce « ragoût » du bout des lèvres, pour choisir un mode de scrutin – scrutin d'arrondissement, dit uninominal – qui permettra le renouvellement du personnel politique en empêchant les extrêmes de l'emporter. Comme ç'aurait pu être le cas dans un vote à la proportionnelle de liste.

Il lit les articles consacrés à la campagne électorale. Partout on se réclame de lui, hypocritement parfois, afin de respecter en apparence son vœu de ne voir jamais son nom invoqué dans la campagne électorale. On dit alors : « Vous avez voté oui ? » au référendum « Votez pour moi » ? Ou bien « Voter pour moi, c'est voter de Gaulle ».

Il interroge son beau-frère Jacques Vendroux, qui est candidat à Calais. Il veut connaître l'atmosphère des réunions, les arguments des opposants. Fascisme ? Pouvoir personnel ? Bonapartisme ? Réaction ? Il hausse les épaules. Pauvreté des accusations.

– J'espère bien qu'il y aura à l'Assemblée une majorité raisonnable, dit-il. Le vrai problème reste celui de la future cohésion. L'expérience de 1951 me rend méfiant pour l'avenir. Je n'ai aucune confiance dans les gens qui reviendront à moi après m'avoir abandonné il y a douze ans ou trahi il y a sept ans...

Il se lève, va à la fenêtre du bureau, regarde le parc noyé dans la grisaille de novembre.

– Déjà, les gens qui, comme je m'y attendais, se pressent aux portes de Matignon pensent tous avoir des droits à un poste important. Ils commencent à se regarder en chiens de faïence... Les uns estiment qu'ils doivent être par priorité payés de leur fidélité, les autres me font dire que leur ralliement mérite une récompense ! La constitution d'un prochain gouvernement fera vingt-cinq heureux et cinquante mécontents, dont la moitié prendra peu à peu le large !

Il revient vers Jacques Vendroux.

– Mais qu'ils ne s'imaginent pas que, pour leur faire plaisir, on continuera la comédie des changements de ministère toutes les semaines.

Les élections sont un triomphe. Les communistes, réduits à 10 députés, l'UNR, avec 194 sièges, est le groupe le plus important, même si elle a bénéficié du mode de scrutin. Les « sortants » ont été éliminés : 131 d'entre eux seulement ont été réélus sur 537 !

« Les résultats dépassent mes espérances », murmure de Gaulle.

Il consulte les listes de battus : Mendès France, dommage ! François Mitterrand : « Ça, c'est autre chose ! » Jules Moch, Defferre, Lacoste : battus aussi. Il aurait voulu davantage de socialistes, pour n'être prisonnier d'aucune faction. Et le succès des « indépendants » risque de marquer l'Assemblée à droite. D'autant plus que sont élus des extrémistes : Jean-Marie Le Pen, ancien député poujadiste, le colonel Thomazo.

En Algérie, le général Salan et ses colonels ont systématiquement favorisé les partisans de l'intégration et de l'Algérie française.

Il est temps de remplacer Salan par un général, Maurice Challe, et un délégué général civil.

Il convoque Paul Delouvrier.

« Vous êtes la France en Algérie, la France, c'est-à-dire son but, son autorité, ses moyens... À ce titre, il vous faut pacifier, administrer, mais en même temps transformer. »

Quant à Salan, il faut le neutraliser, l'étouffer sous les éloges, et en même temps l'écarter des vraies responsabilités, en faire le gouverneur militaire de Paris. Devinera-t-il l'ironie contenue dans cette phrase, qu'il faut lui écrire : « Je ne vous tiens pas seulement pour un féal de très grande qualité, mais pour mon compagnon et mon ami » ? Comme s'il était possible, quand on est un chef, d'avoir des amis, comme s'il était possible de faire confiance hors du cercle familial et de quelques très proches compagnons !

On est si souvent déçu par les hommes !

Hier, Soustelle ! Pas question qu'il soit aujourd'hui président du groupe UNR à l'Assemblée, qui n'a d'ailleurs pas besoin d'un président !

Hier, Chaban-Delmas, qui, comme Soustelle, a lui aussi été tenté par le « régime », est devenu ministre, et maintenant se fait élire président de l'Assemblée nationale alors que Paul Reynaud était le candidat de De Gaulle ! Mais Chaban a disparu jusqu'à son élection pour qu'on ne puisse lui transmettre cette préférence. Il faut faire contre mauvaise fortune bon cœur. De Gaulle écrit :

« Mon cher Chaban-Delmas,

« ... Vous savez certainement que je m'étais fait de votre activité au cours des prochaines années une idée différente et, pour tout dire, " exécutive " plutôt que " législative ". Mais je conviens volontiers que, là où vous êtes placé, votre action peut être essentielle à l'intérêt national. C'est vous dire qu'à cet égard je compte entièrement sur vous. »

Mais il lui semble que l'idée même d'intérêt national est pervertie ou oubliée. Il lit une lettre du général Valluy, qui commande en chef les forces « centre-Europe » au sein de l'OTAN. Valluy plaide à nouveau pour la Communauté européenne de défense ! Qu'imagine-t-il, ce Valluy, « qui voit la grandeur dans la servitude, non vis-à-vis de son pays, mais bien d'un organisme qui n'est pas national », et donne des leçons à de Gaulle ?!

De Gaulle prend la plume, trace quelques mots d'une main rageuse.

« Verbiage.

« Je suis juge de mes responsabilités.

« On doit le respect à son chef, non pas seulement à l'attachement ! »

Chef ! Il pense souvent à sa fonction, à son rôle en ce début du mois de décembre 1958. Dans quelques jours, selon les termes de la nouvelle constitution votée en septembre par le peuple, le collège électoral composé de soixante-seize mille votants – des élus, du député au conseiller municipal – va l'élire premier président de la Ve République. Il n'en doute pas. Ses rivaux sont le communiste Georges Marrane, et le doyen de la faculté des sciences, Albert Chatelet, représentant l'Union des forces démocratiques – les socialiste de gauche.

De Gaulle s'interroge. Il n'a pas voulu proposer l'élection du président de la République au suffrage universel. Peut-être a-t-il eu tort de choisir cette voie intermédiaire qui fait du président l'élu des notables – et non plus seulement des parlementaires – alors qu'il aurait peut-être fallu le faire élire et donc « sacrer » par l'ensemble du peuple, qui donne seul la légitimité au chef.

Il y pense en inspectant une nouvelle fois les positions de l'armée en Algérie.

Qu'est-il là ? Général ou président du Conseil ou futur président de la République. *Il est le chef légitime.*

Il va de Touggourt à Tébessa et à Hassi Messaoud. Le pétrole commence à jaillir, le gaz brûle au-dessus des torchères de Hassi Rmel. Il écoute avec attention les explications des ingénieurs. Il suit sur la carte les projets d'opérations militaires qu'exposent dans le bled les capitaines et les commandants.

Il est le chef légitime, le représentant de la nation, son incarnation.

Il y a quelques jours, il était à Bad Kreuznach, où il rendait visite à Konrad Adenauer, et il lui exposait sa conception de l'Europe, bâtie à partir de la coopération des États et des nations.

Le chef encore, quand, le 10 décembre, il entre seul dans l'hémicycle du Palais-Bourbon où se tient la première séance de la nouvelle Assemblée sous la présidence du doyen d'âge, le chanoine Kir, maire de Dijon. Il prononce quelques mots, puis laisse les députés dans cette salle où, sans doute, il ne reviendra plus.

Et en effet il est élu, le 21 décembre, par 78,5 % des suffrages, contre 13,1 % à Georges Marrane, et 8,4 % au doyen Albert Chatelet.

Chef, général, président de la République.

« Si remplie que soit ma vie publique, a-t-il pensé avant l'élection, c'est la première fois que je fais acte de candidature. »

Et maintenant ?

Il lit les commentaires qui suivent l'élection. Raymond Aron évoque « la conjoncture bonapartiste » et cite « Napoléon, Boulanger, Pétain, de Gaulle », « authentique grand homme », précise-t-il quand même ! Lui qui fut opposant de la France Libre à Londres, puis membre du RPF ! Comment accorder du crédit à ces analystes savants qui ne saisissent pas que cette élection ne change rien à ce que de Gaulle ressent. Simplement, la conviction qu'il va pouvoir agir pour le pays d'une manière plus efficace ! Et pourtant, il le dit :

« L'appel qui m'est adressé par le pays exprime son instinct de salut. S'il me charge de le conduire, c'est parce qu'il veut aller non, certes, à la facilité, mais à l'effort et au renouveau... En vérité, il était temps. »

Mais s'il se trompait sur la France ? Si le pays n'était en fait pas prêt à l'effort ?

En cette fin décembre 1958, le doute parfois le traverse.

Les premières mesures budgétaires qui ont été décidées par Jacques Rueff et Antoine Pinay sont mal reçues par les syndicats. La dévaluation de 17,5 % et la création d'un « franc lourd » à compter du 1er janvier 1960, la libéralisation des échanges suscitent des protestations. Et Guy Mollet, toujours ministre d'État, refuse d'approuver le budget et présente sa démission. Mais il faut aller son chemin, comme il l'a toujours fait.

Général, chef, président de la République ?

« Où que je sois depuis 1940, dit-il, j'ai l'impression que les circonstances et les fonctions formelles peuvent changer, non point pour moi les devoirs et les responsabilités. »

Il avance entre deux haies de gardes républicains vers le perron de l'Élysée où se tient René Coty. Il est 11 heures, ce 8 janvier 1959.

Il serre la main de René Coty. Il aperçoit, dans les vitres des grandes portes-fenêtres ouvertes, un homme corpulent et raide, au masque lourd et buriné, en jaquette : lui, de Gaulle.

Voilà, il a atteint ce lieu où, enfin, au terme d'un long périple commencé en juin 40, il est, dans les formes, président de la République française, la Ve, qu'il vient en quelques mois de fonder.

Voici que le destin l'a conduit au sommet des institutions.

Il reconnaît, dans la grande salle des fêtes de l'Élysée, toutes ces personnalités qui, longtemps, se sont tenues à l'écart de son chemin, ou bien l'ont quitté. Pour un René Cassin, vice-président du Conseil d'État, qui l'accueille, que de regards qui l'ont ignoré, méprisé, combattu même, quand il était le condamné à mort de Londres ou le gentilhomme solitaire de Colombey.

Aujourd'hui, ils l'entourent. Ils approuvent René Coty qui déclare : « Le Premier des Français est maintenant le premier en France. »

Il voit s'avancer vers lui le général Catroux, qui, grand chancelier de la Légion d'honneur, va lui remettre le collier de l'Ordre.

Il est ému. Ce compagnon des premiers jours dans cette salle, quel clin d'œil du destin, quel symbole !

Plus tard, il le dira à Catroux : « De tout ce que vous fûtes et demeurez à mon égard, de tout ce que vous avez fait, dit et démontré depuis que nos destins sont associés devant la France et à son service, je vous remercie, mon général. »

Il fait un pas. Il doit répondre à Coty.

« ... Depuis qu'à Paris, voici bientôt mille ans, la France a pris son nom et l'État sa fonction, notre pays a beaucoup vécu..., dit-il. Voici qu'une occasion soudaine s'est offerte à lui de sortir du doute, des divisions, des humiliations. Voici qu'il veut la saisir... Voici que le meilleur est, grâce à Dieu, à portée des Français, pourvu qu'ils restent fidèles à l'effort et à l'unité... »

Il faut que chacun comprenne qu'il ne s'agit pas de la simple passation de pouvoirs d'un président à un autre, mais bien du début d'une nouvelle époque de l'histoire nationale, d'une République nouvelle.

Il le vit ainsi jusqu'au plus profond de lui-même.

Il regarde, plus tard, en ce début d'après-midi, cette avenue des Champs-Élysées qu'il vient remonter aux côtés de René Coty. Sous la voûte de l'Arc de triomphe, un souffle d'air glacial fait claquer l'immense drapeau tricolore.

Puis de Gaulle va vers la foule, serrant les mains qui se tendent. Il a besoin de ce rituel, de cette fusion avec le peuple qui est source de légitimité, parce qu'il est la nation dans sa diversité et dans son unité.

Il revient vers sa voiture. Il regarde autour de lui. Il invite d'un geste Georges Pompidou, qui, depuis le mois de mai, est son efficace et indispensable chef de cabinet, à monter près de lui dans la voiture.

Il regarde Pompidou qui vient de donner sa démission de directeur de cabinet pour rejoindre son poste à la banque Rothschild. Cet homme-là n'est pas de ceux qui se laissent griser par le pouvoir.

De Gaulle reste debout cependant que la voiture roule lentement vers la place de la Concorde au milieu des acclamations.

« Merci Coty ! Vive de Gaulle ! »

Il est 17 h 30 quand la voiture pénètre dans la cour de l'Élysée.

« En entrant, j'entends se refermer sur moi, désormais captif de ma charge, toutes les portes du palais. Mais, en même temps, je vois s'ouvrir l'horizon d'une grande entreprise. »

Il le sait, en montant lentement l'escalier, puisqu'il a choisi de s'installer au premier étage, cette époque n'est pas comme il y a dix-huit ans, une période héroïque.

« [Elle est] propice aux prétentions centrifuges des féodalités, les partis, l'argent, les syndicats, la presse, aux chimères de ceux qui voudraient remplacer notre action dans le monde par l'effacement international, au dénigrement corrosif de tant de milieux, affairistes, journalistiques, intellectuels, mondains, délivrés de leurs terreurs ! Bref, c'est en un temps de toutes parts sollicité par la médiocrité que je devrai agir pour la grandeur.

« Et pourtant, il faut le faire !... Les moyens de ce renouveau, ce sont l'État, le progrès, l'indépendance. Mon devoir est donc tracé, et pour aussi longtemps que le peuple voudra me suivre. »

Il nomme Michel Debré Premier ministre. Le 15 janvier 1959, il adresse un message au Parlement.

« Quand, voici quelque dix-huit ans, le pays haletait dans les angoisses du malheur, ce redressement ne nous était qu'un rêve. Or, le voici aujourd'hui commencé... »

Par 435 voix contre 56 et 29 abstentions, le gouvernement de Michel Debré obtient la confiance de l'Assemblée.

Tout est en place pour l'action.

De Gaulle est seul dans son bureau de l'Élysée, dont trois grandes fenêtres donnent sur le parc.

Il a écrit à sa sœur :

« Ma bien chère Marie-Agnès,

« ... Invoque, je te prie, avec moi, ceux que nous avons perdus, en particulier nos chers papa, maman, Alfred, Charles, Denys et la petite Anne pour que, grâce à leur intercession, je puisse porter le poids. »

Sixième partie

16 janvier 1959 – 8 janvier 1961

Eh bien! Mon cher et vieux pays,
nous voici donc ensemble, encore une fois,
face à une lourde épreuve.

Charles de Gaulle, 29 janvier 1960.

21.

Il va être 20 heures. De Gaulle sort de son bureau. Il a, comme chaque soir, un moment d'hésitation. Il n'aime pas ce passage étroit qu'il faut emprunter pour se rendre dans les appartements privés, à l'autre extrémité du palais de l'Élysée. Le couloir est sombre. Il entend les voix de René Brouillet, le directeur de cabinet, et de Geoffroy de Courcel, le secrétaire général de la présidence de la République, dont les bureaux ouvrent sur ce passage. Il a l'impression, intolérable, d'être indiscret. Il marche vite, avec le sentiment qu'il va frôler des épaules les cadres disposés sur les cloisons.

Un huissier recule pour le laisser passer, ouvrir la porte d'un salon qui est l'ancienne salle de bains de la princesse Eugénie. Une banquette recouvre la baignoire de l'épouse de Napoléon III. Enfin, voici l'antichambre de l'appartement. Les gardes se lèvent, saluent. De Gaulle répond à peine. Il a besoin d'intimité, de recueillement, d'isolement après ces journées accablantes, ces visiteurs qui se succèdent sans interruption, chaque demi-heure. Il a dû voir, les uns après les autres, tous les chefs des États africains qui accèdent, dans le cadre de la Communauté et de la nouvelle constitution, à l'indépendance : Houphouët-Boigny, Modibo Keita, Léopold Sédar Senghor, Hamani Diori. D'autres encore. Il a reçu ses collaborateurs habituels et le Premier ministre Michel Debré. En fin de journée, il aspire à se retrouver seul avec Yvonne de Gaulle.

Mais ça, des appartements privés ! Cinq pièces principales, mais, dans certaines pièces, il faut garder les volets clos sous peine d'être vus des immeubles qui bordent la rue de l'Élysée ! Quant aux pièces donnant sur le jardin, il faut tirer les voilages pour éviter que le personnel de la présidence, dont les bureaux sont situés de l'autre côté de la roseraie, ne plonge, même par mégarde, un regard dans l'appartement !

De Gaulle ferme les portes. Il se détend. Il a vraiment le sentiment dans ce palais d'être prisonnier, observé !

Yvonne de Gaulle est installée dans le salon jaune, devant le téléviseur. Elle partage ses impressions. De Gaulle s'assied. Il va être 20 heures. C'est le rituel du journal télévisé. Il jette un coup d'œil à la petite table de jeu, disposée dans un coin du salon. Les cartes y sont déposées. Après dîner, il fera une réussite, manière de se vider l'esprit quelques minutes, d'occuper ses mains, puisqu'il a encore, souvent, au bout des doigts, le désir de faire les gestes du fumeur pour retrouver l'âcre et douce senteur du tabac.

On dîne. Le serveur, un marin, est intimidé. Les plats sont tièdes ! Mais les cuisines sont à l'autre bout du palais. Pas question de faire des aménagements. Il répète : On n'est que de passage, dans un logement de garnison. Pas de frais pour satisfaire des goûts ou des besoins personnels. On s'adapte. On paie de sa poche tout ce qui ne relève pas strictement de la fonction. On ne sert pas l'État et la nation pour se servir. Il sait qu'Yvonne de Gaulle partage ce même sens de l'économie, cette même idée de la vertu. Qu'on ne change donc rien. Et, s'il faut remplacer les rideaux, qu'on prenne les tissus les moins chers. Quant aux fauteuils dont les accoudoirs s'effilochent, il sera toujours temps de les restaurer.

Il n'a que du mépris pour ces présidents qui ont laissé s'installer à l'Élysée ou bien dans les immeubles de la présidence – quai Branly – des proches. Qu'on les expulse. Et que les ministres ne logent pas leurs familles dans leurs ministères ! Qu'ils continuent d'habiter chez eux.

Il ne veut pas, dans son entourage, de ces « rongeurs » qui grignotent l'État autant qu'ils le peuvent ! Servir la nation est un honneur et non une profession lucrative. Il paie lui-même, avec son carnet de chèques, les dépenses dont il prend l'initiative et qui ne lui paraissent pas indispensables au service de l'État. Pas question, dit-il, de faire payer sa garde-robe, comme d'autres l'ont fait !

Il est touché, satisfait, quand il apprend que Georges Pompidou, qu'il vient de nommer membre du Conseil constitutionnel pour neuf ans, a renoncé à la totalité de son traitement. Il répond aussitôt :

« Les raisons qui vous inspirent me paraissent tout à fait sages et je les approuve entièrement. Vous continuerez ainsi à servir l'État avec désintéressement. »

Il s'interroge. Peut-être n'aime-t-il pas l'Élysée, à cause de ces dorures, de ces décorations qui rappellent la Régence, l'époque de sa construction, de ses propriétaires, Mme de Pompadour, Murat ou Joséphine de Beauharnais. C'est ici aussi que Napoléon signa son abdication, après Waterloo, là que Louis Napoléon prépara le coup d'État du 2 décembre. Pages noires de l'histoire nationale. Ou ridicules ! Car c'est dans ce bureau occupé par Pierre Lefranc que Félix Faure est mort de trop aimer une « visiteuse », Mme Steinheil.

Non, il n'aime pas ce palais. Mais où s'installer ? Vincennes ? Il faudrait le restaurer, engager des frais énormes. Trianon ?

Il hausse les épaules. Le décor a peu d'importance. Quand on est habité par une idée, on ne le voit pas !

Alors, il ne reste que quelques regrets, quelques sarcasmes aux moments de mauvaise humeur, quand il faut s'engager dans ce passage étroit ouvert par Murat.

Il maugrée :

« C'est un palais de la main gauche. Au fond, c'est au Louvre que j'aurais dû m'installer... On ne fait pas l'histoire dans le VIIIe arrondissement. »

Il regarde par la fenêtre du salon de l'appartement. Il neige sur le parc de l'Élysée. Il aperçoit la pièce d'eau et les quelques canards qui se dandinent sur la couche de glace. Impossible de sortir marcher dans le parc. D'ailleurs, il n'y a ni espace, ni horizon, ni solitude. Tout est borné et des gardes républicains patrouillent dans les bosquets.

De Gaulle se tourne vers Jacques Vendroux qui boit lentement son café. Sa femme et Yvonne de Gaulle bavardent à mi-voix, c'est leur premier déjeuner à l'Élysée.

– Je pense, Jacques, que vous allez essayer de reprendre la mairie de Calais ?

Les élections municipales doivent avoir lieu en mars 1959, puis viendront les sénatoriales en avril, et les vaincus des législatives, les Mitterrand, les Defferre, se feront sûrement élire au Sénat. Car, déjà, les opposants redressent la tête. Il a suffi qu'on touche à la retraite des anciens combattants – « la France est le seul pays qui compte un ministère des Anciens Combattants ! » murmure-t-il – pour que la « grogne » se fasse entendre. Même climat chez les salariés. Des grèves éclatent ici et là.

Il hausse les épaules. C'est le cours normal des choses. Mais il y a des problèmes plus urgents.

– Nous sommes faits pour être un grand pays, dit-il. Et dans le monde d'aujourd'hui, ce n'est pas toujours commode de prendre sa place et de la garder. Je ne suis pas le moins du monde disposé à ce que la France s'aligne à la suite de l'Amérique et lui abandonne la responsabilité de traiter en son nom avec Khrouchtchev. Je me réserve de discuter moi-même avec les Russes de ce que nous devons faire ensemble et des objectifs à atteindre. Je le ferai comprendre à Eisenhower...

Pas question de laisser les Américains entreposer des bombes atomiques sur le territoire français alors qu'ils se réservent seuls le droit de décider de leur utilisation. Pas question de placer sous le commandement de l'OTAN la flotte française de la Méditerranée. Et d'ailleurs, une politique militaire doit être indépendante quand la nation est souveraine. Et s'il faut être solidaire des Américains quand les Russes veulent remettre en cause le statut de Berlin, on ne peut admettre qu'ils décident pour la France.

Il se lève, fait quelques pas dans le bureau :

– On n'est jamais dupe quand on se bat pour la grandeur de son pays, murmure-t-il.

Il est soucieux. Cette « lutte stérile » qui se poursuit en Algérie, comment la faire cesser ? C'est un « terrible boulet ».

Il secoue la tête.

« L'Algérie est une boîte à scorpions ! » ajoute-t-il.

Il s'assied en face de Jacques Vendroux.

– Voyez-vous, Jacques, beaucoup de Français se font à ce sujet des illusions qui risquent de nous coûter cher. Ils sont convaincus que, si je suis revenu aux affaires, c'est pour mainte-nir ce qu'on appelle l'Algérie française, alors qu'en réalité c'est pour sauver la France elle-même !

Il hoche la tête, soupire.

– Il y a longtemps que notre situation se détériore en Algérie, mais, depuis cinq ans, les affrontements ont été si durs qu'on en est arrivé au chaos. On ne pourrait désormais venir à bout de l'insurrection qu'en la noyant dans le sang. Faut-il se résoudre à une guerre à outrance... Mais où cela nous mènerait-il ? À la multiplication des massacres, à la mort des milliers de jeunes du contingent, à la réprobation du monde entier, et à la perte de notre prestige. Ce serait un cancer mortel à notre flanc. Je n'en veux pas. Et d'ailleurs, une pacification obtenue par une véritable guerre répressive ne serait qu'illusoire...

Il croise les mains, se penche, les avant-bras appuyés sur les cuisses.

– Il n'y a que deux solutions, reprend-il. Le gouvernement des Algériens par les Algériens eux-mêmes dans le cadre d'un statut spécial d'étroite collaboration avec une France qui ne leur ména-gerait pas son aide, ou bien la sécession pure et simple avec les risques qu'elle comporte...

Il baisse la tête.

– Je souhaite que nous parvenions à faire prévaloir la pre-mière solution... Mais on a laissé s'envenimer les choses à un tel point que je crains qu'on ne puisse échapper avant qu'il soit longtemps à la seconde. Il faut donc faire en sorte dès maintenant que, si l'Algérie devient un jour indépendante, elle le soit dans des conditions et un climat tels que puissent être sauvegardés les intérêts particuliers des Français d'Algérie et les intérêts géné-raux de la France.

Il soupire à nouveau.

– L'opinion publique n'est guère préparée à cette éventualité. J'aurais beaucoup de mal à la lui faire comprendre peu à peu. Je ne pense pas seulement au Français moyen, mais à certains ministres, à beaucoup de vos amis députés, à bien d'autres encore...

Il est maintenant 9 h 30 du matin. Il vient d'arriver dans le bureau. Il a lu les journaux dans ses appartements privés. Il s'assied, consulte encore un dossier de presse, puis le courrier, les dépêches, les télégrammes des ambassadeurs.

Cette affaire algérienne est présente dans chaque document qu'il examine. L'ONU veut toujours se saisir de la question. Il lit les tracts que diffusent en Algérie les activistes. Ils sont partisans de ce qu'ils appellent l'intégration ! Comme si elle était possible compte tenu du déséquilibre démographique.

– Mon village ne s'appellerait plus Colombey-les-Deux-Églises, mais Colombey-les-Deux-Mosquées !

Ces fanatiques, ces extrémistes viennent de créer un Rassemblement pour l'Algérie française, où l'on retrouve des hommes comme Delbecque, Bidault. Et Soustelle, bientôt, quittera le gouvernement pour les rejoindre. Comment faire comprendre à ceux qui les suivent que l'intégration est une utopie, et que d'ailleurs les Algériens n'acceptent plus la situation qui leur a été faite ?

Il reçoit Pierre Laffont, le directeur de *L'Écho d'Oran*. Il faut dire brutalement la vérité.

« Ce que veulent les activistes, commence de Gaulle, c'est conserver l'Algérie de papa, mais l'Algérie de papa est morte, et, si on ne comprend pas, on mourra comme elle ! »

Mais chaque jour il se sent plus inquiet. Comment faire entendre raison à des hommes que l'angoisse du lendemain, la peur poussent au désespoir, et que la passion aveugle ?

L'armée elle-même, il le devine dans les rapports, les lettres qu'il reçoit, est contaminée par ce climat. Certains officiers récusent toute politique qui n'est pas celle de l'Algérie française.

Il est résolu et amer.

« L'intégration n'est actuellement qu'un vain mot, une espèce de paravent derrière lequel se cachent les peurs ou les impuissances », dit-il.

Il écrit au général Ély, chef d'état-major des armées.

« La politique que la France doit faire en ce qui concerne l'Algérie, c'est au total mon affaire, et je n'attends des subordonnés rien d'autre que ceci : qu'ils l'exécutent franchement. »

Comment ces officiers ne voient-ils pas qu'il n'y a pas d'autre issue que la négociation pour aboutir à l'autodétermination ?

Continuer la guerre ?

« Il nous faut tuer mille combattants adverses par mois,

s'exclame-t-il, et nous trouvons devant nous l'insurrection active et intacte depuis plus de quatre ans, bien que nous ayons en Algérie quatre cent mille hommes, plus que Napoléon n'en avait pour conquérir l'Europe ! »

Dans la chaleur étouffante de la fin du mois d'août 1959, il regarde ces massifs caillouteux et secs de l'Ouarsenis, au milieu desquels il vient de se poser en hélicoptère.

Hier – 26 août – il présidait le Conseil des ministres, dans cette grande salle de l'Élysée qui fut la salle à manger du président Auriol et qu'il a choisie pour lieu de la réunion gouvernementale du mercredi.

Il pense à l'attitude de ces ministres lorsqu'il leur a parlé de l'« autodétermination », d'élections libres, donc ouvertes à tous les Algériens, qui décideraient ainsi de leur sort. Il a vu le visage de Michel Debré se contracter. Mais le Premier ministre est un serviteur de l'État. La mort dans l'âme, le cœur brisé, il appliquera la politique définie par le président de la République.

Maintenant, de Gaulle écoute les officiers et le général Maurice Challe exposer les résultats de la nouvelle tactique qui consiste à créer des unités mobiles, les « commandos de chasse », qui traquent les « wilayas » du FLN, reçoivent des renforts héliportés dès qu'une unité de « fellaghas » est accrochée.

Les officiers sont fiers de leurs résultats. Et il est sûr que le FLN ne réussira pas à maîtriser l'Algérie.

Mais il regarde ces paysans que les militaires ont rassemblés en son honneur. « Ils sont muets et impénétrables. » Les enfants chantent même *La Marseillaise*. Et puis le secrétaire de mairie, un musulman, s'approche, courbé et tremblant.

Il murmure :

« Mon général, ne vous y laissez pas prendre ! Tout le monde, ici, veut l'indépendance. »

À Saïda, c'est un jeune médecin arabe qui, les larmes aux yeux, se confie : « Ce que nous voulons, nous autres, ce dont nous avons besoin, c'est d'être responsables de nous-mêmes et qu'on ne le soit pas pour nous. »

De Gaulle s'éloigne.

Il inspecte en voiture le barrage sur la frontière tunisienne.

L'armée réussit. Il observe ces officiers. Il comprend leur fierté. Ils encadrent une quarantaine de milliers de soldats professionnels qui mènent une guerre inventive faisant appel aux qualités d'endurance, de courage. Il devine la satisfaction d'un Bigeard.

Mais il est inquiet. C'est une armée dans l'armée qui se constitue.

Il se souvient de ces lettres qu'il a écrites au Premier ministre pour s'étonner du fait qu'ici une jeune fille de dix-sept ans ait été abattue par les forces de l'ordre. « Je ne conçois pas, a priori, que nos forces n'aient pas d'autre ressource pour empêcher une jeune fille de s'enfuir que de tirer sur elle. » Là, il s'agit d'arrestations non justifiées, d'exécutions sommaires, dont le président Patin et sa Commission de sauvegarde ont été saisis.

« J'ai été aussi péniblement surpris de constater que des instructions contraires à mes intentions et à vos directives émanaient du général Massu, à qui j'ai toujours témoigné une particulière confiance. »

Il s'est étonné de la durée de détention dans des camps de regroupement, alors qu'il a édicté des mesures d'amnistie peu après son élection à la présidence.

Algérie, « cancer au flanc » ! Algérie, « boîte à scorpions » ! Il faut en sortir.

Il ordonne qu'on rassemble les officiers qui se battent à la tête des commandos de chasse au PC du général Challe, installé à dix-huit cents mètres d'altitude, dans le massif du Djurdjura. Il doit leur exposer ses intentions.

« L'ère de l'administration par les Européens est révolue », dit-il.

Il les regarde. Comprennent-ils ce que cela signifie ? Il ne veut pas aller plus loin aujourd'hui. Mais il est une vérité qu'il faut leur rappeler.

« Quant à vous, écoutez-moi bien ! dit-il d'une voix forte. Vous n'êtes pas l'armée pour l'armée. Vous êtes l'armée de la France. Vous n'existez que par elle, pour elle et à son service. Or, celui que je suis, à son échelon, avec ses responsabilités, doit être obéi par l'armée pour que la France vive. Je suis sûr de l'être par vous et vous en remercie pour la France. »

Il ne veut pas que cette partie de l'armée, enivrée par les « valeurs propres au risque et à l'action », soit incapable de s'adapter aux nouvelles données stratégiques de ce siècle. Il faut que la France se dote d'un armement nucléaire, et que son armée ne s'enlise pas dans les guerres du passé !

Que de tâches ! Que de défis à relever !

Il est assis, immobile, à son bureau. Le fardeau est lourd.

Il lui semble parfois, au cours de la journée, qu'il en ressent matériellement le poids. Comme si la charge des responsabilités pesait réellement sur son corps. Il se redresse. Il reste de nombreuses heures avant qu'il puisse se retrouver seul dans ses appartements.

Il songe un instant à la Boisserie, où il essaie de se rendre chaque fin de semaine. Il a fait installer un petit golf et, au sommet du grand pré, il compte aménager un terrain de tennis pour ses petits-fils. Et pourquoi pas une piscine démontable à l'extrémité du parc ?

Il se lève. Il soupire. Ce soir, grand dîner d'apparat en l'honneur de l'empereur Hailé Sélassié, bientôt réception d'Eisenhower. Il faut veiller à chaque détail. Il retourne à sa table, écrit :

« Je crois nécessaire de ménager à Eisenhower une réception non pas fastueuse, ce qui serait déplacé, mais très amicale et comportant à un moment donné un concours de foule aussi grand et chaleureux que possible (trouver un lieu, une occasion, faire donner la radio et la presse largement à temps).

« Oui, pour les cent un coups de canon.

« Entendu, pour escorte à cheval à l'arrivée à partir des Invalides et jusqu'au quai d'Orsay... »

Fatigue, qu'il faut surmonter pour accueillir le soir la foule des invités et les présenter à Sa Majesté l'empereur d'Éthiopie. Puis il faut prononcer l'allocution de bienvenue dans la grande salle des fêtes de l'Élysée, celle où se tiennent aussi les conférences de presse.

Parler. S'éprouver. Contraindre sa mémoire devant cette centaine d'invités ou ces trois cents journalistes. Commencer, lors de la conférence de presse, par un exposé liminaire de plus d'une heure, sans regarder ses notes. Si la mémoire tient, l'âge est maîtrisé. Et donc, il faut qu'elle tienne. Et durant les jours qui précèdent la conférence de presse, il faut s'astreindre à apprendre le texte. Il ne veut pas qu'un mot manque. Il veut, avant le temps des questions qui seront, comme toujours, si mesquinement, si médiocrement liées à l'actualité la plus politicienne, tracer les perspectives, se situer haut, pour se placer dans l'histoire.

Après, il répondra à ce journaliste qui déclare : « On parle souvent d'un mécontentement de l'opinion, et on en a parlé notamment à propos des résultats des élections municipales. Voulez-vous dire ce que vous pensez ? »

Il dit, lors de la conférence de presse du 25 mars :

« Car, en notre temps, la seule querelle qui vaille est celle de l'homme. C'est l'homme qu'il s'agit de sauver, de faire vivre et de développer. Nous autres qui vivons entre l'Atlantique et l'Oural, nous autres qui sommes l'Europe, disposant avec l'Amérique, sa fille, des sources et des ressources principales de la civilisation... que ne dressons-nous tous ensemble la fraternelle organisation qui prêtera son concours aux autres ? Que ne mettons-nous en commun un pourcentage de nos matières premières, de nos objets fabriqués, de nos produits alimentaires, une fraction de nos cadres scientifiques... pour vaincre la misère, mettre en valeur les ressources et aider le travail des peuples moins développés ! Faisons-le... pour améliorer les chances de la vie et de la paix ! Combien cela vaudrait-il mieux que les exigences territoriales, les prétentions idéologiques, les ambitions impérialistes qui mènent l'univers à la mort ? »

Mais, lorsqu'il lit la presse du lendemain, il a un sentiment d'accablement : ah, le léger recul des voix aux élections municipales par rapport aux législatives et au référendum, voilà qui occupe toute la place ! Et le reste, jugé comme une « diversion », ou des songe-creux !

Petitesse. Incompréhension. Aveuglement politique.

Il accepte de se rendre au bal annuel de l'École normale supérieure. C'est le 21 février 1959. Voilà à peine deux mois qu'il est en fonction.

Il descend de voiture, s'avance au milieu des gardes républicains. Il a la poitrine barrée par le grand cordon de la Légion d'honneur. Il y a là Pompidou, René Brouillet, ces proches qui sont des anciens élèves de l'École, comme cet Alain Peyrefitte, tout jeune élu UNR. André Malraux, ministre des Affaires culturelles, et André Boulloche, ministre de l'Éducation nationale, l'accueillent en compagnie du directeur de l'École, le philosophe Jean Hippolyte, et du recteur.

Il va vers les jeunes gens. Il entre dans le gymnase transformé en salle de bal. Il lance :

« Comme vous êtes jeunes, comme vous êtes nombreux, comme vous êtes aimables ! »

On l'acclame. Il tend la main, comme il le fait à l'habitude, dans la foule à des jeunes gens. Mais ils croisent les bras derrière le dos. « Je ne serre pas la main de votre politique », dit l'un. Un autre se dérobe aussi.

Il fait lentement le tour de la salle, impassible, devine le désarroi du directeur et des personnalités qui l'entourent. Il est blessé par cette stupidité agressive, la conviction de ces jeunes intellectuels qui le considèrent comme un « dictateur », un « général-président » ! Propagande communiste. Certes ! Mais quel dévoiement de la réalité, quel contresens sur ce qu'il tente : exprimer la totalité de la nation, préserver le jeu démocratique tout en le rendant efficace. Il ne veut plus se prêter à de telles provocations, non parce qu'il craint pour lui-même, mais parce qu'il ne peut permettre que la fonction présidentielle, et donc l'État, et donc la France soient atteints dans leur dignité.

Et cela, il ne le tolérera pas.

Pour le reste... Il hausse les épaules. Même ceux qui le combattent se tournent vers lui pour mettre fin à la guerre d'Algérie. Il esquisse un sourire. Il dit avec détachement à l'un de ces hommes de gauche qui l'assurent à la fois de leur hostilité et de leur soutien :

« Laissez-moi constater qu'il y a quelque contradiction entre le fait de voter " non " à de Gaulle et celui de lui demander d'arranger l'affaire d'Algérie ! »

Mais, il en est sûr, ce ne sont pas ces « gens-là », les journalistes, les hommes de parti, ceux des petits cénacles intellectuels, qui peuvent le soutenir.

265

Il regarde Malraux, assis à sa droite à la table du Conseil.

« La présence à mes côtés de cet ami génial, fervent des hautes destinées, me donne l'impression que, par là, je suis couvert du terre à terre. L'idée que se fait de moi cet incomparable témoin contribue à m'affermir. Je sais que, dans le débat, quand le sujet est grave, son fulgurant jugement m'aidera à dissiper les ombres. »

Alors, les criailleries de quelques auteurs à la mode, de quelques jeunes gens qui croient jouer une scène héroïque et sans risque ont-elles de l'importance ?

Il reçoit les livres de Romain Gary, de Pierre Jean Jouve, comme il avait reçu les œuvres de Paul Claudel. « Ce Claudel, quand même, il a du ragoût ! »

Des dizaines d'autres auteurs envoient leurs œuvres. Il emporte les livres à la Boisserie. Il les parcourt ou bien se laisse prendre. Et puis quelques brèves réponses, parce qu'une œuvre est un morceau de vie, une pensée qui a voulu se partager avec les autres. Et il sait trop bien ce qu'est l'effort d'écrire. Il achève, en ce mois d'août 1959, le troisième tome des *Mémoires de guerre*, qui paraîtra à l'automne. Alors, une lettre à Jules Romains, à Lacretelle, à Jean Dutourd dont il a lu *Les Dupes*, ce dimanche.

« En notre monde, de notre temps, tout est en cause, et en mouvement, écrit de Gaulle. Impossible de s'apaiser, de s'accommoder, de s'en tenir là. Je vois dans votre livre un signe de plus de cette inquiète mobilité. »

Tout bouge, et vite en effet. Il en a une conscience douloureuse.

« Heureuse époque, lance-t-il avec ironie, où il suffisait de s'emparer de l'Algérie pour l'avoir conquise. »

Plus rien n'est donné. Il le confie à ces habitants d'Auch rassemblés sur la place, devant le perron de l'hôtel de ville.

« Croyez-moi, mes chers compatriotes, mes chers concitoyens, il n'y a personne à la tête d'aucun État qui soit aujourd'hui très confortable, ni parfaitement à son aise... »

Il faut plus que jamais l'appui du peuple. Il regarde cette place aux façades ocre et blanches remplie par la foule. C'est son premier voyage officiel en province depuis l'élection à la présidence. Il veut parcourir tous les départements du Sud-Ouest. En avril, il se rendra dans ceux de Bourgogne. En mai, il sera dans le Berry et en Touraine. En juin, dans le Massif central, puis, à l'automne, dans le Nord et le Pas-de-Calais, en Alsace, sans compter les visites qu'il veut faire dans les nouveaux États indépendants de la Communauté, dans l'océan Indien, en Mauritanie et au Sénégal. Il lui faut aussi se rendre en Italie, afin de sceller avec la République italienne une amitié retrouvée et de rencontrer le pape Jean XXIII, dont il se souvient qu'il n'était, en 1945, que Mgr Roncalli, nonce apostolique à Paris.

Il soupire :

« Mais ça fait beaucoup ! »

Dizaines et dizaines de villes, dizaines de discours, dizaines de milliers de visages, centaines de mains serrées, dizaines d'enfants embrassés, et parfois la ruée de la foule est telle qu'il est submergé. Il est pressé par tous ces corps. Ses vêtements sont froissés, ses manches déchirées. Il sait que le service de sécurité est affolé. Il voit parfois l'un de ses gardes du corps qui tente d'empêcher quelqu'un d'approcher.

Il serait si facile de le tuer. Il le sait. Mais il ne ressent aucune crainte. Il écarte les gardes du corps. Il proteste même. Les gardes républicains qu'on place ici et là à l'Élysée sont trop nombreux, dit-il. Il a besoin à la fois de la solitude, de l'intimité pour méditer, écrire ou lire, et du contact direct avec le peuple.

Il sent, quelle que soit la ville, ouvrière ou bourgeoise, du Nord ou du Sud, qu'un lien existe, qu'une complicité s'exprime entre lui et ces Français.

« Vous ne le répéterez pas, dit-il à Vichy, mais c'est une émotion particulière pour moi que de parler devant vous, vous en comprendrez les raisons. »

Puis il élève la voix :

« Nous enchaînons l'histoire, nous sommes un seul peuple quoi qu'il arrive ! »

Il parle à Orléans :

« Je crois qu'au cours de notre longue et dure histoire cette année-là, cette année de Jeanne d'Arc, fut la principale entre toutes. »

Il assiste à la messe à Orléans, à Lille, à Strasbourg.

Il vit cette communion avec l'histoire de la nation et, au-delà, avec toute une civilisation.

« Oui, c'est l'Europe, lance-t-il à Strasbourg, depuis l'Atlantique jusqu'à l'Oural, c'est l'Europe, toutes ces vieilles terres où naquit, où fleurit la civilisation moderne, c'est toute l'Europe qui décida du destin du monde. »

Elle le peut encore. À deux conditons : « Que l'Europe cesse de conspirer contre elle-même », et que les nations qui la composent, et donc la France, restent souveraines.

« La France sait que les régimes passent mais que les peuples demeurent, et que c'est par les peuples qu'on fait la paix quand on veut la faire. »

La paix ?

Ce 16 septembre 1959, face aux caméras de télévision, il se prépare, avec ce mot de « paix » dans la tête. Il se concentre, calme, les mains à plat sur le bureau. Il va parler de l'Algérie. Il est temps de faire un pas – le pas – qui, peut-être, permettra d'avancer vers la paix. Il se remémore ce que Pompidou, rentré d'Alger où, sous couvert de ses fonctions de directeur de la banque Rothschild, il a pris des contacts multiples, lui a dit : il y a une chance d'ouvrir des négociations avec le FLN. Il faut la saisir.

Il commence :

« Devant la France, un problème difficile et sanglant reste posé, celui de l'Algérie. Il nous faut le résoudre. »

Son poing se serre.

« Pas de slogans stériles ou simplistes, de ceux-ci ou bien de ceux-là. »

Il doit parler clair.

« Si ceux qui dirigent l'insurrection revendiquent pour les Algériens le droit de disposer d'eux-mêmes, eh bien, toutes les voies sont ouvertes... Pourquoi donc les combats odieux et les attentats fratricides qui ensanglantent encore l'Algérie ? Le sort des Algériens appartient aux Algériens, non point comme le leur imposeraient le couteau et la mitraillette, mais suivant la volonté qu'ils exprimeront légitimement par le suffrage universel... »

L'émission est terminée.

Et maintenant, attendre les réactions à cette proposition d'auto-détermination.

Il se rend à Calais en visite officielle. Il reconnaît les rues, les places. Il se souvient de ses premiers pas, un soir, il y a près de quarante ans, dans cette ville, quand il rencontrait pour la première fois Jacques Vendroux qui l'attendait à la sortie de la gare, afin de le conduire à ce dîner familial où il allait être accueilli par les parents d'Yvonne Vendroux.

Et maintenant, elle marche à ses côtés au milieu d'une foule enthousiaste. Il embrasse les enfants, il visite les usines, « les filés de Calais ». Des ouvriers l'entourent, d'autres renversent les barrières pour se précipiter vers lui.

Le peuple le comprend et l'approuve. Il entonne *La Marseillaise*, que la foule reprend.

Quand il retrouve Paris, il est prêt à reprendre le fardeau.

Le FLN lui donne acte du principe de l'autodétermination, mais refuse la présence d'une « armée d'occupation ».

Qu'imaginent-ils, ces fellaghas ? Qu'on peut d'un coup de baguette magique régler toutes les questions ?

Et sur l'autre bord, il y a « les politicards de chez nous (militaires compris, bien entendu) » qui veulent l'extermination du FLN, comme si elle était possible ! Il y a ceux qui rêvent de polémiquer avec les fellaghas dans une surenchère absurde. « Et les politicards fellaghas sont au moins aussi forts qu'eux ! »

Il écrit à Michel Debré. Il imagine les déchirements du Premier ministre, sa hantise d'avoir à présenter cette politique d'autodétermination devant l'Assemblée nationale.

« Au nom du ciel, soyons de sang-froid, lui dit-il. Ne nous mettons pas au plan des malheureux de Ferhat Abbas et ne polémiquons pas avec eux. »

Laissons-les dire qu'il y a un million de morts en Algérie, et trois millions d'internés !

Quant à l'Assemblée, « cet après-midi, soyez serein et assuré ».

Il attend sans impatience les résultats du vote. À la fin de l'après-midi du 15 octobre 1959, on les lui apporte : 441 voix pour le gouvernement, et 23 contre !

La politique d'autodétermination est approuvée par le pays.

Restent les « activistes », les officiers qui les appuient.

Il commence à écrire un message aux armées.

« Sous ma responsabilité et en connaissance de cause, j'ai fixé ce que doit être notre action en Algérie... Pacifier complètement. Plus tard, il s'agira d'assurer la liberté et la dignité de la consultation pour laquelle les Algériens décideront eux-mêmes de leur destin... Il sera alors essentiel que ce choix soit complètement libre, faute de quoi le problème ne serait pas vraiment résolu, et la France veut qu'il le soit.

« Après tant d'efforts et de sacrifices, vous devez donc, dans ce domaine, apporter au service de la France autant de dévouement et de discipline que jamais sans vous laisser disperser par aucune autre considération. Sachez que je compte sur vous.

Général de Gaulle,
Président de la République, Chef des Armées. »

Bientôt novembre. Mois des morts. Dans quelques jours, son anniversaire. Aura-t-il assez de temps pour réussir sa politique ?

Il marche dans le parc de la Boisserie. Il va et vient dans son bureau. Il doit répondre au maréchal Juin, qui – comme Weygand ! – s'élève contre la politique d'autodétermination, apportant ainsi sa caution à tous ceux qui, dans l'armée, y sont hostiles. Il ne peut être question de décevoir Juin, de débattre avec lui.

« Mon cher Juin,

« Je reçois ta lettre. Je te verrai, mais pas pour le moment. En attendant, crois bien que je n'oublie ni ne méconnais tout ce que nous avons fait ensemble. Toi, ne l'oublie pas non plus !

« Cordialement. »

Il a l'intuition que les épisodes les plus difficiles sont à venir. Comme si la France, au moment où elle peut enfin jouer à nouveau un rôle dans la politique mondiale, réunir à Paris une conférence des puissances occidentales en présence d'Eisenhower, de Macmillan et d'Adenauer, pouvait continuer d'être paralysée par cette guerre d'Algérie inutile et cruelle.

Il décide de tenir une nouvelle conférence de presse dans la grande salle de l'Élysée. Il faut que cette politique d'auto-détermination soit comprise, acceptée, que les extrémistes des deux bords soient rejetés, que les politicards soient condamnés! Il faut qu'on le soutienne.

« Et vous, tous les attentistes, lance-t-il devant les trois cents journalistes, vous qui ne bougez pas et qui faites perdre son temps à l'Algérie... que ne formez-vous le grand parti du Progrès algérien!... Trêve de vaines nostalgies, de vaines amertumes et de vaines angoisses, prenez l'avenir comme il se présente et prenez-le corps à corps ! »

Le feront-ils ?

Il retrouve son bureau. Il relit la transcription des propos qu'il vient de tenir. Il donne son accord à leur diffusion. Il sent le doute monter avec la fatigue. À la fin de l'année qui vient, il aura soixante-dix ans. Et tant de choses restent à faire.

Il se lève. Sur le bureau, il prend le tome III de ses *Mémoires*, qui a été mis en vente il y a quelques jours.

Il relit les dernières lignes.

« Vieil homme, recru d'épreuves, détaché des entreprises, sentant venir le froid éternel mais jamais las de guetter dans l'ombre la lueur d'espérance. »

Voilà ce qu'il est : un guetteur d'espérance. Il ne peut pas se permettre de renoncer tant que la nation, le peuple, ne l'auront pas désavoué.

C'est le 26 décembre 1959, en milieu de journée. Il est surpris qu'on entre ainsi dans le bureau. Il écoute l'aide de camp qui parle, le visage contracté. Et les mots deviennent douleur.

Pierre de Gaulle vient d'être pris d'un malaise dans le bureau de Jacques Foccart.

Pierre est là, étendu sur un canapé. Tout à coup, il entrouvre les yeux. Il murmure :

– Où suis-je? Ah oui, je suis dans mon bureau.

Se pencher, lui prendre la main.

– Non, tu es chez Foccart. Ne t'inquiète pas.

L'empêcher de se soulever, l'écouter dire :

– Mon pauvre Charles, je t'ai dérangé ! Mais qu'est-ce qui se passe ? Mon Dieu !

Il ferme les yeux. Il se raidit.

La mort. Les images. Les souvenirs. Il y a quelques jours, il avait écrit à Pierre, qui venait d'être nommé grand officier de la Légion d'honneur : « Je t'embrasse de toute mon affection, toi, mon frère, qui as si bien mérité. »

La mort du dernier des frères. Du plus jeune des frères.

Pierre, « toujours noblement fidèle ».

Il se sent écrasé par tout ce passé, qu'il porte maintenant seul, avec sa sœur Marie-Agnès. Il se souvient, comme à chaque disparition de l'un de ses frères, de cette photo, à la fin de la guerre, déjà si lointaine, les quatre frères de Gaulle en uniforme, et le père et la mère si fiers d'eux.

Mort. Et ce fardeau de la tristesse qui vient s'ajouter à l'autre fardeau, celui des tâches à accomplir.

Pierre qui avait pris sa part.

« Que Dieu l'ait maintenant en sa garde. »

22.

Peu à peu, à chaque pas fait dans cette terre rouge, boueuse, parce qu'il a plu, peu à peu, à chaque nouvelle promenade entre ces ceps de vigne que l'hiver a dépouillés, de Gaulle se sent mieux.

La souffrance née du deuil est là, toujours, et elle ne cessera jamais, nouée à toutes les autres, au souvenir de tous les disparus d'avant, ceux que Pierre a rejoints. Mais, depuis que, le 4 janvier 1960, de Gaulle a quitté Paris, qu'il séjourne ici, dans cet hôtel de l'Abbaye de La Celle, il sait qu'il surmontera cette douleur, qu'il saura, comme après les autres deuils, vivre avec elle.

Mais, chaque fois, l'épreuve est plus difficile, peut-être parce que, avec la mort du dernier frère, c'est sa propre mort qui s'est avancée, si proche désormais. Il revient vers l'hôtel. Il aime ce lieu paisible où il avait séjourné il y a si longtemps déjà, en compagnie des Vendroux. Ils sont, comme il y a plus de dix ans, à nouveau là, assis aux côtés d'Yvonne de Gaulle, devant la grande cheminée où brûle un feu de ceps de vigne.

Il ne veut parler ni de sa peine ni de ce qu'il ressent, cet orage qui se prépare à Alger.

C'est pour cela aussi qu'il a quitté Paris, parce qu'il faut toujours surprendre les adversaires, les désorienter, et qu'en disparaissant ainsi pour plus d'une semaine il sait qu'il les plonge dans la perplexité.

Ils ne rêvent que de le renverser, de recommencer le 13 mai contre ce de Gaulle qui a « trahi », prétendent-ils, en proposant l'autodétermination, l'Algérie algérienne. Bidault harangue les foules de pieds-noirs à Alger, à Oran : « Non à l'interminable et sacrilège processus des abandons », clame-t-il. Delbecque, ancien fidèle, complote avec un autre député, Lagaillarde, et tous cherchent – et trouvent – l'appui des jeunes colonels parachutistes. Ils ont voulu agir au mois d'octobre. Il a déjoué leur plan, en mutant hors d'Algérie le général Zeller qu'ils avaient choisi pour chef. Mais ce n'est que partie remise. Le cafetier Joseph Ortiz organise son Front national français, qui regoupe quelques milliers d'Algérois en chemise kaki et baudrier ! Le leader étudiant Jean-Jacques Susini fournit les idées. Et la population pied-noir, anxieuse, écoute, soutient, s'embrase.

Il valait donc mieux prendre du champ, laisser l'orage mûrir. D'autant plus que, pendant ce temps, les contacts noués par Pompidou avec les membres du FLN, en Algérie ou en Suisse, ont continué. Il y a peut-être là une clé, le moyen d'abord de rétablir la paix, de permettre ainsi aux Algériens de se prononcer dans des élections libres. Et, il en est sûr, un État algérien naîtrait de cette consultation, mais – et que peut-on attendre de mieux ? – il garderait avec la France des relations privilégiées.

Il regarde le feu. Des étincelles jaillissent.

Tout cela est si incertain, si ténu, qu'à chaque instant la situation peut se renverser. Rien n'est sûr, sinon que la France ne peut vivre avec cette guerre-là au flanc, et qu'elle ne peut, pendant des dizaines d'années, garder cinq cent mille hommes en Algérie. Mais la passion ou l'ambition, et la peur légitime de tout perdre, les biens, les racines, la mémoire, aveuglent les partisans de l'Algérie française.

Il hoche la tête. Comment sortir de cette « boîte à scorpions » ?

Il aperçoit, devant les fenêtres de la salle à manger, une silhouette qui semble guetter.

– Ce qu'il y a d'agaçant, dit-il, c'est cette pression constante et indiscrète des journalistes et photographes qui ne me laissent jamais tranquille. Je ne puis même pas me rendre compte par moi-même du prix des carottes. Je suis obligé de le demander à ma femme.

Il sourit, s'incline vers Yvonne de Gaulle.

– En Angleterre, je me promenais librement. Ce que j'appréciais, c'était la discrétion de la population qui se comportait envers moi comme si elle ne m'avait pas reconnu.

Il se lève, place les mains devant le feu. Demain, Philippe et Henriette de Gaulle viendront avec leur trois fils de Toulon. Il est apaisé. Seule la vie dans son mouvement peut faire accepter la blessure qu'est la mort des siens.

Il regagnera Paris après avoir vu son fils.

Et ceux qui – sans doute ces colonels des services de l'action psychologique de l'armée – répandent le bruit que « le Général ne pense plus qu'à la mort, que son chagrin inhibe en lui toute possibilité de réflexion, a fortiori d'action », et expliquent qu'il a dû quitter Paris pour cacher son désespoir et son désarroi, vont être surpris.

Il se sent déterminé comme il ne l'a jamais été.

Peut-être la souffrance, quand on l'accepte, qu'on ose l'affronter et qu'on la domine, est-elle source d'énergie.

C'est le lundi 18 janvier 1960. De Gaulle, dans son bureau, achève de lire les télégrammes des ambassadeurs de France en poste dans les différents pays.

Dans toutes les capitales, on commente la situation en Algérie, mais on met aussi l'accent sur les choix de politique étrangère du général de Gaulle : politique militaire indépendante, et donc retrait à terme des forces française de l'OTAN, volonté de doter la France de l'arme atomique. On s'inquiète. On attribue la démission d'Antoine Pinay du gouvernement à son opposition à cette politique.

De Gaulle hausse les épaules. Comme d'habitude, il doit faire face à « la malveillance de certains cercles, journaux, salons, états-majors ». Comment se fait-il que, parmi les élites de cette nation, les patriotes soient si peu nombreux ?

La journée s'achève. Il rentre dans ses appartements, allume la radio. Bourvil chante : « Elle vendait des crayons... »

– J'aime bien Bourvil, murmure-t-il. Pour moi, il représente le brave paysan français avec son amour de sa terre et de son pays, son bon sens et aussi sa ruse un peu madrée...

Il pense à Pinay, qui, sous ses airs de vieux notable provincial, est un familier de l'ambassade des États-Unis et qui, en Conseil des ministres, a déclaré : « Nous n'avons pas la possibilité réelle de créer une force de frappe, et il faut empêcher à tout prix le départ des Américains... »

– Bourvil, répète-t-il, ça me change des palabres européennes de môssieur Monnet, de môssieur Robert Schuman.

Et de môssieur Pinay !

Il s'apprête à allumer le poste de télévision quand on apporte une dépêche urgente. Il secoue la tête. Il déteste qu'on trouble son intimité. Il commence à lire. Et tout son corps se contracte. Il serre les poings. Il voudrait les abattre sur une table.

Il relit ce texte d'une interview accordée par le général Massu au journaliste allemand Hans Ulrich Kemski, chef des reportages à la *Süddeutsche Zeitung*.

« Nous ne comprenons plus la politique du général de Gaulle, a déclaré Massu. L'armée ne pouvait s'attendre à une telle attitude de sa part. Cela ne vaut pas seulement pour sa politique algérienne... Notre plus grande déception a été que le général de Gaulle soit devenu un homme de gauche. »

De Gaulle lève les yeux. Ces propos tenus par un compagnon de la Libération, dans un journal allemand !

« Le 13 mai, a continué Massu, de Gaulle était le seul homme à notre disposition. Mais l'armée a peut-être fait là une faute... La première question à se poser est de savoir quand viendra un successeur du général de Gaulle. »

Quelques lignes plus loin, Massu ajoute que « l'armée française pousse les colons à se constituer en organisations paramilitaires et qu'elle approvisionne ces groupements en armes ».

De Gaulle pose la dépêche.

Qui, derrière Massu ? Le général Challe ? Pourquoi cette provocation ? Peut-être pour susciter une sanction contre Massu, qui révolterait les pieds-noirs d'Alger et pousserait Massu à être le « Franco » d'un deuxième 13 mai, l'armée partant à la conquête de la France ? Le chef d'état-major de Massu est ce colonel Argoud, un activiste.

Mais peu importent les intentions ! L'interview de Massu, maladresse ou manœuvre, est inacceptable, et les démentis qui la suivent sont ridicules.

Il faut sévir, et vite, contre Massu, mais aussi, dès que possible, contre Challe et cette partie de l'armée qui vient peut-être, par cette interview, de faire échouer les négociations amorcées par Pompidou avec le FLN. Ces déclarations portent atteinte à l'autorité de la France, en la personne de son président.

De Gaulle commence à écrire :

« Monsieur le Premier Ministre,

« L'interview du général Massu ne saurait évidemment être tolérée. À l'heure où je vous écris, cet officier général devrait être déjà arrivé à Paris, ou tout au moins en route pour y venir, sur l'ordre du gouvernement, afin de s'en expliquer. Étant naturellement entendu qu'ensuite, après sanction, il ne retournera pas à Alger. »

Il faut que le gouvernement agisse « devant ce qui est une insolence et deviendrait vite une menace ».

Mais l'attitude de Massu ne le surprend pas.

« Le général Massu, dont le jugement est étroit et qui, sous des influences connues, à perdu son libre arbitre et dépouillé son loyalisme, aurait dû, comme je l'ai dit et répété, être envoyé ailleurs qu'à Alger. »

Mais il sent, chez beaucoup de ceux qui l'entourent ici même, à l'Élysée ou dans les postes de responsabilité, une attitude timorée. Guillaumat, le ministre des Armées, le général Challe, mais aussi Michel Debré veulent éviter de « provoquer » les Algérois, comme ils disent. Ils craignent, si la ville s'insurgeait, de devoir faire ce que les Russes ont fait à Budapest en 1956.

Pour un Michelet et un Malraux, ou un Jean-Marcel Jeanneney, favorables à une politique intransigeante, combien de prudents !

Il dit à Guillaumat :

« L'autorité de l'État a été contestée publiquement par le général Massu, contestée en ma propre personne. Le fait est là et, quoi qu'on tâche de souhaiter et de dire, le fait demeure. Dans ces conditions, le général Massu ne doit pas retourner à Alger. Si cette décision provoque des remous locaux, on verra bien ! Ces remous ne peuvent être en l'occurrence que limités et circonstanciels. Mais l'abaissement de l'État et le consentement de De Gaulle seraient, eux, irréparables. »

Il l'a appris à Londres pendant la guerre, il ne faut jamais céder quand il s'agit de l'autorité de l'État, qui est la clé de voûte de la nation. Il doit faire face seul, il le sait. Car, s'il faiblit, tout cède.

Il réunit, le 22 janvier, le Comité des affaires algériennes. Il regarde ces ministres, ces généraux, Challe, Gambiez, le délégué générale Paul Delouvrier. Tous invoquent la situation explosive en Algérie, la nécessité de permettre à Massu de rentrer à Alger sous peine de voir le Front national français d'Ortiz et de Susini, les étudiants de Lagaillarde, les hommes armés des Unités territoriales se rebeller, recommencer le 13 mai.

Et est-on sûr des régiments de parachutistes ? On dit que Jean-Jacques Susini répète partout : « L'heure de faire tomber le régime est venue. La révolution partira d'Alger et ira jusqu'à Paris. »

De Gaulle se lève. Il secoue la tête :

« Massu, je le garde. »

Le général Crépin, un ancien de la 2ᵉ DB, un officier fidèle, succédera à Massu.

Mais de qui peut-on être sûr ?

Il a le sentiment que la crise n'est pas encore allée jusqu'à son terme. Il a fait ce qu'il a dû en sanctionnant Massu, en le recevant – et l'entrevue a été rude – et en le sermonnant. Maintenant, il faut attendre. Laisser les autres se découvrir.

Il est à la Boisserie le dimanche 24 janvier. On téléphone de l'Élysée, de Matignon, du ministère des Armées. Pierre Lagaillarde et Ortiz se sont, depuis la veille, barricadés dans le quartier des facultés. Ils ont lancé des mots d'ordre pour appeler la population à se rassembler sur le plateau des Glières, au centre de la ville. Les gendarmes qui tentaient de les déloger ont été accueillis par des tirs d'armes automatiques. On dénombre quatorze morts du côté des forces de l'ordre, huit du côté des manifestants et plus de cent cinquante blessés. Les régiments parachutistes qui devaient prêter main-forte aux gendarmes ne sont pas intervenus.

C'est l'orage.

Il rentre à l'Élysée dans la nuit. Il ressent aussitôt, écrasant ses collaborateurs, une atmosphère d'angoisse, cette tentation de la capitulation devant les émeutiers. Les dépêches décrivent les « barricades » dressées à Alger, et aussi les relations cordiales qui s'établissent entre parachutistes et insurgés.

– Complicité, lance-t-il.

Il ne faut pas céder.

Il est tendu. Il a besoin de marcher. Il sort dans le parc de l'Élysée, y entraîne son gendre, le colonel de Boissieu. Il a du mal à maîtriser sa colère, sa rage même.

« Vos camarades qui soutiennent cette comédie des barricades sont des criminels, dit-il. Ils sont en train de mettre en question le pouvoir de la métropole vis-à-vis de l'Algérie à un moment où j'étais sur le point de diviser le GPRA et d'obtenir de certains chefs de la rébellion l'autonomie interne de l'Algérie pendant une période probatoire de dix ans. Pendant ce temps d'épreuve, l'armée française serait restée en Algérie et au Sahara ; le délégué général, devenu haut-commissaire, aurait été assisté d'un gouvernement provisoire franco-algérien dans lequel des membres importants de la rébellion acceptaient d'entrer... »

Ils ont, avec leurs barricades, brisé cette possibilité de conclusion, pacifique et favorable à la France, de l'insurrection !

Il faut pourtant que cette rébellion cesse, que l'ordre soit rétabli, qu'on en finisse avec cette « espèce de kermesse scandaleuse mélangeant les insurgés, des civils et des soldats » qui se déroule sur les barricades, autour des facultés. De plus, Alger est en grève, sans transports, magasins fermés.

Le 25 janvier, au début de l'après-midi, il lance un appel à la radio. Dernière chance offerte avant le rétablissement par la force de l'ordre.

« L'émeute qui vient d'être déclenchée à Alger, commence-t-il, est un mauvais coup porté contre la France...

« Je dis en toute lucidité et en toute simplicité que, si je manquais à ma tâche, l'unité, le prestige, le sort de la France seraient du même coup compromis... J'adjure ceux qui se dressent à Alger contre la patrie... de rentrer dans l'ordre national. Rien n'est perdu pour un Français quand il rallie sa mère, la France. »

Il n'a guère d'illusions sur l'écho qu'il va susciter. En fait, on tente de l'intimider, de le contraindre à changer de politique, à renoncer à l'autodétermination. Mais, s'ils escomptent qu'il cédera le premier, comme ils se trompent !

Il invite Michel Debré à se rendre à Alger. Il faut manifester la détermination de l'État :

« Le rétablissement de l'ordre (c'est-à-dire la liquidation sur le terrain de l'insurrection, puis le châtiment des meneurs) est un impératif absolu. Même s'il peut être utile de procéder sur place avec quelque adresse, le but à atteindre, c'est l'occupation par la force des réduits et des barricades de l'émeute... Il faut que le ministre des armées procède sans délai au nettoyage des états-majors... »

Mais qui le soutient vraiment ? Il écoute le maréchal Juin venu l'assurer de sa solidarité. Soit. Il convoque le général Crépin – le remplaçant de Massu – qui revient d'Alger dans la nuit du 27 janvier. Les officiers de Massu l'ignorent, explique Crépin, manifestent leur mépris à son endroit. Crépin est prêt cependant à donner l'ordre de l'assaut contre les barricades, mais cela produira un bain de sang, et peut-être les troupes seront-elles réticentes.

Il reçoit Michel Debré qui, rentré d'Alger après avoir rencontré les généraux et les colonels, arrive à la même conclusion.

Il sort de son bureau. C'est une étrange atmosphère. Les téléphones des aides de camp ne sonnent plus. Les visiteurs sont rares. C'est comme si chacun s'attendait à ce que le pouvoir s'effondre et commençait ainsi à s'écarter de lui.

Il murmure en se tournant vers le capitaine Flohic, l'un de ses aides de camp :

« Nous en avons vu bien d'autres ! »

Toujours, au cœur de la tempête, il se sent ainsi détaché. Peut-être parce qu'il est, depuis août 1914, un survivant miraculeusement épargné sur le pont de Dinant.

Oui, « nous en avons vu bien d'autres », répète-t-il. Comme si Ortiz ou Lagaillarde pouvaient impressionner de Gaulle !

Le 29 janvier, il revêt lentement son uniforme. Il a décidé d'adresser à la nation une allocution télévisée. Elle était prévue de longue date. Autour de lui, on a souhaité qu'il y renonce pour ne pas envenimer la situation.

C'est au contraire le moment de frapper l'opinion et de la rassembler, contre cette poignée d'inconscients et de mutins.

« Si j'ai revêtu l'uniforme pour parler aujourd'hui à la télévision, commence-t-il, c'est afin de marquer que je le fais comme étant le général de Gaulle aussi bien que le chef de l'État.

« ... J'ai pris, au nom de la France, la décision que voici : les Algériens auront le libre choix de leur destin... »

Il retrouve en parlant cette énergie qu'il avait en lui quand il s'adressait à la France depuis les micros de la BBC, à Londres. Parler est un acte.

« Français d'Algérie, comment pouvez-vous écouter les menteurs et les conspirateurs..., continue-t-il.

« Je m'adresse à l'armée. Que deviendrait-elle sinon un ramas anarchique et dérisoire de féodalités militaires, s'il arrivait que des éléments mettent des conditions à leur loyalisme ?

« Ceci dit, écoutez-moi bien, en fin de compte l'ordre public devra être rétabli. Votre devoir est d'y parvenir. J'en ai donné, j'en donne l'ordre. »

Il s'arrête quelques secondes. Il lui semble voir en face de lui cette multitude de visages qui font la France et qui le regardent.

« Enfin, je m'adresse à la France. Eh bien, mon cher et vieux pays, nous voici donc ensemble, encore une fois, face à une lourde épreuve. En vertu du mandat que le peuple m'a donné et de la légitimité nationale que j'incarne depuis vingt ans, je demande à tous et à toutes de me soutenir quoi qu'il arrive. »

S'il cédait à « des coupables qui rêvent d'être des usurpateurs, la France ne serait plus qu'un pauvre jouet disloqué sur l'océan des aventures ».

« Une fois de plus, j'appelle les Français, où qu'ils soient, quels qu'ils soient, à se réunir à la France.

« Vive la République !

« Vive la France ! »

A-t-il gagné ? Ses mots ont porté. Il a parlé fort et juste. Mais les responsables tergiversent encore.

Il écrit rageusement une note à Michel Debré.

« C'en est assez des adjurations balancées à la radio... Rien ne peut être pire aujourd'hui que la défaillance de l'autorité. Celle-ci doit s'imposer à qui que ce soit et, s'il le faut, par les armes. Vous ne devez sous aucun prétexte tolérer aucun pourparler vis-à-vis des chefs rebelles. Les laisser s'enfuir serait une faute grave. Les coupables devront, en fin de compte, être arrêtés et livrés à la justice. »

Enfin, le 1ᵉʳ février, les insurgés abandonnent le réduit. Les barricades sont démantelées. Lagaillarde est arrêté, ainsi qu'Alain de Sérigny, le directeur de *L'Écho d'Alger*. Ortiz, lui, s'est enfui en Espagne.

Pour la première fois depuis des années, peut-être des décennies, Paris n'a pas cédé devant Alger. Mais il n'éprouve que le sentiment du devoir accompli. Car rien n'est dénoué. Il le pressent. Les négociations avec le FLN sont interrompues. Les attentats ont repris à Alger. Et il ne peut y avoir que de nouveaux orages. Il faut s'y préparer, changer les hommes qui n'ont pas su faire face.

« Attendez-vous à ce qu'il soit prochainement mis un terme à votre mission présente », dit-il au général Challe.

Il convoque Messmer qui remplacera Guillaumat au ministère des Armées. « Je vous colle les Armées », dit-il à Messmer. Il a confiance dans ce Français Libre de juin 40 qui combattit à Bir Hakeim. Mais il veut que tout ce qui concerne l'Algérie et l'armée lui soit directement soumis. Car les états-majors, en Algérie, n'ont pas encore été nettoyés de leurs activistes. Et peut-être un jour faudra-t-il imposer à l'armée une solution qui déplaira à certains de ses officiers.

Quant au gouvernement... Il vient d'obtenir de l'Assemblée le vote des pouvoirs spéciaux qui permettent d'agir sous contrôle parlementaire par 441 voix contre 75. Mais il faut le remanier. Que Soustelle s'en aille ! Il a montré trop de complaisance pour les émeutiers. Louis Terrenoire deviendra ministre de l'Information.

Le 13 février 1960, il est seul dans son bureau. Il attend.

Il pense aux journées de crise qui viennent de s'écouler. Il a senti, il le dit à Philippe de Gaulle, « tout s'en aller et s'aplatir autour de lui, sous prétexte " qu'on ne pouvait pas ", " qu'il ne fallait pas faire couler le sang ", " qu'on ne serait pas obéi " ».

Il a fallu qu'il parle haut et fort.

Il a constaté « la grande inconsistance des échelons de l'autorité, commandement militaire, délégation générale, ministre ».

Et s'il n'avait pas été là ?

Tout se serait défait.

L'aide de camp entre dans le bureau.

– La première explosion nucléaire française à Reggane vient d'avoir lieu, dit-il.

De Gaulle se lève. Il lance :

« Hourra pour la France ! »

23.

De Gaulle écoute Jacques Foccart. C'est l'un des visiteurs du soir quand, après 18 heures, les audiences étant terminées, de Gaulle reçoit ses proches collaborateurs, les « quatre grands de la présidence », le secrétaire général, le directeur de cabinet, le chef d'état-major particulier, et Foccart, secrétaire général pour les Affaires africaines et malgaches. Foccart sait tout ce qui se passe en Afrique. Il en connaît tous les leaders, qui, l'un après l'autre, deviennent des présidents d'États indépendants. Finie, en fait, la Communauté ! Elle n'aura duré qu'un peu plus d'une année. Mais elle aura permis le passage de la colonisation à l'indépendance, et le maintien de liens étroits entre les nouveaux États et la France.

C'est cela qu'il faudrait réussir avec l'Algérie.

De Gaulle jette un coup d'œil à la pendulette que les aides de camp ont placée dans un classeur posé sur le bureau. Il veut que chaque entretien ne dure qu'une demi-heure. Il se lève, raccompagne Foccart, revient vers son bureau. Il dispose de quelques minutes encore avant de regagner ses appartements, pour le journal télévisé de 20 heures. Il relit rapidement la lettre qu'il a écrite à Philippe de Gaulle.

« Ton jugement sur les événements d'Algérie est le même que le mien. De toute façon, il fallait en finir avec l'outrecuidante pression des Européens d'origine à Alger, avec le noyau politicien qui se formait dans l'armée, enfin avec le mythe de " l'Algérie française " qui ne fait que couvrir la volonté des " pieds-noirs " de maintenir leur domination sur les musulmans, dût la France s'épuiser à réprimer les insurrections en série et se faire mal voir du monde entier. L'abcès est crevé. On doit veiller à ce qu'il ne se reforme pas. »

Il prend sa serviette de cuir noir dans laquelle il glisse quelques documents. Il appelle l'aide de camp, lui serre la main.

Il se dirige vers la porte qui ouvre sur le couloir menant aux appartements privés.

– Veillez à éteindre les lumières, dit-il.

Il a besoin de réfléchir, de prendre du temps pour analyser la situation. Ici, à l'Élysée, il est soumis au rytme des audiences, regroupées en deux après-midi par semaine, à la lecture de ces dossiers – télégrammes, synthèses de presse, documents divers – que chaque matin les aides de camp disposent à gauche sur la table de travail, aux décisions à prendre, aux conseils – des ministres, de défense – qui se succèdent, et à ces moments de tourments intenses, quand il faut examiner les recours en grâce.

Et ce dégoût, cette colère qu'il sent monter en lui quand il lit des rapports faisant état de « sévices dont auraient été victimes, de la part de forces ou services de maintien de l'ordre, deux jeunes musulmanes, Djamila Boupagha et Saadia Mebarek. Les faits énoncés sont d'une particulière gravité. J'estime donc nécessaire qu'une enquête immédiate et approfondie permette de connaître l'entière vérité sur ces deux affaires. Il va de soi que, si les tortures sont établies, des sanctions exemplaires devront être prises ».

Il faut, s'il veut penser, qu'il échappe à cette pression. Il compte, en fin de semaine, se rendre à la Boisserie. Il faut toujours se ménager du temps, du calme, du recul avant de décider. Là, marchant dans le parc, le long de ces sentiers qu'il a arpentés des milliers de fois, il peut faire le point.

La France reprend sa place dans le jeu des grandes puissances. « Notre bombe va changer les idées de beaucoup. » Il doit accueillir Khrouchtchev à Paris en mars et avril, se rendre le même mois à Londres, puis au Canada et aux États-Unis, et enfin recevoir à la mi-mai Eisenhower, Macmillan et Khrouchtchev à Paris pour une conférence au sommet.

Il s'arrête. Le froid est vif, mais il respire l'air glacé à pleins poumons. Il est loin, le temps où l'on pouvait, à Téhéran, à Yalta, à Moscou ou à Potsdam, oublier la France, se réunir à trois.

Il reprend sa marche. « Qui mesure, parmi ces journalistes qui ont tendance à considérer tout événement d'en bas et sous l'angle de l'anecdote », le miracle que représente ce renversement de situation ?

Il frappe le sol du bout de sa canne. Et si l'affaire algérienne était résolue, si elle ne permettait pas à tous les adversaires et aux rivaux de la France de la mettre en accusation, quelle grande partie la nation pourrait jouer, en Europe et dans le monde, entre les deux blocs !

L'Algérie. Il pense à la souffrance et à l'angoisse des pieds-noirs. Au déchirement de Michel Debré et à son loyalisme. À ceux qui se sont éloignés par déception ou dépit. À ces officiers, dont certains ont basculé dans l'activisme politique, et d'autres qui sont simplement attachés à cette terre d'Algérie où ils combattent et où, parfois, comme le maréchal Juin, ils sont nés, se sont mariés.

Mais « l'État ne peut connaître que la raison ».

Et c'est à lui, de Gaulle, d'en être l'expression, de prendre les décisions nécessaires qui seront douloureuses, et qu'il faudra imposer.

« Dans cette vaste et pénible opération, ma responsabilité est par conséquent sans partage, soit ! »

Mais que de résistances il va rencontrer !

« Je dois procéder non point par bonds mais pas à pas, déclenchant moi-même chaque étape et seulement après l'avoir préparée dans les faits et dans les esprits. Constamment, je m'appliquerai à rester maître de l'heure sans que ni les remous de la politique, ni les aigreurs de la presse, ni les pressions des étrangers, ni les émotions de l'armée, ni les troubles des populations locales n'infléchissent jamais ma route. »

Quand il le faudra, il consultera les Français par référendum. Et il est sûr de leur approbation.

Il suffit de voir ces foules autour de lui dans cette vingtaine de villes du Tarn, de l'Aude, du Gard, de l'Hérault qu'il visite pour qu'il en soit persuadé. Là, ce sont les mineurs de Carmaux ; ici, devant le musée Jean-Jaurès, les habitants de Castres. Il rencontre les ouvriers de l'usine de bonneterie du Vigan, et les foules de Narbonne, de Carcassonne, d'Alès, de Lodève, de Mazamet, de Béziers, de Montpellier et de Sète.

Il parle de la France qu'il faut doter des moyens nécessaires qui lui permettent « d'avoir des alliés certes, mais de se passer de protecteurs ».

Comment douter, après un tel accueil, de l'approbation du peuple à sa politique ?

Rentré à l'Élysée, il parcourt les reportages des journalistes qui ont suivi le voyage. Il sourit en lisant ce qu'écrit Jean Cau dans *L'Express*. « Ça n'est même plus de la foi et de la confiance, ça ressemble à de l'amour... C'est incompréhensible. »

Il secoue la tête. Il suffit de parler de la France avec les mots de la vérité et de l'ambition nationale ; il suffit que le peuple sente qu'on n'est mû que par le désir de servir la nation, pour qu'il se rassemble.

Pour l'Algérie, il y aura des oppositions farouches chez les pieds-noirs, dans l'armée. Mais peut-on faire une politique qui ne tienne pas compte des réalités ?

« Bref, dit-il, je mènerai le jeu, de façon à accorder peu à peu le sentiment des Français avec l'intérêt de la France, en évitant qu'il n'y ait jamais rupture de l'unité nationale. »

Voilà le défi majeur. Il doit l'évoquer avec Michel Debré.

« Mon cher ami,

« J'ai le grand désir de pouvoir causer avec vous de nos affaires à tête reposée et à loisir.

« Si vous aviez la possibilité d'être un peu libre ce week-end, je serais heureux que vous passiez à Colombey le plus de temps qu'il vous sera possible.

« Ai-je besoin d'ajouter que nous serions, ma femme et moi, enchantés si Madame Debré voulait et pouvait être des nôtres ? »

Il annonce à Debré qu'il va se rendre en tournée d'inspection en Algérie du 3 au 5 mars. Il visitera les unités qui sont en opération, il s'adressera aux officiers.

Il hausse les épaules quand on avance, pour le dissuader d'accomplir ce voyage, les dangers d'attentat. L'affaire des barricades a montré, dit-on, la détermination des adversaires de la politique du Général. Ces hommes sont prêts à l'abattre. Soit !

Il tourne le dos. Il partira en compagnie de Pierre Messmer, des généraux Ély et Challe, du secrétaire général de l'Élysée Geoffroy de Courcel. Il veut que ce voyage ne soit suivi que par un seul journaliste, en qui il a toute confiance : Jean Mauriac, le correspondant de l'AFP accrédité auprès de lui depuis la Libération.

Trois jours pour se faire entendre, trois jours pour voir et comprendre, trois jours sur les pitons de Hadjer Mafrouch en Kabylie, à Souk el-Khemis.

Il monte dans l'hélicoptère Alouette. Il est au col de Tamentout et à Barna, parmi les officiers de fusiliers marins qui surveillent la frontière algéro-marocaine, et parmi les officiers du 3e régiment de tirailleurs de Barika. Il faut qu'il convainque ces hommes de continuer à se battre, car c'est à cette condition que le FLN peut être conduit à accepter les élections, l'autodétermination.

« Pas de Diên Biên Phu, pas de capitulation », dit-il.

Il se sent au milieu de ces officiers parmi les siens. Mais, en même temps, il est en charge de toute la nation. Il doit dépasser le point de vue de ces combattants. Penser aux intérêts généraux de la France.

« J'ai confiance en vous, dit-il. Vous êtes passionnés par un problème. Il est votre tâche. Mais moi, j'ai la mienne, et je vois l'ensemble du problème. »

Il ajoute :

« On ne recommencera pas l'Algérie d'avant l'insurrection. (Et puis, parce qu'il faut aussi leur dire cela :) Gagnez la guerre ! Achevez votre mission ! Cassez du fellagha. »

Il doit tenir ce langage à deux faces. Et c'est lui qui fait la jonction entre les deux.

« Vous êtes l'épée de la France ici pour le moment, et éventuellement ailleurs un jour. Il faut toujours penser à cela. Vous n'êtes pas destinés à être toujours l'armée française en Algérie. »

Comprendront-ils ?

Il répète, devant ces officiers au garde-à-vous autour de lui :

« Il faut que la France reste en Algérie. Sous quelle forme ? Cela dépendra des Algériens quand ils pourront s'exprimer librement... C'est l'Algérie elle-même qui réglera son sort... »

Il salue, remonte dans l'Alouette jusqu'au prochain piton. Il va coucher dans ces baraquements où les troupes vivent. Il va partager le repas de ces officiers, les écouter présenter les détails de leurs actions. Il approuve. Il faut que l'armée soit unie autour de lui. Et il faut qu'elle tienne l'Algérie, toute l'Algérie, des Aurès au désert, de la Mitidja à la Kabylie.

« Si je conduis la France au dégagement, dit-il, je veux aussi que nos forces soient maîtresses du territoire jusqu'au jour où je jugerai à propos de les en retirer. »

Il repart. Le vent s'est levé. L'hélicoptère est secoué, avance lentement en tête de plusieurs appareils dans lesquels ont pris place les différentes personnalités de la suite présidentielle.

Il se retourne, regarde ce paysage dénudé, ces mechtas, tout ce pays, vieille terre de colonisation, grenier à blé de l'Empire romain, terre où naquit saint Augustin, terre que des générations de Français, des Alsaciens-Lorrains préférant l'exil à la germanisation, ont labourée.

Il a un brusque accès de désespoir à la pensée qu'il lui faudra peut-être, un jour, prendre la décision d'abandonner l'Algérie.

Être celui qui décide, c'est gravir sans fin un calvaire.

Il rentre à Paris. Il sait déjà, par les rapports de son aide de camp et de Geoffroy de Courcel, que la presse a abondamment commenté ce qu'elle appelle « la tournée des popotes ».

Il referme le dossier de presse. Il a un sentiment de mépris pour cette manière de tourner en dérision, par une formule, le contact qu'il a voulu prendre avec les hommes qui se battent. Mais il doit savoir. Il commence à lire les articles.

Qui a déformé ainsi le sens de son voyage, jusqu'à lui donner la signification d'un changement de politique, d'un abandon de l'autodétermination au profit de la guerre, d'une soumission aux activistes, comme s'il avait voulu, après avoir vaincu les émeutiers des barricades d'Alger, se rallier à leur point de vue, capituler devant eux ?

La colère le saisit lorsqu'il lit : « On voit que de Gaulle n'a plus de politique définie, qu'il habille son attitude de différentes manières selon ceux auxquels il s'adresse... La trame des événements peut, semble-t-il, se réduire à deux questions et deux réponses simples. *D'où vient de Gaulle ?* Du coup d'État militaire. *Où va de Gaulle ?* Là où les exigences des militaires le conduiront. »

Voilà ce qu'écrit ce directeur du plus grand hebdomadaire français, *L'Express* !

L'indignation le gagne. Non seulement on déforme sa politique, mais on la sabote ainsi. Et cela, au moment même où, en Algérie, des contacts sont pris avec Si Salah le chef d'une unité de l'armée rebelle, la wilaya IV – celle d'Alger –, alors qu'une chance existe d'arriver à un cessez-le-feu avec les combattants à l'intérieur de l'Algérie.

Il a un instant de découragement. Comment tenir tous les fils ? Des Français sont arrêtés pour aide au FLN, dont ils se disent « les porteurs de valises », convoyant vers la Suisse les fonds recueillis auprès des Algériens de France, et avec quelles méthodes ! D'autres combattent sa politique d'autodétermination au nom de l'Algérie française. Et on les trouve au sein même de l'UNR. Il faut exclure Soustelle.

De Gaulle murmure d'une voix sourde :

« Il n'est pas le seul à m'avoir lâché... et il y en aura certainement d'autres. Mais, de celui-là, j'attendais mieux. »

Et puis il y a les officiers prêts à se rebeller. Les pieds-noirs accrochés à leur terre et hostiles à toute transformation. Et il faut naturellement faire face à l'ennemi : membres du GPRA qui veulent tout le pouvoir en Algérie, tout de suite. Et les militants du FLN multiplient les attentats en France. Partout, des opinions arrêtées, des fanatismes, des vues partielles. Et qui pense à la France, à ce qu'elle peut devenir avec cette guerre au flanc ?

Lui.

Il convoque le 30 mars Michel Debré, Pierre Messmer, ainsi que le colonel Mathon et Bernard Tricot qui rentrent d'Algérie où ils ont négocié avec les envoyés de la wilaya IV. Il écoute. Faut-il aller plus loin dans la négociation ?

– On y va, dit de Gaulle brusquement.

Il faut tout tenter.

Il ne peut oublier l'Algérie. C'est comme une douleur lancinante, une plaie qui ne cesse de faire souffrir.

Il accueille Khrouchtchev à Orly.

« Vous voici donc ! Je puis vous assurer que nous en sommes très contents !... Dans la situation où se trouve le monde, la Russie et la France ont eu besoin de se voir... Je dis la Russie et la France. »

Il observe ce petit homme bedonnant et vif qui, parfois, à l'Élysée ou à Rambouillet, menace, évoque un nouveau statut de Berlin ou bien une alliance de l'URSS avec l'Allemagne.

Il faut alors « s'envelopper de glace », ne céder ni au chantage ni à la séduction. Et annoncer que la France vient de faire exploser sa deuxième bombe atomique. Elle est redevenue une grande puissance. Et puis la douleur, quand Khrouchtchev se penche, demande :

– Qu'est-ce qu'on peut faire pour vous faciliter les choses en Algérie ?

Se raidir, répondre :

– Surtout, ne pas vous en occuper, j'espère régler ce problème prochainement.

Sentir, à chaque instant, combien cette guerre handicape la France.

Il se rend à Londres. Il est ému. Voici la ville où il a éprouvé ce qu'est « la solitude du combattant », de l'exilé, qui n'avait pour toute arme que sa foi, son orgueil intraitable et son patriotisme. Cela fait seize ans qu'il n'est pas revenu dans cette ville. Et c'était alors le temps des conflits avec Churchill, au moment où les Alliés tentaient de l'empêcher, en juin 1944, de prendre pied en France.

Et voici Churchill assis au premier rang, à Westminster, où les Chambres des communes et des lords sont réunies. Il regarde ce vieil homme, cette « lumière qui s'éteint », et il sent, alors qu'il s'apprête à s'adresser aux parlementaires, que ses yeux se remplissent de larmes. Il s'efforce de maîtriser sa voix pour décerner à Winston Churchill « la gloire immortelle d'avoir été, dans la plus grande épreuve que l'Angleterre ait connue, son chef, son inspirateur et celui de beaucoup d'autres ».

Il veut lui rendre visite à son domicile, et l'émotion une nouvelle fois le submerge quand il entend Churchill dire en cherchant ses mots : « Vous êtes le bienvenu chez moi. Jusqu'à la fin de ma vie, vous serez le bienvenu. » Puis ajouter, sur le seuil de la porte, au moment de la séparation : « Vive la France ! »

Ces mots-là, il les ressent comme une obligation à être digne, au-delà du possible, de cette histoire française qui suscite tant d'élan dans le monde.

Car c'est la France qu'on applaudit, quand il parcourt en carrosse, aux côtés de la reine Élisabeth, les rues de Londres. C'est elle que les parlementaires saluent. Ce faste de la réception à Westminster – rutilante haie d'honneur de gentilshommes en arme, les *Yeomen* de la garde, – c'est à elle, qu'il incarne, qu'il est destiné. Et c'est elle qui, à l'ambassade de France, accueille les souverains britanniques.

Il est fier de ce qui a été fait à cette occasion.

« Mon cher Brouillet,

« Veuillez dire de ma part au personnel de la Maison que j'ai beaucoup apprécié la qualité du service... qu'il se soit agi de l'accueil, de l'introduction, de la table, de la décoration, etc., chacun était très bien à sa place, très attentif et de très bonne tenue. Un tel ensemble dans de telles circonstances revêt une grande importance. Transmettez à tous l'expression de ma satifaction. »

Mais il y a cette douleur, cette ombre : les journaux anglais qui, longuement, évoquent ce problème algérien « que la France, écrivent-ils, a bien du mal à dominer et qui l'empêche d'être un allié sûr dans l'OTAN ».

Et c'est la même blessure qu'il ressent au Canada, aux États-Unis, où il se rend à la fin avril 1960. Il entend au Québec, puis en Louisiane, résonner les noms français de ceux qui l'accueillent. La France est là, présente, « vivante ».

« Je sens monter du passé toutes sortes de liens qui ont jadis attaché la France royale, votre grande ville et la Louisiane. C'était à une époque où le grand pays qui allait devenir les États-Unis n'avait pas encore pris conscience de lui-même, et cependant déjà une œuvre française commençait sur les rives du Mississippi. » Louisiane, Québec.

« Je me sens saisi par la grandeur du passé mais aussi convaincu que son legs peut être dans l'avenir utile à notre rayonnement. »

Il rencontre Eisenhower et le vice-président Nixon. Eisenhower est à la fin de son mandat. De Gaulle observe Nixon, dont l'ambition est d'être le successeur d'Eisenhower. Il écoute Nixon s'étonner. La presse accuse constamment de Gaulle, dit le vice-président, de « machiavélisme », or, à l'entendre exposer sa politique, tout paraît clair.

« Comment expliquez-vous cela ? » demande Nixon.

De Gaulle sourit.

« C'est peut-être que ce que je dis et tâche de faire depuis juin 1940 est toujours aussi net et droit que possible. »

Il hausse les épaules.

« Mais, comme beaucoup de professionnels de la politique et de la presse ne conçoivent pas l'action politique sans tromperies ni reniements, ils ne voient que de la ruse dans ma franchise et ma sincérité. »

Eisenhower souhaite que la conférence au sommet qui se tiendra à Paris à la fin mai, sous la présidence du général de Gaulle, soit un succès.

Quel changement dans la place de la France !

Il se rend à San Francisco, à New York. Partout, c'est l'enthousiasme et l'émotion des foules. Il parcourt la Cinquième Avenue sous la nuée des confettis. Et pourtant, ces articles comme un rappel douloureux de la blessure :

« Il est regrettable que le grand homme de l'Occident traîne ce boulet que constitue l'affaire algérienne », répètent les journaux.

Ici et là, on évoque les tortures commises par certains éléments de l'armée. On interviewe le représentant du GPRA.

Il faut rompre cette chaîne qui entrave la France.

Dans le grand salon de l'hôtel Astor, à New York, il dit :

« Pour l'Algérie, où se déroulent encore quelques tristes et bien inutiles combats, la France veut que le sort de ce pays soit décidé par les Algériens et seulement par les Algériens, et que ce soit celui qu'ils voudront. »

Est-ce assez clair ?

Il reprend ce thème à chacune de ses étapes de son voyage de retour, à Cayenne, à Fort-de-France, à Pointe-à-Pitre. Partout, des foules qui l'acclament, qui entonnent *La Marseillaise*.

Oui, c'est le peuple qui le soutient, quand il peut ainsi communiquer directement avec lui.

À Paris, il retrouve l'aigreur de la presse, les attentats, cette guerre qui pourrit. Il interroge : Où en sont les contacts avec Si Salah et les hommes de la wilaya IV ? Pompidou a-t-il pu engager de nouvelles négociations avec les représentants officiels du GPRA ?

Les dossiers se sont entassés sur le côté gauche de la table de travail. Manifestations des paysans dans plusieurs villes de France, problèmes liés à la conférence au sommet qui doit se tenir à Paris.

Voici déjà qu'arrivent Khrouchtchev, Macmillan, Eisenhower, et Adenauer, qui craint que les quatre grandes puissances ne s'arrangent entre elles aux dépens de l'Allemagne en sacrifiant Berlin, abandonné aux Russes.

Et puis il faut faire face à la colère théâtrale de Khrouchtchev, qui ne veut plus discuter avec les États-Unis parce qu'un avion espion américain U2 a survolé l'URSS. Les Russes ont réussi à l'abattre et peuvent brandir les preuves de la « duplicité », de l'« agressivité » des États-Unis.

Mots, mots.

« Ni l'un ni l'autre des deux rivaux ne souhaite aller à la guerre », explique de Gaulle.

Mais la conférence échoue, Khrouchtchev quitte Paris.

De Gaulle se promène lentement dans le parc de l'Élysée.

Il pense à ce livre, *Proses*, que Pierre Jean Jouve vient de lui envoyer.

Il va lui répondre, lui dire – les mots lui viennent – qu'« il n'est de vie possible que verticalement, en dehors, par un assemblage de sons, de couleurs et de mots ».

Le reste, bruits, rumeurs, ce que Pierre Jean Jouve appelle « ce mauvais âge », celui de la voiture, de la radio, de l'image, du journal...

Il rentre dans le palais.

Il soupire. C'est dans « ce mauvais âge » qu'il vit.

24.

Il regarde longuement le parc de l'Élysée que la nuit printanière de ce 10 juin 1960 ne parvient pas à noyer dans l'ombre. Il fait doux et clair. Il va être 22 heures. Il s'assoit à son bureau. Dans quelques minutes, Si Lakhdar, Si Mohammed et Si Salah seront là, en face de lui, dans ce fauteuil. À gauche et à droite se tiendront Bernard Tricot et le colonel Mathon, qui ont commencé la négociation avec les chefs de la wilaya IV. Et, pour convaincre les fellaghas de déposer les armes, Tricot a eu l'idée de proposer cette rencontre.

Pari nécessaire. Pari risqué. Les pieds-noirs peuvent s'enflammer, crier à la trahison. Le GPRA lui-même peut penser que de Gaulle essaie de l'écarter de la négociation en attirant à lui les combattants, en les invitant à conclure « la paix des braves ». Et puis...

De Gaulle pose les mains à plat sur le bureau. L'un de ces hommes peut décider de tuer le président de la République française. Beau succès. Il hausse les épaules. Il a refusé qu'on fouille les trois fellaghas. Si on le tue... il imagine que, derrière la porte, se tiendra l'un des aides de camp, le colonel Teissere.

Si on le tue...

On ne meurt jamais comme on imagine. Bonaparte, Premier consul, avait pris le risque de recevoir Georges Cadoudal, le chouan irréductible. Et les aides de camp avaient craint pour sa vie.

Peut-être ce qui change le moins au fil du temps est-ce la manière de gouverner les hommes.

Il est 22 heures. Les voici.

De Gaulle est debout en costume sombre. Il regarde ces trois combattants. Si Mohammed, au visage le plus rude, Si Salah aux traits fins, à l'œil brillant, Si Lakhdar à l'expression hésitante, au regard terne.

Ils saluent militairement.

— Messieurs, asseyez-vous, je vous prie. Je voudrais, avant que nous commencions cette discussion, situer à nouveau ma position, qui est celle de la France.

Il parle de l'autodétermination, de l'appel qu'il va lancer au GPRA, une nouvelle fois, afin de parvenir au cessez-le-feu.

Maintenant, il les écoute. Hommes sincères. Combattants qui font face à une situation difficile. Ils veulent rester fidèles au GPRA, et en même temps ils cherchent à mettre fin aux combats, à convaincre les autres wilayas de cesser le feu. Pour cela, ils sollicitent le droit de circuler sans être pourchassés.

Il les observe. Ils sont un élément du jeu. Leur initiative peut contraindre le GPRA à négocier s'il constate que ses forces se diluent, au moment même où l'armée française remporte des succès sur le terrain. C'est une partie complexe. Chaque pièce compte. Privé de ses combattants, le GPRA n'est plus rien. Et les barrages aux frontières tunisienne et marocaine rendent le passage en Algérie difficile. Mais le GPRA est l'autorité formelle sans l'accord de laquelle il ne peut y avoir de cessation définitive de l'insurrection. Il faut donc tenir tous les fils, continuer de négocier avec les hommes des wilayas et avec le GPRA, se servir des premiers pour contraindre l'autre.

De Gaulle se lève.

— Messieurs, dit-il, je ne sais si nous nous reverrons. Je l'espère. J'espère aussi que je pourrai alors vous serrer la main. Je ne le fais pas aujourd'hui, car nous restons pour l'instant des adversaires. Mais si je ne vous serre pas la main, messieurs, je vous salue.

Ils se mettent au garde-à-vous et saluent militairement.

Pari risqué. Pari nécessaire.

Il faut qu'on donne à Si Salah toutes les autorisations voulues pour qu'il puisse circuler, tenter de convaincre les autres chefs de wilaya. Et si les combattants déposent les armes, alors l'autodétermination sera possible. Déjà, aux élections cantonales qui se sont tenues en Algérie le 29 mai, 57 % des inscrits ont voté !

Pour la première fois depuis des mois, il a l'impression qu'il desserre l'étau, que le jeu s'organise enfin, que peu à peu tous les acteurs vont accepter de mettre bas les armes et de s'en remettre au choix des électeurs.

C'est maintenant qu'il doit frapper fort.

Il va s'adresser à la nation le 14 juin.

Il s'isole autant qu'il le peut, refusant toutes les audiences. Il a besoin de silence pour écrire cette intervention qu'il veut apprendre par cœur pour pouvoir regarder en face les téléspectateurs et les convaincre.

À midi, le 14 juin, il s'assied derrière la table placée dans la salle des fêtes de l'Élysée. Il place devant lui les feuillets, mais il ne les regardera pas. Il entend chaque phrase résonner dans sa mémoire. Ce discours doit être un acte majeur.

– Prêt, mon général ?

Il ne répond pas à Robert Prioux, le cameraman qui, chaque fois, le maquille puis le filme. À peine s'il bat des paupières. Il commence :

« Il était une fois un vieux pays, tout bardé d'habitudes et de circonspection. Naguère le plus peuplé, le plus riche, le plus puissant de ceux qui tenaient la scène... »

Et les mots viennent, et il les pétrit par un léger mouvement des mains.

« Il est tout à fait naturel qu'on ressente la nostalgie de ce qui était l'Empire comme on peut regretter la douceur des lampes à huile, la splendeur de la marine à voile, le charme du temps des équipages... »

Il s'interrompt quelques secondes.

« Mais quoi ? Il n'y a pas de politique qui vaille en dehors des réalités », martèle-t-il.

Et maintenant, il peut parler de l'essentiel. Il sait que c'est cela que l'on attend dans tous les foyers de France et d'Algérie, là où l'on craint pour les fils, les frères, les pères.

« Et l'Algérie ? Ah ! Je n'ai jamais cru pouvoir trancher du jour au lendemain un tel problème, posé depuis cent trente ans. Mais je crois que jamais on ne fut plus près d'aboutir à une réelle solution... On ne conteste plus nulle part que l'auto-détermination des Algériens quant à leur destin soit la seule issue possible de ce drame complexe et douloureux... »

Il doit détacher chaque mot :

« Il est garanti que le choix sera complètement libre, que les informateurs du monde entier auront, pour le constater, pleine et entière latitude, que toutes, oui, toutes tendances pourront prendre part aux débats qui fixeront les conditions du référendum, à la campagne auprès des électeurs et au contrôle du scrutin. »

Que peut-il offrir d'autre ?

« Une fois de plus, je me tourne, au nom de la France, vers les dirigeants de l'insurrection. Je leur déclare que nous les attendons ici pour trouver avec eux une fin honorable aux combats qui se traînent encore, régler la destination des armes, assurer le sort des combattants. Après quoi, tout sera fait pour que le peuple algérien ait la parole dans l'apaisement. La décision ne sera que la sienne. Mais je suis sûr, quant à moi, qu'il prendra celle du bon sens : accomplir, en union avec la France et dans la coopération des communautés, la transformation de l'Algérie algérienne en un pays moderne et fraternel. »

Algérie algérienne ! Autodétermination. Scrutin libre.

Il n'a pas manqué un seul mot. Tout est dit. Mais comprendront-ils, à Tunis et dans les djebels ? Auront-ils suffisamment confiance en eux, en leur peuple, en de Gaulle pour accepter de cesser le feu ? Mesureront-ils que c'est la chance d'une Algérie pacifique ? Que, s'ils ne la saisissent pas, ce sera la tragédie ?

Il lit les communiqués annonçant la constitution d'un Colloque de Vincennes. Il retrouve les noms de Bidault, Soustelle, Bourgès–Maunoury, Lacoste. Ceux-là jurent de n'accepter aucune atteinte à l'intégrité du territoire national. En Algérie vient de se constituer le Front de l'Algérie française, que préside le Bachaga Boualem et qui compterait déjà cent mille adhérents.

Les extrémistes sont là, fourbissant leurs armes.

Le 20 juin, il a d'abord le sentiment qu'il a ouvert la porte de la paix. Le GPRA annonce qu'il est prêt à envoyer des délégués en France. Pour négocier ? L'inquiétude revient. Hélas, non, pour poser des questions avant les négociations ! Il soupire.

– Les gens de Tunis s'offrent à une première conversation, dit de Gaulle. Mais je ne pense pas que cela puisse marcher, c'est le tout premier contact.

Il veut suivre jour après jour les discussions qui ont lieu à la préfecture de Melun entre les négociateurs français – Roger Moris, secrétaire général des Affaires algériennes, et le général de Gastines – et les deux Algériens, Ali Boumendjel et Mohammed Ben Yahia.

Il s'emporte. Les exigences des Algériens sont exorbitantes : Boumendjel demande que la délégation algérienne descende à l'ambassade de Tunisie, qu'elle ait le droit de tenir des conférences de presse, de rencontrer les personnalités françaises. Bref, au lieu de négocier le cessez-le-feu, on veut faire de la propagande. Se rendent-ils compte qu'il y a en France des adversaires de l'autodétermination ?

– Ils amusent la galerie ! s'exclame de Gaulle. Ils mobilisent l'intérêt de la presse internationale. Ils font parler d'eux. Ils sont contents !

Il n'est pas surpris. Trop d'obstacles subsistent. Et chaque jour qui passe rend plus difficile l'issue de la crise. Il faut mettre fin à ce spectacle. Certes, les mandataires de l'insurrection ont demandé à discuter et il y a eu des conversations polies. On s'est séparé courtoisement, « en marquant de part et d'autre l'intention de se retrouver ». Mais le chaos peut aussi naître d'une guerre prolongée et rendre toute solution raisonnable, et donc maîtrisée, impossible.

Il lit avec un sentiment d'accablement le discours de Ferhat Abaas qui, au nom de GPRA, a déclaré : « Nous devons renforcer nos moyens de lutte et notre combat armé. L'indépendance ne s'offre pas, elle s'arrache. La guerre peut encore être longue. »

C'est l'été. Les jours sont éclatants, mais il se sent envahi par une tristesse mêlée d'amertume.

Il vient d'apprendre que Si Mohammed, de retour en Algérie, a dénoncé Si Lakhdar et Si Salah à leurs hommes, les accusant d'avoir trahi la cause de l'insurrection en se rendant à Paris rencontrer le général de Gaulle. Pis, pour se faire pardonner de les avoir accompagnés, Si Mohammed est sans doute responsable du massacre des femmes et des enfants dont les corps ont été retrouvés sur la plage de Chenoua.

De Gaulle, tête baissée, marche lentement dans le parc de la Boisserie.

Il repense à cette soirée du 10 juin, à ces trois hommes assis en face de lui. La guerre, toujours, la barbarie. Peut-être même un risque de guerre mondiale.

« Sans qu'aucun des deux rivaux veuille aller à la guerre, la tension s'accentue partout et les conditions psychologiques d'un conflit général se renforcent. »

Troubles au Congo. Confrontations à Berlin, à Cuba. Russes et Américains s'opposent partout.

« En fait, les bombes ne sont pas lancées, mais on ne pense plus qu'aux bombes. »

Il rentre. Il écrit à Philippe. « Ma pensée se porte vers toi. » Il imagine son fils à bord de l'escorteur d'escadre, le *Duperré*. Il pense à ses petits-fils. Au mois d'août, il essaiera de passer la plus grande partie du temps à Colombey.

« Nous espérons beaucoup, ta maman et moi, vous voir tous au mois d'août. »

Puis il reprend le cours de sa pensée, qu'il veut faire partager à Philippe, son « vieux garçon ».

« Mais on ne pense plus qu'aux bombes, reprend-il. J'ai hâte que nous soyons nous aussi en mesure d'en avoir et, s'il le faut, de nous en servir. C'est triste. Mais c'est nécessaire. »

Peut-être, « si les choses continuent d'aller pour nous comme elles vont, nous serons dans quelque cinq ans redevenus vraiment une grande puissance. D'ici là, il faudra évidemment que l'Algérie ait cessé de nous lier plus ou moins les mains ».

Mais les nouvelles sont mauvaises. Les partisans de l'Algérie française sont plus déterminés que jamais. Quant au GPRA, battu sur le terrain, incapable de faire passer les renforts en Algérie, il multiplie les initiatives diplomatiques à l'ONU, aux États-Unis, auprès de la Ligue arabe et, naturellement, dans le monde communiste. Et la France est mise en accusation.

Comment sortir de ce guêpier ?

Il rentre à Paris pour présider un Conseil des ministres consacré à l'Algérie. Le palais de l'Élysée, en cette matinée, est entouré par le silence de la ville qui semble alanguie dans la chaleur de ce mois de juillet.

Le Conseil se termine. De Gaulle reste un moment silencieux, puis il dit d'une voix désenchantée :

« Nous sommes dans une période de " mouise ". »

25.

On vient de servir le thé. De Gaulle boit lentement, puis il se lève, fait quelques pas, se retourne. Ils sont tous là, les siens, sous les arbres, devant la Boisserie. Élisabeth de Boissieu dessine des plans de maison, comme à son habitude. Il entend Jacques Vendroux lui dire qu'elle aurait dû être architecte. Philippe de Gaulle et Alain de Boissieu bavardent. Les enfants jouent et Yvonne de Gaulle les surveille, le visage empreint de douceur, le regard chargé de tendresse.

S'il se laissait aller, il céderait à la tentation. Il retournerait s'asseoir auprès des siens. Il a besoin d'eux, de cette affection qu'ils lui portent. Ils sont comme une forteresse auprès de laquelle il peut, pour quelques instants, trouver le repos, la paix, oublier ces cris de haine qui retentissent maintenant dans les rues d'Alger : « De Gaulle au poteau ! De Gaulle, trahison ! »

Il pourrait renoncer.

Il est dans sa soixante-dixième année. Il l'a avoué à Philippe : « À mesure que la nuit approche, on est plus sensible à la chaleur et à la lumière. » Et les siens sont cette chaleur et cette lumière. Loin d'eux, c'est la violence et le sang, l'hypocrisie et les ambitions. Les attentats se multiplient. Les fellaghas ont mitraillé des Européens sur les plages proches d'Alger. Le FLN a annoncé l'exécution en Tunisie de deux soldats prisonniers. Et là, ce sont des enfants – une petite fille – égorgés. Dégoût. Et cette incompréhension de ses intentions. Les haines qui convergent et le prennent pour cible. Les masques qui tombent. Le général Salan qui tient une conférence de presse à Alger pour affirmer son attachement à l'Algérie française. Et d'autres, ceux des réseaux d'aide au FLN, animés par le philosophe Francis Jeanson, un proche de Jean-Paul Sartre, qui refusent aussi sa politique. Cent vingt et un intellectuels viennent de signer un *Manifeste* invitant les jeunes Français à l'insoumission. Et deux cents personnalités qui, à l'autre extrême, signent un texte le condamnant pour des raisons opposées.

Qu'il ait dit au cours d'une nouvelle conférence de presse : « C'est aux Algériens qu'il appartient, par le suffrage, de décider de leur destin », est intolérable. Le voici complice des assassins ! N'a-t-il pas déclaré qu'il reconnaissait « le courage qu'ont déployé beaucoup de combattants » ? Mais qu'il ait répété : « Tant qu'on donne la parole au couteau, on ne peut pas parler de politique », leur importe peu.

C'est cela qui l'accable. Non la haine, non le danger, car certains rêvent – cela apparaît dans plusieurs rapports – de le tuer, mais l'aveuglement des uns et des autres. Leur bêtise. Il l'a dit et redit : « Ces pauvres Français d'Algérie sont en train de se suicider » et leur « réveil sera rude ». Mais ils s'obstinent, s'enfoncent dans leur angoisse et s'accrochent à une Algérie dont pour une part ils ont été les bâtisseurs et qui se dérobe sous leurs pas. Et qui, s'ils continuent ainsi, les rejettera.

Il pourrait renoncer.

Il reste ainsi immobile plusieurs minutes, puis il se dirige vers son bureau.

Sur la table, ce roman de Maurice Clavel, *Le Temps de Chartres*, qui évoque la Résistance et ses espoirs. Il en relit quelques pages. Il prend une feuille, écrit à Clavel :

« Ainsi étiez-vous donc quand il s'agissait de tout. Hélas ! depuis lors, quoi donc vaut la peine qu'on s'y plonge ? »

Il hésite un instant.

Il pourrait se retirer puisque, en effet, de plus en plus souvent, il a le sentiment que le pays n'est plus soulevé par ce grand souffle des mois de la Libération. Août 1944, le temps des fleuves en crue, du flot joyeux et puissant de l'espérance, de la nation libérée. Et maintenant ? Un inextricable nœud de passions et de fanatismes, d'intérêts et d'aveuglements, de souffrance et de haine.

Son aide de camp entre, dépose les dossiers à examiner.

De Gaulle ouvre le premier. Rapport de l'ambassadeur de France à Moscou : Ferhat Abbas est dans la capitale soviétique. Il a obtenu des assurances quant à l'envoi d'armes et, à l'ONU, au soutien diplomatique de l'URSS au FLN. Après Moscou, Ferhat Abbas se rendra à Pékin. Et il ne fait aucun doute que la Chine communiste lui accordera une aide importante. Et, en France, les communistes crient : « Paix en Algérie ! » et combattent la politique algérienne de leur pays. Quel guêpier ! Duclos, d'accord avec Bidault et Salan pour rejeter l'autodétermination !

Il ferme le dossier.

— Le drame, en Algérie, voyez-vous, c'est qu'il n'y a pas de solution. Il faut cependant en trouver une !

Il noue ses mains. Il ferme les yeux. Il ne renoncera pas. Il le sait. Il murmure :

— Nous sommes faits à notre image, mais cette image, que reflète-t-elle ?

Quelques jours plus tard, alors qu'il se lève pour rejoindre la petite tribune dressée devant l'hôtel de ville de Saint-Lô et qu'il aperçoit cette foule qui commence à l'acclamer, il repense à cette question, et tout à coup elle lui paraît vaine.

Il « reflète » l'histoire de la nation. Il « reflète » l'espoir des Français qui veulent que la guerre s'arrête en Algérie afin que leurs fils reviennent des djebels. Il saisit le rebord de la tribune à deux mains.

« La France est en route pour résoudre avec les Algériens ce qu'on appelle la question algérienne, lance-t-il. Elle est en route pour la paix en Algérie... »

Il répète ces mots. Il multiplie les variations sur ce thème dans les dizaines et dizaines de villes qu'il parcourt. Il veut faire entendre sa voix, il veut être vu jusque dans les villes modestes. Il parle à Coutances ou à Alençon, mais aussi à Rouen ou à Saint-Brieuc, à Vannes ou à Fougères. Il sent que la fatigue et la lassitude se dissipent, comme si ces foules diverses et semblables lui donnaient leur énergie, leur confiance. Il lui semble vraiment qu'il pénètre dans le corps de la nation, et que la nation entre en lui.

« On verra bientôt, s'exclame-t-il, que les idéologies – toutes idées passagères et mortelles – ne tiennent plus grand-chose alors que les nations demeurent ! »

Il inaugure, dans l'île de Sein, un mémorial à ces hommes qui, les premiers, l'ont rejoint, et c'est comme un retour à ses origines.

Maintenant, il va dans les villes des Alpes. Combien de villes ? Dix, vingt ? Bonneville et Saint-Julien, Thonon et Grenoble, Chambéry et Albertville, puis Digne et Grasse. Il s'arrête. Il regarde ces sommets dénudés entre lesquels passa Napoléon au retour de l'île d'Elbe. Il pense au vol de l'Aigle, à ces paysans descendus des villages, torche à la main, pour saluer leur Empereur.

Celui qui gouverne, celui qui a été choisi, a besoin de ce contact physique, corporel, avec son peuple.

Il se dirige vers Menton. Il feuillette les dossiers de presse. Soustelle, Salan, des généraux mis à la retraite, Bidault, Morice, Lacoste, des écrivains, des académiciens d'un côté, et de l'autre Jean-Paul Sartre, des professeurs, des écrivains encore, chacun tirant à hue et à dia, l'attaquent.

« L'État ne permettra pas, dit-il, qu'on empiète sur ce qui est son devoir et ses responsabilités. Il ne permettra pas que des personnalités qui se taillent une certaine situation personnelle, politiques, syndicales, militaires, journalistiques ou autres, prétendent peser sur la conduite de la France. »

Il voit au-delà des citronniers, des façades roses et des palmiers, au-delà de la foule, la mer qui se confond avec l'horizon.

« La conduite de la France, dit-il en élevant la voix, appartient à ceux qu'elle en a chargés. Elle appartient donc par excellence à moi-même. Je le dis ici sans ambages. »

Il regagne l'Élysée. Il a l'impression d'être encore porté par ces foules qui, d'un bout à l'autre du pays, l'ont acclamé. Il faudrait pouvoir canaliser cette énergie non pas pour se dégager du marécage algérien, mais pour conduire la France plus haut, lui donner des objectifs à la mesure de la fin du siècle.

Il rencontre le chancelier Adenauer au château de Rambouillet. Il a de l'estime et de l'amitié pour cet homme dont il se sent si proche, issu de la même civilisation que lui. Il faudrait l'entraîner dans la construction d'une Europe « organisée par elle-même et pour elle-même » à partir d'un accord entre la France et l'Allemagne, et se dégageant de l'emprise américaine. Pourquoi ne pas préparer un « référendum général et solennel » ? L'Europe prendrait alors le caractère d'une création populaire décisive.

Il observe Adenauer. Il mesure sa prudence, son hésitation dès qu'il s'agit de prendre ses distances à l'égard des États-Unis, de l'OTAN. Et pourtant, c'est un devoir de lancer des initiatives. Un devoir face à chacune des deux nations, un devoir face à l'Europe.

« Il nous faut battre le fer de l'organisation de l'Europe car ce fer est chaud », insiste-t-il.

Et si la France se dote d'une « force de frappe » atomique, elle pourra, peut-être, convaincre l'Allemagne de bâtir cette Europe indépendante, mettant un terme à « l'intégration américaine ».

Tout se tient : construction d'une force de frappe et construction de l'Europe.

Voilà de grands desseins pour la France, à la mesure de son histoire. Mais cela suppose la paix en Algérie. Cela suppose un pays rassemblé.

Il parle aux maires des villes qu'il a visitées.

« Il faut que nous restions tous ensemble, pour assurer l'avenir de la France », dit-il, penché sur la tribune.

C'est une confidence qu'il veut faire.

« En toute modestie, je vous dis que je suis là pour ça, pour ça et pour aucune autre raison. Ma responsabilité, surtout en ces heures, me paraît si grave, si lourde, que je vous demande, messieurs les Maires, de me donner la main. »

Et tout à coup, quand il se retrouve seul, un sentiment de fatigue, un flot de désespoir. Comme si cette main, brusquement, se dérobait. Plus de deux cents députés pour refuser à l'Assemblée la force de frappe ! Une majorité de sénateurs pour la rejeter ! Les attentats du FLN se multiplient en même temps que les assassinats, en France, contre des Algériens qui refusent de payer leur contribution à l'insurrection ou qui ont le malheur d'en contester les chefs ou les orientations. Plus de deux cents députés qui réclament la mise en liberté de Pierre Lagaillarde, l'émeutier d'Alger ! Et le général Salan qui tient une conférence de presse au palais d'Orsay, avec Pierre Poujade et Georges Bidault au premier rang, puis s'installe en Espagne pour être à l'abri, dit-il, de la « dictature » ! Et le tribunal militaire de Paris qui met en liberté Lagaillarde et Susini, et tous deux s'enfuient en Espagne ! Et les rues des principales villes d'Algérie parcourues de cortèges de pieds-noirs qui hurlent : « De Gaulle au poteau ! »

Et la presse qui n'apporte aucun soutien.

Dans quelques semaines, il aura soixante-dix ans ! Ce calvaire est trop long. Pourquoi serait-ce à lui, de Gaulle, de prendre en charge ce que tant et tant appellent un « abandon », l'indépendance de l'Algérie, parce que, il le sait, c'est à cela qu'on va ! Pourquoi devrait-il porter cette responsabilité ?

Il a l'impression d'un jeu de dupes ! Le peuple l'appelle pour « éviter les tuiles », « empêcher le naufrage », mais se moque du redressement, refuse la grandeur, se complaît dans la médiocrité, n'aspire qu'à elle !

C'est l'automne. Il marche dans le parc de la Boisserie en compagnie de Michel Debré. Il a besoin de parler. Ces jours gris, ceux de l'enfouissement de la nature, ceux de la saison des morts, l'ont toujours empli de nostalgie, de désespoir.

Et cette saison-ci est celle de son soixante-dixième anniversaire !

Il se confie d'une voix amère, parce qu'il a besoin aussi d'entendre Michel Debré dire :

– Ce qui importe avant tout au général de Gaulle, c'est le jugement de l'Histoire. Si ce n'est pas vous, ce ne sera personne. L'Algérie sera un cancer pour la France.

Il hausse les épaules. Il peut être trop tard pour une solution.

– Je crois que vous ne pouvez pas éviter de la tenter, continue Debré, et je pense que vous réussirez.

De Gaulle frappe le sol du bout de sa canne.

– La bassesse des gens qui détiennent quelque mandat ou quelque feuille publique a quelque chose de monumental, murmure-t-il en raccompagnant Michel Debré.

Maintenant, il fait arrêter la voiture, dès que les grilles du parc de l'Élysée sont franchies. Il veut faire quelques pas en compagnie du commandant Flohic, son aide de camp. À l'extrémité du parc, l'obscurité est presque totale, ébréchée seulement à l'autre bout par l'éclat des lumières de l'Élysée.

Il a envie de ne pas regagner aussitôt son bureau. Il marche lentement, puis il s'arrête :

– Cela ne vous fait-il pas l'effet d'un pays fini ? demande-t-il.

Il devine la perplexité de Flohic. Il aime cet officier de marine, efficace, ponctuel, droit, qui concède qu'en effet « les Français ne semblent pas sentir la nécessité de s'unir ».

De Gaulle reprend sa marche.

– Alors, pourquoi s'acharner à tenir ?

Flohic parle de « la raideur de la pente qu'il faut gravir ».

– Mais c'est qu'on ne la remonte pas ! lance de Gaulle.

On entre dans la lumière. Un huissier se précipite, ouvre les portes du palais.

Il sait qu'il est parvenu au bout de ses doutes, à l'extrémité de son désespoir. Se démettre ou agir : le choix est clair. On ne renonce pas sans avoir livré bataille. « La vie est un combat » qui doit être mené. Qu'importe qu'on soit désespéré. Il faut explorer jusqu'au fond de soi l'incertitude et le désespoir, puis s'engager.

« Sans illusions ni sentimentalité. »

C'est le temps de l'action qui commence. Quelques mois cruciaux. Il marche dans son bureau. Il convoque. Il écrit. Il s'adressera d'abord au pays. Puis il changera les hommes en Algérie. Morin remplacera Delouvrier comme délégué général, et le général Gambiez le général Crépin. Mais, surtout, il nommera Louis Joxe ministre d'État aux Affaires algériennes. Enfin, il annoncera un référendum sur « l'autodétermination des populations algériennes et l'organisation des pouvoirs publics en Algérie avant l'autodétermination ».

Ou ça passe, ou ça casse. Tout est en ordre dans sa tête. Il ne déviera plus d'un pouce. Il se rendra en Algérie pour expliquer aux officiers le choix fait. Et puis, à Dieu vat !

C'est le 4 novembre 1960. Il s'est assis dans un petit salon proche de la salle des fêtes de l'Élysée. C'est le moment du maquillage. Il ferme à demi les yeux, laissant le cameraman Robert Prioux le poudrer.

Il déteste ce moment. Il marmonne pour lui-même : « On me dit qu'il faut éviter que la lumière crue des projecteurs accuse mes traits, qu'elle transforme mes sourires en rictus, et l'ombre de mes paupières en froncement de sourcils. »

Enfin, il s'installe face aux caméras. Il est calme. Ce jour sera celui des mots qui tranchent. Et tant pis s'ils font se lever la tempête. Il faut défaire ce nœud qui étrangle la France, et, si nécessaire, d'un coup de glaive.

« Eh bien, oui ! commence-t-il. Nous vivons, comme on dit, dans notre temps. Et ce temps, pour être chargé de promesses, n'en est pas moins rude et dangereux... Ayant repris la tête de la France, j'ai décidé en son nom de suivre le chemin qui conduit à l'Algérie algérienne. Cela veut dire une Algérie émancipée qui aura son gouvernement, ses institutions et ses lois... La République algérienne existera un jour, mais n'a encore jamais existé. »

République algérienne.

Ils vont hurler. Il le sait.

« C'est ainsi que deux meutes ennemies, celle de l'immobilisme stérile et celle de l'abandon vulgaire, reprend-il, s'enragent et se ruent dans des directions opposées, mais dont chacune conduirait l'Algérie d'abord, la France ensuite, à une catastrophe. »

Il hausse le ton.

« La France n'est pas à la dérive. La République est debout. Les responsables sont à leur place. La nation sera, s'il le faut, appelée à juger et à trancher dans ses profondeurs. Françaises, Français, je compte sur vous. Vous pouvez compter sur moi. »

Il entend aussitôt les aboiements des « meutes ennemies » qui se déchaînent à l'annonce du référendum qui se tiendra le 8 janvier 1961.

« Voter oui, c'est dire non à la paix », proclament les communistes. Et le FLN adjure les musulmans de ne pas aller voter. Le 11 novembre, des manifestations violentes se produisent à Alger. Des attentats sont perpétrés par des partisans du Front national pour l'Algérie française ou d'autres activistes. Les pieds-noirs attaquent les forces de l'ordre.

Il prend connaissance des dépêches et il reste impassible. Quand l'action est commencée, il faut la conduire jusqu'au bout. Il reçoit le texte d'un communiqué du maréchal Juin : « Malgré l'amitié cinquantenaire qui m'a lié au général de Gaulle, j'entends protester, en qualité de plus haut dignitaire de l'armée et en tant qu'Algérien, contre l'idée d'abandonner nos frères algériens... »

Et Salan, depuis l'Espagne, répète : « Je dis non à cette Algérie algérienne. Il faut que chacun prenne ses responsabilités... Le temps des faux-fuyants est révolu. »

À l'Assemblée nationale, lorsque Michel Debré présente la politique gouvernementale, des incidents éclatent, violents.

De Gaulle sent autour de lui monter l'inquiétude. Il écoute Michel Debré, sincère et déchiré, qui explique que, dans le texte initial de l'intervention présidentielle, le terme « République algérienne » ne s'y trouvait pas !

Il y est, maintenant ! Et chacun l'a entendu, en France comme en Algérie. Les jeux sont faits. On rapporte que seize généraux ayant commandé en Algérie appellent à voter non au référendum. Il hausse les épaules. Comme les communistes. Comme le FLN. Étrange conjonction, non ?

Il reçoit Pierre Laffont. Le directeur de *L'Écho d'Oran* est un homme honnête qui parle au nom des pieds-noirs.

– Malgré les griefs que vous pouvez avoir contre eux, commence Laffont, ils ont le droit que vous leur veniez en aide.

De Gaulle secoue la tête.

– Je n'ai pas de griefs contre eux. Mais je regrette qu'ils ne veuillent pas comprendre. La solution de l'Algérie algérienne repose sur eux. C'est leur chance que je leur offre. S'ils refusent de la jouer, bien sûr tout sera perdu, mais ils préfèrent suivre ceux qui, en Algérie et en métropole, se servent d'eux, pour qui l'Algérie n'est pas le but mais le moyen de faire une certaine politique. C'est pour beaucoup la revanche du pétainisme, et la cause de l'Algérie en souffre...

Il regarde Laffont, qui suggère qu'il faut alors expliquer que ces solutions ont été imposées par les circonstances, l'état du monde.

– Apprenez, reprend de Gaulle, qu'un homme d'État ne dit jamais que les solutions lui ont été imposées... Les solutions, on les choisit, on les décide, on ne vous les impose pas.

Il lit une lettre dans laquelle Michel Debré parle du « trouble des esprits »... provoqué par l'expression « République algérienne », etc.

Il prend la plume. Il écrit à même la lettre :

« Ouais ! Il faut accomplir la décolonisation ! J'en ai la responsa-

310

bilité. Il n'est donc que de me suivre... Si on ne fait pas ce que je tiens pour nécessaire, tout s'effondrera bientôt : l'unité nationale, la considération internationale et naturellement toute possibilité française en Afrique... Jamais il n'a été plus évident que le *wishful thinking* [1] serait la pire des politiques.

« Et la nécessité d'avoir deux cent mille musulmans algériens tués depuis six ans, et encore cinq cents chaque quinzaine, n'est-ce pas aussi un " trouble " ? »

Voici maintenant le dernier acte avant le référendum. Il veut se rendre en Algérie. Il faut affronter les conséquences des mots qu'on lance, des décisions que l'on prend. Les attentats contre lui ? L'action d'un homme désespéré se mêlant à la foule pour le tuer ? Soit. Il en prend le risque. Il doit rencontrer les officiers, car il faut empêcher que l'armée ne bascule du côté des quelques-uns qui, de Gaulle en est sûr, tenteront de s'opposer par tous les moyens à sa politique.

Il entend autour de la mairie d'Aïn Temouchent, en Oranie, où il vient d'arriver ce 9 décembre 1960, les premiers cris hostiles : « De Gaulle au poteau ! Algérie française ! »

Il aperçoit les banderoles qui portent les mêmes slogans et que brandissent des Algériens encadrés par des pieds-noirs. Il voit ses gardes du corps – Paul Comiti, Raymond Sassia – tendus, inquiets. Foccart, avant le départ, lui a demandé de ne pas aller trop loin dans la foule. « Fichez-moi la paix », a-t-il répondu.

Il marche vers la foule hostile : « Bonjour, messieurs », lance-t-il en souriant.

Croient-ils, ces braillards, intimider de Gaulle ? Il se souvient de ces longs trajets dans les tranchées, quand il avançait sans baisser la tête. Croit-on qu'on va le faire plier, reculer ?

Et, tout à coup, les musulmans abandonnent les banderoles, se précipitent, crient : « Vive de Gaulle ! Vive l'Algérie algérienne ! »

Il serre des mains, puis c'est le départ pour Tlemcen, Cherchell, Tizi Ouzou, Bougie. Il s'adresse aux officiers, aux manifestants : « Les cris, les clameurs, cela ne signifie rien. L'évidence, la

---

1. Prendre ses désirs pour des réalités.

clarté, le bon sens, voilà à quoi nous devons nous attacher, et non pas à des slogans et à des formules qui sont périmées. »

Dans la nuit, il entend, depuis sa chambre de la préfecture de Bougie, l'éclatement des grenades. Les deux communautés s'affrontent, cependant que les CRS tentent de les séparer.

Au matin, il apprend qu'à Alger, ce 11 décembre, les manifestants musulmans ont déferlé, brandissant des drapeaux algériens. Des unités de parachutistes, pour protéger les Européens qui s'en étaient pris jusqu'alors aux forces de l'ordre, ont ouvert le feu. Il y a des dizaines de morts et de blessés musulmans. Des pieds-noirs ont été égorgés.

Il faut négocier vite avec le FLN, et on aboutira par l'auto-détermination à l'indépendance.

« Le voyage m'a permis de prendre l'exacte mesure des choses », dit-il à son retour.

Il voit les mines inquiètes des ministres venus l'accueillir.

« La masse musulmane est convaincue qu'elle a droit à l'indépendance et qu'elle l'obtiendra tôt ou tard, poursuit-il. Les Européens sont résolus pour la plupart à la lui refuser à tout prix. Le risque va donc croissant de voir les attentats et la révolte changer de sens. »

Ces manifestations du 11 décembre 1960, à Alger, « sont le 13 mai des musulmans ».

« Cahin-caha, on va vers la solution », conclut-il.

Il serre les dents, dit d'une voix dure :

« Certes, c'est l'Algérie qui a besoin de la France et pas le contraire. Mais, s'ils veulent la sécession, que le diable les emporte ! »

Il va présenter cette politique aux Français afin qu'ils se prononcent par référendum. Car, sans l'accord du peuple, rien n'est possible.

Il faut convaincre, entraîner une nouvelle fois. Il va parler, le 20 et le 31 décembre, puis le 6 janvier, deux jours avant le vote.

Que les Salan, les Bidault, les Juin, les Soustelle, les Lagaillarde, les Susini, les communistes, la CGT, les socialistes de gauche du PSU et une partie des radicaux, des indépendants, des généraux appellent ensemble à voter non !

Il va leur répondre.

« Je demande donc un oui franc et massif aux Françaises et aux Français. » La France doit prendre une décision « conforme à son génie... qui est de libérer les autres quand le moment est venu ».

Et il faut que les Français comprennent qu'il « dépend du vote national que je poursuive ou non ma tâche ».

« Françaises, Français, vous le savez, c'est à moi que vous allez répondre. Depuis plus de vingt années, les événements ont voulu que je serve de guide au pays dans les crises graves que nous avons vécues... Comme la partie est vraiment dure, il me faut pour la mener à bien une adhésion nationale, autrement dit une majorité qui soit en proportion de l'enjeu. »

Il s'interrompt quelques secondes.

« Mais aussi, j'ai besoin, oui, j'ai besoin ! de savoir ce qu'il en est dans les esprits et dans les cœurs. C'est pourquoi je me tourne vers vous par-dessus tous les intermédiaires. En vérité – qui ne le sait ? – l'affaire est entre chacune de vous, chacun de vous et moi-même... »

Il convoque le commandant Flohic. C'est le samedi 7 janvier 1961. Demain, le peuple s'exprimera.

Il va et vient d'un pas lent dans son bureau. Demain, dit-il, messe à 11 heures, vote à midi moins le quart à la mairie de Colombey, comptabilisation des votes tard dans la nuit. L'aide de camp dormira à la Boisserie.

– Si le résultat est correct, murmure-t-il, ce que je pense, je rentrerai à Paris dans l'après-midi, sinon je resterai à Colombey.

Dimanche 8 janvier. Il n'a aucune impatience. Il marche en compagnie de Flohic dans la forêt des Dhuys. Il frappe du bout de sa canne le fût d'un grand chêne.

« Il a au moins deux cents ans », murmure-t-il.

Si brève, la vie. Il vient d'entrer dans sa soixante et onzième année. Il pense à sa sœur Marie-Agnès, survivante comme lui.

« 1960 nous aura été bien cruelle, lui a-t-il écrit, puisqu'elle a vu partir notre pauvre et cher Pierre. » Il a senti, en l'église Saint-François-Xavier, il y a quelques jours, lors de la messe dite à la mémoire de Pierre, « à quel point les pensées et les prières » de sa sœur ressemblaient aux siennes. Union des cœurs. Union des mémoires. Fusion avec le passé familial par-delà les années. Toutes ces émotions, ces sentiments si nobles, si profonds, si on les compare aux agitations, aux combats de la vie publique.

Mais ce sont celles qu'il subit et ceux qu'il mène.

Il quitte à pas lents la forêt des Dhuys.

– Si je n'ai pas la majorité, je resterai à Colombey, dit-il, et je me remettrai à fumer, car alors cela n'aura plus d'importance.

Il hausse les épaules.

– D'ailleurs, selon Nietzsche, rien n'a d'importance.

C'est un oui « franc et massif » ! En métropole, près de 76 % de oui – 55,9 % des inscrits –, 18,4 % de non et 25,69 % d'abstentions. Et en Algérie, il y a 69,51 % de oui.

Le peuple l'a approuvé. Il faut donc continuer, rentrer à l'Élysée.

Il est assis en face de Flohic quelques instants avant le départ de la Boisserie, le lundi 9 janvier. Il boit lentement le café brûlant.

– Si je n'avais pas eu la majorité, je serais resté ici, murmure-t-il. Vous seriez rentré à Paris. J'aurais coupé le téléphone et rien ni personne n'aurait pu m'atteindre. Alors, les Russes, les Américains, les Anglais se seraient excités, mais rien n'aurait pu faire que je revienne sur ma décision.

Il se lève. Allons. Il doit recevoir à 16 heures Michel Debré qui viendra présenter les résultats du référendum.

Les choses sont claires. « Le peuple français, offrant la liberté à sa conquête, accorde aux Algériens le droit de disposer de leur sort. Or, il est certain qu'ils choisiront l'indépendance. »

Mais, il en a l'intuition : maintenant vont venir les jours les plus difficiles. L'issue est en vue, mais tous ceux qui la refusent vont se cabrer, combattre, tout tenter.

Quelques jours plus tard, dans le dossier *Algérie* qui domine la pile de tous les autres, il lit qu'un jeune avocat d'Alger, Me Popie, qui à plusieurs reprises a servi d'intermédiaire à Georges Pompidou lors de ses recherches de contacts avec les Algériens, a été assassiné par deux jeunes gens de huit coups de poignard. Dont l'un au cœur.

Mᵉ Popie était de ces pieds-noirs qui veulent que naisse une Algérie nouvelle. Un « libéral » courageux.

De Gaulle se lève. C'est un avertissement. Le temps des tueurs commence.

Septième partie

Janvier 1961 – 14 avril 1962

On ne saura jamais ce que j'ai souffert à l'occasion de ce drame algérien.

Charles de Gaulle à Alain de Boissieu.

26.

De Gaulle s'arrête à la lisière du parc de la Boisserie. Il distingue, à l'extrémitié des champs, dans la lumière glacée de janvier, les silhouettes des gendarmes qui, depuis quelques jours, ont pris position autour de la maison. Il a un mouvement de colère. Il se met à marcher à grands pas, remontant vers la Boisserie. Il ne veut pas d'une protection rapprochée, visible, ici. Il veut garder l'illusion, oui, l'illusion, qu'il y a un lieu, sa demeure, où il échappe à la pression de sa fonction. Quant aux risques... Il hausse les épaules. C'est vrai que les rapports signalent la multiplication d'attentats dans les villes d'Algérie. À Oran, on a vu apparaître les tracts signés OAS, *Organisation armée secrète*. Et sur le corps des hommes poignardés, musulmans ou « pieds-noirs » libéraux, cette inscription : *L'OAS frappe où elle veut et quand elle le veut.*

Bien sûr, ils ont décidé de le tuer.

Il s'arrête sur le seuil de la maison. La vie est un combat, et il a toujours accepté d'en prendre les risques. Il secoue la tête. Ils n'ont même pas été capables de l'abattre il y un mois, en décembre, à Aïn Temouchent ou à Bougie ! Et pourtant, les conditions étaient réunies. D'ailleurs, des renseignements font état des regrets, des reproches des activistes plus extrémistes, qui déplorent qu'on ait laissé passer cette occasion d'en finir avec de Gaulle. Les services de police soupçonnent le groupe des exilés en Espagne, Salan, Lagaillarde, Ortiz, Susini, d'être en relation avec les colonels activistes qu'on a mutés hors d'Algérie après les journées des barricades mais qui, avec la tolérance de leur hiérarchie, continuent de comploter. Argoud, Broizat, Gardes, Godard : ces officiers ne sont qu'une poignée, pourtant ils disposent de complicités, et surtout ils bénéficient de la passivité de leurs pairs.

Il hésite à rentrer dans son bureau. Il va encore faire un tour du parc.

Il les imagine si facilement, ces officiers prudents, attentistes, et ces quelques généraux dont on dit que les colonels essaient de les faire basculer : Massu, Challe. Ce dernier, pour manifester son opposition à la politique algérienne, a demandé sa mise à la retraite. Jouhaud, un général d'aviation d'origine pied-noir, s'est installé à Alger. Quant à Salan, son choix est déjà fait.

Il s'arrête devant l'un de ces grands sapins que la maladie a rongés et qu'il faudra abattre. Il donne un coup de canne sur les plus basses branches. Elles se brisent net, âmes mortes. Il regarde autour de lui. Sur toute l'étendue du parc, les arbres sont à élaguer. Il faut reconstituer les plantations. C'est ainsi. Le mouvement de la vie.

Il retourne sur ses pas, entre dans la maison. Yvonne de Gaulle coud dans le salon-bibliothèque.

– L'avenue est à reconstituer, dit-il, en vue de l'avenir. Bref, on va s'y mettre, il faut donner à ce parc une nouvelle vie.

Ses petits-fils, Charles, Yves, Jean, et Anne, la fille d'Élisabeth et Alain de Boissieu, ce sont eux, la « nouvelle vie ». Il pense à Philippe, qui doit avoir appareillé à bord d'un escorteur d'escadre, le *Picard*, dont il vient de prendre le commandement et qui entreprend une longue croisière dans l'Atlantique. L'avenir.

Il s'installe dans son bureau, parcourt les lettres qu'il doit signer et que l'aide de camp a déposées avec plusieurs dossiers.

« À notre âge, je ne sais ce que l'avenir peut encore réserver, à vous et à moi », a-t-il écrit à Eisenhower, qui quitte ses fonctions.

Le candidat républicain à la présidence, Richard Nixon, a été battu par un homme jeune, Kennedy.

Il se souvient de toutes ces rencontres avec Eisenhower. Il ajoute une ligne :

« Le destin nous mit en contact l'un avec l'autre à une époque où nous prenions la charge de responsabilités... »

Ce temps est révolu. Eisenhower, né comme lui en 1890, s'efface. Roosevelt et Staline sont morts depuis tant d'années déjà. Churchill est une « lumière qui s'éteint ».

Sur la scène publique, il est aussi un survivant.

Combien de temps encore pour agir ? Combien d'années à vivre ?

Il regarde, au coin de sa table, ce livre que lui a adressé Jean Guéhenno, *Changer la vie*.

Il secoue la tête. Illusion : « Car si la vie change, l'homme change-t-il au fond, quoi qu'il lui arrive ? Et au surplus, en fin de compte, chacun est-il, quel qu'il soit, d'une nature différente à celle des autres ? »

C'est l'action qui sépare les hommes, non ce qu'ils sont, tous créatures de Dieu, tous semblables devant Lui.

Mais les uns poignardent et les autres tombent sous leurs coups.

Il se lève.

La tâche n'est pas finie, peut-être même, malgré les résultats du référendum, n'a-t-elle jamais été aussi difficile à accomplir.

Il envoie Georges Pompidou à Lucerne, puis à Neuchâtel pour rencontrer des émissaires du GPRA. Le FLN veut bien négocier, mais il veut aussi que l'Algérie tombe entièrement entre ses mains, et il suffit que Louis Joxe évoque l'idée d'une rencontre avec d'autres Algériens nationalistes, ceux du Mouvement national algérien, le MNA de Messali Hadj, dont les militants sont traqués, assassinés par ceux du FLN, pour que le GPRA revienne sur la décision qu'il avait annoncée d'engager officiellement des négociations à Évian, le 7 avril.

Dérobade. Comment ne voient-ils pas qu'il faut aller vite ?

Il reçoit le ministre des Affaires étrangères de Tunisie, Masmoudi, puis le président Bourguiba. Il observe le « Combattant suprême », « ce lutteur, ce politique, ce chef d'État dont l'envergure et l'ambition dépassent la dimension de son pays ». Mais, dans ce salon du château de Rambouillet, Bourguiba réclame une part du Sahara, du pactole pétrolier. De Gaulle secoue la tête. Pas question de démembrer le territoire de la future Algérie souveraine.

Car elle le sera. La France est désormais décidée à fermer cette « boîte à chagrin » qu'est l'Algérie. Le peuple a voté. Les décisions politiques sont prises.

De Gaulle se penche vers Masmoudi.

– Et dites-vous bien, monsieur le Ministre, que ce ne sera pas la colonie française d'Algérie, ce ne sont pas les intérêts des Français d'Algérie qui arrêteront le général de Gaulle. Je les ferai rapatrier, les Français d'Algérie !

Il est seul dans son bureau.

Presque chaque jour, en ce printemps 1961, des attentats secouent les différents quartiers de Paris. L'OAS frappe, menace les enfants, les familles des personnalités qu'elle considère comme des ennemis. Alain de Boissieu et les siens, Anne, Élisabeth doivent être protégés, comme les ministres qui reçoivent à leur domicile des colis piégés.

Et le 31 mars, le maire d'Évian, Camille Blanc, est tué par une explosion, simplement parce que sa ville a été choisie pour siège des négociations avec le GPRA !

Colère. Douleur.

Il pense à ces pieds-noirs entraînés par une poignée d'extrémistes dans un gouffre de violence. Bien sûr, qu'il les comprend ! L'histoire et la raison d'État sont des machines implacables, et c'est à lui de les mettre en route. Mais comment ne souffrirait-il pas, lui qui, au temps de Fachoda, si loin, ce temps, vivait l'abandon comme une blessure personnelle ?

Il reçoit Alain de Boissieu. Il murmure :

« On ne saura jamais ce que j'ai souffert à l'occasion de ce drame algérien. »

Une phrase de Nietzsche, si souvent lue, lui revient en mémoire : « L'amplitude des contradictions à l'intérieur d'une pensée constitue un critère de grandeur. »

Point le temps de s'attarder avec complaisance à ce qu'on éprouve. Il faut agir vite.

Il n'est pas question que la France se laisse ainsi engloutir par son passé. L'avenir est ailleurs.

Les grands sapins du parc de la Boisserie sont morts. Il faut élaguer. Replanter. Aller vers une nouvelle vie.

Un Russe, Gagarine, tourne depuis quelques jours dans l'espace autour de la Terre ! Kennedy écrit, évoque la question indochinoise, sollicite le point de vue de la France. Adenauer vient à Paris. Voilà la nouvelle vie pour la France. L'Europe, le monde. Le temps des Empires coloniaux est fini.

Il le dit à Adenauer. Il charge Christian Fouchet de présider une commission pour avancer dans la construction d'une Europe politique.

« Je suis plus que jamais convaincu, répète-t-il à Adenauer, que c'est la coopération étroite de la France et de l'Allemagne qui importe par-dessus tout... Laissez-moi vous dire une fois de plus ma conviction qu'il s'agit, pour nous deux, de faire en sorte que l'Allemagne et la France unissent désormais leur puissance à mesure qu'elles la recouvrent. »

Et pour la France, la puissance, cela signifie se dégager de l'affaire algérienne.

Mais rien n'est joué. Il le sent bien. Les complicités au sein de l'armée sont plus profondes encore qu'il ne le pensait.

Il frappe du poing, froisse la dépêche qu'on vient de lui apporter.

« Verdict d'indulgence scandaleuse ! » lance-t-il.

Le tribunal militaire vient en effet – le 2 mars – de prononcer treize acquittements pour les insurgés des barricades. Seul Ortiz est condamné à mort par contumace ! Aux yeux des juges militaires, les quatorze gendarmes tués et les cent trente-cinq blessés pris sous un feu de fusils-mitrailleurs des insurjés comptent peu ! Et ces gendarmes avançaient la crosse du fusil en avant pour bien montrer qu'ils ne songeaient pas à se servir de leurs armes !

Comment s'étonner dans ces conditions que l'OAS semble agir à sa guise ? Et que des hommes politiques – Soustelle, Bidault – légitiment en fait ces actions en déclarant : « C'est nous qui servons la loi, c'est le pouvoir qui l'enfreint ! » Comment ne se rendent-ils pas compte qu'ils sabordent ainsi les chances d'une Algérie indépendante mais associée à la France ?

Que veulent-ils ? Un bain de sang ? Ils sont étrangement les alliés des hommes du FLN, qui, eux aussi, veulent en finir avec la présence française en Algérie. Tout ou rien, disent en fait les extrémistes de l'OAS, servant ainsi les desseins du GPRA, qui est persuadé d'avoir un jour *tout*.

C'est le début du mois d'avril 1961. Il sent que « le vent mauvais va se lever sans rémission ».

Il faut donc parler. Qu'il ne demeure aucune zone d'ombre, que chacun, avant l'orage, soit placé devant des choix clairs.

Il entre, le 11 avril, dans la grande salle des fêtes de l'Élysée. Jamais les journalistes n'ont été aussi nombreux. Il doit les surprendre par sa netteté.

Il s'assied. Ses mains jouent avec ses lunettes. Il écoute les questions, puis commence :

– Si vous le voulez bien, nous allons aborder tout de suite, car tout le monde l'attend, ce qui est l'affaire algérienne...

Il s'arrête. C'est maintenant.

– Dans le monde actuel et à l'époque où nous sommes, la France, n'a aucun intérêt à maintenir sous sa loi et sous sa dépendance une Algérie qui choisirait un autre destin... C'est qu'en effet l'Algérie nous coûte, c'est le moins qu'on puisse dire, plus cher qu'elle nous rapporte...

Est-ce clair ?

– De même, il faut songer que les responsabilités que la France porte actuellement en Algérie constituent pour elle des hypothèques militaires et diplomatiques. Et c'est pourquoi aujourd'hui la France considérerait avec le plus grand sang-froid une solution telle que l'Algérie cessât d'appartenir à son domaine, solution qui en d'autres temps aurait pu paraître désastreuse pour nous et qu'encore une fois nous considérons actuellement d'un cœur parfaitement tranquille...

Il mesure à la densité du silence le choc qu'ont produit les mots qu'il vient de prononcer. Mais il faut que, maintenant, les choses soient dites sans apprêt. Il va leur rappeler que, depuis près de vingt ans, il ne cesse de répéter qu'il faut donner aux peuples le droit de disposer d'eux-mêmes.

– En somme, qu'est-ce que cela ? La décolonisation... elle est notre intérêt et par conséquent notre politique. Pourquoi resterions-nous accrochés à des dominations coûteuses, sanglantes et sans issue alors que notre pays est à renouveler de fond en comble ?

Et si les États-Unis ou l'Union soviétique essayaient de prendre la place de la France... Il lève les bras :

– Je réponds qu'à toutes deux, je souhaite d'avance bien du plaisir !

Des murmures, comme un frisson, parcourent l'assistance.

– On peut s'étonner, reprend-il, que les dirigeants de la rébellion n'aient pas cru jusqu'à présent devoir se rendre aux invitations qui leur étaient adressées...

Encore quelques questions : ONU – pas d'argent pour des opérations de cette « organisation ou désorganisation ». Arme atomique : « Tant que d'autres auront les moyens d'anéantir la France, il faudra qu'elle ait les moyens de se défendre ! »

Et cette interrogation, sur le mode d'élection du président de la République : quelques milliers de notables ou le peuple tout entier ?

Il a un moment d'hésitation, puis, lentement, il dit qu'on pourrait « renforcer l'équation personnelle du futur président... Il faudrait qu'il soit élu au suffrage universel... Si moi-même j'en ai le temps et la possibilité, je pourrai, au moment voulu, mettre à l'ordre du jour ce point fort important pour l'avenir de la France »...

Quelques minutes encore, puis il se lève.

– Voilà ce que je voulais dire... et j'ai l'honneur de vous saluer.

Et maintenant, battre le fer. Parler dans une quarantaine de villes, de Mont-de-Marsan à Montauban, de Castelsarrasin à Libourne, de Bordeaux à Périgueux. Il faudrait qu'il puisse personnellement parler à chaque Français, faire partager sa conviction, sa foi.

« La France est le pays humain par excellence, dit-il. Le monde se transforme, il est un immense chaudron... L'essentiel pour la terre, devenue toute petite aujourd'hui, c'est la fraternité de tous ceux qui l'habitent... Ce que nous pouvons faire pour les aider, nous voulons le faire. (Et il ajoute, parlant de l'Algérie :) Quand on écrira plus tard l'histoire, on reconnaîtra que c'était inévitable... (Il a un mouvement d'hésitation :) Ou à peu près. »

On l'acclame. Il s'avance vers la foule qui tend les mains. C'est toujours la même affection, la même adhésion. Et il en est ainsi dans chacune des villes tout au long de ce voyage de quatre jours.

Et puis, parfois, au fond des places, une banderole, celle des cheminots et des fonctionnaires en grève.

Presque rien, même pas un cri, mais cette présence, comme un avertissement.

Il a, le soir, dans ces chambres de préfecture où souvent les préfets poussent l'attention jusqu'à laisser des livres récemment parus sur la table, un sentiment d'accablement. Peut-être la fatigue.

Il est pourtant plus résolu que jamais. Le peuple est là qui le soutient. Mais pour quelles fins ? Sans doute pour régler l'affaire d'Algérie, et puis après ? Quand de Gaulle aura rempli sa tâche, écarté les dangers, pris en charge les décisions difficiles, et assumé devant l'histoire cette responsabilité, que restera-t-il des enthousiasmes ?

Peut-être alors n'entendra-t-on plus que les cris des porteurs de banderoles, 1946, avec ses aigreurs, est venu si vite après l'août 1944 !

Il se sent sans illusions.

« Car, si la vie change, l'homme change-t-il au fond ? »

Il rentre à Paris.

C'est le 21 avril 1961. Il s'assied aux côtés du président du Sénégal, Léopold Sédar Senghor, dans la loge présidentielle, à la Comédie-Française.

Le rideau se lève sur le premier acte de *Britannicus*.

Il ferme à demi les yeux. Il écoute Agrippine dire à Albine :

> *De quel nom cependant pouvons-nous appeler*
> *L'attentat que le jour vient de nous révéler.*

27.

De Gaulle jette un coup d'œil à la pendulette placée sur le bureau de l'Élysée. Il est 4 h 45, ce samedi 22 avril 1961. Il a passé une robe de chambre. Il s'assied. Tout est silencieux. Il lit les premières dépêches, puis il lève la tête, regarde vers ces hautes fenêtres qui ouvrent sur le parc plongé dans la nuit.

C'est donc aujourd'hui que se produit l'épreuve qu'il imaginait, dont il espérait pourtant qu'elle n'aurait pas lieu.

Il fait entrer Roger Frey, qui vient de remplacer au ministère de l'Intérieur Pierre Chatenet, malade. Tout à coup, il se souvient des vers de Racine entendus il y a quelques heures seulement.

> *De quel nom cependant pouvons-nous appeler*
> *L'attentat que le jour vient de nous révéler.*

Putsch ? Pronunciamiento ? Il a une moue de mépris. Ces généraux Challe, Zeller, Jouhaud, qui viennent de s'emparer du pouvoir à Alger grâce à l'appui du 1er régiment étranger de parachutistes, ne se comportent pas comme des officiers français.

Putsch, pronunciamiento : ce sont des mots étrangers qui conviennent pour définir l'action de ces mutins, qui brisent l'armée en appelant les unités à leur obéir, qui menacent l'unité de la nation, en séparant l'armée du peuple et du gouvernement qu'elle doit servir. Qui contestent une politique approuvée à une immense majorité par ce peuple. Et qui se comportent comme des imbéciles aveugles qui ne connaissent rien à l'état du monde, à ce que doit faire la

France si elle veut continuer à jouer un rôle à la mesure de son histoire.

Il se sent envahi par une immense colère, mêlée de mépris et de dégoût.

Il fait un signe à Roger Frey afin qu'il continue de faire son rapport.

Le général Gambiez, commandant en chef en Algérie, le ministre Robert Buron en visite à Alger, ont été pris par les mutins. Les ministres des Affaires étrangères et des Armées, Couve de Murville et Pierre Messmer, sont à Rabat en visite officielle pour présider au transfert des cendres de Lyautey.

Le ministère de l'Intérieur a été averti du « coup d'Alger » à 2 heures du matin. Des souricières ont été installées dans les appartements d'activistes parisiens. Elles ont déjà permis d'arrêter plusieurs officiers. Il semble bien qu'il existe une ramification métropolitaine au soulèvement des généraux d'Alger. On peut craindre un atterrissage de troupes parachutistes sur les aérodromes militaires. La complicité de certains éléments de l'armée de l'air, à laquelle les généraux Challe et Jouhaud appartiennent, est probable. On attend à Alger la venue du général Salan et des éléments qui se sont réfugiés en Espagne depuis la semaine des barricades.

De Gaulle se lève. Il brisera ce complot. Il en est sûr. Mais à quel prix pour la France, pour l'armée, pour la population européenne d'Algérie, pour la négociation avec le FLN, et pour la réputation de la nation ? Mais est-ce qu'ils s'en soucient, ces généraux mutins ? Jouhaud, un pied-noir, c'est sa seule excuse, était l'un de ces officiers hostiles à la constitution d'une force de frappe autonome, parce qu'il était favorable à l'intégration de l'armée française dans l'OTAN sous commandement américain. Challe est un bon professionnel, qui estime avoir été frustré de sa victoire sur le terrain. Salan est dévoré d'ambition. Zeller ? De Gaulle hausse les épaules. Certes, il y a des officiers parmi les meilleurs qui peuvent se laisser prendre par l'illusion d'un combat pour l'honneur et pour la défense de la nation.

Il se rassied, parcourt une nouvelle fois la proclamation du général Challe :

« Le serment de l'armée de garder l'Algérie pour que nos morts ne soient pas morts pour rien. Un gouvernement d'abandon... Le commandement réserve ses droits pour étendre son action à la métropole et reconstituer un ordre constitutionnel et républicain gravement compromis par un gouvernement dont l'illégalité éclate aux yeux de la nation. »

Il repousse la dépêche.

Il y a les généraux (qui prêtent leurs noms) et, derrière eux, ces colonels Argoud, Gardes, Lacheroy, Broizat, Godard, qui depuis des mois complotent, bénéficient de la bienveillance complice de leurs camarades, et qui sont le véritable ressort de ce putsch, avec à leurs côtés ce grouillement des extrémistes d'Alger appuyé sur les angoisses de la population pied-noir.

Le mal qu'ils peuvent provoquer est immense, mais ils n'ont aucune chance de vaincre. Les soldats du contingent ne les suivront pas. Le pays se redressera. Il suffit donc de tenir fermement la barre.

Il veut voir immédiatement Louis Joxe, ministre des Affaires algériennes, ainsi que le général Olié, chef d'état-major de l'armée. Qu'ils se rendent en Algérie aussitôt pour y manifester la volonté du gouvernement.

Il est 7 h 45. Les deux hommes sont devant lui. Ils peuvent évidemment se faire arrêter, abattre. Ils ignorent tout de la fidélité des unités qui contrôlent les aéroports où ils peuvent atterrir.

Mais l'État, le gouvernement légitime doivent être présents.

– Au revoir, Joxe, dit seulement de Gaulle.

Il faut voir le Premier ministre à 9 heures, il faut être tenu informé minute par minute du développement des événements.

Il s'habille lentement alors que le jour peu à peu dévoile le parc. Il se remémore une phrase de la proclamation de Challe : « Voulez-vous que Mers el-Kébir et Alger soient demain des bases soviétiques ? » Et il pense à Philippe, dont le navire a dû précisément relâcher, aujourd'hui, à Mers el-Kébir. Il faut avertir le chef d'état-major de la marine, l'amiral Cabanier. Mais il connaît Philippe, qui ne voudra pas quitter Mers el-Kébir tant que la mutinerie ne sera pas réduite.

Il rentre dans son bureau. Il voit quelques minutes l'amiral Cabanier, dicte une lettre de confirmation à son intention :

« Cher Amiral,

« Dans les circonstances actuelles, il y aurait un inconvénient grave à ce que mon fils, le capitaine de corvette de Gaulle, tombe à la discrétion des mutins.

« Je vous demande donc de prendre les dispositions voulues pour qu'une telle éventualité soit exclue.

« En particulier, la situation à Mers el-Kébir étant rien moins qu'assurée, il y a lieu de donner les ordres voulus pour qu'en aucun cas mon fils ne débarque, dès lors que le *Picard* est au port. »

Il consulte les dépêches. Il écoute ses aides de camp qui suivent les évolutions des différentes armes auxquelles ils appartiennent. Il les sent inquiets. Il devine, à ces mouvements dans les couloirs, que des commandos s'installent dans l'Élysée pour faire face à une attaque éventuelle. Il apprend que, sur les bases aériennes, les pistes n'ont pas été obstruées, contrairement aux ordres donnés, et qu'en Algérie, pour un général Fourquet, qui commande l'aviation et qui survole tout le pays en rase-mottes avec son appareil marqué de la croix de Lorraine, bien des officiers hésitent. Et dans les états-majors parisiens, c'est le même attentisme, sinon la même sympathie qui règne.

Mais, alors qu'à 17 heures s'ouvre le Conseil des ministres, il ne ressent toujours aucune incertitude quant à l'issue de ce mouvement de mutinerie, irresponsable.

– Ce qui est grave en cette affaire, messieurs, commence-t-il, c'est qu'elle n'est pas sérieuse.

Il sent peser sur lui les regards de tous les ministres. S'il montrait le moindre signe de défaillance, tout l'édifice s'effondrerait. Il est la clé de voûte de toute la nation et, à cet instant, de toute l'histoire de ce pays. Qu'il cède, et ce serait peut-être la guerre civile, une longue période obscure de troubles et d'abaissement pour la France.

Il donne ses directives : dimanche 23 avril, à partir de 0 heure, entrée en vigueur de l'article 16 de la Constitution, qui confère au président les plus vastes pouvoirs. Il consultera à cet effet, conformément à la Constitution, les présidents des Assemblées et le Conseil constitutionnel.

Il écoute ceux qui le pressent d'intervenir directement à la radio et à la télévision. Il reste impassible. Que le Premier ministre parle en fin de journée.

Il reçoit Chaban-Delmas, Georges Pompidou. Les mutins paraissent gagner du terrain en Algérie. À Paris, les communistes viennent de publier une édition spéciale de *L'Humanité*, dénonçant les « factieux » d'Alger mais aussi « le pouvoir gaulliste prisonnier de ses origines ».

De Gaulle hausse les épaules. Qui peut croire les communistes ? Qui peut entendre leur protestation « républicaine » devant le recours à l'article 16, qui serait une menace pour la démocratie ?

« Comment voulez-vous qu'on les prenne au sérieux ! Les Français ne sont pas assez naïfs pour s'inquiéter des soucis de môssieu Waldeck-Rochet, en ce qui concerne le pouvoir personnel. Ils savent bien que j'ai justement toujours fait ce qu'il fallait pour rendre toute dictature impossible... d'où qu'elle vienne, et c'est même ce qui ennuie les communistes ! »

Il secoue la tête. Il ne parlera pas aujourd'hui. Il faut laisser la situation mûrir, pourrir même, et ne crever l'abcès qu'au moment opportun. Il ne doit en aucune façon se laisser influencer par les uns ou les autres. Il faut garder son calme, se tenir à distance, se servir du verbe pour briser ce climat d'inquiétude qui oppresse, il le sent, la plupart de ses collaborateurs.

– Ce sont des militaires, dit-il. Ils vont s'empêtrer.

Il les connaît : ils sont si médiocres.

– Fidel Castro serait déjà là. Mais ce pauvre Challe n'est pas Fidel Castro.

Il faut encore gagner du temps, répète-t-il ce dimanche 23 avril 1961.

On apporte le texte d'une allocution de Challe diffusée par Radio France : « Hier, nous n'étions rien, le général Olié faisait son inspection. Aujourd'hui, nous sommes la plus grande partie de l'Algérie avec tous ses aérodromes, y compris Telergma et Constantine. Le général Olié est en fuite. »

Est-ce le moment de parler ?

De Gaulle hésite, marche dans le bureau, s'arrête devant les fenêtres, regarde le parc. C'est déjà la fin de la matinée. Les dépêches ne donnent qu'une idée confuse de la situation. À 12 h 15, le général Olié demande à être reçu. Il explique. Il a réussi, en compagnie de Louis Joxe, à quitter avec la caravelle ministérielle l'aéroport de Telergma, sans doute pris par les hommes de la 10ᵉ division parachutiste. Il a atterri à Bône, que commande le général Ailleret, un fidèle mais isolé. Le général Gouraud, à Constantine, hésite, la pression est telle qu'il va sans doute se rallier à Challe. Le général Salan et Jean-Jacques Susini sont arrivés à Alger.

De Gaulle veut rester seul.

C'est aujourd'hui qu'il faut parler. Il sent que ce dimanche 23 avril est le jour clé. Ou bien il réussit, par son intervention, à briser l'extension du putsch, à empêcher un débarquement en métropole, et dès lors la partie est gagnée, ou bien les mots sont impuissants et le putsch ira jusqu'à ses ultimes conséquences, une guerre civile, perdue par ceux qui l'auront déclenchée, mais qui compromettra l'avenir du pays.

Il s'assied. Il commence à écrire.

Il revêt lentement son uniforme, puis il entre dans le salon de musique de l'Élysée. Il est 19 heures. Il va enregistrer son intervention. C'est de lui que tout dépend. Le discours sera retransmis par Radio-Monte-Carlo, qui est écoutée sur les transistors dans toutes les unités de l'armée d'Algérie. Il faut que chaque officier, chaque soldat sache que les seuls ordres auxquels il faut obéir sont ceux donnés par le général de Gaulle, porteur de la légitimité du pays.

Il est une nouvelle fois la voix de la France.

Il serre les poings.

Il commence :

« Un pouvoir insurrectionnel s'est établi en Algérie par un pronunciamiento militaire. »

Voilà ce qu'ils sont. Voilà à quoi ils rabaissent la France.

« Ces coupables de l'usurpation ont exploité la passion des cadres de certaines unités spécialisées, l'adhésion enflammée d'une partie de la population européenne qu'égarent les craintes et les mythes, l'impuissance des responsables submergés par la conjuration militaire.

« Ce pouvoir a une apparence : un quarteron de généraux en retraite. Il a une réalité : un groupe d'officiers, partisans, ambitieux et fanatiques. Ce groupe et ce quarteron possèdent un savoir-faire expéditif et limité. Mais ils ne voient et ne comprennent la nation et le monde que déformés au travers de leur frénésie. Leur entreprise conduit tout droit à un désastre national... »

Il a les poings serrés, légèrement soulevés au-dessus de la table, de part et d'autre du micro. Il sent comme jamais la colère, la rage même, l'habiter et le porter, tant la bêtise et l'aveuglement de ces généraux et colonels, de ce quarteron et de ce groupe de fanatiques, sont évidents, tant les conséquences de leur action sont claires.

« Voici l'État bafoué, la nation défiée, notre puissance ébranlée, notre prestige international abaissé, notre place et notre rôle en Afrique compromis. Et par qui ? Hélas ! hélas ! hélas ! par des hommes dont c'est le devoir, l'honneur, la raison d'être de servir et d'obéir. »

Contre ces gens-là, pas d'hésitation et, pour l'heure, pas de pitié.

« Au nom de la France, j'ordonne que tous les moyens, je dis tous les moyens, soient employés pour barrer la route à ces hommes-là, en attendant de les réduire. J'interdis à tout Français, et d'abord à tout soldat, d'exécuter aucun de leurs ordres... L'avenir des usurpateurs ne doit être que celui que leur destine la rigueur des lois.

« Devant le malheur qui plane sur la patrie et la menace qui pèse sur la République... j'ai décidé de mettre en œuvre l'article 16 de notre Constitution... Par là même, je m'affirme, pour aujourd'hui et pour demain, en la légitimité française et républicaine que la nation m'a conférée et que je maintiendrai quoi qu'il arrive...

« Françaises, Français, voyez où risque d'aller la France par rapport à ce qu'elle était en train de devenir !

« Françaises, Français, aidez-moi ! »

Il suffit d'attendre. Il sait qu'il ne pouvait dire plus et plus efficacement. Il s'est engagé tout entier comme il l'a déjà fait si souvent.

On doit prendre du recul, avant et après l'action, et se garder de toute illusion, mais il faut être totalement dans l'acte qu'on a décidé d'accomplir.

Après, on se sent à nouveau dégagé, parce qu'il faut à nouveau se placer un peu en dehors pour saisir la perspective, évoquer tous les possibles développements pour être prêt à y faire face.

Il se cale contre le dossier de son fauteuil. Il joint les mains, les yeux mi-clos. Il observe Bernard Tricot, son conseiller aux Affaires algériennes, qui estime que le putsch a encore réduit les marges de la négociation avec le FLN. C'est un mauvais coup porté à la France et à la population européenne en Algérie.

— S'ils n'agissent pas cette nuit, ils sont flambés, murmure de Gaulle.

Il se frotte lentement les mains, parle d'une voix calme. Il partage l'analyse de Tricot, mais il est encore trop tôt pour parler de la reprise des négociations. Il y a ces officiers mutins qui rêvent en ce moment même d'envoyer des parachutistes sur Paris.

— S'ils veulent débarquer en France, ils débarqueront, reprend de Gaulle. Cela dépend d'eux, vous verrez, il n'y aura pas grand monde pour leur résister. Ce qui se passera alors ? Oh, ce n'est pas difficile à deviner : ce sont des hommes qui ont des idées courtes : ils seront très vite en face de problèmes qui les dépasseront. Ils verront qu'on ne peut pas résoudre une affaire comme celle de l'Algérie à coups de slogans. Il y aura des grèves, des troubles, ce sera le grabuge...

Sans doute des interventions extérieures, la guerre. « Et si c'est la guerre, ce sera la guerre atomique. »

Il se lève, reconduit Bernard Tricot, perçoit l'étonnement de son interlocuteur. Il hoche la tête. Il faut que Tricot comprenne qu'il ne s'agit que d'une hypothèse, peu probable puisque, il le répète, le putsch ne peut réussir, mais qu'il faut envisager. D'ailleurs, qui s'oppose réellement à ce pronunciamiento ? Même ici, à l'Élysée, les généraux d'Alger rencontrent des sympathies dans l'entourage immédiat du général chef de l'état-major particulier du président de la République ! Alors !

Il reçoit Michel Debré qui souhaite s'adresser à la nation, vers minuit, car les préparatifs des mutins semblent s'accélérer. Il faut que la population comprenne qu'il y a péril, qu'elle doit se mobiliser.

De Gaulle observe le Premier ministre. Il a l'impression qu'après son appel tout est déjà joué. Dans les casernes, on sait désormais qu'on doit désobéir aux ordres donnés par les officiers mutins et que rien ne justifie qu'on les exécute, même pas une opération contre les fellaghas. Et, s'il le faut, on pourra employer les armes contre les mutins.

Mais Michel Debré peut parler à la radio. À l'écouter, en France et dans les chambrées des régiments d'Algérie, on comprendra que les mutins veulent porter la guerre d'Algérie en France.

À 0 h 45, il entend l'appel de Debré. Que la population se rende sur les aéroports, « à pied, en voiture », pour s'opposer à l'arrivée des parachutistes, dit Debré. Il y a au bout de quelques minutes des rumeurs qui montent de l'avenue Marigny. Une foule se presse place Beauvau pour réclamer des casques, des équipements, des armes.

« Tumulte grotesque », murmure de Gaulle.

Mais pas inutile. La peur, dès lors que le chef conserve son sang-froid et tient fermement la barre, peut être une arme efficace.

Il est 4 heures du matin, ce lundi 24 avril 1961.

Il appelle son aide de camp.

Aucune activité aérienne suspecte n'est signalée dans la basse vallée du Rhône, dit le colonel Teissere.

De Gaulle se lève. Il va regagner ses appartements.

– Ce n'est pas pour aujourd'hui, dit-il.

Ils ont donc perdu.

Il ne dort que quelques heures, mais il est sûr que les « putschistes » seront vaincus, reste à savoir à quel prix pour la France et pour la négociation avec l'Algérie.

Les premières nouvelles de la matinée du 24 annoncent que, dans plusieurs unités, les soldats du contingent se sont rassemblés autour des postes de commandement. Ils réclament de leurs officiers qu'ils refusent de se joindre aux rebelles. On a crié : « Position, position ! » pour contraindre les officiers à donner leur « position », et on en a entendu lancer des « Vive de Gaulle ! ».

De Gaulle cesse de lire. Il a le sentiment qu'une fois encore le peuple l'a compris. Son effort depuis des décennies, sa volonté d'être fidèle à son destin quel qu'en soit le prix à payer pour lui, dans sa vie, sont reconnus. Le lien entre lui et chaque Français n'est pas rompu. Il a eu raison d'arpenter les rues et les places de centaines de villes et de villages, pour qu'un rapport personnel, vivant, s'établisse, fait de confiance et de fidélité. C'est cela que n'ont pas compris les putschistes, les acteurs de « cette absurde et odieuse tentative », qui paradent encore ce 24 avril sur le Forum d'Alger, qui se font acclamer par une foule plus anxieuse qu'enthousiaste. C'est Challe – ce pauvre Challe – qui proclame qu'« ils sont là pour se battre, pour souffrir, pour mourir s'il le faut ».

Mais non !

Les uns vont s'enfuir, les autres vont se rendre. Comment pourraient-ils faire face alors que les soldats de toutes les unités, à l'exception de quelques régiments de parachutistes, manifestent leur volonté d'obéir à de Gaulle ? Il ne reste aux légionnaires qu'à quitter Alger dans la journée du mardi 25 avril en chantant le refrain d'Édith Piaf : « Non, rien de rien, non, je ne regrette rien... »

Challe et bientôt Zeller se livrent aux gendarmes. Les colonels, les généraux Salan et Jouhaud passent dans la clandestinité, avec quelques « soldats perdus », lieutenants, légionnaires, qui vont renforcer les rangs de l'OAS et en devenir les tueurs.

Ce sera l'affaire de la justice. Il faut qu'elle passe.

De Gaulle décide la constitution d'un Haut Tribunal militaire qui sera présidé par Maurice Patin. Devant lui comparaîtront les généraux Challe, Zeller et Gouraud. Les deux premiers seront condamnés à quinze ans de réclusion, le troisième à dix.

Verdict d'indulgence. Challe pensait qu'il allait être fusillé.

De Gaulle hausse les épaules, monologue tout en marchant à côté de son aide de camp, Flohic, dans le parc de la Boisserie :

« Le verdict tient compte de leurs états de service d'antan, du fait qu'ils se sont d'eux-mêmes livrés aux autorités sans qu'il y ait perte d'hommes, enfin des mobiles de leur faute qui, je le sais, je le sens, n'étaient pas tous de bas étage.

« Ce pauvre Challe qui croyait pouvoir conserver l'Algérie française à la France ! Chacun est convaincu d'avoir raison. Moi aussi, j'ai désobéi en 1940, mais j'ai réussi à ramener la France à la table des vainqueurs. »

Le cours normal de la vie gouvernementale reprend. Mais il sent une sourde inquiétude en lui, peut-être de la fatigue due à cette tension intérieure, à l'importance décisive de l'enjeu, au constat que tout dépendait de lui.

Il ne veut pas qu'on parle de l'affaire algérienne au Conseil des ministres du mercredi 26 avril. Il regarde un à un les membres du gouvernement.

– L'État est à refaire de fond en comble, martèle-t-il.

On rapporte que, au Parlement, certains députés protestent contre l'utilisation de l'article 16, des pleins pouvoirs.

– La Constitution, je la connais bien. J'en suis à l'origine. Je sais ce que j'y ai mis mieux que quiconque, je connais la manière de l'interpréter.

Il est persuadé qu'il existe dans ces dispositions un point faible : la désignation du président de la République. Il n'est pas élu au suffrage universel.

Il est préoccupé par cet avenir qu'il faut regarder en face.

– Ce qui est effrayant, c'est de penser que, lorsque d'une manière ou d'une autre je disparaîtrai, dit-il à Flohic, il n'y aura rien ni personne pour me remplacer... En fait, j'ai rétabli la monarchie en ma faveur, mais, après moi, il n'y aura personne qui s'imposera au pays. J'ai été élu sans qu'il ait été besoin de référendum. Après moi, ce ne sera plus la même chose. Aussi convient-il d'instaurer un régime présidentiel afin d'éviter de retomber dans les luttes d'autrefois.

Il s'arrête de marcher. Il balaie du regard ces vastes horizons de la Champagne où l'Histoire a laissé sa trace profonde. Il doit, c'est son prochain chantier, quand la négociation avec le FLN qui doit recommencer le 20 mai sera achevée, conduire jusqu'à son terme la réforme de l'État.

– Il faut que le président de la République soit élu au suffrage universel, dit-il. Ainsi élu, il aura, quelles que soient ses qualités, quand même un semblant d'autorité et de pouvoir durant son mandat. Il sera responsable, ce que je suis actuellement, de même Kennedy est responsable aux États-Unis.

Parfois, il se prend à penser que son nom, au-delà de sa propre vie, pourra peut-être servir encore au pays. Pourquoi pas ? Il écrit à Philippe de Gaulle :

« Je te souhaite une bonne fête. Que Dieu – le Dieu des Français – te garde et te conduise.

« L'affaire d'Algérie crève un abcès qui, de toute manière, devait être vidé. Mais le redressement et le renouveau militaires sont aussi difficiles qu'ils sont indispensables. L'événement va à cet égard me permettre beaucoup de choses. Corrélativement, le rétablissement de l'État dans son autorité et dans sa capacité peut être, à présent, activé...

« Je t'ai fait retirer de Mers el-Kébir à un certain moment parce que je me méfiais de quelque erreur ou surprise locale qui t'aurait mis à la discrétion des insurgés. Or, c'était à éviter absolument – ne fût-ce que pour ton propre " standing ".

« Au revoir, mon cher Philippe. Après moi, tu auras forcément beaucoup de grandes choses à faire.

« Ta maman et moi t'embrassons, mon cher Philippe, de toute notre profonde affection.

Ton père qui t'aime. »

28.

De Gaulle se laisse tomber dans l'un des fauteuils du salon-bibliothèque de la Boisserie.

– Je suis vidé, murmure-t-il.

Il a du mal à parler. Il tousse à nouveau comme durant tout le trajet en voiture entre l'Élysée et Colombey. La chaleur, même ici, dans la Boisserie, est lourde. Et l'on n'est pourtant que le samedi 24 juin. Il étouffe. La toux se déchaîne, griffant la poitrine et la gorge.

Il peut à peine dire quelques mots à son aide de camp, Flohic, debout devant lui, qui attend pour connaître le programme du lendemain. Il s'efforce de prononcer quelques phrases, puis il ferme les yeux.

Demain?

Et s'il ne parvenait jamais jusque-là? Trop de fatigue, trop de tensions.

Le putsch. Ces commandos de l'OAS qui tuent par centaines les musulmans et les policiers, tel le commissaire Gavoury, assassiné de dizaines de coups de poignard, le 31 mai. Ces attentats en métropole, à Alger, ces menaces adressées à Alain de Boissieu, à Jacques Vendroux. Et la négociation qui ne débouche pas, recommencée le 20 mai à Évian, interrompue dès le 13 juin malgré les concessions faites, un cessez-le-feu unilatéral des troupes françaises, la libération de six mille suspects et le transfert de Ben Bella et de ses compagnons de leur prison à l'île d'Aix au château de Turquant, en résidence surveillée. Et cependant, les pourparlers qui butent sur le statut des populations non musulmanes – les pieds-noirs –, la queston du Sahara et naturellement le cessez-le-feu.

« Il faut en finir avec cette boîte à chagrins », dit-il en serrant les poings.

C'est cela qui le ronge, l'épuise. Cette paralysie de la France que la guerre d'Algérie provoque, il ne la supporte plus.

Le jour même de la réouverture des négociations d'Évian, il s'est rendu à Bonn puis dans la maison familiale de Konrad Adenauer, à Rhöndorf. Il a été touché par la volonté du chancelier de lui présenter sa « si belle famille » réunie autour de lui, de rendre l'invitation à Colombey. Et hier, c'est le président de la République fédérale allemande, Heinrich Lübke, qui a été reçu à l'Élysée. Et avant lui, du 31 mai au 2 juin, John et Jacqueline Kennedy, et, peu après, Ben Gourion, le Premier ministre d'Israël.

Quelle partie pourrait jouer la France sur la scène internationale, au moment où les Russes exercent une pression de plus en plus forte sur les Allemands, et où ce jeune président américain à la personnalité ouverte et dynamique commence son mandat !

Mais voilà : il y a le FLN, l'OAS, « les deux seules réalités de l'Algérie » qui s'évertuent l'une et l'autre à rendre impossible toute situation raisonnable.

Sortir la France de cette « boîte à scorpions », de cette « boîte à chagrins », voilà l'exigence. Et s'il faut pour cela menacer les Algériens d'une partition de leur territoire, pourquoi pas ?

Il a suggéré à un jeune député UNR, Alain Peyrefitte, dont l'intelligence est acérée, qui écrit avec clarté et efficacité, de développer cette idée de partage de l'Algérie. La communauté non musulmane serait regroupée dans une zone protégée par l'armée.

« L'important, comprenez-vous, pour une minorité, c'est d'être majoritaire quelque part. »

Tactiquement, face au FLN, cette menace serait un moyen de pression.

« Il faut trouver une poire d'angoisse qui lui rende le statu quo insupportable. Il faut qu'on en vienne à préférer la coopération négociée devant laquelle il recule encore. »

C'est cette nécessité de tout maîtriser seul, en fait, qui l'épuise.

Il aura bientôt soixante et onze ans. Et aujourd'hui, il sent ses forces s'affaiblir. Et, dans quelques jours, il doit parcourir les départements de l'Est, de la Meuse à la Moselle, visiter Verdun et Bar-le-Duc, Vaucouleurs et Nancy, Metz et Sarreguemines. Dans cette chaleur accablante, et peut-être faudra-t-il faire face à ces manifestations paysannes qui se multiplient dans tout le pays. Les paysans ont même envahi la sous-préfecture de Morlaix !

Il se sent si las à cet instant.

« Vidé », oui.

Et peut-être aussi parce qu'il doit, lui, accomplir avec l'Algérie une véritable amputation. Lui.

Il s'est confié à Peyrefitte, et les mots lui reviennent :

« Croyez-vous que ce serait de gaieté de cœur ? Moi qui ai été élevé dans la religion du drapeau, de l'Algérie française et de l'Afrique française, de l'armée garante de l'Empire ? Croyez-vous que ce n'est pas une épreuve ? Croyez-vous que ce n'est pas affreux pour moi d'amener les couleurs, où que ce soit dans le monde ? »

Et c'est lui qui doit faire cela, dans l'incompréhension de presque tous !

Il se lève avec peine. Il tousse. Il ne trouvera pas le sommeil avant l'aube, il le pressent. Peut-être même, demain, ne pourra-t-il même pas se lever pour se rendre à la messe dominicale.

C'est ainsi, en effet. Il doit renoncer à la promenade dans le parc de la Boisserie. Il s'installe sous les tilleuls de la terrasse. Il a l'impression de suffoquer. Il murmure :

« Une fatigue immense. »

Il reste un long moment silencieux, les yeux mi-clos.

– Par deux fois, durant la guerre, reprend-il d'une voix sourde, la tête baissée, le menton sur la poitrine, j'ai été dans le même état d'épuisement. La première fois, j'ai pris du repos à El-Goléa. La seconde fois, après avoir quitté les affaires en 1946, la Boisserie étant en réfection après le saccage allemand, j'ai pensé me rendre dans une île que les Vanier – l'ambassadeur du Canada à Paris – possédaient au Canada, ou au Maroc. Finalement, j'ai loué Marly aux Domaines en attendant de pouvoir loger ici.

Il se redresse. Il regarde Flohic. Il se souvient de ces jours d'isolement, de fatigue, de dépression. Mais, chaque fois, il a repris le dessus. Affaire de volonté, de foi aussi.

Il faut qu'il en soit à nouveau ainsi.

C'est l'un des moments les plus difficiles de l'histoire de la nation, et il se laisserait imposer par son corps ce qu'il doit faire ou ne pas faire ? Il y a des exigences auxquelles seule la mort permet de se dérober. Jusqu'à ce qu'elle vous prenne, on avance.

Il se lève. D'un mouvement de la tête, il refuse que le programme de son voyage dans les départements de l'Est soit allégé. Il se tourne vers Yvonne de Gaulle, qui le souhaitait, et dont l'inquiétude et l'anxiété voilent le visage. Il la regarde avec tendresse. Elle sait qu'il ne peut agir autrement, que tel est son destin et qu'il doit l'assumer.

Le voici dans les rues, sur les places des villes de l'Est, dans la cathédrale de Metz où il assiste à la messe dominicale le 2 juillet 1961. Le voici à Nancy où il prononce deux discours. Et le voici à Bar-le-Duc. Que le FLN l'écoute :

« S'il reste ce qu'on appelle le terrorisme, il faut que cela cesse. S'il ne devait pas en être ainsi par malheur, comme il faut bien qu'en définitive la chose se termine, la France serait amenée à regrouper sur une partie du territoire algérien ceux qui ne veulent pas appartenir à un pays en désordre.

« La France ne le désire nullement, mais comme la France veut avant tout recouvrer sa liberté de moyens et cesser d'engouffrer dans une tâche sans issue ses efforts, ses hommes et son argent, elle en viendrait là s'il était nécessaire. Nous espérons bien que cela ne sera pas. »

Peut-il parler plus clair ?

Il écoute les acclamations. Il lève les bras en V, poings fermés. Il lui semble, au fur et à mesure qu'il rencontre ainsi le peuple, que sa fatigue se dissipe un peu. Il ne sent plus cette chaleur de plomb, si dense qu'il a l'impression en avançant vers la foule de s'enfoncer dans une épaisseur gluante.

Il s'arrête à Vaucouleurs, devant la statue de Jeanne d'Arc. Quelques centaines de personnes seulement l'entourent dans ce modeste village qui est au cœur de l'histoire nationale.

« Il va de soi que nous avons porté notre pensée vers la noble, la sainte figure de Jeanne, dit-il, regardant la combattante qui tient à pleine main la hampe de son oriflamme.

« Vous croyez qu'elle est très loin de nous, continue-t-il, mais cinq cents ans, ce n'est rien. Ce n'est que six vieillards, l'un au bout de l'autre. En réalité, vous pouvez m'en croire, nous sommes tout près d'elle. »

N'aurait-il accompli son voyage que pour cette rencontre, ce lien noué entre aujourd'hui et hier, que ce déplacement serait justifié.

Mais maintenant que, le 4 juillet, il se retrouve à l'Élysée, il lui semble à nouveau que son corps est si lourd qu'il ne pourra plus bouger, que la fatigue l'entraînera au fond d'un gouffre où les pensées et les mots se dissoudront et où la volonté s'émiettera.

Il préside la réunion du Comité des affaires algériennes. Il se raidit. Il parle avec dureté, parce qu'il doit faire surgir de son épuisement une énergie dont il se demande lui-même où il réussit à la trouver encore.

Les nouvelles sont mauvaises. Assassinats par l'OAS de musulmans, abattus au hasard, ou bien de policiers. Manifestations du FLN contre le projet de partage de l'Algérie. Dizaines de morts. Ce sont de petits groupes de tueurs OAS qui agissent. Animés par le lieutenant Degueldre, ils sont constitués par des légionnaires déserteurs, et ces commandos Delta sont protégés par la population pied-noir qui semble tout entière emportée par cette volonté de saccage, comme si elle pouvait de cette manière empêcher l'inéluctable.

L'accablement à nouveau. L'impression de ne plus pouvoir agir. Il est aux côtés de Louis Joxe, il ne peut s'empêcher de murmurer :

« Je ne veux pas que ma maison assiste à ma déchéance physique. Il y a donc deux solutions : ma démission ou ma mort. »

Il a besoin de se confier encore. Il écrit à Philippe :

« Les forces me sont limitées et les jours me sont comptés. Ce n'est pas sans angoisse que je me demande ce qu'il adviendra de notre pays lorsque, pour une raison ou une autre, j'aurai cessé de le conduire. Je souhaiterais ne point disparaître sans lui avoir tout au moins offert le moyen de poursuivre, autrement dit d'être dirigé.

« Est-il besoin de te dire qu'à mes yeux – et, je le crois, aux yeux de beaucoup – il n'y a pour lui à cet égard d'autre possibilité que d'avoir un chef qu'il ait élu et qu'il suive ?... Il faut continuer cette sorte de monarchie populaire et qui est le seul système compatible avec le caractère et les périls de notre époque. Tu vois ce que je veux dire.

« Comme je voudrais (et comme j'en ai hâte) pouvoir te parler de cela à fond et à loisir ! »

Les mots sont prononcés, les phrases écrites, et c'est comme un exorcisme.

Il sent qu'il commence à reprendre pied, qu'il a chassé hors de lui cette fatigue qui le dépossède de soi, le livrant à cet accablement désespéré, inacceptable, qui lui fait envisager et presque souhaiter la mort ou le retrait comme un repos.

Il est à nouveau debout. Il fait face. Il va s'exprimer devant les Français. Il faut qu'ils sachent ce qui est en jeu.

« La France a épousé son siècle. Cela veut dire qu'elle accomplit une vaste transformation tout en vivant dans un monde difficile... La France est en train d'accomplir le plus grand effort de renouvellement qu'elle se soit jamais imposé... »

Voilà pourquoi il doit rester à la barre.

Il faut se dégager de l'Algérie. Il faut que la France, avec l'Allemagne, construise l'Europe pour peser sur les destins du monde. « Il faut que l'Europe d'Occident s'érige en une capitale de la puissance et de la raison. » Et que cette Europe ait donc « sa personnalité au point de vue de la défense. La défense est toujours à la base de la politique ».

C'est pour cela aussi qu'il doit retirer l'armée du bourbier algérien, pour la transformer en une force moderne, capable d'agir dans ce monde nouveau alors qu'elle s'enlise dans une guerre qui est finie !

C'est la mi-juillet 1961.

La mort rôde dans les villes d'Algérie et autour de tous ceux qui, aux yeux de l'OAS, portent la responsabilité de la politique de la France.

Il faut attendre la réouverture des négociations, le 20 juillet, au château de Lugrin, en Haute-Savoie. Et, tout à coup, ces nouvelles de Bizerte. Les troupes tunisiennes ont attaqué la base française et tentent aussi, dans le Sud, sur la frontière saharienne, de s'emparer de zones pétrolifères.

Il ressent cela comme un soufflet et un défi. Il a vu Bourguiba à Rambouillet il y a quelques semaines. Un accord avait été conclu, mais Bourguiba cherche maintenant, imaginant sans doute que la France est empêtrée, à s'emparer par la force de ce morceau de Sahara riche en pétrole, et de cette base militaire qui, de toute façon, doit lui être restituée !

Manière aussi pour Bourguiba de prendre des gages contre le FLN, de s'assurer face à l'Algérie future des positions de force, et de paraître aux yeux de l'opinion arabe comme le « combattant suprême » de la lutte anticolonialiste.

Il n'y a qu'une réponse : agir.

Il donne des ordres. Bombardement aérien. Lâcher de parachutistes. Action militaire brutale et limitée, tant à Bizerte que dans le Sud. Rétablir partout la situation antérieure à l'attaque tunisienne.

Il dicte :

« Ces conditions une fois réalisées et à moins d'une nouvelle attaque de la part des Tunisiens, notre action proprement militaire sera terminée. »

Il consulte les dépêches, les rapports.

« Leur vaine agression a coûté aux Tunisiens plus de sept cents pauvres morts ! »

Et pourquoi ? Les Algériens ont, en pleine bataille, recommencé à discuter, comme s'ils avaient bien perçu que l'attaque tunisienne était en fait dirigée contre eux, même si elle avait l'apparence d'une action contre la France.

Il feuillette les journaux avec une expression de dégoût.

« Il ne s'élève pour m'appuyer que des voix rares et mal assurées. »

Aucun de ceux – tous les partis – qui condamnent l'action militaire française ne tient compte de l'agression tunisienne et de ses arrière-pensées !

Une fois de plus, il se sent seul, alors que les difficultés s'accumulent.

Les Algériens, une nouvelle fois, rompent les négociations. Ils veulent obtenir la reconnaissance de leur souveraineté sur le

Sahara. En Europe, les Allemands de l'Est, donc les Russes, commencent à construire à Berlin un mur qui sépare les deux parties de la ville.

Inacceptable !

« Qu'on utilise nos chars pour écraser les barbelés ou défoncer le mur mais sans tirer au canon ! » lance-t-il.

Mais les Alliés sont lents à réagir, le mur s'élève, bâillonnant un peuple. Ah, si la France n'était pas entravée par le conflit algérien, elle pourrait inspirer toute la politique européenne et, avec l'Allemagne, dégager ce continent de la sujétion aux États-Unis, afin de le rendre indépendant.

Voilà un objectif. C'est cela qu'il doit préparer.

Il marche dans les forêts qui entourent la Boisserie. Il fait frais dans cette journée du 15 août 1961. On s'enfonce dans les allées forestières. Les voitures se sont arrêtées à l'orée de la futaie. Yvonne de Gaulle et sa belle-sœur avancent à pas lents, précédées par Alain de Boissieu et Jacques Vendroux. Mais, au bout de l'allée, de Gaulle aperçoit des curieux. Il fait signe qu'on remonte en voiture, puis, carte en main, il oriente la promenade vers des routes de traverse désertes où parfois des troupeaux bloquent le passage.

Il descend. Il regarde cette campagne tout entière transformée en prairies d'élevage, parce qu'il n'y a plus de paysans pour cultiver la terre. La France ? L'Europe ? Que peuvent-elles devenir si elles se dépeuplent ? Existe-t-il un exemple dans l'histoire de zones fertiles vides d'hommes qui n'aient été un jour envahies, submergées par d'autres peuples ?

Il pense à la France et à l'Allemagne, à ces guerres toujours recommencées qui ont épuisé les deux nations. « Dieu, à la face de qui tant et tant d'hommes, couchés dessus le sol, sont morts dans nos grandes batailles, sait comment nous avons terriblement lutté. » Et maintenant, ces terres vides. « Tout commande à la France et à l'Allemagne de s'entendre et de s'unir. »

Ces heures passées dans les forêts, ces quelques jours passés dans le silence de la Boisserie, ce temps aussi, plus frais, effacent la fatigue.

Il est à son bureau. Il lit la lettre que vient de lui adresser Michel Debré qui propose de démissionner de sa charge de Premier ministre. Lassitude extrême, avance Debré, et derrière cela, sans doute, le déchirement d'avoir à conclure les accords de paix avec le FLN, qui marqueront la fin de l'Algérie française, peut-être aussi l'intuition qu'une nouvelle phase, dès la fin de la guerre, commencera, dont Debré ne pourra pas être le Premier ministre, et sans doute veut-il devancer cette échéance, éviter de se voir remplacer par Georges Pompidou, et préfère-t-il choisir son heure de départ que se la laisser imposer.

Humain, trop humain.

Mais il y a les exigences de l'État, les intérêts du pays. Et il sait que Michel Debré les comprendra.

Il lui répond.

« Mon cher ami,

« J'ai bien reçu votre lettre... Je n'y ai rien trouvé qui m'ait surpris.

« Il faut nous dégager de l'affaire algérienne. C'est nécessaire, absolument... Tout cela qu'il faut accomplir dans une situation internationale dangereuse implique un resserrement de l'action et de l'autorité publique autour de moi. Quels que soient mon âge et ma propre lassitude, je tiens cela pour indispensable. Comme je vous l'ai dit déjà, j'ai résolu de le faire. Comme je vous l'ai dit aussi, vous devez rester Premier ministre, bref mon bras droit. Prenez-en votre parti...

« Soyez, mon cher Debré, plus assuré que jamais de ma confiance et de mon amitié. »

Maintenant, il faut aller vite. Il le dit au Conseil des ministres le 30 août, en fixant Debré, dont il devine l'abattement :

« Nous voulons nous dégager, c'est cela notre politique. »

On vient d'apprendre que des remaniements ont eu lieu à la tête du FLN : Ferhat Abbas est remplacé par Ben Khedda, que l'on dit être un « révolutionnaire prochinois ». Si ces nouveaux messieurs ne veulent pas négocier...

« Eh bien, nous nous dégagerons quand même ! Alors, nous ferons le regroupement et préparerons le rapatriement. »

La situation devient intenable. Des centaines de morts par assassinats. Plus d'un millier de plasticages depuis le 26 avril ! L'OAS tue tous ceux qui, dans la communauté musulmane, lui paraissent aptes à prendre des responsabilités dans l'Algérie future. Et les explosions retentissent aussi dans le Paris désert du mois d'août.

En finir.

Le 5 septembre, il entre dans la salle des fêtes de l'Élysée. Les journalistes sont là, plusieurs centaines. Il écoute leurs questions sur l'Algérie, bien sûr, mais aussi sur le mur de Berlin et le sens des initiatives soviétiques, sur les problèmes agricoles, l'entrée de la Grande-Bretagne dans le Marché commun, puisqu'elle en a fait officiellement la demande, les risques d'une guerre générale. Il sent que la pression des questions le stimule. Il sera brillant, clair. Il le sait. Il répond.

La guerre mondiale, nucléaire ? Il hausse les épaules. « À quoi bon régner sur des morts ? »

Il parle longuement, mais c'est sur l'Algérie qu'on l'attend. Et il veut offrir une dernière chance à la négociation, lever l'obstacle. Alors, il dit :

« Le métier d'être les possesseurs et les nourrisseurs de cette région, nous n'y tenons pas du tout... Pour la France, la situation actuelle en Algérie ne peut pas durer toujours... »

Oui, c'est maintenant qu'il faut lever le dernier obstacle.

– Les réalités, c'est qu'il n'y a pas un seul Algérien, je le sais, qui ne pense que le Sahara doive faire partie de l'Algérie... La question de la souveraineté du Sahara n'a pas à être considérée, tout au moins elle ne l'est pas par la France.

Il imagine la déception de Michel Debré qui rêvait à l'autonomie du Sahara, au partage des ressources avec les États riverains, au moyen qu'il y avait ainsi de faire pièce à l'Algérie. Il imagine aussi la surprise d'Olivier Guichard qui, depuis plusieurs mois, préside l'Organisation commune des régions sahariennes (OCRS). Mais il fallait prendre seul la décision. C'est la tâche du chef de savoir ce qui doit être sacrifié, quelle partie il faut amputer pour sauver le tout.

Maintenant, les seuls obstacles à l'ouverture et à la conclusion des négociations sont le fanatisme et l'action des tueurs.

C'est le vendredi 8 septembre 1961. Il est 17 heures. Il sent qu'il a besoin de retrouver le calme et le silence de la Boisserie. Il appelle un aide de camp. Il quittera l'Élysée aussitôt après avoir reçu Louis Joxe.

À 20 h 15, il descend dans la cour en compagnie d'Yvonne de Gaulle. Les cinq voitures sont là, dans la nuit tombée. Il salue François Marroux qui va conduire la DS 21. Derrière suivront les quatre voitures de protection.

Il a confiance en ce gendarme calme, qui roule vite mais avec prudence. Le colonel Teissere est assis à la droite de Marroux.

Il reconnaît la nationale 19. Entre les différents itinéraires possibles, les aides de camp ont donc choisi de traverser Nogent-sur-Seine, Pont-sur-Seine. Après, c'est une ligne droite.

Il regarde devant lui, et tout à coup une explosion sourde, un mur de flammes, un crépitement violent sur la voiture, l'embardée et ce bond en avant, Marroux qui accélère, franchit les flammes « hautes comme les arbres qui bordent la route », roule sur plusieurs centaines de mètres puis s'arrête dans la nuit.

De Gaulle regarde Yvonne de Gaulle. Elle est restée calme.

Ils ont donc enfin, comme cela était prévisible, essayé de le tuer. Les voitures du cortège se sont arrêtées à leur tour. Personne n'est blessé ? demande-t-il. Marroux lui montre le phare droit de la voiture endommagé par la déflagration. De Gaulle a eu une moue de mépris.

« Quels maladroits ! »

Allons, en route.

On arrive à la Boisserie à 22 h 40.

Il est calme et en même temps si indigné par ces hommes qui n'hésitent pas à viser Yvonne de Gaulle alors qu'il est le seul qu'ils devraient, s'ils étaient d'authentiques combattants, chercher à tuer.

Mais ce sont des assassins et des incapables. Leur charge de quarante kilos de plastic placée dans une bouteille de butane, mêlés à un liquide inflammable, n'a pas complètement explosé parce que les pains de plastic n'ont pas été pétris !

Des « maladroits ». Même s'ils disposent de complicités au plus haut niveau.

Il lit les rapports des policiers. Peut-être sont-ils renseignés depuis l'Élysée par un informateur qui a donné l'heure de départ.

Le 7 septembre, la veille donc, on a arrêté un homme d'affaires,

Gingembre, porteur de documents à remettre à Raoul Salan, chef suprême de l'OAS. L'un d'eux, signé Georges Bidault, est libellé ainsi : « Avec confiance, le 7 septembre 1961. »

Derrière les conjurés qui ont exécuté l'attentat de Pont-sur-Seine (un ancien séminariste, Hervé Montagne, un ex-speaker à Radio Saigon, Martial de Villemandy, etc.), et qui sont vite arrêtés tant ils sont imprudents, se dessine la silhouette d'un certain Germain, « l'ingénieur », dont l'identité reste mystérieuse mais dont les enquêteurs pensent qu'il s'agit peut-être d'un officier.

De Gaulle serre les dents, la bouche pleine de salive âcre, celle du mépris. Ça, un officier ? Qui vise une femme innocente et ne prend aucun risque en se tenant éloigné du lieu de l'action ?

Cet homme-là n'est qu'un tueur méprisable.

Mais les assassins, il en est sûr, vont chercher à nouveau à l'abattre.

Il est leur « objectif », celui que les documents de l'OAS appellent *la Grande Z, la Grande Zohra*, comme disent les pieds-noirs dans leur parler populaire.

Être tué ainsi ? Pourquoi pas ? Au point de vue spéculatif et historique, « peut-être cela aurait-il mieux valu que de mourir dans son lit par accident ».

Mais il n'a pas encore fini sa tâche.

Et qu'on ne mette pas en péril la vie d'Yvonne de Gaulle.

Cela, il ne le pardonnera jamais.

29.

Automne, saison des morts. De Gaulle regarde le parc de la Boisserie. Il se souvient, tout en marchant à pas lents dans ces allées qu'il a si souvent parcourues, des phrases qu'il a écrites au dernier tome des *Mémoires de guerre*, et il éprouve devant cette nature qui s'assoupit les mêmes émotions qu'alors, il y a déjà près de trois années, évoquant le travail des saisons : « Ma tâche est près de son terme. J'ai donné mes fleurs, mes moissons, mes fruits. Maintenant, je me recueille. »

Il s'arrête, contemple les arbres, les massifs, les prairies au loin. « Voyez comme je suis belle encore dans ma robe de pourpre et d'or, sous la déchirante lumière. »

Dans quelques semaines, il aura soixante et onze ans.

« Si l'attentat avait réussi, c'eût peut-être été tant mieux pour moi, dont la sortie serait toute trouvée ! »

Il rentre à pas lents, s'enferme dans son bureau.

Les dossiers sont là, en pile, à droite. Il les soulève, les ouvre l'un après l'autre, les repose. Tour d'horizon. Tour des préoccupations. Grèves en cours ou annoncées des cheminots, des mineurs, des services publics. Négociations avec l'Angleterre à propos de son entrée éventuelle dans le Marché commun, rencontre prévue avec Adenauer, mise sur pied de la politique agricole commune, réponses à faire aux Américains sur l'importance de leurs effectifs militaires autorisés à stationner en France.

Tout cela qui déferle, qui oblige à des réactions vigoureuses alors qu'il lui semble que, à chaque échelon de l'administration, règne souvent un esprit de démission.

Tout l'État à reprendre en main.

Il écrit rapidement.

« Je ne comprends pas cet abandon et ce laisser-aller de la hiérarchie – militaire – et notamment de l'état-major de la Défense nationale quand il s'agit de déférer aux souhaits des Américains. Il faut se décider à comprendre que nous ne vaudrons quelque chose en matière de défense nationale qu'à la condition d'être les maîtres chez nous.

« Je veux voir le texte de la réponse aux Américains. »

Il doit tout voir. Si sa volonté cédait un instant, qu'en serait-il de l'effort de redressement ?

Comme chaque soir, à 20 heures, il s'installe devant le poste de télévision. Comment, avec de telles images, de tels propos, ce pays pourrait-il avoir une idée positive de lui-même et trouver l'énergie nécessaire pour faire face aux problèmes qui se posent à lui ?

« C'est vraiment un peu fort », s'exclame-t-il.

Il rédige rapidement une note.

« Le journal télévisé est en ce moment un monument de pessimisme enchanté autant que systématique. Il donne à croire que la France ne connaît absolument rien d'autre que des grèves, des catastrophes, des conflits de toutes sortes... Dans le même ordre d'idées, le journal télévisé (politique) reproduit (et s'en vante) les journaux, alors qu'on sait ce que ceux-ci valent à cet égard.

« Faut-il que la radio d'État ne serve qu'à exciter et déployer les oppositions, au mépris de la réalité qui est, au moins en grande partie, tout autre chose ? »

Il a le sentiment qu'il pousse et soulève ce pays, tâche à laquelle il ne peut se dérober, et dont pourtant, comme Sisyphe, il n'ignore pas qu'elle est sans fin à recommencer. Et au bout de cet effort, quoi ? Ce n'est pas le doute sur la nécessité de l'action à conduire qui l'assaille, mais sur le sens même de la vie. Et il suffit de prendre un peu de recul, de feuilleter par exemple ce *Bloc-Notes* de François Mauriac pour les deux dernières années – 1958-1960 –, pour découvrir que les événements sont comme la mer dont le flux et le reflux roulent les grains de sable et les galets.

C'est cela qu'il ressent.

« Je me connais comme un caillou battu par les flots, dit-il à François Mauriac, et je sais qu'en fin de compte tous les cailloux succombent à la mer. Mais n'est-ce pas ce que Dieu a voulu ? »

Automne 1961, si sombre. Tueurs de l'OAS à l'affût. Des policiers tombent, assassinés d'une balle dans la nuque ou d'une rafale : commissaire Ouamri, commissaire Goldenberg, commissaire René Joubert, tant d'autres. Et puis, maintenant, les officiers qui ont refusé de se joindre au « quarteron de généraux rebelles » d'avril 1961, commandant Poste, colonel Rançon, commandant Boelle, commandant Bourgogne, général Ginestet, commandant Kubaziak. Le gaulliste Yves Le Tac, blessé à Alger, est poursuivi par les tueurs jusque dans sa chambre d'hôpital au Val-de-Grâce. Les plasticages se multiplient, visant les ministres. La bombe destinée à Malraux défigurera une petite fille, Delphine Renaud ! Un attentat a lieu au Quai d'Orsay, des armes sont volées au camp militaire de Satory. Un ancien dirigeant communiste d'Algérie, Locussol, est assassiné en France. Il semble que les conjurés disposent de complicités dans les milieux officiels, peut-être même dans l'entourage de la présidence de la République.

De Gaulle sent cette haine monter autour de lui, s'infiltrer dans le pays. Les tueurs du colonel Rançon ont écrit à sa femme : « Vous êtes la veuve d'un traître et nous vous donnons l'ordre d'élever votre fils dans cet esprit. » Et pendant ce temps, certains hommes politiques leur servent de relais, sont complices de ces crimes, s'ils n'aident pas à les organiser !

Il lit l'interview donnée par Jacques Soustelle, réfugié à l'étranger, à l'United Press. Voilà l'homme qui durant des années était auprès de lui et qui maintenant déclare : « Je pense que de Gaulle est mort entre 1951 et 1958 à Colombey-les-Deux-Églises, malheureusement on ne s'en est pas aperçu. »

Il éprouve du mépris pour cet homme qui tente médiocrement de reprendre dans les mêmes termes le jugement que de Gaulle portait sur Pétain, « mort » en 1925 !

Mais, derrière la pose et la prétention, il y a l'intention politique :

« Il faut négocier avec l'OAS, déclare Soustelle, c'est le bon sens qui l'ordonne et c'est la voie de la paix. » Georges Bidault en créant un CNR – Comité national de la Résistance – et les quatre-vingts députés qui votent pour une réduction du service militaire et la levée de huit classes d'Européens d'Algérie ont le même but : saboter la coexistence entre les Européens d'Algérie et les Algériens. C'est pour cela qu'ils détruisent au plastic les infrastructures de l'Algérie, qu'ils assassinent chaque jour plusieurs dizaines d'Algériens. Ils veulent creuser le fossé entre les communautés, rendre impossible la naissance d'un État algérien indépendant, respectant les droits des pieds-noirs. Il faut que la haine se propage comme le feu.

Elle est là, dans ces cris que poussent les participants à un meeting qui se tient à la Mutualité à Paris et où se retrouvent Georges Bidault, Léon Delbecque et l'ancien député poujadiste Jean-Marie Le Pen : « OAS ! OAS ! Salan au pouvoir ! Les paras à Paris ! De Gaulle à l'île d'Yeu ! »

Il lit dans les rapports du ministre de l'Intérieur les extraits des circulaires de l'OAS que la police a réussi à intercepter. La haine contre lui suinte à chaque ligne : « De Gaulle est le canal où passent la trahison et le mal... S'il plaît à Dieu de nous récompenser de notre foi et de notre volonté en nous donnant la victoire, nous supprimerons les traîtres, nous défendrons la patrie, nous assurerons la justice sociale. »

Il faut faire face. Essayer de renouer au plus vite des négociations avec le FLN pour dégager la France d'Algérie, pour éviter que l'OAS ne réussisse à faire naître un climat de guerre civile en métropole, en trouvant dans les pieds-noirs rapatriés – ils arrivent déjà, à raison de plusieurs centaines par jour – un vivier et des complicités.

Il faut donc faire comprendre au pays la politique suivie.

De Gaulle parcourt à nouveau les départements. Il est à Villefranche-de-Rouergue et à Millau :

« Devant les menaces, nous sommes fermes et droits. Autrement dit, nous sommes la France, plus que jamais !... La période des colonies est terminée. Elle a eu ses mérites, ses gloires, ses nécessités. Aujourd'hui, les pages se tournent. »

Il est à Rodez où il rend hommage à Jean Moulin, qui fut préfet de l'Aveyron. Il est à Langogne et à Prades, où il écoute le maire prononcer un discours en vers :

Soyez généreux, monsieur le Président
Donnez-leur votre appui car malgré des remous
Ils vous aiment encore et espèrent en vous.

Il la découvre, cette espérance, dans les regards, dans les mains tendues. Il se sent renforcé par cette attente, ce destin national qu'on lui confie. C'est comme s'il entendait ces foules lui dire : « Général de Gaulle, trouvez une solution pour mettre fin à la guerre d'Algérie, vous êtes le seul, nous vous faisons confiance. » Voilà sa charge.

Mais à Bastia ou à Marseille, quand il monte à la tribune, devant la préfecture, c'est cela que des groupes contestent. Des rapatriés hurlent leur haine née du désespoir et du désarroi. Il les voit au premier rang de la foule crier : « Algérie française ! Vive Salan ! » ou même « De Gaulle au poteau ! » et : « OAS vaincra ! »

Ils n'imaginent pas que leur détermination accroît la sienne, que la tâche est immense et redoutable.

– Oui, c'est la plus grande opération politique de notre histoire, dit-il à un parlementaire corse qui, au milieu du brouhaha qui monte de la place, s'inquiète de l'ampleur du problème à résoudre. Mais il nous faut la faire.

Il s'interrompt, fixe son interlocuteur :

– Elle risque d'entraîner le rapatriement d'un million d'Européens.

Il serre les dents, le visage exprimant la résolution et l'amertume.

– Pensez bien qu'à un homme de mon âge et de ma génération la perspective n'est pas agréable.

Il enrage. Tant d'occasions perdues !

« Il aurait fallu que les Européens d'Algérie prennent la tête du mouvement nationaliste et qu'ils évoluent avec les événements. Au lieu de cela, ils se coupent de plus en plus de la métropole. Qu'en faire ? En fait, le divorce, déjà réel, devient de jour en jour plus apparent ! »

Les pieds-noirs se laissent aveugler. Ils soutiennent l'OAS, c'est-à-dire des gens qui assassinent des officiers français, comme le colonel Rançon.

– Maintenant, s'exclame-t-il, l'armée ne doit plus nourrir d'illusions sur le caractère de l'OAS qui n'est qu'un ramassis d'assassins !

Et pourtant, ils bénéficient toujours de complicités parmi les officiers. Ils ont des sympathies dans la police. Et, surtout, la haine que l'OAS diffuse contre les « Arabes » s'est répandue au-delà de ses rangs. Le 17 octobre 1961, une manifestation du FLN à Paris est réprimée avec violence par les forces de l'ordre que le préfet de police Maurice Papon, nommé par le dernier gouvernement de la IV⁰ République, ne tient pas. Combien de morts et de disparus – manifestants jetés dans la Seine ? Sans doute quelques dizaines. La fureur vindicative des policiers menacés chaque jour par le FLN et excités par la propagande OAS s'est déchaînée. Et quelques semaines plus tard, lors d'une manifestation organisée par les partis de gauche à la Bastille, on dénombrera neuf morts au métro Charonne. La police a agi avec sauvagerie. Des documents semblent attester que l'OAS a organisé cette tuerie. « Opération provocation à la manifestation du 8 – février 1962 – réalisée par un groupe de trente hommes, répartis en groupes de quatre entre Charonne et Bastille, peut-on lire dans un document OAS. Une partie du personnel était équipée de " bidules " authentiques (longues matraques dont viennent d'être munis les policiers). La suite est connue. Coût de l'opération, 90 000 francs. »

Il faut rester impassible, tenir le cap alors qu'on ouvre le feu de toutes parts sur le pouvoir. De Gaulle apprend que, dans les partis politiques, les socialistes comme Guy Mollet, les proches de Jean Monnet, les radicaux, on considère que la succession de De Gaulle est ouverte. On se prépare donc à le remplacer. On suppute même qu'un jour ou l'autre il tombera sous les balles d'un tueur de l'OAS.

De cela, le destin décidera. Mais l'OAS ne doit l'emporter à aucun prix. Il faut donc la combattre.

« Je veux savoir comment et pourquoi les émeutiers ont pu tenir la rue en maints endroits et à maints moments y assassiner des gens, sans que pas une fois le service d'ordre ait fait usage de ses armes, interroge de Gaulle après des assassinats et des émeutes qui se sont produits à Oran. Je veux savoir enfin quelles arrestations (et de qui) ont été opérées, où se trouvent les détenus, quelles poursuites sont engagées contre eux et devant quelles juridictions ?... Il est incroyable que les tueurs OAS arrêtés en Algérie soient laissés en Algérie où les médecins, les magistrats et la police sont avec l'OAS. Les tueurs, aussitôt arrêtés, doivent être mis dans un avion, sans écouter qui que ce soit, et incarcérés dans une prison de la métropole. »

Mais, en même temps, il faut interdire les débordements de la part de ceux que la presse commence à appeler « les barbouzes », ces commandos anti-OAS.

« Je n'admets pas que des éléments para-officiels accomplissent, comme c'est le cas, des actes dits anti-OAS, comportant comme ceux de l'OAS des attentats, des explosions, meurtres, etc. J'exige qu'il soit mis fin sans aucun délai à ces procédés qui déconsidéreraient l'autorité, l'État et moi-même.

« Me rendre compte aussitôt de ce qui est fait pour que cela cesse. »

Jamais, comme cet automne et cet hiver 1961-1962, il n'a senti l'État autant exposé et attaqué.

Il faut en avertir le pays, lui expliquer que « la France traverse un dur et dangereux passage », qu'il existe une sorte de complicité de fait entre le FLN et l'OAS. Le FLN se sert des troubles et des attentats provoqués par l'OAS pour affaiblir de Gaulle dans la négociation qui doit s'engager. Et l'OAS utilise les pieds-noirs et l'affaire d'Algérie pour prendre du pouvoir à Paris.

« Si par malheur, dit de Gaulle, nous laissions de nouveau le tracassin, le tumulte, l'incohérence que l'on connaît, s'emparer de nos affaires, c'est l'abaissement qui serait notre lot. »

Mais il ne s'agit pas que de « tracassin ».

On assassine. On multiplie les attentats. La gauche soupçonne le pouvoir de collusion avec l'OAS, contre toute vraisemblance !

Il reçoit une lettre de Jean Cassou, compagnon de la Libération, écrivain, conservateur en chef du musée d'Art moderne de Paris, qui accuse le « pouvoir » de couvrir des tortures contre les musulmans.

Comment admettre cette accusation, alors que depuis son retour au pouvoir il a multiplié les ordres d'enquêter sur tous les cas de tortures portés à sa connaissance ?

Mais c'est bien là l'une des manifestations de cette incompréhension, de cet aveuglement qui emportent certains au moment où la France aurait besoin de se rassembler.

Il écrit :

« Mon cher Cassou,

« Pour empêcher les injustices, tortures et abus commis à l'égard des musulmans, vous savez bien grâce à qui et depuis quand a été fait ce qui a été fait.

« Dès lors, pourquoi les objurgations que vous m'adressez à ce sujet ? »

Comment ces « opposants » démocrates ne comprennent-ils pas que la partie que joue la France est périlleuse, qu'il faut avancer entre des adversités armés – le FLN et l'OAS – et que, si l'on n'agit pas avec prudence, tout – la démocratie en France même, la situation des pieds-noirs en Algérie, les intérêts de la France, son rôle dans le monde – pourrait être perdu ?

Il suffirait que l'armée bascule du côté de l'OAS. Il suffirait que ce qui a été manqué par le « quarteron de généraux en retraite » réussisse. Or, beaucoup d'officiers proches des rebelles ont été mutés en Allemagne, dans la zone d'occupation française. Et la police assure que le plus déterminé des colonels rebelles – Argoud – y dispose de nombreux complices et de filières qui fournissent à l'OAS armes et explosifs.

De Gaulle en est persuadé : « Comme toujours, le destin de la France dépend de ses soldats. »

Il regarde ces plus de trois mille officiers rassemblés pour l'entendre, ce 23 novembre 1961, debout, épaule contre épaule, dans le froid vif, sous le ciel gris, dans le décor austère de la place de Broglie à Strasbourg.

Il a voulu s'adresser, symboliquement en ce lieu, à toute l'armée.

Il leur parle de la libération de Strasbourg, un 23 novembre 1944, par Leclerc, de la nécessaire modernisation des armées, de « l'obligation de regarder vers l'avenir, de s'adapter à la stratégie nucléaire ».

L'un quelconque de ces officiers pourrait tirer sur lui, l'abattre. Il en a accepté le risque.

Et il va dire à ces hommes au garde-à-vous, à cette armée dont il fut l'un des membres, ce qu'il en est de l'Algérie.

« Il fallait que fût fixée la volonté de la France. C'est ce qui a été fait. Croit-on que ç'ait été facile ? L'autodétermination... ce fut, c'est la solution arrêtée par le chef de l'État, adoptée par le gouvernement, approuvée par le peuple français. »

Il s'interrompt. Il est tête nue, face à ces hommes dont il sait que certains ont été déchirés d'avoir à obéir aux ordres, de ne pas suivre leurs camarades engagés dans le putsch.

Il les comprend.

« Certes, chacun peut s'expliquer – et moi-même le premier – que dans l'esprit et le cœur de certains soldats se soient faits jour, naguère, d'autres espoirs, voire l'illusion qu'à force de le vouloir on puisse faire que, dans le domaine ethnique et psychologique, les choses soient ce que l'on désire et le contraire de ce qu'elles sont. »

Il hausse la voix.

« Mais, dès lors que l'État et la nation ont choisi leur chemin, le devoir militaire est fixé une fois pour toutes. Hors de ses règles, il ne peut y avoir, il n'y a que des soldats perdus...

« Aujourd'hui, à Strasbourg, j'affirme la confiance de la France en elle-même et en son armée.

« Vive la République !

« Vive la France ! »

Le lendemain matin, il apprend qu'au cours de la nuit l'OAS a perpétré treize plasticages.

Il faut en finir. L'État risque de se déliter. Il faut prendre une nouvelle fois le pays à témoin. Lui expliquer sans fard la situation.

« Des Français indignes se sont lancés dans des entreprises subversives et criminelles. Exploitant et exaspérant l'irritation et l'inquiétude d'une partie de la population d'origine européenne, la nostalgie de quelques éléments de l'armée, la rancune et l'ambition de plusieurs chefs militaires ou politiciens disponibles, des conspirateurs ont essayé, essaient et sans doute essaieront de créer des bouleversements à la faveur desquels ils s'imaginent saisir le pouvoir. Ils l'ont tenté, mais vainement lors de l'affaire des barricades.

Ils le tentent en ce moment grâce à un système de chantage, de vols, d'assassinats, transporté jusque dans la métropole. Mais, une fois de plus, ils le font vainement... Leur destin ne saurait relever et ne relève que des forces de l'ordre, de la police et de la justice. Pour nous, il s'agit dans le moindre délai de réaliser la paix et d'aider l'Algérie à prendre en main son destin... »

C'est l'autodétermination, « c'est-à-dire un État souverain et indépendant ».

Tout est en place. Des négociations, après des contacts secrets, vont s'ouvrir aux Rousses, dans un chalet près de la frontière suisse.

Ce sont les derniers moments, quelques semaines, quelques mois encore. Les plus difficiles.

Il sait que les hommes de l'OAS vont tout tenter pour empêcher la fin de la guerre, la mise en place d'une Algérie où les deux communautés pourront coexister. Ces hommes-là ne se soucient pas de l'avenir de la France.

Il le dit aux ministres. Si les négociations n'aboutissent pas, « alors nous laisserons l'Algérie à elle-même et nous n'avons pas besoin du FLN pour cela. Messieurs, accrochez-vous au mât parce que ça va tanguer ».

Le 9 janvier 1962, il reçoit Michel Debré. Il estime ce Premier ministre qui, depuis trois ans, conduit la politique de la France avec abnégation. Mais les temps vont changer, Michel Debré le sait. Et il offre sa démission.

Il évoque les noms de plusieurs successeurs possibles : Pompidou, Chaban-Delmas, Louis Joxe, Couve de Murville.

De Gaulle l'interrompt.

– Oui, murmure de Gaulle, mais certainement vous m'en voudrez beaucoup.

– Si je devais vous en vouloir, je vous le dirais, et je veux profiter de cette occasion, répond Debré, pour vous exprimer certaines choses qui me froissent et certaines attitudes que je regrette.

De Gaulle écoute les reproches de Michel Debré sur le fonctionnement du pouvoir – des ministres qui reçoivent des instructions du président sans que le Premier ministre en soit averti –, sur l'Algérie – l'abandon de la souveraineté française sur le Sahara.

On parle de la politique européenne. L'extension du Marché commun aux produits agricoles vient d'être décidée grâce à la France. Et un plan d'union politique, proposé par Christian Fouchet. Mais « la supranationalité, ajoute Michel Debré, c'est le protectorat américain ».

De Gaulle fait la moue.

« Il n'y a que vous et moi qui pensons à l'indépendance de la France », dit-il.

C'est la fin de l'entretien.

De Gaulle regarde s'éloigner Michel Debré. Sa démission ne deviendra effective qu'après la signature des accords avec le FLN. S'ils interviennent. Mais, quelle qu'en soit l'issue, une étape se termine, et la prochaine ne sera pas conduite par Michel Debré.

De Gaulle reçoit seul les trois négociateurs français : Louis Joxe, Robert Buron et Jean de Broglie, qui vont mener aux Rousses les pourparlers avec le FLN.

— Réussissez ou échouez, mais surtout ne laissez pas les négociations se prolonger indéfiniment. D'ailleurs, ne vous attachez pas au détail. Il y a le possible et l'impossible... Enfin, faites pour le mieux !

C'est le 13 février 1962.

Plusieurs centaines de milliers de Parisiens accompagnent silencieusement les corps des neuf morts tués par les provocateurs OAS au métro Charonne. Il regarde les images au journal télévisé du soir. Les négociations ont repris depuis deux jours aux Rousses.

Cette foule en deuil, digne et résolue, c'est un barrage contre l'OAS, une manifestation aussi en faveur de la paix en Algérie, une preuve de plus de l'impossibilité qu'il y aurait à vouloir continuer cette guerre absurde qui épuise la nation et conduit à la guerre civile.

« Si la France pouvait avoir vingt années de paix et continuer son expansion démographique, murmure de Gaulle, elle serait une nation formidable. Nous pourrions avoir cent millions d'habitants que notre agriculture supporterait allègrement : il faut que nous en ayons soixante. »

Dans les bois de la Malochère, proches de Colombey-les-Deux-Églises, il se promène avec son aide de camp, Flohic. Il avance lentement, la tête baissée. C'est l'hiver.

Il regarde les grands arbres nus, cette nature « stérile et glacée ».

« J'ai vu, murmure-t-il, la petite maison où Clemenceau s'est retiré en Vendée, face à l'océan. »

Ainsi terminent leur vie les grands hommes.

La simplicité dans la mort et la sépulture sont, ajoute-t-il, le complément, la conclusion indispensable d'un grand destin.

Il est entré dans sa soixante-douzième année.

30.

De Gaulle soulève lentement le téléphone. C'est maintenant. Il faut donner à Louis Joxe « l'instruction ultime ». Il regarde vers le parc de l'Élysée. Les fenêtres du bureau semblent recouvertes d'un voile gris tant la lumière, en cette fin de matinée du dimanche 18 février 1962, est sombre.

Aujourd'hui, il faut conclure ces pourparlers. Ou bien...

Il jette un coup d'œil à Michel Debré, assis en face de lui dans le bureau présidentiel. Le Premier ministre a les traits tirés. Il souffre à l'évidence d'avoir à appliquer cette politique, si contraire à ce qu'il espérait. Mais on n'agit qu'en fonction des réalités, et non de ses vœux. Si les négociations n'aboutissent pas, si les délégations algériennes et françaises quittent le chalet des Rousses sans avoir signé un texte, alors la France et l'Algérie s'enfonceront l'une et l'autre dans une impasse cruelle.

De Gaulle imagine. L'OAS étendra son emprise, tentera de s'emparer du pouvoir à Paris. Salan, caché quelque part à Oran ou à Alger, rêve de devenir un nouveau général Franco, partant à l'assaut de la métropole. Et la France connaîtra la guerre civile.

Quant au FLN, il tombera entre les mains des plus extrémistes. Et les pieds-noirs, aveuglés par leurs illusions, seront les premières victimes de cette politique du pire.

Quant à la France...

De Gaulle se souvient des conversations qu'il vient d'avoir à Baden-Baden avec le chancelier Adenauer. L'entente franco-allemande se renforce. Adenauer « a paru assez séduit par l'idée

363

d'un référendum européen ». Mais que resterait-il de ces projets d'union européenne, d'Europe indépendante, si la France gardait au flanc cette plaie algérienne par où s'écoule toute son énergie ?

De Gaulle reconnaît la voix de Joxe, puis celle de Robert Buron. Il déteste écouter et parler au téléphone sans voir le visage de ses interlocuteurs. Mais il est resté à l'Élysée en cette fin de semaine, renonçant à se rendre à Colombey, précisément pour suivre heure par heure si besoin est la marche des négociations.

Il fait un signe à Michel Debré. Que le Premier ministre prenne l'écouteur.

– Mon général, une des grandes difficultés, explique Buron, c'est que leurs catégories intellectuelles diffèrent fondamentalement des nôtres. Les mêmes mots ne représentent pas pour eux les mêmes choses que pour nous...

De Gaulle baisse la tête. Et pourtant, il faut s'entendre.

– Je crois qu'ils sont adossés, poursuit Buron, à des instructions précises. Ils paraissent souhaiter aboutir, mais oseront-ils aller jusqu'à prendre sur eux d'outrepasser leur mandat ?

C'est maintenant.

De Gaulle lève la tête. Il regarde Michel Debré, comme s'il adressait d'abord au Premier ministre plutôt qu'à Joxe et Buron son « instruction ultime ».

– L'essentiel, commence-t-il, est d'aboutir à un accord comportant un cessez-le-feu, puis l'autodétermination, du moment que cet accord n'entraîne pas de bouleversement soudain dans les conditions actuelles, relativement à la situation matérielle et politique des Européens...

Il faut évoquer aussi la présence militaire, l'exploitation du pétrole et du gaz, les rapports futurs entre l'Algérie et la métropole.

– C'est cet aboutissement, je répète : cet aboutissement, qu'il faut réaliser aujourd'hui. Si les conditions indiquées ci-dessus sont acquises, et il m'apparaît qu'elles le sont, nous devons faire l'accord.

La question clé, il faut qu'il le précise, est celle des relations entre les deux communautés. Pendant trois ans, les Européens pourront conserver les deux nationalités, la française et l'algérienne. Leurs garanties, en ce qui concerne leurs biens, doivent être spécifiées. Il faut qu'à Alger et à Oran, et dans les zones où ils sont en majorité, ils puissent être représentés par des Européens.

Il s'interrompt quelques secondes, secoue la tête.

— Si l'épreuve ne réussit pas, c'est qu'elle ne réussira jamais, et alors nous nous trouverons devant un tout autre problème...

Il hausse les épaules.

— Ne nous exagérons pas la portée ni l'importance des rédactions auxquelles de part et d'autre on soucrirait au jour d'aujourd'hui.

La réalité balaie souvent toutes les prévisions.

Il faut attendre.

Il descend dans le parc de l'Élysée. Il marche à pas lents, mais il n'éprouve pas cette sensation de liberté que lui donnent ses promenades dans le parc de la Boisserie. Ici, il est enfermé. Et même quand, à Colombey, la tristesse ou la nostalgie l'enveloppent, il peut respirer à pleins poumons, et peu à peu la quiétude l'envahit. Ici, il se sent contraint. Et il pressent que d'avoir dû renoncer à se rendre ce samedi et ce dimanche à la Boisserie, comme d'habitude, pèsera sur lui durant toute la semaine.

Ici, à l'Élysée, il est comme un soldat sous les armes.

C'est à l'aube, le lundi 19 février, que les accords de cessez-le-feu sont signés. Mais rien n'est encore joué. Joxe indique que les négociateurs algériens doivent faire approuver le texte qu'ils ont paraphé par l'assemblée du FLN, réunie à Tripoli. Et, de toute manière, il restera une phase ultime, pour aboutir à un texte définitif. Elle devrait se tenir à Évian, officiellement, et s'ouvrir le 7 mars.

Après, il faudra faire face au déferlement de violence que l'OAS organisera. De Gaulle soupire. Il a le sentiment qu'il marche dans le désert, qu'après chaque dune gravie il aperçoit une nouvelle dune, et que la paix n'est qu'un mirage qui se dérobe chaque fois qu'on croit l'avoir atteint.

C'est dans de telles circonstances qu'il faut rester calme, ferme, obstiné. Il se sent capable de cela.

Il reçoit Joxe, Buron, de Broglie de retour des Rousses. Pas de satisfaction sur les visages las.

– Vous avez fait de votre mieux, dit de Gaulle. Nous allons voir maintenant. En tout cas, nous ne nous laisserons pas manœuvrer. S'il y a accrochage à Tripoli, eh bien, nous publierons les textes, tous les textes. L'opinion internationale sera pour nous, et nous reprendrons le combat.

Il se lève, leur serre à nouveau longuement la main.

– Merci, messieurs.

Il ressent la fatigue et en même temps une détermination inébranlable. Il se souvient des mois de captivité en Allemagne, des évasions manquées, recommencées, puis de ces années d'avant-guerre, quand il tentait vainement de faire triompher ses idées, et des sombres saisons de guerre, quand la France était au fond de l'abîme. Il lui semble qu'à chaque moment de sa vie il n'a connu que l'adversité. Rien ne lui a été donné. Jamais. Mais sans doute est-ce là le sort de tout homme qui ne se résigne pas à subir.

« Moult a appris qui bien connut ahan », murmure-t-il.

Voilà longtemps qu'il a fait sienne cette maxime du XIVe siècle. Oui, a beaucoup appris qui a beaucoup peiné.

Au Conseil des ministres du mercredi 21 février, d'un geste il donne la parole à chaque ministre. Il faut que chacun exprime son point de vue sur les accords de cessez-le-feu.

Malraux, le visage baissé, la main droite allant et venant devant son visage baissé, commence d'une voix haletante :

– La défense de l'Algérie française était historiquement impossible, dit-il. Où est le destin de la France ? Est-il dans le fait de rester accroché à l'Algérie ? Ou bien est-il dans une certaine libération de la France ? Là est la vraie victoire, la victoire en profondeur. Aujourd'hui, ce n'est pas Diên Biên Phu. La France change de combat.

De Gaulle se tourne, donne la parole à Mlle Sid Cara, secrétaire d'État. Il voit ses larmes. Elle dit qu'elle espérait autre chose. Le gouvernement traite avec le seul FLN, oubliant les musulmans qui ont pris une autre route, qui ont choisi comme elle la France.

Il faut lui répondre la vérité, même si elle est dure.

– Croyez-vous vraiment, mademoiselle, que, sauf exceptions, dont nous avons le devoir de nous occuper aujourd'hui, dont nous devrons nous occuper demain, la grande majorité des musulmans ne soit pas favorable à l'indépendance, qu'elle ne leur apparaisse pas comme la solution inévitable ?

Silence lourd.

D'un signe de tête, de Gaulle autorise Michel Debré à conclure le tour de table.

Le visage du Premier ministre est altéré, sa voix sourde mais ferme.

— André Malraux a prononcé le mot « victoire », le terme m'a surpris. Mais je le comprends ainsi : c'est avant tout une victoire sur nous-mêmes.

De Gaulle demeure immobile.

— Qui n'a pas souhaité un autre avenir pour l'Algérie ? poursuit Debré. Si le général de Gaulle était revenu au pouvoir en 1951, nous aurions réussi... Mais les années ont passé, et peu à peu un mal terrible a fait son chemin... Chacun doit comprendre la pensée du général de Gaulle. Il s'agit de la France, et d'abord de la France. Dans le cas présent, servir la France, c'est limiter les responsabilités qui l'entraînent hors d'elle-même et l'épuisent... C'est là qu'est la victoire, je veux dire la victoire sur nous-mêmes.

De Gaulle baisse la tête. On juge les hommes à ce dont ils sont capables dans les temps d'adversité. Debré, il le sait encore mieux aujourd'hui, est parmi les meilleurs.

— Nous avons tenté en Algérie tout ce qui est humainement possible, commence de Gaulle. Cet accord est l'aboutissement d'une longue crise. Cette issue, la seule possible. Il faut la prendre. Elle est devenue inéluctable, compte tenu du mouvement général des peuples.

Il donne le cap.

« Il faut que la nation parle dans les moindres délais. »

Un référendum, donc, dès que les accords seront signés à Évian. Et la rigueur des lois pour ceux qui continueront de se dresser contre l'État.

Il se penche vers Mlle Nafissa Sid Cara.

— Je comprends le drame humain que notre décision représente pour beaucoup de Français, pour leurs sentiments, pour leur sensibilité. Il n'y a pas d'autre voie.

Il fixe Michel Debré.

— Maintenant, nous devons nous tourner vers l'Europe. L'ère des continents organisés succède à l'ère coloniale.

Il est seul dans son bureau. Il consulte les rapports. C'est pire encore que ce qu'il craignait. La sauvagerie se déchaîne : 256 morts, 500 blessés pour la première quinzaine de février. 132 explosions le 5 mars à Alger, entre 4 h 30 du matin et 6 h 30, plus d'une par minute ! *Opération Rock and roll* ! L'OAS poignarde, étrangle sous les vivats d'une grande partie de la population pied-noir, affolée par la perspective d'être demain sous la domination des Algériens. Et les tueurs du FLN assassinent eux aussi.

La police a saisi une directive du 23 février signée par Salan, qui ordonne d'ouvrir le feu sur « les unités de gendarmerie et de CRS ». Et voilà le plus grave : « Sur ordre des commandements régionaux (de l'OAS), indique Salan, la foule sera poussée dans les rues à partir du moment où la situation aura évolué dans un sens suffisamment favorable. »

Ils veulent un bain de sang. Les tueurs des commandos Delta abattent d'une balle dans la nuque n'importe quel passant musulman. La foule lynche à Bab el-Oued. L'OAS décide de tuer tous les préparateurs en pharmacie musulmans, supposés être proches du FLN. Puis c'est le tour des facteurs ! Des tueurs assassinent dans le centre social d'El Biar, à Alger, des inspecteurs de l'enseignement, dont le jeune écrivain kabyle Mouloud Ferraoun.

De Gaulle dicte :

« J'approuve que MM. Guillaumat et Paye – délégués auprès du Premier ministre et ministre de l'Éducation nationale – aillent à Alger comme ils le projettent, aux obsèques des inspecteurs d'Académie d'El Biar. »

Il ne faut pas céder.

« C'est à la gendarmerie et aux CRS qu'il appartient d'être dans la rue à Alger et à Oran, et de tuer ou d'arrêter les tueurs. »

Il ne faut pas laisser Salan réussir son entreprise. La France ne sera pas l'Espagne conquise à partir de l'Afrique du Nord par un général rebelle.

« Mon cher Premier Ministre,

« Devant la multiplication des crimes d'inspiration activiste, j'ai souligné, à diverses reprises, la nécessité absolue d'assurer une répression exemplaire et rapide des exactions... »

C'est une course de vitesse contre les tueurs afin d'empêcher la stratégie de guerre civile de Salan de réussir.

À 13 heures, le 18 mars 1962, de Gaulle est averti que les négociateurs, réunis à Évian, ont signé l'accord de cessez-le-feu. Il entrera en vigueur le 19 mars à midi. Il veut, dès 20 heures, ce soir du 18 mars, s'adresser au pays. Le peuple, voilà le seul barrage efficace contre la guerre civile. Il parle brièvement. Il faut des mots simples pour exposer des « vérités aussi claires que le jour », une « solution du bon sens » qui a pu être mise en place grâce à la République, à l'action de l'armée sur le terrain. Mais surtout grâce au peuple français, « à son bon sens, à sa solidité, à sa confiance constamment témoignée envers qui porte la charge de conduire l'État et la nation... Je le dis non point, qu'on veuille m'en croire ! par vantardise nationale ou démagogie politique. Mais je le dis pour que notre pays s'affermisse dans la conscience de ce qu'il vaut ».

Christian Fouchet sera nommé haut-commissaire de la France en Algérie, où se mettra en place un exécutif provisoire, présidé par l'Algérien Abdehraman Farès. Les dirigeants du FLN prisonniers en France, tel Ben Bella, sont libérés et autorisés à rejoindre le Maroc. Il faut, dans les quelques semaines qui viennent, faire approuver ces accords par le pays.

Le 20 mars, de Gaulle fait lire par les présidents des Assemblées une lettre annonçant aux députés et aux sénateurs les accords de cessez-le-feu et l'organisation d'un référendum.

« Il m'apparaît donc comme nécessaire que la nation elle-même sanctionne une aussi vaste et profonde transformation, et confère au chef de l'État et au gouvernement les moyens de résoudre dans les moindres détails les problèmes qui seront posés à mesure de l'application. »

Un autre obstacle franchi. Mais combien s'élèvent encore avant la paix ?

Il murmure à Michel Debré :

« En vérité, il est miraculeux que nous en soyons arrivés à ces accords. Car, songez-y, depuis cent trente ans, ils n'ont cessé d'être dominés, dépouillés, humiliés... »

Et maintenant, assassinés.

Dans l'après-midi du 20 mars, quatre obus de mortier tombent dans la foule musulmane de la place du Gouvernement, en pleine Casbah : 24 morts, plusieurs dizaines de blessés. Les musulmans veulent « descendre » sur Bab el-Oued. Ce sont les militants du FLN qui les en dissuadent.

Tout tient à un fil.

De Gaulle prend connaissance des communiqués du « haut commandement de l'OAS ».

« Aveugle et sourd à la volonté d'un peuple, de Gaulle a signé avec les assassins.

« Notre guerre continue, notre drapeau est et restera le drapeau tricolore.

« En conséquence, dès le lever du jour, une grève générale de vingt-quatre heures marquera la honte et la trahison d'un chef d'État indigne de notre détermination de rester à jamais français. »

Et puis ces proclamations de l'OAS qui qualifient les soldats qui resteraient fidèles au gouvernement de « troupes au service d'un gouvernement étranger ». Et Salan qui « donne l'ordre à nos combattants de harceler toutes les positions ennemies dans les grandes villes d'Algérie ».

Il a une moue de mépris.

Mots et patriotisme dévoyés. Tout cela qui va rendre impossible, il le sent, la coexistence des deux communautés, alors que les accords ont prévu pour les pieds-noirs une série de garanties.

Mais comment pourraient-elles jouer si la haine déferle et alors que les Européens ne sont qu'un million face à près de dix millions de musulmans ?

C'est le peuple français qui peut arrêter la main des tueurs.

Le 26 mars 1962, de Gaulle s'installe dans la salle des fêtes de l'Élysée, face aux caméras. Il veut expliquer le sens du référendum qui aura lieu le 8 avril.

« C'est en nous-mêmes et pour nous-mêmes que notre référendum revêt une importance extrême. Faire la preuve éclatante de notre unité et de notre volonté, c'est marquer que nous sommes capables de résoudre délibérément un grand problème de notre temps. C'est faire savoir que les criminels qui s'efforcent à coups d'attentats de forcer la main de l'État et d'asservir la nation n'ont d'avenir que le châtiment... »

Mais il ne veut pas taire l'autre sens du référendum.

« Je puis et je dois le dire : répondre affirmativement et massivement, c'est pour eux me répondre à moi-même qu'en ma qualité de chef de l'État ils me donnent leur adhésion. »

Il le sait bien, les opposants vont parler de plébiscite ! Comme si le pouvoir était jamais désincarné ! Oui, il a besoin, lui, en tant que personne, du soutien des Français. Il veut pouvoir penser : « J'ai leur confiance avec moi, pour aujourd'hui et pour demain. »

Il conclut :

« Françaises, Français ! Vous le voyez, il va peser lourd, le " oui " que je demande à chacune et à chacun d'entre vous ! »

31.

Ils ont osé ! La colère saisit de Gaulle. Des soldats du contingent, sept malheureux « appelés », abattus par un commando de l'OAS parce qu'ils refusaient de livrer leurs armes à des jeunes enfiévrés de Bab el-Oued ! Et tout ce quartier qui s'est insurgé, ouvrant le feu sur les patrouilles de l'armée et des gendarmes.

De Gaulle regarde les ministres rassemblés autour de la table du Conseil. Il devine chez nombre d'entre eux le désarroi, l'hésitation, peut-être la tentation de ne pas réagir, parce qu'il s'agit d'un quartier peuplé de pieds-noirs, de Français européens, donc.

Il serre le poing.

— Notre armée ne doit pas être moralement séparée de la nation, martèle-t-il. Celle-ci veut que l'OAS soit écrasée... Si quelque cadre supérieur en marge de l'armée ne fait pas son devoir en cette affaire, il y a risque de dissociation, et c'est le risque le pire. Il faut être ferme. Alger est en proie à la subversion ? Bab el-Oued se révolte ? Tous les moyens sont réunis. Il ne faut pas lésiner. Il ne faut rien ménager.

Dans les minutes qui suivent, on apprend que le général Ailleret a donné l'ordre de « boucler » Bab el-Oued et de l'investir, de fouiller les appartements, d'arrêter les suspects.

— Il ne faut pas laisser se développer le désordre, reprend de Gaulle. Il faut imposer notre autorité.

Il écoute, le visage hostile, le ministre des Anciens Combattants, René Triboulet, dire :

— Il faut réduire, mon général, mais il faut aussi séduire.

Il a un mouvement de colère lui soulevant les épaules.

– C'est ça, monsieur le Ministre... Séduisez... Séduisez vos anciens combattants !

Il se lève.

C'est de la France qu'il s'agit, et ces tueurs, ces inconscients, ces désespérés qui les suivent mettent en péril son avenir, font chanceler tout l'échafaudage auquel on est parvenu après des années de crise. Il ne le tolérera pas, quel qu'en soit le coût.

Il rentre dans son bureau, écrit une lettre à Michel Debré.

« Mon cher Premier Ministre,

« Tout doit être fait sur-le-champ pour briser et châtier l'action criminelle des bandes terroristes d'Alger et d'Oran.

« Pour cela, j'ai, sachez-le, entièrement confiance dans le gouvernement, dans le haut-commissaire de la République, dans le général commandant supérieur et dans les forces sous ses ordres.

« Veuillez le dire aux intéressés.

« Bien cordialement. »

Charles de Gaulle pense à ces hommes, Christian Fouchet, le général Ailleret, Bernard Tricot, Jean Morin, et leurs collaborateurs, parmi lesquels quelques anciens de la France Libre, comme le colonel Buis, qui ont toujours accepté de prendre les risques de représenter la République, et qui se sont installés à une quarantaine de kilomètres à l'est d'Alger, au Rocher-Noir, sur la côte. Il imagine leur isolement, la difficulté de leur tâche dans ce climat passionnel, criminel, quand on tue chaque jour des dizaines de musulmans choisis au hasard, et même les femmes de ménage qui s'aventurent dans les quartiers européens.

Mais, il l'a dit à Fouchet au moment de son départ, le 19 mars, il y a seulement quatre jours :

« Vous êtes un homme public qui sert l'État. Vous me dites que vous êtes un homme seul... Que croyez-vous que je sois ? Le chef doit être seul. Ainsi, il ne doit rien à personne. Et puis ne vous plaignez pas, Fouchet, vous êtes un compagnon, vous ne pouviez pas me refuser. Allez, Fouchet, vous appartenez à une famille à laquelle on a beaucoup demandé et qui a beaucoup donné. Eh bien, vos frères morts vous aideront !... Non, ne vous plaignez pas ! *Ad augusta per angusta.* »

Il pense un instant à ces trois frères Fouchet, tous officiers, tous morts pour la France.

Et c'est contre un Fouchet, contre des hommes appartenant à de telles familles, que se dressent ces déserteurs de la Légion, ces généraux félons, ces pilleurs de coffres qui dévalisent les banques d'Oran pour financer l'OAS !

Pas de répit dans la répression !

Il apprend, le 25 mars, que le général Jouhaud a été arrêté à Oran. Il faut qu'il soit immédiatement transporté dans la métropole et jugé.

Il sent que l'OAS perd peu à peu du terrain. La population de Bab el-Oued a pu constater que les commandos OAS qui avaient attaqué les soldats et les gendarmes ont pu – avec quelles complicités ? – quitter le quartier, la laissant aux prises avec les forces de l'ordre, qui vengent leurs camarades morts en saccageant les appartements.

Horreur des guerres civiles !

Il faut empêcher à tout prix qu'elle ne se développe.

Ce lundi 26 mars 1962, il prend connaissance des tracts distribués par l'OAS dans la zone d'Alger. Le colonel Vaudrey, qui dirige ce secteur de l'Organisation armée secrète, cherche à l'évidence à desserrer l'étreinte qui étouffe Bab el-Oued et, en même temps, à contraindre l'armée à affronter la population européenne d'Alger : l'OAS a choisi une nouvelle fois la politique du pire.

Il lit le tract.

« Une opération monstrueuse, sans précédent dans l'Histoire, est engagée depuis trois jours contre nos concitoyens de Bab el-Oued. On affame cinquante mille femmes, enfants, vieillards encerclés dans un immense ghetto pour obtenir d'eux, par la famine, par l'épidémie, par " tous les moyens ", ce que le pouvoir n'a jamais pu obtenir autrement : l'approbation de la politique de trahison qui livre notre pays aux égorgeurs du FLN, qui ont tué vingt mille Français en sept ans.

« La population du Grand Alger ne peut rester indifférente et laisser perpétrer ce génocide...

« Il faut aller plus loin : en une manifestation de masse pacifique et unanime, tous les habitants de Maison-Carrée, de Hussein-Dey et d'El Biar... rejoindront ce lundi, à partir de 15 heures, ceux du centre pour gagner ensemble et en cortège, drapeaux en tête, sans aucune arme, sans cris, par les grandes artères, le périmètre de bouclage de Bab el-Oued... »

La volonté de créer l'incident sanglant est évidente. Elle correspond aux consignes données il y a quelques jours par Salan : pousser la foule en avant et placer ainsi l'armée devant le dilemme : tirer ou pactiser avec l'OAS et la population européenne.

De Gaulle le sait : on atteint en Algérie le paroxysme de la crise entre les pieds-noirs et la politique de la France. La tragédie ne peut qu'éclater.

Le soir de ce lundi 26 mars 1962, il reçoit les premiers rapports : 46 morts et 200 blessés rue d'Isly. Des ordres n'ont pas été transmis. Des tirailleurs musulmans ont été placés au contact avec les manifestants qui les insultaient. Et surtout, trois armes automatiques ont ouvert le feu sur les troupes. Des grenades ont été lancées. Les dirigeants de l'OAS ont obtenu le résultat qu'ils escomptaient, un bain de sang européen. Mais l'armée n'a pas basculé du côté des manifestants pieds-noirs.

Ces victimes, morts et blessés, sont le fruit de la stratégie suicidaire de l'OAS, de sa volonté d'empêcher toute coexistence, de saccager l'Algérie puisqu'on ne peut la garder : « Laissons-la telle que nous l'avons trouvée en 1830 ! » Voilà le programme de l'OAS. Et l'OAS interdit même aux pieds-noirs de quitter l'Algérie. Elle rêve de regrouper la population européenne à Oran.

Folie !

De Gaulle imagine ce que ressentent les officiers qui ont tenté d'empêcher le massacre de la rue d'Isly, qui ont crié – on a entendu la voix de l'un d'entre eux sur les enregistrements radio : « Halte au feu, nom de Dieu, halte au feu ! »

Il sait combien ces morts européens doivent peser sur la conscience des responsables du Rocher-Noir, même si ces victimes sont d'abord celles de l'OAS.

Il écrit une note pour Burin des Roziers, secrétaire général de la présidence de la République :

« Quand la foule d'Alger (demain, celle d'Oran) se laisse entraîner par l'OAS pour forcer les barrages et reprendre la ville aux forces de l'ordre, la riposte de celles-ci est naturellement coûteuse, mais elle est inévitable. Au total, c'est en tenant bon que l'ordre épargne les vies humaines.

« Dire à M. Fouchet qu'il m'appelle aujourd'hui (à Colombey), soit à 14 heures, soit à 18 heures, soit dans la soirée à partir de 21 heures. »

Il faut aller au bout. En finir. Ne pas céder, s'appuyer sur le peuple une nouvelle fois, l'appeler à voter oui au référendum du 8 avril.

Il parle le 6.

« Dimanche va s'accomplir en France un événement d'une immense portée... Car la très grave question algérienne sera tranchée au fond et le sera par la nation elle-même. Ainsi trouvera enfin sa solution humaine et raisonnable un problème qui, restant posé depuis cent trente-deux ans, a entraîné pour l'Algérie, à côté des réalisations qui lui furent souvent favorables, des drames périodiquement renouvelés...

« Prévu par la Constitution, le référendum passe ainsi dans nos mœurs, ajoutant quelque chose d'essentiel à l'œuvre législative du Parlement. »

Il veut que la crise algérienne confirme définitivement l'efficacité de l'appel au pays pour trancher dans les questions essentielles, et donner au chef de l'État les moyens d'agir :

« Le témoignage de votre confiance sera le nombre de celles et de ceux qui répondront en votant oui. »

Dans la soirée du dimanche 8 avril 1962, il attend les résultats sans impatience, ne levant pas les yeux de sa réussite, n'arrêtant de disposer les cartes qu'au moment où l'on annonce que le oui recueille près de 91 % des suffrages exprimés et plus de 76 % des inscrits.

Il retourne la dernière carte. Réussite.

Le pays s'est rassemblé autour de lui pour la politique qu'il conduit. Hier, à Alger, on a arrêté le chef des commandos Delta, le lieutenant Degueldre. Salan est traqué. Jouhaud sera jugé le 13 avril. Même si les attentats et les meurtres continuent d'être perpétrés, même si les tueurs de l'OAS vont, il en est sûr, tenter de l'abattre, ils ne pourront plus rien contre cette unanimité de la nation.

Enfin, s'il n'est pas assassiné, il va pouvoir engager la France dans une nouvelle étape. En faire un acteur de premier plan dans la politique internationale, et d'abord en Europe. Il a vu Adenauer à la mi-février. Il s'est rendu à Turin pour rencontrer le président du Conseil italien, Fanfani, au début avril. Il veut tenter de faire aboutir l'union politique européenne sur la base du plan Fouchet, qui préserve l'autonomie de chaque nation et écarte les organismes supranationaux, qui ne sont que des moyens de rendre l'Europe impuissante.

Pour cette nouvelle étape, il faut un autre Premier ministre, un autre gouvernement. Il est temps que la démission que lui a présentée Michel Debré devienne effective.

Il marche en compagnie de Jacques Vendroux dans le parc de l'Élysée, après le déjeuner, ce 12 avril 1962.

— Que pense-t-on de Pompidou ? lui demande-t-il sans lever la tête.

— Vous voulez dire sur le plan de la collaboration qu'il vous apporte ?

De Gaulle s'arrête. Bien sûr, Pompidou a été un directeur de cabinet efficace, dévoué. Mais il a quitté le service de l'État pour devenir directeur chez les Rothschild, rue Laffitte.

— Oui, reprend de Gaulle, et même, d'une façon plus générale, le considère-t-on comme un homme susceptible de jouer un grand rôle politique ?

Il jette un coup d'œil à Jacques Vendroux, qui est resté prudent. Les députés UNR estiment Georges Pompidou, explique Vendroux, mais ils le connaissent mal et sont réservés, du fait de ses activités chez les Rothschild.

On oubliera vite cela.

De Gaulle regagne son bureau.

Il va maintenant recevoir Guy Mollet. Il veut avertir le leader socialiste du remplacement de Michel Debré. Mollet est un patriote décrié mais tenace, et soucieux des intérêts de l'État.

— Nous sommes à un tournant, commence de Gaulle. Il faut passer à une autre phase, et c'est pour cela que, d'accord avec Debré, j'ai décidé de faire un nouveau gouvernement. Vous comprenez, Debré est usé. Il a bien travaillé, mais il n'en peut plus. Le pouvoir use, et puis il a son équation personnelle...

Il observe Mollet, qui écoute avec attention, les yeux mi-clos derrière les verres épais de ses lunettes à monture d'écaille.

– Ne soyez pas trop ingrat, ni trop injuste, répond Guy Mollet de sa voix grave. Vous ne trouverez plus jamais quelqu'un qui vous serve aussi bien que lui. Il a sacrifié ses propres convictions pour servir votre cause.

– J'ai décidé d'appeler Pompidou. Vous comprenez, Pompidou n'est pas marqué politiquement. Bien sûr, il a été à la banque Rothschild...

Mollet hoche la tête.

– En ce qui concerne Pompidou, vous savez l'estime que je lui porte, reprend-il. Je ne suis pas très accroché à l'histoire de la banque Rothschild, encore que, psychologiquement, cela soit mauvais, mais ce n'est pas l'essentiel... Mais vous constituez un gouvernement de Gaulle avec votre directeur de cabinet, chargé des relations avec les autres ministres. C'est le pouvoir personnel que vous condamniez vous-même lorsque nous rédigions la Constitution.

Il s'attendait à cette réaction, à l'accusation de pouvoir personnel. Plus rien de ce que va dire Mollet ne peut le surprendre, mais il l'écoute. L'homme ne manque pas de fermeté.

– Vous n'avez jamais rien compris à ce qu'est un parti politique, continue-t-il, et en particulier à ce qu'est le parti socialiste. Pour nous, trois, quatre, cinq ans n'ont pas beaucoup d'importance dans l'histoire du monde. Vous serez mort depuis longtemps qu'il y aura toujours un parti socialiste... Ce que je vous reproche, c'est de bâtir quelque chose qui est incapable de survivre... J'avais rêvé qu'une fois l'affaire algérienne terminée vous reviendriez à votre rôle d'arbitre.

– Arbitre ! Enfin, un arbitre, c'est actif sur un terrain de sport !

De Gaulle se lève.

– Oui, pour faire respecter les règles du jeu par les deux camps, ce n'est pas votre cas, dit Mollet.

De Gaulle hausse les épaules.

– Je n'ai personne dans mon camp.

– Vous avez cessé d'être l'arbitre.

– Il ne peut en être autrement, répond de Gaulle. C'est le destin du monde. Si je n'étais jamais né, ou si j'étais mort plus tôt, quelqu'un, vous-même peut-être, aurait été condamné à faire ce que je fais. Vous savez, quand on écrira l'histoire de cette période, ce n'est pas à un autre qu'à moi que sera rendue la justice de l'auto-détermination.

Guy Mollet secoue la tête.

— Il y aura deux bons chapitres, celui de 1940-1945, et celui de la décolonisation. Il faudrait bien que le troisième chapitre ne soit pas mauvais, et le troisième dépendra de ce qui restera après vous. J'avoue que je suis inquiet.

De Gaulle sourit.

— Cela me plaît, répond-il d'une voix ironique. Il faut qu'il y ait des gens inquiets. C'est très bien, d'avoir autour de soi des gens pleins de circonspection comme cela. Merci, mon cher Guy Mollet.

C'est le 14 avril 1962.

Il relit le verdict du procès Jouhaud dont il a pris connaissance hier soir, alors qu'il était à l'Opéra en compagnie du président de la Haute-Volta : le Haut Tribunal militaire a condamné l'ex-général à la peine de mort. Les faits de rébellion armée sont avérés. Jouhaud a fait ouvrir le feu contre les forces de l'ordre. Mais on dit qu'à Oran il a tenté d'empêcher les lynchages de musulmans. Et c'est un pied-noir.

De Gaulle repose le dossier. Plus tard, il faudra examiner le recours en grâce. Pour l'heure, il écrit à Michel Debré.

« Mon cher ami,

« En me demandant d'accepter votre retrait du poste de Premier ministre et de nommer un nouveau gouvernement, vous vous conformez et de la manière la plus désintéressée à ce dont nous étions depuis longtemps convenus.

« Tout effort a sa limite. Or, pendant trois ans et trois mois où vous avez déployé le vôtre dans la charge extraordinairement lourde qui vous était impartie... Après un pareil accomplissement, je pense, comme vous-même le pensez, qu'il est conforme à l'intérêt du service public que vous preniez maintenant du champ... Quel qu'en puisse être mon regret, je crois devoir y consentir.

« Soyez assuré, mon cher Premier Ministre, que ma confiance et mon amitié vous sont acquises autant que jamais... »

Il signe.

Georges Pompidou attend dans l'antichambre pour lui présenter la liste du gouvernement qu'il vient d'établir.

Huitième partie

15 avril 1962 – 31 décembre 1962

Françaises, Français... cet accord direct entre le peuple et celui qui a la charge de le conduire est devenu, dans les temps modernes, essentiel à la République.

Charles de Gaulle, 8 juin 1962.

32.

Il est assis derrière son bureau. Il se lève à peine quand se présente l'un des nouveaux ministres, Jean Foyer, le garde des Sceaux, ou Alain Peyrefitte, secrétaire d'État chargé de l'Information. Il les sent intimidés, surpris peut-être par la froideur de son accueil. Mais il faut cela.

— Vous n'entrez pas dans un gouvernement pour les honneurs, dit-il, mais pour la mission. C'est-à-dire pour le service. Le service de la France. Il commence par le service de l'État. Vous avez fait du latin. Ministre, cela signifie serviteur, et secrétaire d'État, cela veut dire gardien des secrets d'État...

Il donne quelques indications, puis, au bout d'une vingtaine de minutes, il met fin à l'entretien.

Il relit une nouvelle fois la liste du gouvernement. Pompidou a été habile dans la constitution de son ministère. Il a comme à l'habitude exécuté les consignes tout en tenant compte des réalités. Il a pu juger des capacités de cet universitaire, devenu banquier.

« Bien que son intelligence et sa culture le mettent à la hauteur de toutes les idées, il est porté par nature à considérer surtout le côté pratique des choses. Tout en révérant l'éclat dans l'action, le risque dans l'entreprise, l'audace dans l'autorité, il incline vers les attitudes prudentes et les démarches réservées, excellant d'ailleurs dans chaque cas à en embrasser les données et à dégager une issue. »

Pompidou a su tourner l'opposition du MRP, qui acceptait de participer au gouvernement mais dans des ministères peu exposés.

Pflimlin est ministre d'État chargé de la Coopération, Maurice Schumann ministre délégué auprès du Premier ministre pour l'Aménagement du territoire.

De Gaulle hausse les épaules. Il avait pour ces deux hommes expérimentés d'autres ambitions. Mais « la Justice et l'Information, c'est compromettant par les temps qui courent. Il y a des coups à prendre. Ces courageux comitards ont eu la trouille ».

Ces hommes résisteront-ils aux secousses de cette année qui, il en est sûr, sera « celle du grand tournant » ?

Malraux, Joxe, Roger Frey, Palewski, Couve de Murville tiendront, ce sont des gaullistes fidèles. Mais le gouvernement compte cinq ministres MRP, quatre indépendants, et l'un d'eux, Valéry Giscard d'Estaing, a la charge des Finances et des Affaires économiques. Ceux-là accepteront-ils la politique européenne ?

Dans trois jours, le 17 avril, doit s'ouvrir à Paris la conférence des ministres des Affaires étrangères des six pays du Marché commun. Et la France défendra le plan Fouchet, l'union politique des États et non leur dilution dans une Europe fédérale. Mais il y a peu de chances que ce projet soit accepté. Les Pays-Bas et la Belgique posent comme condition l'entrée de l'Angleterre dans le Marché commun, alors même qu'elle refuse la supranationalité et, au fond, conteste toujours le principe de l'Union européenne.

Il se souvient d'une de ses premières rencontres, c'était en juin 1958, il y a près de quatre ans déjà, avec le Premier ministre Harold Macmillan, qui lui avait confié avec émotion : « Le Marché commun, c'est le blocus continental ! L'Angleterre ne l'accepte pas. Je vous en prie, renoncez-y ! Ou bien nous entrons dans une guerre qui sans doute ne sera qu'économique au départ, mais qui risque ensuite de s'étendre par degrés à d'autres domaines. »

Évidemment excessif ! Et en quatre ans, l'Angleterre, pragmatique comme toujours, a pris en compte l'Europe.

Mais il y aura tempête, il en est sûr. Que feront les ministres MRP attachés à la construction de l'Europe fédérale ? Et quelle sera leur attitude quand, cette année, il le veut, il modifiera la Constitution afin que le président de la République soit élu au suffrage universel ? Belle polémique en perspective ! Il y aura les accusations de « pouvoir personnel », et, comme il compte avoir recours au référendum, on dénoncera le « plébiscite ». On agitera, sur fond de risque de dictature, les marionnettes de Louis Napoléon Bonaparte, du coup du 2 décembre !

Ce sera « la coalition hostile des comités et des stylographes ». Les hommes des partis politiques et la presse se dresseront. De Gaulle ? Inutile désormais, puisque l'affaire d'Algérie est réglée. Renvoyons-le à Colombey-les-Deux-Églises, comme en 1946.

N'agissent-ils pas toujours ainsi ? En se cachant derrière un homme, « feignant d'abdiquer entre les mains d'un démiurge tout à coup chargé du salut », bouclier et bouc émissaire : Joffre en 1914, et puis Clemenceau en 1917, et même Pétain en 1940, et puis de Gaulle en 1944 et en 1958 !

Il ne veut pas que cela se passe ainsi, qu'une fois lui disparu recommence le temps des « grenouillages ». Il faut que celui qui sera le président de la République soit « sacré » par un vote populaire. « Il faut désormais que la légitimité soit directement conférée par le souverain, c'est-à-dire le peuple. »

Et il faut que cette transformation intervienne rapidement.

« À mon âge, on ne sait jamais ce qui peut arriver. Il faut prendre toutes les précautions. Et puis, si l'OAS me zigouille... »

Il le sait, cela peut arriver. C'est lui que les commandos de tueurs vont traquer. Les chefs de l'OAS, même aveuglés, ne doivent plus guère se faire d'illusions sur leurs possibilités d'empêcher la naissance d'une Algérie indépendante. Mais ils peuvent encore répandre le sang. Chaque jour, de nouveaux crimes. Des voitures piégées explosent sur le port d'Alger. Dizaines et dizaines de morts. Les quartiers musulmans sont soumis à des tirs de mortier. À Alger, à Oran, les scènes de « ratonnade » se multiplient. Et les commandos du FLN abattent, enlèvent des Européens. Voilà la réalité. Il faut l'avoir à l'esprit.

Il dit au nouveau secrétaire d'État à l'Information, Alain Peyrefitte :

« Ne vous imaginez pas que nous sommes en paix ! Les mois qui viennent seront durs, plus encore que les années que nous venons de vivre. Les flots vont se déchaîner. Vous croyez que le détachement de l'Algérie qui vit en symbiose avec la France depuis cent trente ans va se passer tout seul ? Vous croyez que vous allez vous trouver sur un lit de roses ? »

Et les partis sont en embuscade. Le 17 avril, le gouvernement Pompidou n'obtient à l'Assemblée, alors qu'il n'a pas encore agi, qu'une majorité de 259 députés, tandis que 247 votent contre lui ou s'abstiennent !

Cette année 1962 sera bien l'année du grand tournant.

C'est le samedi 21 avril.

Il vient de rentrer dans son bureau de la Boisserie, après sa promenade dans le parc. Flohic, l'aide de camp, demande à être reçu, présente des dossiers à la signature, annonce que Salan a été arrêté à Alger, hier, dans l'après-midi, et transféré aussitôt dans la métropole. La tête de l'OAS est donc coupée, l'organisation agonise, mais les derniers soubresauts n'en seront que plus violents et plus dangereux.

— Que dit-on, à Paris ? interroge de Gaulle.

— On se demande quelles seront les conséquences de l'arrestation de Salan sur le sort de Jouhaud.

De Gaulle secoue la tête, bougonne.

— Je ne vois pas le rapport.

Il se lève, regagne le parc.

Bien sûr, tous ceux qui sont partisans de la clémence en faveur de Jouhaud vont se servir de Salan – le « grand chef » de l'OAS – pour l'obtenir. Et sans doute vont-ils, à l'occasion du procès Salan, dont on dit qu'il a déjà choisi comme défenseur Me Tixier-Vignancour, un avocat d'extrême droite, faire le procès du général de Gaulle ! Il pressent tout cela.

— Je ne pouvais pas agir autrement, murmure-t-il. Lorsque je suis arrivé en 1958, l'Algérie était déjà perdue. Si vous croyez que cela m'a été agréable... J'ai souffert encore plus que vous...

Il fait encore quelques pas, puis s'arrête.

— Plus tard, on se rendra peut-être compte que le plus grand de tous les services que j'ai pu rendre au pays, ce fut de détacher l'Algérie de la France, et que, de tous, c'est celui qui m'a été le plus douloureux... Nous avions contre nous les petites cervelles qui répétaient des slogans imbéciles en s'attachant à des apparences juridiques : « L'Algérie, c'est la France »... et autres niaiseries. Ensuite, nous avions contre nous ceux qui poussaient à l'abandon de l'Algérie parce qu'ils dénonçaient le colonialisme, le capitalisme, l'impérialisme. Les premiers me combattaient par passion française à courte vue. Les seconds me combattaient par passion antifrançaise...

Comment « tourner » ces élites hostiles, sinon en s'adressant par-dessus leurs têtes au peuple ?

« Il a davantage de bon sens, lance de Gaulle. Les possédants sont possédés par ce qu'ils possèdent. Quant aux observateurs et commentateurs, ils ont une optique faussée. »

Il sourit.

« Je sais que le papier supporte tout et que le micro diffuse n'importe quoi. Je sais à quel point les mots provocants tentent les professionnels du style... Je sais, en particulier, combien leur coûte la distance où, non point par dédain, mais par principe, je crois devoir les tenir. »

Mais il va leur faire face.

Le 15 mai 1962, il entre dans la salle des fêtes de l'Élysée où il va affronter ces « stylographes » au cours d'une conférence de presse. Il murmure :

« Pour m'apaiser à leur égard, quand leurs rancœurs dépassent la mesure, je me répète, comme Corneille le fait dire à Octave : "Quoi ! Tu veux qu'on t'épargne et n'as rien épargné !" »

Il s'assied face aux centaines de journalistes et lance d'une voix joyeuse :

« Mesdames, messieurs, je vous assure que je suis heureux de vous voir. »

Il ne veut pas parler immédiatement de l'Algérie. Il faut que l'opinion comprenne que, quelles que soient les péripéties tragiques qui se déroulent à Alger et à Oran, et même si l'on peut prévoir une aggravation de cette situation – déjà sept mille pieds-noirs arrivent chaque jour –, ce n'est plus l'affaire de la France ! Il faut replacer la France au cœur de la politique mondiale, et l'Europe peut être « le moyen pour la France de redevenir ce qu'elle a cessé d'être depuis Waterloo : la première au monde ».

Il ne doit pas dévoiler ce but ultime, mais dire : « Il ne peut pas y avoir d'autre Europe que celle des États, en dehors naturellement des mythes, des fictions, des parades. »

On murmure dans la salle, une sorte de frisson est perceptible. Ce sera là le point fort de la conférence. On va être choqué. On va condamner son refus de l'Europe supranationale. On va vanter les mérites de la Commission de Bruxelles, qui veut être le pouvoir exécutif européen. On va louer Walter Hallstein, son président. Et pourtant, Hallstein est d'abord « un Allemand ambitieux pour sa patrie. Car, dans l'Europe telle qu'il la voudrait, il y a le cadre où son pays pourrait gratuitement retrouver la respectabilité et l'égalité des droits que la frénésie et la défaite de Hitler lui ont fait perdre, puis acquérir un poids prépondérant »...

Pourquoi faudrait-il que la France accepte ce projet dissimulé ?

Il faut au contraire jouer franchement l'Europe des nations et des États.

De Gaulle reprend d'une voix forte aux accents gouailleurs :

« Dante, Goethe, Chateaubriand appartiennent à toute l'Europe dans la mesure même où ils étaient respectivement et éminemment italien, allemand et français. Ils n'auraient pas beaucoup servi l'Europe s'ils avaient été des apatrides et s'ils avaient pensé, écrit en quelque " espéranto " ou " volapük " intégré. »

Les rires déferlent. Ils veulent des mots pour leurs journaux ? En voilà !

« J'ajouterai quelque chose, puisque j'ai le plaisir de vous voir et de vous parler, en pensant à une idée assez répandue, je veux dire à ce qui arrivera quand de Gaulle aura disparu... Ce qui est à redouter, à mon sens, après l'événement dont je parle, ce n'est pas le vide politique, c'est plutôt le trop-plein. »

Il se lève. Les journalistes rient à nouveau. Mais il imagine, après les rires, les critiques.

Il est surpris pourtant, dans la soirée de ce 15 mai 1962. Les cinq ministres MRP, conduits par Pierre Pflimlin, lui présentent leur démission, choqués qu'ils sont par ses propos sur l'Europe.

— C'est quand même incroyable, ce lâchage ! s'exclame-t-il. J'ai réaffirmé sans rien y changer ma position permanente. L'Europe des nations est la seule possible. Quand on évoque les grandes affaires, on trouve agréable de rêver à la lampe merveilleuse qu'il suffisait à Aladin de frotter pour voler au-dessus du réel. Mais il n'y a pas de formule magique qui permette de construire quelque chose d'aussi difficile que l'Europe unie. Alors, mettons la réalité à la base de l'édifice, et, quand nous aurons fait le travail, il sera temps de nous bercer aux contes des *Mille et Une Nuits*.

Ces propos « verts » qu'il a tenus durant la conférence de presse, ces cinq ministres ne les ont pas acceptés ! Soit.

Mais, « si habitué qu'on soit aux péripéties de la vie politique, on ne peut échapper à une certaine surprise, dit-il le 16 mai au Conseil des ministres. L'incident va être clos dans la journée par l'attribution des postes qui viennent d'être abandonnés ».

Il sent bien cependant que ce qui se trame est plus profond que la réaction de cinq ministres que rien, dans ses propos tenus sur l'Europe, n'aurait dû étonner.

Il devine que l'offensive des partis, de tous les antigaullistes est lancée. L'affaire d'Algérie est réglée, donc que de Gaulle rentre vite chez lui, voilà l'objectif ! Et tous les prétextes sont bons pour y parvenir.

Les indépendants font pression sur les quatre ministres de leur parti pour qu'ils démissionnent, et, parce que Giscard d'Estaing et ses collègues refusent, ils sont exclus de leur parti.

Plus significatif encore : 296 députés signent un manifeste européen en faveur de l'Europe supranationale et donc contre la politique de la France !

Ne pas céder à ces manœuvres. Tenir jusqu'au moment où une révision de la Constitution donnera au président de la République élu au suffrage universel la capacité de résister à ces « grenouillages ».

Tenir.

Le mercredi 23 mai, il passe, hautain, au milieu des personnalités politiques rassemblées dans les salons illuminés de l'Élysée. Il s'arrête, dit quelques mots, présente les uns et les autres au président de la République de Mauritanie en l'honneur de qui cette réception est donnée.

Un aide de camp s'approche. Salan, murmure-t-il, vient d'être condamné par le Haut Tribunal militaire à la détention perpétuelle. Il échappe ainsi à la peine de mort qui a été infligée à son second, Jouhaud !

De Gaulle est envahi par la colère, et en même temps il se sent las, dégoûté. Quels hommes méprisables ! Ils veulent, par ce moyen, obtenir la grâce de Jouhaud, qu'on ne pourra exécuter, imaginent-ils, dès lors que le principal responsable, Salan, signataire d'ordres criminels, est épargné !

Il ne peut rester davantage dans ces salons, sous les regards de tous ces politiciens qui, il le devine, jubilent.

« Le Haut Tribunal militaire accorde un encouragement à la subversion, et comme un affront à mon égard, dit-il dès qu'il a regagné ses appartements. On n'a pas fait le procès de Salan. On a fait le procès du général de Gaulle ! Il faut désavouer ce Haut Tribunal, et je ferai exécuter Jouhaud. Ce n'est pas le moment de discuter. Je rejetterai le recours en grâce. Il faut fusiller Jouhaud. »

Les juges ont sans doute cédé aux menaces de l'OAS. Le procureur n'a même pas requis la peine de mort. Il faut dissoudre ce Haut Tribunal militaire, créer une Cour militaire de justice dont le président sera un homme de courage, le général de Larminat, Français Libre de la première heure.

Il est amer. Il sent qu'il s'enfonce dans l'un de ces moments de dépression, quand tout à coup le prix qu'il doit payer pour accomplir son destin, faire son devoir, lui paraît trop lourd. Une salive âcre remplit sa bouche.

Il écoute Pompidou, Foyer – le garde des Sceaux – plaider pour la grâce de Jouhaud. Il apprend que quatre ministres sont réunis dans le bureau de Giscard d'Estaing et qu'ils envisagent de démissionner si la sentence est exécutée.

« Il faut fusiller Jouhaud », répète-t-il.

Ce sera le samedi 26 mai.

Mais Foyer annonce que les avocats ont déposé une requête en révision devant la Cour de cassation, et cela suspend l'exécution du jugement.

Il s'emporte.

– Par vos scrupules juridiques, vous compromettez le salut de l'État. Comment voulez-vous que je réprime la subversion si je ne frappe pas à la tête ? Danton a demandé la tête de Louis XVI. Il a eu raison puisqu'il était dans le sens de la Révolution.

Il va et vient dans son bureau.

– Je me ferai obéir ou je m'en irai.

Mais la sentence est suspendue.

Il regagne Colombey. Le ciel est à peine voilé par la brume. Partout, c'est l'éclosion du printemps, la montée de sève, le vert tendre des bourgeons, mais il est comme en automne. C'est novembre en mai.

Il marche dans le parc en compagnie de Flohic, qui tente de le réconforter en dressant la liste des réalisations accomplies depuis 1958. La fin de la guerre d'Algérie, la modernisation de l'armée. Une bombe atomique, la vraie première bombe, ne vient-elle pas d'exploser dans le massif du Hoggar au début de mai ? De Gaulle fait la moue, hoche la tête.

Peut-être Flohic a-t-il raison. Mais que peut-on contre le « lâchage des fidèles » ? Pompidou, Foyer, Guichard et ses intrigues, « tous sont décidés à ne rien faire ».

Il fait quelques pas, puis s'arrête.

– La grande différence qu'il y a entre eux et moi, c'est que, moi, je n'ai pas encore renoncé à la France, tandis qu'eux y ont déjà renoncé.

Il recommence à marcher, se tourne vers Flohic qui le suit.

– S'ils sont toujours dans les mêmes dispositions, ils n'auront qu'à partir.

Heureusement, il y a le peuple. Il veut aller vers lui. Il parcourt les départements. Le lot, la Corrèze, la Creuse, la Haute-Vienne. Il s'arrête dans chaque bourgade. Qu'importent que les maires, les électeurs de cette région soient en majorité communistes ? Que, dans la Haute-Saône, le Jura et le Doubs, ils votent socialiste ou radical ? Lorsqu'il avance vers la foule, tout cela disparaît.

« Il se produit autour de moi, d'un bout à l'autre du territoire, une éclatante démonstration du sentiment national qui émeut vivement les assistants... Dans chacune de ses contrées, notre pays se donne ainsi à lui-même la preuve spectaculaire de son unité retrouvée. Il en est ému, ragaillardi, et moi j'en suis empli de joie. »

Ici, il rencontre une France enthousiaste.

On crie dans les rues de Bellac : « De Gaulle ! De Gaulle ! » Il répond : « Je suis là ! Je suis là ! »

Et partout, il dialogue avec la France héroïque, incarnée là par un héros de la Résistance dont il dévoile la plaque apposée à sa mémoire dans une rue de Cahors, ou bien présente, ici, dans les ruines d'Oradour-sur-Glane.

Que serait-il sans l'appui du peuple ?

Il lance, du haut de la tribune dressée place de la Préfecture, à Cahors :

« J'ai dit souvent aux Français : " Aidez-moi ! " Un homme est un homme, quelles que soient ses fonctions... Mais la France est la France. Il faut la servir. »

Alors, on peut passer sur « les sautes d'humeur qui de temps en temps se produisent parmi les gens qui font de la politique. Nous, nous faisons *la* politique. Le reste nous est indifférent ».

Il sait qu'il a franchi cette mauvaise passe. Ce contact avec le peuple lui a rendu toute son énergie. Dès son retour à Paris, il prend connaissance de la lettre que Jouhaud adresse aux membres de l'OAS :

« Chef de l'OAS dans les moments difficiles, je pense être entendu et compris par tous ceux qui m'ont fait confiance..., écrit Jouhaud. La mort dans l'âme, je demande à tous ceux qui m'ont obéi de ne plus insister. Il faut arrêter les attentats aveugles contre les musulmans... Il importe que l'action de l'OAS cesse au plus tôt, c'est son chef qui le demande à tous ceux qui se sont spontanément mis à ses ordres. »

Il pose la lettre. Faut-il la publier ? Et, de ce fait, s'interdire définitivement d'exécuter Jouhaud ? Dans quelle mesure les avantages de la publication effacent-ils les inconvénients de la faiblesse ?

Il téléphone à Fouchet au Rocher-Noir. Il écoute cet homme en qui il a une pleine confiance. Parfois, il pense à lui pour remplacer Pompidou si celui-ci démissionne ou même, il l'a dit à Jacques Vendroux pour saisir les réactions de son beau-frère, estime que « Fouchet est un des deux ou trois hommes susceptibles de lui succéder un jour ».

— En graciant Jouhaud, dit Fouchet, il n'y a pas d'alignement de votre part sur le tribunal qui a jugé Salan, mais simple constatation d'un fait nouveau au crédit de Jouhaud et qui n'a rien à voir avec Salan.

Donc, on ne fusillera pas Jouhaud.

À Alger, une trêve a même été négociée entre Jean-Jacques Susini et un dirigeant du FLN, membre de l'exécutif provisoire, le docteur Mostephaï. Et Salan, de sa prison de Fresnes, adresse à son tour une lettre à ses « amis d'Algérie » : « Le sang a trop coulé entre les deux communautés. Tous ensemble, prenez-vous les mains pour bâtir un avenir de concorde et de paix. »

De Gaulle ne se laisse pourtant pas emporter par l'optimisme qui parfois entraîne Louis Joxe. Près de quatre cent mille pieds-noirs ont quitté l'Algérie. Ils s'entassent à Marseille. Et l'Algérie n'est pas encore indépendante, puisque le scrutin sur l'autodétermination ne doit avoir lieu que le 1er juillet 1962. Qu'en sera-t-il alors ? Il faut que le peuple prenne conscience de l'importance historique de cet événement, et aussi qu'il pressente que se prépare le « grand tournant » constitutionnel.

Le 8 juin, de Gaulle s'installe dans le salon Murat, face à trois caméras de télévision. Il faut qu'en quelques mots il fasse prendre conscience du chemin qui a été parcouru, du sens de l'événement qui aura lieu le 1er juillet et de ce qu'il prépare.

– Dans vingt-trois jours, pour la France, commence-t-il, le problème algérien sera résolu au fond... Oui, dans vingt-trois jours, le peuple algérien, par le scrutin d'autodétermination, va ratifier les accords d'Évian, instituer l'indépendance... Quand, en 1958, nous prîmes l'affaire corps à corps, nous trouvions – qui a pu l'oublier ? – les pouvoirs de la République anéantis dans l'impuissance, une entreprise d'usurpation se constituant à Alger et sollicitée vers la métropole par l'effondrement de l'État, la nation placée tout à coup devant le gouffre de la guerre civile...

Voilà pour ceux qui affirment que de Gaulle a été porté au pouvoir par le coup de force du 13 mai 1958 ! Comme s'il n'avait pas sollicité les suffrages des députés ? Comme si le peuple n'avait pas approuvé le projet de constitution ? Et comme si un référendum n'avait pas été proposé pour permettre au peuple de se prononcer à chaque étape de la politique algérienne ?

« Françaises, Français, reprend-il, chacun a vu que la confiance fidèle dont vous m'avez en masse investi m'a moi-même obligé et soutenu, jour après jour, et que cet accord direct entre le peuple et celui qui a la charge de le conduire est devenu, dans les temps modernes, essentiel à la République. »

Étrange. Aucun commentateur n'a compris qu'il vient de laisser entendre que le président de la République sera élu au suffrage universel. Étrange aussi, ce calme qui règne tout à coup en Algérie. Le scrutin se déroule librement. Pieds-noirs et Algériens votent ensemble, là où l'on se mitraillait il y a encore quelques jours. Et 99,72 % des suffrages exprimés approuvent les accords d'Évian, donc l'indépendance !

C'est donc fait. La France n'est plus en Algérie.

Il écoute Edgar Pisani, ministre de l'Agriculture, lui dire qu'il va s'enfermer dans son bureau pour pleurer en ce jour où, en Algérie, on amène le drapeau tricolore. Pisani avait besoin, avoue-t-il, de faire cette confidence.

De Gaulle murmure seulement :

– C'est un grand privilège d'avoir quelqu'un à qui se confier.

Mais lui qui tient la barre, il est seul.

De Gaulle commence à écrire :

« Par le référendum du 8 janvier 1961... par le référendum du 8 avril 1962... par le référendum du 1er juillet 1962... les rapports entre la France et l'Algérie étant désormais fondés sur les conditions définies par les déclarations gouvernementales du 19 mars 1962, le président de la République française déclare que la France reconnaît solennellement l'indépendance de l'Algérie.

« Fait à Paris, le 3 juillet 1962. »

Tristesse. Images de pieds-noirs couchés à même le sol sur les quais des ports d'Alger et d'Oran, dans l'attente du départ.

Amertume en pensant à cette accumulation de lâchetés et d'impuissances qui, avant mai 1958, ont empêché la France de prendre les mesures nécessaires pour éviter cette tragédie.

Et c'est lui qui a réalisé cette amputation, lui dont toute la politique, dans les années de la France Libre, a tendu à conserver à la France, de Damas à Saigon, de Douala à Alger, de Nouméa à Tunis, les « possessions » françaises. Et voilà ! Il lui faut signer cette déclaration. Il lui faut presser le gouvernement de réquisitionner des hôtels et des logements vides pour accueillir ces cinq cent trente mille « repliés », rapatriés, qu'importe le mot – il préfère le premier –, qui en sept mois ont regagné la France.

Et les enlèvements d'Européens qui se produisent en Algérie – combien ? certains parlent de plusieurs centaines de disparus, d'autres de plusieurs milliers, six mille ? – ou bien la chasse aux

Européens qui s'est déroulée à Oran le 5 juillet, avec des dizaines de victimes, les pillages, les saccages, les vengeances, toute la violence accumulée depuis cent trente-deux ans qui explose tout à coup, ne peuvent qu'accélérer les départs. Qui restera là-bas, comme ce serait l'intérêt de la France ?

Et il faut aussi accueillir les musulmans qui se sont engagés aux côtés des troupes françaises. Harkis, goumiers, peut-être au nombre de plusieurs centaines de mille. Et il faut apprendre que plusieurs centaines, des milliers peut-être d'entre eux sont massacrés, torturés.

Amertume en pensant à ces irresponsables, à ces tueurs de l'OAS, à ces chefs militaires qui ont sauvé leur peau et dont l'aveuglement, les violences ont empêché, ces derniers mois, la mise en place d'une transition pacifique.

Mépris pour ces gens-là.

Émotion, compassion, douleur quand il apprend que le général Edgar de Larminat s'est suicidé d'une balle dans la bouche.

Accablement.

Il se souvient de la lettre qu'il a adressée il y a quelques jours, le 11 juin, à Larminat qui présidait l'Association des anciens de la France Libre. Larminat lui avait envoyé son livre, *Chroniques irrévérencieuses*. « La lucidité et l'humour que vous portez sur les gens et les choses ne font, à mon sens, que grandir notre entreprise. C'est donc qu'elle était bonne et belle ! » lui a-t-il écrit.

Larminat, qu'il avait nommé président de la Cour militaire de justice. Elle devait juger Roger Degueldre, le chef des commandos Delta.

Et cette lettre de Larminat :

« Mon général,

« Je n'ai pu physiquement et mentalement accomplir le devoir qui m'était tracé. Je m'en inflige la peine, mais je tiens à ce qu'il soit su que c'est ma faiblesse et non votre force et votre lucidité qui en sont la cause. Respectueusement, en souvenir des grandes heures de 1940.

E. de Larminat. »

Les meilleurs s'en vont.

Mais il n'a pas le droit de se complaire dans le désespoir qu'il sent sourdre en lui.

Départ pour Reims, où il doit accueillir le chancelier Konrad Adenauer, invité pour une visite officielle en France. Défilé des troupes françaises et allemandes au camp de Mourmelon. Discours.

« L'union de l'Europe est, de toute façon, pour l'Allemagne et pour la France, un objectif fondamental. »

Et pourquoi ne pas dire que la rivalité qui a opposé l'Allemagne et la France était le produit de ce « vieux rêve de l'unité qui depuis quelque vingt siècles hante les âmes sur notre continent » ?

Peu de Français dans les rues pour saluer Adenauer. Mais ce n'est pas cela qui compte d'abord. Il importe que le lien soit créé entre les deux peuples, par cette visite symbolique, par ces soldats des deux armées si souvent ennemis qui marchent côte à côte. Et ces deux chefs, celui des Gaulois et celui des Germains, qui écoutent ensemble la messe dans la cathédrale de Reims.

Mgr Marty la célèbre, et dit :

« La cathédrale de Reims vous accueille avec le sourire de son ange qui, par une attention de la Providence, a bravé toutes les destructions. »

De Gaulle parcourt la nef aux côtés d'Adenauer, cependant que l'on chante l'*Alléluia* de Haendel.

Bâtir l'amitié franco-allemande, construire l'unité de l'Europe tout en préservant la souveraineté de chaque nation, voilà les objectifs de la France, maintenant libérée du poids de l'affaire algérienne.

Dans la chaleur d'août 1962, il séjourne à la Boisserie plusieurs jours. Mais, ce mercredi 22, il doit se rendre à Paris pour présider le Conseil des ministres de l'après-midi.

Il propose à Alain de Boissieu, qui est en vacances à la Boisserie avec Élisabeth, de l'accompagner dans la capitale.

Yvonne de Gaulle sera du voyage. On se rendra de Colombey à Saint-Dizier en voiture et, de là, en avion militaire jusqu'à Villacoublay. On retournera le soir même à Colombey.

Il est préoccupé. L'Algérie est une plaie qui cicatrise mal. Les rivalités divisent le GPRA. Ben Bella s'est emparé du pouvoir. L'armée de libération ne contrôle pas le pays. Les enlèvements d'Européens se multiplient, et il semble certain que seule une faible minorité de pieds-noirs demeurera en Algérie. Les accords d'Évian sont en fait vidés de leur réalité. Et si l'OAS n'agit plus en Algérie, ses commandos sont présents en France.

Il lit un rapport du ministère de l'Intérieur, qui assure qu'une forte somme d'argent a été remise à un commando pour un « grand coup ». Et dans les milieux politiques, le bruit se répand qu'on prépare une action contre le général de Gaulle.

Il hausse les épaules. Le destin décidera.

Les voitures roulent vite. On atteint rapidement Saint-Dizier, puis vol et trajet sans histoires jusqu'à l'Élysée.

Paris est désert.

Le contraste est si grand entre la quiétude de la Boisserie et l'atmosphère tendue du Conseil des ministres qu'il en est blessé, inquiet.

Dans cette journée d'été, les phrases décrivent la situation douloureuse des pieds-noirs, les difficultés que pose leur concentration dans la région de Marseille, où ils se regroupent comme s'ils ne pouvaient s'éloigner des rives de cette Méditerranée qui les sépare de ce qui fut leur pays.

Il faut régler leurs problèmes. Il faut en finir avec les séquelles de l'affaire algérienne. Il le doit.

Et il faut éviter que cette minorité désespérée qui a tout abandonné, ses biens et ses souvenirs, ses tombes, ne serve de point d'appui à des groupes extrémistes résidus de l'OAS.

– Il faut toujours pouvoir faire face à des situations inattendues, dit-il.

C'est la fin du Conseil.

Il rejoint Alain de Boissieu et Yvonne de Gaulle. Ils descendent l'escalier jusqu'au salon des Adieux, là où Napoléon signa sa première abdication.

Devant le perron, il voit la DS noire, immatriculée 5249 HU 75, que François Marroux a garée au bord des escaliers. Yvonne de Gaulle s'installe sur le siège arrière, à droite, de Gaulle à gauche, Alain de Boissieu à l'avant, près du chauffeur.

De Gaulle entend distraitement Boissieu dire à Marroux :

« Alors, le même itinéraire que ce matin. »

On traversera donc la Seine, on gagnera la porte de Châtillon et, de là, l'avenue de la Libération, Le Petit-Clamart, avant de suivre la nationale 306 jusqu'à Villacoublay.

Il se tait. Il pense à ce voyage qu'il doit effectuer en Allemagne au début du mois de septembre. À l'effort qu'il doit faire pour apprendre les textes de ses discours qu'il écrit, fait traduire en allemand, et qu'il répète jusqu'à les savoir par cœur. Il veut retenir chaque phrase et parvenir à une prononciation parfaite.

Il faut qu'il donne l'impression à ses auditoires germaniques qu'il maîtrise leur langue, alors qu'il l'a, depuis ses années d'études, presque entièrement oubliée.

Mais il y parviendra.

Il regarde les avenues vides de Paris en cette fin de journée du mercredi 22 août 1962.

« J'ai toujours fait comme si, murmure-t-il. Ça finit toujours par arriver. »

33.

De Gaulle ressent la brusque accélération de la voiture. Il relève la tête. Dans le jour qui tombe, il aperçoit sur le bord de l'avenue une camionnette Estafette, les portes ouvertes. Un homme est debout près de la roue avant gauche, pistolet-mitrailleur au poing.

Tout à coup, la voiture commence à osciller, des détonations retentissent, et la voix d'Alain de Boissieu qui crie :

« Tout droit, au milieu, Marroux, vous foncez ! »

De Gaulle se penche. Il distingue, venant à leur rencontre, une voiture de marque Panhard et, garée à gauche, dans une rue qui débouche sur l'avenue, une voiture ID arrêtée. Des détonations encore, la voiture qui tangue comme un canot sur les vagues et ralentit.

Tout cela en quelques secondes.

Il regarde Yvonne de Gaulle, qui reste impassible. Il se penche. Pourquoi les policiers de la sécurité qui suivent dans une DS ne ripostent-ils pas ?

Il entend Alain de Boissieu crier :

– Mon père, baissez-vous !

Des rafales encore. La glace arrière qui explose.

Puis seulement le bruit régulier du moteur, l'odeur de caoutchouc brûlé et, après quelques secondes, voici le terrain d'aviation de Villacoublay.

Il se tourne vers Yvonne de Gaulle, dont les vêtements sont recouverts d'éclats de verre. Elle sourit.

François Marroux et Alain de Boissieu ouvrent les portes de la voiture.

De Gaulle descend lentement. Il aperçoit le piquet d'honneur formé d'une dizaine de soldats de l'armée de l'air qui présentent les armes.

— Il faut que je les passe en revue, murmure de Gaulle.

Il avance d'un pas lent. Il sent qu'Alain de Boissieu l'époussette, passant la main sur son dos, ses épaules.

— Cette fois, c'était tangent, ajoute de Gaulle.

Il dévisage l'un après l'autre les jeunes soldats dont il comprend, en voyant leurs yeux écarquillés et les visages étonnés, qu'ils ont pris conscience de l'attentat qui vient de se produire.

Ils n'oublieront pas cette leçon d'un président de la République conservant son sang-froid.

Il se tourne. Il aperçoit la DS criblée de balles, affaissée sur ses jantes, pneus crevés.

— C'est un vrai miracle, murmure-t-il.

Au moment de monter dans la DS d'escorte qui va les conduire jusqu'à l'avion militaire qui attend sur la piste, il entend Yvonne de Gaulle dire :

« N'oubliez pas les poulets, j'espère qu'ils n'ont rien... »

Comme à chaque séjour à Paris, Yvonne de Gaulle a dû faire quelques courses. Les poulets prévus pour le déjeuner de demain sont dans le coffre de la voiture. Il regarde les policiers de l'escorte qui sourient. Ils ont sans doute imaginé qu'Yvonne de Gaulle se souciait d'eux...

Il s'installe dans l'avion. Le destin, une fois de plus, l'a épargné. Mais cet attentat « tombe à pic ». Il faut profiter de l'émotion que l'attentat va provoquer pour annoncer la réforme de la Constitution par référendum, l'élection du président de la République au suffrage universel. D'ailleurs, qui peut dire si les commanditaires de l'attentat ne veulent pas empêcher cette transformation qu'ils redoutent ?

Il voit Alain de Boissieu entrer dans l'avion. Il se lève, lui donne l'accolade.

— Dans les grandes occasions, vous avez la voix du commandement, c'est bien. Merci, cher Alain.

Il reste silencieux cependant que l'avion décolle. Qu'on envoie un message à la Boisserie pour rassurer Élisabeth de Boissieu et Henriette de Gaulle, l'épouse de Philippe, qui séjournent à Colombey durant cette période de vacances.

– Une embuscade, murmure-t-il enfin.

Boissieu approuve. Heureusement, la Panhard qui venait en sens inverse et à bord de laquelle il y avait un couple et trois enfants n'a pas heurté la DS. Puis, explique Boissieu, la voiture du deuxième groupe de tireurs a suivi un temps la DS de l'escorte, tirant encore, avant de bifurquer. Quant aux deux motocyclistes de la gendarmerie, tout cela s'est passé si vite qu'ils n'ont pu intervenir, et l'un d'eux a été blessé.

Il retrouve la Boisserie, le calme de cette nuit d'été lumineuse. Pompidou téléphone, explique, rapporte Boissieu, qu'il y avait au moins un fusil-mitrailleur en batterie, de nombreux tireurs munis de pistolets-mitrailleurs. On a relevé sur la voiture présidentielle au moins quatorze impacts de balles, dont deux à la hauteur de la tête du président, un à la hauteur de Mme de Gaulle, un autre dans le siège d'Alain de Boissieu.

« Aucun de nous n'est atteint, hasard incroyable », murmure de Gaulle.

Il veut dire quelques mots au Premier ministre.

– Alors, mon cher ami, ils ont tiré comme des cochons, lance-t-il.

On a trouvé sur le terrain cent douilles de fusil-mitrailleur, quatre-vingts de pistolet-mitrailleur. La voiture du président a été prise dans un tir croisé. Une véritable opération militaire.

De Gaulle hoche la tête.

Il s'installe à la table de jeu, placée dans le salon-bibliothèque, et commence une réussite.

Il tourne et place les cartes avec des gestes lents. Cette fois-ci encore, la mort a reculé. Comme si le destin disait : « Que de Gaulle continue donc de suivre son chemin et sa vocation. » Mais pour combien de temps ? La détermination des tueurs indique qu'ils vont préparer de nouveaux attentats.

« À moi-même, il est démontré que l'échéance pourrait survenir à tout instant. »

Il place les cartes. C'est bien maintenant qu'il faut engager la réforme constitutionnelle, c'est maintenant qu'il faut accomplir le « grand tournant » en profitant de l'émotion qui va s'emparer de l'opinion.

Il attend qu'Yvonne de Gaulle et ses belles-filles aient regagné leurs chambres pour inviter Boissieu à s'asseoir en face de lui.

– Voyez-vous, commence-t-il d'une voix sourde, la tête baissée, dans cette affaire, ce qui est lamentable, c'est que des Français aient osé tirer sur une voiture dans laquelle il y avait une femme...

Il secoue la tête.

– Qu'a donc fait cette créature de toute bonté à cette bande d'excités ? Que l'on tire sur une voiture où je me trouve, soit, cela fait partie des risques qu'encourt un chef d'État. Que vous soyez à mes côtés, c'est une erreur de ma part, car ce soir votre femme aurait pu être veuve et orpheline. En conséquence, c'est la dernière fois que vous prenez l'avion, la voiture ou l'hélicoptère avec moi.

Il soupire.

– J'ai réfléchi à ce que vous disiez dans l'avion au sujet de la Panhard. Bien sûr, c'était le plus grand danger, d'autant plus que les deux voitures auraient probablement brûlé après le choc, où nous aurions été tués et calcinés. Eh bien, mon pauvre Alain, nous aurions été enterrés l'un près de l'autre...

– Cela aurait été le plus grand honneur que la vie m'eût valu, murmure Alain de Boissieu.

De Gaulle se lève.

– Qu'à cela ne tienne, vous savez ce qu'il vous reste à faire.

On découvre, dans les heures qui suivent, la camionnette du commando cachée dans le bois de Meudon, une estafette aux vitres occultées par des feuilles de papier collées. À l'intérieur, deux fusils-mitrailleurs avec cinq chargeurs, une grenade au phosphore, sans doute pour incendier la voiture du président après son immobilisation, des pots fumigènes pour protéger la fuite des tueurs. Un dispositif de mise à feu de un kilo de plastic, pour faire exploser la camionnette, n'a pas fonctionné.

De Gaulle écoute Georges Pompidou, venu déjeuner à la Boisserie le 23, réclamer la responsabilité de la sécurité du président. Elle doit relever désormais du ministère de l'Intérieur. Il n'est plus tolérable, insiste le Premier ministre, que le général de Gaulle, en ce moment le plus menacé des chefs d'État de la planète, soit le moins protégé.

Soit. Parce que les tueurs vont recommencer. Selon la police, il y a eu, depuis le début juin, plus d'une tentative d'assassinat chaque semaine ! La haine est si profonde chez certains !

De Gaulle secoue la tête.

Ces tueurs n'ont même pas le courage de risquer leur vie ! Ils veulent assassiner, mais sans prendre de risques. Où sont les Ravaillac et les Damiens ? Qu'est-ce que cette haine et cette détermination qui ne suscitent aucun sacrifice de soi ? Méprisable. Faut-il s'étonner si l'on tire sur une voiture dans laquelle se trouve une femme innocente, et si l'on n'hésite pas à mettre en péril la vie de passants anonymes, d'enfants ?

De Gaulle marche dans le parc de la Boisserie alors que le crépuscule commence. Il devine à l'agitation des gendarmes dont il aperçoit les silhouettes que des dizaines de photographes ont dû envahir Colombey et le guettent pour s'assurer qu'il est bien sorti indemne de l'embuscade.

Étrange est le destin des hommes ! La seule victime de l'attentat est le commandant du peloton de gendarmerie de Colombey, mort d'une crise cardiaque.

Qui peut jamais savoir comment et quand le cours d'une vie est tranché ?

Il rentre à la Boisserie. Sur le bureau, dans un dossier, les premiers résultats de l'enquête. L'attentat a été perpétré par une équipe de plusieurs hommes, sans doute dirigés par un militaire au pseudonyme de « Germain » qui a déjà dû organiser celui de Pont-sur-Seine. Il semble avoir utilisé le concours de légionnaires étrangers déserteurs.

L'attentat a été revendiqué par le Conseil national de la résistance, cette organisation qui n'a d'existence que d'apparence et à laquelle Salan, avant d'être arrêté, a demandé de poursuivre la tâche de l'OAS. Georges Bidault dirige ce CNR, ombre inversée, caricaturale, pervertie de celui de Jean Moulin.

Il lit : « Le général de Gaulle a été condamné à mort pour le crime de haute trahison par un jugement du tribunal militaire, le 3 juillet 1962. Le 22 août 1962, à 20 h 30, un commando du 1er régiment d'opérations spéciales a attaqué au FM et au PM le convoi du président de la République. »

Tout cela imaginaire, pour donner de la réalité, de l'importance à de petits groupes d'hommes dont la haine aveugle est le seul ressort.

Mais derrière eux, attendant qu'ils réussissent leur coup, qui ? Tous ceux qui veulent empêcher que l'État ne soit au-dessus des partis et que ce principe ne demeure, même de Gaulle disparu. Il doit donc mourir avant de mettre en place les institutions nécessaires...

Dans trois mois, il aura soixante-douze ans. Il faut agir vite. Le mercredi 29 août – une semaine déjà depuis l'attentat et alors qu'il sent sur lui les regards fascinés de tous les ministres –, il dit :

– J'envisage de proposer une modification de la Constitution en vue d'assurer la continuité de l'État.

C'est un principe élémentaire de la stratégie que d'utiliser les échecs de l'adversaire pour attaquer.

Ils voulaient abattre le président de la République ? Ils vont seulement permettre de faire de celui-ci la clé de voûte des institutions. Et l'expression de la volonté populaire ?

1962 est bien l'année du grand tournant.

L'Algérie est indépendante. Il va partir en Allemagne pour sceller par un voyage symbolique la réconciliation des deux peuples. Bientôt, le président de la République sera élu au suffrage universel.

« Il aura le droit de dissoudre l'Assemblée. Et, si tout craque, il pourra prendre tous les pouvoirs. Il sera devenu un vrai chef d'État. »

Il dit à Alain Peyrefitte, d'une voix pleine d'entrain :

« Cette année, les choses s'accélèrent. Nous vivons un précipité d'histoire. »

34.

Il regarde, ce 4 septembre 1962, cette foule rassemblée tout au long de la route qui conduit de l'aéroport de Bonn-Wahn à la résidence de l'ambassadeur de France en République fédérale allemande, à Ernich.

Il distingue ici et là, au-dessus des têtes, quelques pancartes : « Les Allemands des Sudètes vous saluent ! » « Les Prussiens de l'Est vous saluent ! »

Peuple divisé mais qui, un jour, se réunifiera malgré les Russes, parce qu'il est un grand peuple. Et c'est cela qu'il veut dire, au cours de ce voyage, en ces quatorze discours qu'il va prononcer en allemand.

Il rencontre à la villa Hammerschmidt le président Lübke, puis, au palais Schaunberg, à Bonn, le chancelier Adenauer. Il faut jeter les bases d'un traité franco-allemand, effacer ainsi l'échec du plan Fouchet d'union politique des États, et faire pièce à la Belgique et aux Pays-Bas qui se sont opposés à sa mise en œuvre, soumis qu'ils étaient à « certaines influences du dehors », anglaises et américaines.

Il s'arrête. Il n'apprécie pas que le président Lübke évoque l'adhésion de l'Angleterre au Marché commun, comme un préalable. Il va répondre. Il ne veut pas d'équivoque.

« Si l'Angleterre, comme le désire le président Lübke, entre dans l'Europe, nous n'aurons plus l'Europe dont nous étions convenus. Alors, pour sa part, la France en tirera les conséquences. »

Il le répète aux ministres allemands, au secrétaire d'État à la présidence allemande. Il se sent à son aise au milieu de ces hommes, dans ce pays qui a tant donné à la civilisation européenne. Et lui-même n'a-t-il pas un trisaïeul, Louis-Philippe Kolb, né à Groetzingen, dans le pays de Bade ? Et puis n'est-on pas proche de ceux qu'on a si longtemps combattus ? L'Allemagne ne s'est-elle pas construite contre la France et celle-ci contre l'Allemagne ?

Il faut maintenant dépasser cela, commencer une nouvelle étape de l'histoire des deux peuples, unir les deux nations afin de faire d'elles la clé de voûte de l'Europe.

Il s'avance sur le balcon de l'hôtel de ville de Bonn, puis, quelques heures plus tard, sur celui de l'hôtel de ville de Cologne.

Chaque fois la foule, malgré la pluie, chaque fois l'enthousiasme quand il lance :

« *Es lebe Bonn !*

« *Es lebe Deutschland !*

« *Es lebe die Deutsche-Französische Freundschaft* [1] *!* »

Et la foule est encore présente sous l'averse quand s'ébranle la retraite aux flambeaux, dans les rues de Bonn, au son des fifres et des tambours.

Il a la certitude que ce voyage va être triomphal, quelles que soient les réserves des hommes politiques allemands. Il a trouvé les mots qu'attendaient les Allemands.

Il déchaîne l'enthousiasme quand il dit :

« Vous voyant aujourd'hui réunis autour de moi, vous entendant m'exprimer votre témoignage, je me sens plus encore qu'hier rempli d'estime et de confiance pour le grand peuple que vous êtes, oui ! pour le grand peuple allemand ! »

Il est ému en apercevant, à la proue du navire *Deutschland* qui descend le Rhin vers Düsseldorf et Duisburg-Thyssen, le pavillon tricolore à croix de Lorraine. Et, dans le grand hangar où sont rassemblés des milliers d'ouvriers des usines Thyssen, les acclamations déferlent quand il s'écrie, toujours en allemand :

« Nos deux pays sont devenus solidaires... À vous tous, je

---

1. « Vive Bonn ! Vive l'Allemagne ! Vive l'amitié franco-allemande ! »

demande de vous joindre à moi pour célébrer un fait nouveau, l'un des plus grands des temps modernes : l'amitié de l'Allemagne et de la France ! »

Même accueil à Hambourg. Il est enveloppé par la foule qui force les barrages. Plus tard, il s'adresse aux officiers de l'École de guerre allemande :

« Entre soldats que nous sommes, il y a de tous temps, en dépit des frontières et quelles qu'aient été les blessures, un grand et noble domaine connu... car, toujours et où que ce soit, le service sous les armes ne peut aller sans une vertu, au sens latin du mot *virtus*... »

Et puis voici le soleil, enfin, à Munich, à Stuttgart. Il dépose une gerbe au Soldat inconnu bavarois :

« *Es lebe München !*

« *Es lebe Bayern !* »

Il assiste à la messe dans la grande cathédrale de Munich, en compagnie de Ludwig Erhard, le président du Land de Bavière. Les chœurs de l'Opéra chantent la *Messe en si* de Mozart.

L'émotion lui serre la gorge. Voilà notre civilisation commune.

« Tout le monde sait, dit-il, qu'il y eut toujours et malgré tout, entre la Bavière et mon pays, une compréhension, une sympathie particulière. »

Ici, dans le pays de Bade, est l'une de ses racines.

Et la foule, sur plus de vingt kilomètres entre Stuttgart et le château de Ludwigsburg, l'acclame, et il la salue debout dans la voiture.

Dans la cour rectangulaire du château, les jeunes du Bade-Wurtemberg l'écoutent.

« L'avenir de nos deux pays, la base sur laquelle peut et doit se construire l'union de l'Europe, le plus solide atout de la liberté du monde, c'est l'estime, la confiance, l'amitié mutuelle du peuple français et du peuple allemand. »

Et l'enthousiasme encore.

Quand il dit qu'ils sont « les enfants d'un grand peuple ! oui, d'un grand peuple ! qui parfois, au cours de son histoire, a commis de grandes fautes et causé de grands malheurs condamnables et condamnés. Mais qui, d'autre part..., enrichit l'univers des produits innombrables de son invention, déploya dans les œuvres de la paix et dans les épreuves de la guerre des trésors de courage, de discipline, d'organisation. Sachez que le peuple français n'hésite pas à le reconnaître »...

Il est touché par la longue ovation qui salue son discours.

Voilà des moments qui valent la peine de vivre, qui balaient les médiocrités et font oublier les désillusions et les souffrances de la vie publique, qui confirment que la France, si elle parle haut et clair, peut se faire entendre et aimer.

Il revêt son uniforme. Il se rend en hélicoptère au camp de Munzingen, où, au cœur de la forêt allemande, est cantonnée une division blindée française.

Il devine au visage tendu de Flohic que son aide de camp est inquiet. Il y a une semaine seulement, des officiers – les uns arrêtés depuis deux jours, ainsi le lieutenant déserteur Bougrenet de La Tocnaye, et les autres recherchés, comme le lieutenant colonel Bastien-Thiry, un polytechnicien – tentaient de l'abattre au Petit-Clamart. Et ils avaient enrôlé des Hongrois déserteurs de la Légion, Marton, Sari, Varga. Et si, ici, parmi les officiers de la division blindée, se trouvait un homme décidé à le tuer ? N'est-ce pas parmi les forces françaises d'Allemagne que le colonel Argoud, le plus déterminé des chefs de l'OAS, a bénéficié de nombreuses complicités ?

Il écarte ces réflexions. Il se sent invulnérable, parce qu'il ne craint pas la mort.

Si elle doit le prendre, qu'elle vienne !

Mais il a, cette fois encore, comme si souvent dans sa vie, la certitude qu'il est trop tôt.

Et il s'avance vers les officiers de la division. Il signe le livre d'or de l'un des régiments. Il expose posément ce qu'il attend des armées de la France, maintenant qu'elles sont sorties, avec honneur, du bourbier algérien. Il regarde ces officiers attentifs, respectueux. Il n'y aura plus de « soldats perdus ».

Le 9 septembre 1962, il rentre à Paris.

Il serre la main des ministres venus l'accueillir à Villacoublay. Il s'immobilise devant Roger Frey.

– Eh bien, monsieur le Ministre de l'Intérieur, on m'a dit que votre police a fait des merveilles ?

– C'est exact, mon général, répond Roger Frey. Mais il faut tout de même avouer que beaucoup de choses n'ont pas été très raisonnables. Il serait temps que nous puissions prendre de meilleures dipositions pour votre sécurité.

De Gaulle fixe Roger Frey. Tant de choses à faire encore : mettre en place l'élection du président de la République au suffrage universel, faire jouer à la France un rôle décisif dans la politique internationale, réaliser cette alliance franco-allemande dont ce voyage vient de montrer la possibilité.

– Vous avez peut-être raison, venez me voir, nous en parlerons, dit-il.

Il se retrouve seul dans son bureau de l'Élysée. Il repense à ce peuple allemand qui est venu vers lui, l'a acclamé. Il en est encore ému. « Il y avait un long et obscur attrait de ce peuple pour la France. » Et il a su le faire jaillir.

Il lit les lettres qui se sont accumulées depuis son départ. Toutes, de Churchill à Paul Reynaud, se félicitent qu'il ait échappé miraculeusement à l'attentat du Petit-Clamart.

Il relit plusieurs fois la lettre touchante que lui adresse sa sœur Marie-Agnès Caillau. Il commence à répondre.

« Il est de fait que l'attentat aurait dû normalement amener la disparition des quatre occupants de notre voiture. Pour moi, c'eût été une " sortie " très convenable. Mais je remercie Dieu d'avoir voulu qu'Yvonne, Alain de Boissieu et le brave chauffeur – François Marroux – aient été épargnés.

« Le voyage en Allemagne a été incroyable en fait de concours et d'enthousiasme populaires. On épiloguera longtemps sur cette sorte d'explosion. En tout cas, le prestige de la France en est, je crois, multiplié. À Stuttgart (Bade-Wurtemberg), j'ai eu l'occasion de rappeler le nom de notre trisaïeul Louis-Philippe Kolb, né à Groetzingen (Bade) en 1761...

« Au revoir, ma chère Marie-Agnès, Yvonne se joint à moi pour t'adresser nos profondes affections. Je t'embrasse.

« Ton frère aimant,

Charles. »

35.

Il parcourt la revue de presse, puis, d'un mouvement brusque, il referme le dossier. Il s'attendait à une opposition résolue des partis politiques à ce projet d'élection du président de la République au suffrage universel, mais il est surpris par la violence des propos.

Il se lève, va jusqu'à la fenêtre, regarde le parc de l'Élysée qui n'offre que la perspective d'une pelouse paisible sous la pluie fine de ce début de septembre. Mais il n'y a pas d'horizon.

C'est cela qu'ils veulent tous, Paul Reynaud et les indépendants, Guy Mollet et les socialistes, les communistes bien sûr, bref, tous les partis, de l'extrême gauche à l'extrême droite, du PSU aux gens de l'OAS : un président enfermé dans ce palais, sans pouvoir, un Albert Lebrun, ou bien, puisqu'on évoque ce nom comme successeur à de Gaulle, un Antoine Pinay, laissant à l'Assemblée le soin de gouverner. Et qu'importe si le pays sombre, si ce système n'a pas été capable de faire face ni à la crise des années 30, ni à la guerre, ni aux problèmes de décolonisation. Pourvu qu'on puisse « grenouiller » entre soi ! Au nom de la démocratie. Parce qu'un président élu par le peuple, ce serait la dictature !

Il maîtrise sa colère, se rend, ce mercredi 12 septembre 1962, au Conseil des ministres.

Il faut lancer l'offensive maintenant. Et tant pis si certains, parmi les ministres, il le sait, sont réticents, se demandent pourquoi ouvrir ce débat au moment où, enfin, avec la conclusion de la guerre d'Algérie, on pourrait laisser filer tranquillement les jours.

Il serre les mains de différents ministres. Christian Fouchet, rentré d'Algérie, est maintenant ministre de l'Information. Alain Peyrefitte est devenu ministre des Rapatriés, et Robert Boulin, qui a assuré ce poste un temps, est désormais secrétaire d'État au Budget.

Il faut que chaque membre du gouvernement s'exprime. Pas de silence chargé d'arrière-pensées. Ou bien on comprend que cette réforme est décisive pour l'avenir et on l'approuve, ou bien l'on s'en va.

Il s'assied, et Georges Pompidou prend place en face de lui.

Ce sera une bataille politique difficile. Mais on ne peut attendre. Il a soixante-douze ans. Les tueurs l'ont manqué de peu. D'autres sont tapis dans l'ombre. Et les hommes politiques piaffent. On rapporte que Maurice Faure, le radical, aurait dit, il y a déjà quelques mois : « Que de Gaulle nous débarrasse de l'Algérie, ensuite l'Algérie nous débarrassera de De Gaulle. » La situation lui paraît favorable pour réaliser ce dessein.

Près d'un million de rapatriés d'Algérie. La haine accumulée. Les ambitions des politiciens avivées par quatre années de frustrations. Si les institutions ne donnent pas au chef de l'État une place au-dessus des factions, parce qu'il sera l'élu du peuple, c'en sera fait de l'effort de rénovation entrepris. Et les acclamations des foules allemandes, les possibilités qui s'ouvrent à des initiatives françaises n'auront servi à rien.

Il faut faire vite, et proposer la réforme par la voie du référendum. C'est le peuple qui a voté la Constitution de 1958, c'est lui qui, en application de l'article 11 de la Constitution – précisant que le président de la République peut, sur proposition du gouvernement, soumettre au pays tout projet de loi portant sur l'organisation des pouvoirs publics –, va la réformer.

– Écoutez, messieurs, commence de Gaulle. Vous êtes des hommes politiques. Même ceux d'entre vous qui ne font pas carrière politique assument des responsabilités politiques devant les Français. Cette réforme que j'ai l'intention de promouvoir peut poser des problèmes pour vous... C'est votre affaire. Vous me direz dans une semaine votre accord ou votre démission. En tout cas, soyez assurés que je ne vous engagerai pas avant que vous ne vous soyez engagés vous-mêmes...

Il perçoit de l'inquiétude sur les visages de quelques ministres, et même chez Pierre Sudreau, ministre de l'Éducation nationale, une émotion anxieuse. Sudreau, il le devine, est hostile à cette réforme. Mais il ne peut être question de reculer.

Il lit le communiqué dont Christian Fouchet va donner lecture après le Conseil des ministres :

« Le général de Gaulle a confirmé son intention de proposer au pays par voie de référendum que le président de la République sera élu dorénavant au suffrage universel. »

C'est la guerre. Il lui suffit d'entendre les premiers commentaires des journalistes, des chefs de parti, pour mesurer l'hostilité que son intention a provoquée. On n'ose pas s'attaquer directement au principe de la réforme. Qui oserait dire au peuple qu'il n'est pas digne d'élire un président de la République et qu'il ne doit pas être consulté par voie de référendum sur cette question ? Alors, on invoque les arguments juridiques : l'article 89 de la Constitution imposerait que toute réforme constitutionnelle soit approuvée par les deux Assemblées, le Sénat et l'Assemblée nationale.

Et tout ce que la France compte de professeurs de droit, qui prétendent ne se déterminer qu'en fonction du droit, intervient.

Il lit les articles des uns et des autres. Comme s'il ne connaissait pas cette Constitution qu'il a voulue ! Comme s'il n'avait pas introduit, dès 1945, le référendum dans les mœurs politiques françaises, comme s'il cherchait à imposer quoi que ce soit, alors qu'il veut se tourner vers le peuple et le faire trancher !

Et c'est cela que les « notoires », les politiciens redoutent. Mais il ne cédera pas.

« Je ne veux pas laisser mourir la France par respect pour le juridisme, lance-t-il.

« Trois choses comptent en matière constitutionnelle. Premièrement, l'intérêt supérieur du pays, ce que les Romains appellent *salus patriæ*. Cela prime tout, et de cela je suis seul juge. Deuxièmement, loin derrière, il y a les circonstances politiques, les convenances, les tactiques. Il faut en tenir compte. Sinon, on n'aboutit à rien. Troisièmement, beaucoup plus loin derrière, il y a le juridisme. »

Et il est évident que sous les arguments juridiques se cachent des intentions politiques et des ambitions personnelles. Le président du

Sénat, Gaston Monnerville, qui martèle avec son éloquence d'avocat les grands principes républicains, craint que la réforme ne réduise les prérogatives du Sénat – de Gaulle n'aurait-il pas l'intention de supprimer cette Assemblée ? – et notamment celle qui fait du président du Sénat le président de la République par intérim en cas de disparition du titulaire en cours de mandat. Qu'on écarte de Gaulle – ou qu'on l'assassine – et Monnerville devient président de la République.

Voilà les principes !

Pourquoi essayer de convaincre des adversaires décidés à ne rien entendre ? Et dont l'attitude est dictée par le souci de retrouver le pouvoir ! Il lit une déclaration de Paul Reynaud qui, avec de grands mots, dénonce l'illégalité de la procédure envisagée.

Paul Reynaud ! Il lui écrit aussitôt.

« Monsieur le Président,

« J'aurais souhaité que vous vouliez bien réserver votre jugement à mon projet jusqu'à ce que je m'en sois expliqué – ce que je ne vais pas manquer de faire.

« Je vous prie de croire, Monsieur le Président, à mes sentiments toujours fidèlement dévoués. »

Il se sent entouré – mais a-t-il connu une autre situation tout au long de sa vie ? – par un cercle d'incompréhension, comme s'il lui était à jamais impossible de convaincre les classes dirigeantes de ce pays. Les « notoires » sont contre lui, à l'évidence. Et cela va, chez les plus fanatiques, jusqu'à la haine, à la volonté de le tuer.

On lui communique la déclaration du lieutenant-colonel Jean-Marie Bastien-Thiry, qu'on a identifié comme étant l'organisateur des attentats de Pont-sur-Seine et du Petit-Clamart. L'homme s'est expliqué aux policiers qui l'ont arrêté le 17 septembre.

C'est un polytechnicien, un ingénieur militaire, un catholique père de trois enfants, fils d'un officier gaulliste ! Et voilà ce qu'il déclare :

« Cette opération fut décidée compte tenu de l'avis d'un certain nombre de personnes qui sont toutes des Français incontestables et incontestés... Il s'agit d'une opération d'un caractère tout à fait exceptionnel dont, à notre avis, un bien devait résulter pour la nation... Des opérations de ce genre peuvent être justifiées étant donné la personnalité visée. Je citerai l'opération du mois de juillet 1944 dirigée contre Adolf Hitler.

« Dans le cas qui nous occupe, nous nous attaquions à ce qui nous semblait être une très forte puissance de mensonge, de destruction du patrimoine national... Sur le plan moral, je sais que notre action sera discutée... Comme mon ami La Tocnaye, je suis catholique pratiquant... Comme vous savez, l'Église reconnaît la légitimité de ce qu'on appelle le tyrannicide... Nous nous étions entourés de l'avis d'ecclésiastiques éminents... Les conditions pour le tyrannicide étaient remplies de façon surabondante... »

Il interrompt la lecture. Cet aveuglement haineux l'indigne et l'accable. Mais il se sent aussi plus déterminé que jamais.

Et c'est à lui, lui qu'on compare à Hitler et qu'on veut tuer, qu'on reproche une « dramatisation soudaine » ! Alors que tous les partis crient à l'étranglement de la démocratie, à la dictature, Paul Reynaud : « Le président de Gaulle a violé la Constitution et insulté le Parlement. » Gaston Monnerville s'écrie, au congrès du parti radical, en présence des personnalités de l'opposition (dont ce François Mitterrand, impliqué, il y a quelques semaines, dans un étrange attentat perpétré contre lui, à l'en croire, dans les jardins de l'Observatoire, et peut-être monté de toutes pièces par lui-même...) : « À la tentative de plébiscite qui est en train de se développer, je réponds : non !... Permettre que l'on viole la Constitution, c'est permettre tout... À cette violation délibérée, voulue, réfléchie, de la Constitution », il faut que l'Assemblée nationale réponde par une motion de censure, « ce sera la réplique directe, légale, constitutionnelle, à ce que j'appelle une forfaiture ».

Et les socialistes, les communistes d'évoquer le « pouvoir personnel », la « dictature de fait », le « plébiscite », et le MRP, et les indépendants, et Mouvement Poujade, et les Rapatriés d'Algérie, et naturellement le CNR de Bidault et de Soustelle, d'appeler à se dresser contre cette procédure du référendum. Les rapports de police précisent même que ce qui reste de l'OAS attend avec impatience la crise politique, le départ de De Gaulle après un échec au référendum, son remplacement par Monnerville à la tête de la République. Alors, l'armée basculera. Et enfin, les colonels fascisants Garde, Arnoud pourront s'emparer du pouvoir ! Grande et belle coalition contre de Gaulle !

C'est la fin du mois de septembre 1962. Il pense aux semaines qui viennent de s'écouler. Le 19 septembre, il a entendu, en Conseil des ministres, les membres du gouvernement exprimer leur avis. Tous, à l'exception de Pierre Sudreau, ont, avec des nuances, approuvé la réforme de la Constitution et la procédure du référendum. Jean Foyer a émis quelques réserves.

« Le garde des Sceaux a des scrupules, mais il les surmonte ! » a commenté de Gaulle.

Et que sont d'ailleurs ces arguties juridiques ? N'y a-t-il pas, dans la Constitution, un article 3 qui déclare : « La souveraineté nationale appartient au peuple, qui l'exerce par ses représentants et par la voie du référendum » ?

C'est le référendum qui est choisi, voilà tout. Où est la dictature ? Est-ce cela, la forfaiture ? Voudrait-on, en la dénonçant, justifier la comparaison avec Hitler et légitimer le « tyrannicide » ?

Ceux qui ont plein la bouche de l'article 89 faisant des parlementaires les seuls autorisés à réformer la Constitution, pourquoi oublient-ils cet article 3 ? Ou, qui sait, au fond d'eux-mêmes, regrettent-ils que, le 22 août, Bastien-Thiry et son groupe n'aient pas réussi à les débarrasser de ce gêneur, de ce « tyran » de De Gaulle ?

Il se souvient des paroles prononcées par Pierre Sudreau. Un homme courageux, résistant et déporté à dix-sept ans.

« Mon général, a dit Sudreau, vous avez incarné, pendant une période dramatique de notre histoire, la légitimité, et vous aimez à juste titre le rappeler. Vous ne pouvez pas devenir un symbole d'illégalité. Je vous supplie de renoncer à votre projet. Vous vous grandiriez en vous montrant scrupuleusement respectueux des dispositions de la Constitution qui doit être placée au-dessus de nous tous. »

Et consulter le peuple par référendum, selon les modalités de l'article 3, est-ce donc cela, violer la Constitution ?

Il écrit à Sudreau :

« Je vous donne acte de votre désaveu, ainsi que des motifs qui, à vos yeux, peuvent l'expliquer.

« Quand à votre demande de départ du gouvernement, je ne puis naturellement qu'y accéder. »

Il a l'impression d'être engagé dans une « bataille rangée ». Tous les partis sont contre lui, à l'exception de l'UNR gaulliste. Chaque matin, il découvre dans les journaux des articles hostiles. « Casse-cou », écrit *Le Monde*. Et, naturellement, pouvoir personnel, dictature. Quant aux juristes du Conseil d'État, ils affirment que la procédure suivie est inconstitutionnelle, et leur avis, qui devrait rester secret, est immédiatement connu.

Il n'a qu'un seul recours, le peuple. Il s'adresse à lui le 20 septembre.

« Je crois devoir faire au pays la proposition que voici : quand sera achevé mon propre septennat, ou si la mort ou la maladie l'interrompait avant le terme, le président de la République sera dorénavant élu au suffrage universel.

« Sur ce sujet qui touche tous les Français, par quelle voie convient-il que le pays exprime sa décision ? Je réponds : par la plus démocratique, la voie du référendum. »

« Oui » ou « non ». Y a-t-il un choix plus clair et plus simple ?

Et si le peuple répond non, eh bien, il quittera l'Élysée. Cela aussi, le peuple doit le savoir.

Il parle à nouveau le 4 octobre à 13 heures, alors qu'une motion de censure contre le gouvernement de Georges Pompidou a été déposée à l'Assemblée nationale et que la discussion doit commencer à 15 heures.

« Une fois de plus, dit-il, le peuple français va faire usage du référendum, ce droit souverain qui, à mon initiative, fut reconnu en 1945... Une fois de plus, le résultat exprimera la décision de la nation sur un sujet essentiel.

« Quant à moi, chaque " oui " de chacune de celles, de chacun de ceux qui me l'aura donné me sera la preuve directe de sa confiance et de son encouragement. Or, croyez-moi ! j'en ai besoin pour ce que je puis faire encore, comme hier j'en avais besoin pour ce que j'ai déjà fait. Ce sont donc vos réponses qui, le 28 octobre, me diront si je peux, si je dois poursuivre ma tâche au service de la France.

« Vive la République !

« Vive la France ! »

Il attend sans illusions les résultats du vote de la motion de censure à l'Assemblée. Les députés voteront. Ils se comporteront comme les sénateurs, qui ont réélu à l'unanimité moins trois voix – et les sénateurs gaullistes se sont abstenus ! – Gaston Monnerville à la présidence du Sénat, manière d'approuver celui qui a parlé de « forfaiture ».

Alors, ne faire confiance qu'au peuple, pour ce référendum du 28 octobre. Et, dès que la censure est votée, décider la dissolution de l'Assemblée et fixer les élections législatives aux 18 et 25 novembre 1962.

Au matin du 5 octobre, il écoute la radio qui annonce que, à 4 h 45 du matin, la censure a été votée par 280 voix sur 480. Large majorité. Paul Reynaud s'est écriée au cours du débat : « Pour nous, républicains, la République est ici et pas ailleurs ! » De Gaulle revêt lentement son uniforme. Il doit assister aujourd'hui aux manœuvres militaires Valmy, au camp de Mourmelon.

Il faut montrer que ce vote de censure ne préoccupe pas le chef de l'État, qu'il a bien le temps de recevoir la démission du Premier ministre et de faire connaître ses décisions.

Il regarde évoluer les blindés et les troupes sous le ciel bas. Il pense à ce qu'il aurait pu advenir de la France si, au lendemain du 13 mai 1958, puis au moment du putsch du « quarteron de généraux en retraite », les politiciens avaient dû faire faire face seuls à l'armée. Guerre civile ? Et aujourd'hui, les commentateurs, parce que la motion de censure a été votée, clament que « la République est sauvée », exaltent « la vraie démocratie qui est parlementaire » ou bien les partis. Et ils annoncent une « crise de régime ».

Il rentre à Paris.

Le 6 octobre, il reçoit Georges Pompidou, accepte sa démission et lui demande de demeurer en fonction puisque l'Assemblée sera dissoute le 10 octobre.

Il faut maintenant notifier cette décision à Chaban-Delmas, président de l'Assemblée, puis à Gaston Monnerville, président du Sénat.

Longue conversation amicale avec Chaban.

Mais il n'échange que quelques mots, debout, avec Monnerville.

Il ne veut pas serrer la main de cet homme.

Soixante-douze ans dans quelques semaines et une nouvelle bataille à conduire, à gagner, contre tout ce qui compte, ou s'imagine compter dans ce pays.

Il marche seul dans le parc de la Boisserie. Le vent humide souffle fort.

C'est à nouveau l'automne, cette saison sombre.

Il pense à toutes ces phrases lancées contre lui comme des flèches pour l'abattre : « monarchie gaulliste », disent les uns. « Si le peuple répond oui, de Gaulle mènera fatalement à la guerre civile », commente Guy Mollet. Celui-là parle de « bonapartisme éclairé », et ces autres – les communistes – « prédisent », si le « oui » l'emporte au référendum, « une nouvelle étape franchie sur le chemin de la dictature, la liquidation des derniers vestiges de la démocratie » ! Et Vincent Auriol et même René Coty appellent, l'un bruyamment, l'autre discrètement, à voter « non » au « référendum, acte de pouvoir absolu » !

Il est amer.

« Ah, ils ont bonne mine, les hommes du " non " perpétuel, " non " à de Gaulle, et " non " au peuple ! »

Il marche d'un pas vif.

« La Constitution, ils prétendent me l'enseigner ? Mais c'est moi qui l'ai faite : je sais bien ce qu'il y a dedans... Et c'est même moi qui l'ai fait approuver par le peuple, contre eux ! »

Soixante-douze ans. Il faut se battre encore, toujours.

Pour un homme, « pour un peuple, continuer de vivre, c'est continuer d'avancer. C'est pourquoi je m'engage à fond ».

36.

De Gaulle se promène dans le parc de l'Élysée en compagnie de Jacques Vendroux. Il écoute son beau-frère, candidat une nouvelle fois à la députation, lui décrire le climat électoral à Calais.

La campagne est à l'image de ce qui se passe dans toute la France : dure, virulente. Le « cartel des non » rassemble tous les partis non communistes, mais ces derniers déploient eux aussi, en faveur du non, une intense propagande. La CGT et les autres syndicats, et même les organisations agricoles, ont pris position dans le même sens.

De Gaulle s'arrête, se tourne. Le soleil d'octobre dore la façade du palais de l'Élysée. Les feuillages des arbres qui entourent la pelouse forment des traînées rousses.

Combien de Français répondront oui, en dépit de ce déferlement ?

Paul Reynaud vient de tenir une conférence de presse comme président du cartel des non. Il a répété ses accusations : de Gaulle viole la Constitution. Les journaux parisiens et provinciaux font tous, plus ou moins ouvertement, campagne pour le non. Et le Conseil d'État, comme pour affaiblir spectaculairement de Gaulle, étayer les accusations d'arbitraire, a rendu un avis déclarant que la Cour militaire de justice instituée le 1er juin – il y a un mois ! – dans le but de juger rapidement les criminels de l'OAS, ceux qui ont monté les attentats contre le président de la République, est « illégale » ! Et il faudrait donc que le gouvernement applique cet « arrêt Canal » – du nom du trésorier de l'OAS, mêlé à de nombreux attentats et jugé par la Cour militaire de justice – et qu'il dissolve la Cour.

Jamais le Conseil d'État, en cent soixante-deux ans d'existence, ne s'est ainsi prononcé contre une forme de justice suscitée par des circonstances exceptionnelles.

De Gaulle s'emporte. Oui ou non, les tueurs de l'OAS sont-ils des criminels ? Oui ou non, ont-ils voulu assassiner le président de la République ? Oui ou non, ont-ils été jugés par un tribunal constitué par un président de la République légalement désigné, chargé par « le vote référendaire d'un peuple d'une mission législative » ?

Qu'est-ce qui habilite le Conseil d'État à juger de cette légitimité ?

Ah, ces messieurs du Palais-Royal n'ont pas eu les mêmes scrupules juridiques de 1940 à 1944 lorsqu'ils ne désapprouvaient pas la législation antisémite du gouvernement de Vichy ! De Gaulle hausse les épaules. Il se sent tout à coup las, presque désespéré.

– C'est foutu, murmure-t-il. Ils ont appelé de Gaulle quand ils avaient la trouille, maintenant ils vont retrouver leur petite cuisine.

Il secoue la tête.

– Dans six mois, je ne serai plus ici.

Il regagne son bureau, relit le texte de l'arrêt du Conseil d'État. Il faudrait dissoudre la Cour de justice et annuler ses sentences ! Autant dire que le Conseil d'État souhaite qu'on mette en liberté les tueurs de l'OAS, les auteurs d'attentats aveugles.

Il est envahi par la colère.

– Céder à une telle injonction, surtout en pareille matière, serait évidemment souscrire à une intolérable usurpation ! lance-t-il.

Cette coalition de tous contre lui, cette avalanche d'attaques, de comparaisons qui se veulent infamantes – il serait une sorte de président Salazar, il aurait instauré le règne de l'arbitraire, et il soumettrait le peuple français à un chantage plébiscitaire ! –, c'est bien la preuve de l'importance de l'enjeu.

« Ils » veulent revenir à leur conception de la vie politique, redescendre à « l'étage politicien où, dans toute compétition, la question est de prendre ou de conserver une place, quelque sort que doivent subir ensuite les idées que l'on a soutenues ».

Il ne peut pas accepter cela.

« Je les aurai, murmure-t-il, je les aurai jusqu'au trognon ! »

Il convoque Burin des Roziers, le secrétaire général de la présidence de la République.

Il faut organiser la campagne électorale à la radio, dit-il. Le cartel des non dispose de l'appui de toute la presse écrite, mais il doit pouvoir s'exprimer sur les ondes nationales.

— Il y a six partis, commence-t-il. Je crois qu'il faut leur donner à chacun douze minutes en une seule fois et qu'il faut les faire tous parler avant le jeudi 18 octobre, où je parlerai moi-même. En mettre trois le 16, et trois le 17. Cela leur fera, au total, au moins autant de temps que nous en prendrons nous-mêmes, moi, M. Pompidou et M. Fouchet.

Bien sûr, ils protesteront. Il y a même déjà des menaces de grève des personnels de la radio qui estiment que l'opposition est bâillonnée. Ils ne se manifestaient guère, sous la IVᵉ République, de 1946 à 1958, quand de Gaulle était interdit de micro !

« Il ne faut pas se laisser intimider par les hurlements intéressés des adversaires. »

Si le oui l'emporte...

Il se laisse aller à rêver de 70 % de *oui* parmi les votants. Peut-être, compte tenu de l'opposition générale, ne sera-ce que 65 %.

Si rares, les appuis !

Quand le directeur du *Figaro*, Pierre Brisson, écrit : « Si de Gaulle s'en va en ce moment, c'est le désastre », qu'il annonce en cas de victoire du non une « amnistie totale et immédiate – en faveur de l'OAS – afin d'absoudre les tueurs, de faire rentrer Bidault et ses séides », et qu'il précise : « Voter non, en ce moment, c'est voter le pire », il conclut pourtant que lui-même mettra un bulletin blanc dans l'urne !

Il se souvient de ces premiers mois de l'été 40, à Londres, quand il n'était entouré que d'une poignée de fidèles. Et n'était-ce pas ainsi dans les années 50, après la courte flambée du RPF ? Est-il condamné à être toujours rejeté par les « élites » ?

Il ressent une profonde émotion quand le comte de Paris lui manifeste son soutien. Dans cet océan d'hostilité, de prudence ou de haine, le geste de celui qui représente la plus lointaine tradition nationale lui semble un signe.

« Monseigneur, répond-il au comte de Paris,

« ... Voilà pour moi un inappréciable encouragement.

« Puisque c'est de vous, Monseigneur, qu'il me vient, je suis décidément certain que la décision que je demande au peuple français est conforme au bien de l'État et à l'intérêt supérieur de la France.

« En vous remerciant profondément, Monseigneur, je vous prie de bien vouloir agréer l'hommage de mon dévouement. »

Il a le sentiment de vivre à nouveau un moment crucial de sa vie, l'une de ces périodes où il se trouve au centre de la tempête, quand de toutes parts souffle l'ouragan et que chaque décision peut entraîner un naufrage. Mais il sait que c'est à ces moments-là qu'il faut avancer droit. Pas question de prudence. De la détermination, au contraire, et la confiance en son destin.

Il écarte d'un mouvement d'épaules les conseils des services de sécurité qui lui recommandent de ne pas se rendre aux manœuvres militaires Assas qui se déroulent au camp de La Courtine, et auxquelles doivent participer non seulement les unités blindées d'Alain de Boissieu, mais surtout la 10ᵉ division parachutiste, celle qui avait servi de fer de lance aux généraux rebelles.

— Bien sûr, j'irai, lance-t-il à Boissieu. Si les militaires veulent me tuer, qu'ils le fassent ! Au moins, cette fois-ci, ce serait par de petits Français et non plus par des tueurs étrangers soudoyés.

Et, naturellement, personne n'attente à sa vie !

La mort s'avance toujours par des chemins inconnus et on ne la rencontre jamais là où l'on s'imagine qu'elle va surgir.

Il est satisfait de ces unités blindées qui manœuvrent devant lui dans la bruine automnale. Il faut que le glaive de la France ne soit plus jamais émoussé, brisé comme en 1940, quand il l'a saisi. Qui peut dire qu'il ne faudra pas bientôt le brandir ?

Les Russes ont installé des fusées à Cuba.

« Nous entrons dans une période difficile », écrit-il à Adenauer après avoir pris connaissance à son retour à Paris des dernières dépêches qui montrent la détermination américaine : « Un sursaut élémentaire de sécurité ». Et si les Russes reculent, « c'est qu'à partir du moment où l'Occident affirme clairement sa volonté la Russie n'insiste pas, parce qu'elle n'est pas décidée à prendre des risques majeurs ». Et il faut qu'ils sachent que, dans l'hypothèse d'un conflit mondial, « la France serait dans la guerre aux côtés des États-Unis ».

Comment ne pas vouloir, alors qu'il y a de tels risques pour le pays, donner à celui qui le dirige l'autorité nécessaire pour faire face ? Toutes les nations auraient des dirigeants disposant d'un pouvoir exécutif puissant, et la France serait la seule à laisser son président de la République à la merci d'une coalition de féodalités politiques ?

Il ne peut pas accepter cela.

Il le dit, le 18 puis le 26 octobre, face aux caméras de télévision, dans ce rituel qu'il connaît bien désormais. Il répète le discours, et jusqu'aux mouvements de mains, aux mimiques qui doivent souligner les phrases, ponctuer les idées.

« Mesurant mieux que jamais la responsabilité historique qui m'incombe à l'égard de la patrie, martèle-t-il, je vous demande tout simplement de décider que dorénavant vous élirez votre président au suffrage universel. »

Il se penche en avant.

« Si votre réponse est " non ! " comme le voudraient tous les anciens partis afin de rétablir leur régime de malheur, ainsi que tous les factieux pour se lancer dans la subversion, ou même si la majorité des " oui ! " est faible, médiocre, aléatoire, il est évident que ma tâche sera terminée aussitôt et sans retour. Car que pourrai-je faire ensuite, sans la confiance chaleureuse de la nation ?

« Mais si, comme je l'espère, comme je le crois, comme j'en suis sûr, vous me répondez " oui ! " une fois de plus et en masse, alors me voilà confirmé par vous toutes et par vous tous dans la charge que je porte ! »

Il faut que les Français, précise-t-il le 26 octobre, sachent que « après-demain, en toute clarté, et en toute sérénité, vous allez par votre vote engager le sort du pays » !

Il vote à Colombey, ce dimanche 28 octobre.

Puis, l'après-midi, il marche longuement dans le parc de la Boisserie. Il sent, au fur et à mesure que tombe la nuit, l'amertume et l'abattement le gagner.

« C'est foutu. »

La majorité sera « faible, médiocre, aléatoire ». Il attend devant le poste de télévision, tout en écoutant les premiers appels téléphoniques du ministre de l'Intérieur. 62,5 % de oui. « Victoire ! » clame Roger Frey. De Gaulle raccroche le téléphone. Cela fait moins de 50 % des inscrits. Une victoire au rabais ! Qui ne pourra servir d'entraînement pour les élections législatives des 18 et 25 novembre. Elles devraient, dans ces conditions, puisque ce ne sera plus lui qui sera directement en jeu, mais des députés, marquer la victoire des partis. Et que pourra-t-il faire avec une Assemblée nationale hostile, un Sénat dirigé par Monnerville ? Les deux Assemblées voteront une réforme de la Constitution et il sera ligoté, réduit à ne pas pouvoir agir.

S'il avait quarante ans ! Mais il en a soixante-douze !

Il veut réfléchir, seul, ici, à la Boisserie. Il répond à Pompidou, à Joxe, à Roger Frey qui téléphonent, qu'il ne rentrera pas à l'Élysée, lundi matin.

– Je suis trop vieux, murmure-t-il.

Il arpente le parc. 62,5 % de oui. Il dépasse peu à peu sa déception. « Les partis me livraient bataille tous ensemble sans réserve et sans exception. » Et 13 151 000 Français ont voté oui, contre 7 974 000. C'est honorable. Une bonne base de départ.

Il va rentrer à l'Élysée. Il va se battre.

« Je ne veux pas laisser casser la force de frappe, dit-il, et voir peut-être mon successeur se coucher devant les Amerloques. »

Les soutenir, en cas de conflit, comme il le faut, dans l'affaire de Cuba, soit, mais à la condition de préserver l'indépendance de la France.

Il fera son devoir.

Il commente devant les ministres les résultats du référendum :

« Lorsque je rêvais, j'espérais 70 %, dit-il. Lorsque j'étais raisonnable, j'inscrivais 65 %. Ma déception a été 62 %. Nous nous sommes heurtés à des forces plus puissantes que nous ne le pensions. »

On va donc se battre.

Il approuve Malraux qui va prendre la tête d'une Association pour la Ve République. Il interviendra dans la campagne électorale. Il écoute Roger Frey assurer que la majorité des sièges est acquise, compte tenu du mode de scrutin, de la division des partis du cartel des non.

Mais il ne peut empêcher l'amertume et le pessimisme de l'envahir tout à coup.

« Les Français sont des veaux..., murmure-t-il. Ce pays se montre incapable de discipline. Je l'ai hissé à son niveau actuel. Après moi, il retombera dans le chaos et la décadence... Les partis sont occupés par leur cuisine dont je n'ai pu les sortir. »

Il regarde les quelques ministres qui, à la fin du Conseil, se sont regroupés autour de lui. Il faut leur dire le pire, parce que ainsi ils se battront le dos au mur. Et dans le désespoir, on trouve des ressources inattendues. Et si l'on succombe, c'est que l'on ne méritait pas de vaincre !

« C'est fichu, répète-t-il, les partis, les comités et les comitards ont repris du poil de la bête. Alors, vous pensez que, pour les élections, ils vont s'en donner à cœur joie ! »

— Nous sommes assurés d'avoir une chambre gaulliste, assure une nouvelle fois Roger Frey.

De Gaulle s'éloigne. « Croyez-le, ça ne peut pas vous faire de mal. »

Il prend Georges Pompidou à part.

— Quoi qu'il arrive, je quitterai le pouvoir dans six mois et vous prendrez ma place, je suis trop vieux.

Il se sent comme épuré d'avoir ainsi rejeté hors de lui les pensées sombres. Maintenant, il faut commencer la bataille pour remporter les élections législatives.

Il doit s'engager.

« Si les élections sont gagnées, la V\ :sup:`e` République sera implantée et survivra à son fondateur. » Sinon, tout sera remis en cause. Et il ne doit pas faire courir ce risque au pays.

Il se sent plein d'énergie, d'indignation aussi quand il apprend, le 6 novembre, que Gaston Monnerville a saisi – malgré les résultats indiscutables du référendum ! – le Conseil constitutionnel pour l'inviter à déclarer nul ce vote, au prétexte que ce scrutin était inconstitutionnel ! Et Vincent Auriol, qui ne siège jamais au Conseil, s'y rend pour appuyer Monnerville. Les hommes de parti jouent leur va-tout parce qu'ils sentent que ces élections marqueront la vraie naissance de la V\ :sup:`e` République.

Alors, entrons dans l'arène électorale sans hésitation.

Le 7 novembre, il s'adresse à la nation.

« Le référendum a mis en pleine lumière une donnée politique fondamentale de notre temps. Il s'agit du fait que les partis de jadis, lors même qu'une passion professionnelle les réunisse pour un instant, ne représentent pas la nation. »

En 1940, en 1958, « on s'en était clairement et terriblement aperçu ». Même chose en 1962, au moment du référendum :

« On vit tous les partis se tourner contre de Gaulle... Or, voici que tout leur ensemble vient d'être désavoué par le peuple français » et donc « aujourd'hui, confondre les partis de jadis avec la France et la République serait simplement dérisoire ».

Il faut dès lors que, les 18 et 25 novembre, les Français fassent « respecter leur oui ».

Il lève les bras.

« Ah, puissiez-vous faire en sorte que cette deuxième consultation n'aille pas à l'encontre de la première... Je vous le demande en voyant les choses bien au-delà de ma personne et de mon actuelle fonction. Je vous le demande en me plaçant une fois encore sur le terrain – le seul qui m'importe – du bien de l'État, du sort de la République et de l'avenir de la France. »

Il éprouve, en sortant du salon Murat où il a enregistré son intervention, une grande lassitude. C'est le retour des humeurs noires, comme souvent avant et après l'action.

« Si j'ai une mauvaise chambre, je partirai, dit-il d'une voix sourde. Je ne resterai pas à l'Élysée avec une Assemblée ingouvernable qui me ferait la guérilla. Je prendrai les devants... Cela durera peut-être trois mois, six mois ou neuf mois... J'ai besoin d'une majorité qui me suive sans discussion. Il n'est pas question une seconde fois de faire revenir M. Pflimfin, d'infléchir ma politique, de tenir compte du MRP en tant que parti. Le MRP m'a toujours lâché. C'est un parti, donc un ennemi du pouvoir. »

Mais peut-être l'avenir n'est-il pas aussi sombre.

Les partis du cartel des non se divisent. Guy Mollet, au nom des socialistes, annonce qu'au second tour des élections il appelle à voter pour tout candidat qui ne sera pas un « béni-oui-oui », donc même un communiste. Et cette menace d'un « front populaire » inquiète les indépendants. Autour de Valéry Giscard d'Estaing, nombreux sont ceux qui décident de s'apparenter aux candidats gaullistes afin de constituer une majorité.

Et pourtant, malgré ces perspectives, il est inquiet. Pas un commentateur qui ne prédise un échec du gaullisme.

« Je ferai battre l'UNR », répète Guy Mollet.

Ainsi, il faut attendre dans l'incertitude la soirée du dimanche 18 novembre, pour qu'enfin l'horizon s'éclaircisse. La plupart des leaders du cartel des non sont en difficulté – et certains, comme Mendès France, sont battus dès le premier tour. L'UNR obtient près de 32 % des suffrages, et 5 % se portent sur les candidats qui se sont associés à elle. Les journaux titrent : « Raz de marée gaulliste ».

Et cependant, il n'éprouve aucune joie. Au fond, il s'en rend compte ce lundi 19 novembre, il espérait davantage.

Il est assis dans son bureau, à la Boisserie. Il consulte les résultats, fait de rapides additions, secoue la tête en regardant son aide de camp Flohic.

« La marge est trop faible pour gouverner », dit-il.

Il ne laisse pas Flohic argumenter, citer les commentaires des journaux qui parlent de triomphe.

« Mon intention est de m'en aller dans les trois mois, reprend-il. Plus jeune, j'aurais pu combattre les partis, les ministres, etc. Pompidou lui-même va devenir réticent. À soixante-douze ans, on ne peut pas se battre comme à quarante. »

Il se lève, va vers la porte-fenêtre, regarde le parc de la Boisserie.

Il pourrait rester ici, dans sa demeure. Il se souvient de ce qu'il a écrit à la fin des *Mémoires de guerre* : « Vieil homme recru d'épreuves, détaché des entreprises, sentant venir le froid éternel... »

Il se tourne vers Flohic.

Il murmure la conclusion de la phrase :

« Vieil homme, mais jamais las de guetter dans l'ombre la lueur d'espérance. »

Alors, il faut continuer.

Il est à l'Élysée en fin de matinée, ce lundi 19 novembre. La rumeur s'est répandue – comment ? – d'un prochain départ du général de Gaulle, malgré la victoire électorale du premier tour. Et les cours de la Bourse ont aussitôt chuté.

Il reçoit Pompidou à déjeuner. Il observe le Premier ministre. En quelques semaines, l'homme s'est affirmé. Son regard est vif sous les sourcils broussailleux. Ses interventions à la télévision ont été excellentes, pugnaces et habiles, convaincantes. Il se dit persuadé que le gaullisme, au soir du second tour, disposera d'une majorité solide à l'Assemblée.

Et le 25 novembre, les résultats confirment ses analyses : 43 % des voix pour les candidats gaullistes et leurs alliés, un groupe UNR de 233 députés et une quarantaine de députés apparentés dont la plupart sont des « giscardiens ».

Une tristesse pourtant. La défaite de Michel Debré, même si elle est effacée par l'échec de nombreux leaders du cartel des non, dont Paul Reynaud. Mais il y a aussi le retour à l'Assemblée de Mitterrand, Gaston Defferre, Jacques Duclos.

À la détente joyeuse qu'il éprouve, de Gaulle mesure combien il était inquiet. Maintenant, il dispose du groupe parlementaire « le plus nombreux qu'on ait jamais vu au Palais-Bourbon ».

Et quand, le 13 décembre, le nouveau gouvernement Pompidou se présente devant l'Assemblée, il obtient une majorité de 286 voix contre 116.

La victoire est complète. Chaban-Delmas est réélu président de l'Assemblée nationale. Monnerville est toujours président du Sénat, mais il n'est pas question de recevoir l'homme qui parlait de « forfaiture ». Pas de pardon ! Mieux vaut encore un Jouhaud qu'un Monnerville. Au moins le général a-t-il risqué sa vie. De Gaulle le gracie. Et pour ces messieurs du Conseil d'État, il décide la création d'une Cour de sûreté de l'État. Après ces scrutins, oseront-ils prétendre qu'elle est inconstitutionnelle ? Ou qu'il y a abus de pouvoir ?

Il a gagné. Il a eu raison d'aller droit, malgré les risques et les oppositions de tous. Et en dépit de ses propres moments de doute.

« Les prétendus chefs des prétendus partis, s'exclame-t-il, auraient préféré bien sûr continuer de jouer à la belote ! Je les ai obligés à jouer au poker et, là, je suis le plus fort. »

Il enregistre le message qu'il va adresser aux Français le 31 décembre 1962.

« Nous achevons, dit-il, une année qui a, dans le bon sens, marqué le destin de la France... À chacun de vous, mes meilleurs vœux de nouvel an. Et puis, en notre nom à tous, je forme pour la France le souhait immémorial : " Que l'année lui soit heureuse ! " »

« Le progrès est aujourd'hui notre ambition nationale..., poursuit-il. Car le temps est venu où, sans tomber dans l'outrecuidance, nous devons regarder loin et viser haut... »

Il va quitter le palais de l'Élysée pour passer les derniers jours de l'année à la Boisserie.

Quelques lettres encore à écrire.

À sa sœur, Marie-Agnès :

« Du fond du cœur, mes vœux les plus affectueux vont à toi pour l'année nouvelle... Quant à notre pays, 1963 ne se présente pas trop mal pour lui. Dieu veuille qu'il tire parti des atouts qui sont à sa disposition ! »

Et puis ce mot pour remercier l'auteur dramatique Marcel Achard de lui avoir envoyé un recueil de ses pièces :

« La dernière, écrit-il, je l'avais vu jouer au temps où je pouvais rire au théâtre sans qu'on me remarque. »

OUVRAGES DE CHARLES DE GAULLE

La Discorde chez l'ennemi. (Librairie Berger-Levrault, 1924, Librairie Plon, 1972)

Le Fil de l'épée. (Librairie Berger-Levrault, 1932, Librairie Plon, 1971)

Vers l'armée de métier. (Librairie Berger-Levrault, 1934, Librairie Plon, 1971)

La France et son armée. (Librairie Plon, 1938 et 1971)

Trois études. (Librairie Berger-Levrault, 1945, Librairie Plon, 1971)

Mémoires de guerre. (Librairie Plon, 1954, 1956, 1959)
     ★ L'Appel 1940-1942
    ★★ L'Unité 1942-1944
  ★★★ Le Salut 1944-1946

Discours et messages. (Librairie Plon, 1970)
     ★ Pendant la Guerre (Juin 1940-Janvier 1946)
    ★★ Dans l'Attente (Février 1946-Avril 1958)
  ★★★ Avec le Renouveau (Mai 1958-Juillet 1962)
 ★★★★ Pour l'Effort (Août 1962-Décembre 1965)
★★★★★ Vers le Terme (Janvier 1966-Avril 1969)

Mémoires d'espoir. (Librairie Plon, 1970 et 1971)
     ★ Le Renouveau (1958-1962)
    ★★ L'Effort (1962-....)

Articles et écrits. (Librairie Plon, 1975)

Lettres, notes et carnets. (Librairie Plon, 1980, 1981, 1982, 1983, 1984, 1985, 1986, 1987 et 1997)
       1905-1918
       1919-Juin 1940
       Juin 1940-Juillet 1941
       Juillet 1941-Mai 1943
       Juin 1943-Mai 1945
       Mai 1945-Juin 1951
       Juin 1951-Mai 1958
       Juin 1958-Décembre 1960
       Janvier 1961-Décembre 1963
       Janvier 1964-Juin 1966
       Juillet 1966-Avril 1969
       Mai 1969-Novembre 1970
       Compléments 1924-1970

Table

Du même auteur

Romans

De Gaulle
    I. L'Appel du Destin, Laffont, 1998.
    II. La Solitude du Combattant, Laffont, 1998.
Napoléon
    I. Le Chant du départ, Laffont, 1997.
    II. Le Soleil d'Austerlitz, Laffont, 1997.
    III. L'Empereur des rois, Laffont, 1997.
    IV. L'Immortel de Sainte-Hélène, Laffont, 1997.
La Machinerie humaine, suite romanesque.
• La Fontaine des Innocents, Fayard, 1992, et Le Livre de Poche.
• L'Amour au temps des solitudes, Fayard, 1993, et Le Livre de Poche.
• Les Rois sans visage, Fayard, 1994, et Le Livre de Poche.
• Le Condottiere, Fayard, 1994, et Le Livre de Poche.
• Le Fils de Klara H., Fayard, 1995, et Le Livre de Poche.
• L'Ambitieuse, Fayard, 1995, et Le Livre de Poche.
• La Part de Dieu, Fayard, 1996, et Le Livre de Poche.
• Le Faiseur d'or, Fayard, 1996, et Le Livre de Poche.
• La Femme derrière le miroir, Fayard, 1997, et Le Livre de Poche.
• Le Jardin des Oliviers, Fayard, à paraître en 1999.
La Baie des Anges, suite romanesque.
    I. La Baie des Anges, Laffont, 1975.
    II. Le Palais des Fêtes, Laffont, 1976.
    III. La Promenade des Anglais, Laffont, 1976.
Les hommes naissent tous le même jour, suite romanesque.
    I. Aurore, Laffont, 1978.
    II. Crépuscule, Laffont, 1979.
Le Cortège des vainqueurs, Laffont, 1972.
Un pas vers la mer, Laffont, 1973.
L'Oiseau des origines, Laffont, 1974.
Que sont les siècles pour la mer, Laffont, 1977.
Une affaire intime, Laffont, 1979.
France, Grasset, 1980, et Le Livre de Poche.
Un crime très ordinaire, Grasset, 1982, et Le Livre de Poche.
La Demeure des puissants, Grasset, 1983.
Le Beau Rivage, Grasset, 1985, et Le Livre de Poche.
Belle Époque, Grasset, 1986, et Le Livre de Poche.
La Route Napoléon, Laffont, 1987, et Le Livre de Poche.
Une affaire publique, Laffont, 1989, et Le Livre de Poche.
Le Regard des femmes, Laffont, 1991, et Le Livre de Poche.

Histoire, essais

L'Italie de Mussolini, Perrin, 1964 et 1982, et Marabout.
L'Affaire d'Éthiopie, Le Centurion, 1967.
Gauchisme, réformisme et révolution, Laffont, 1968.

Maximilien Robespierre. Histoire d'une solitude, Perrin, 1968 et 1998.
Histoire de l'Espagne franquiste, Laffont, 1969.
Cinquième colonne, 1939-1940, Plon, 1970 et 1980, éd. Complexe, 1984.
Tombeau pour la Commune, Laffont, 1971.
La Nuit des Longs Couteaux, Laffont, 1971.
La Mafia, mythe et réalités, Seghers, 1972.
L'Affiche, miroir de l'histoire, Laffont, 1973 et 1989.
Le Pouvoir à vif, Laffont, 1978.
Le xxe siècle, Perrin, 1979.
Garibaldi, la force d'un destin, Fayard, 1982 et 1997.
La Troisième Alliance, Fayard, 1984.
Les idées décident de tout, Galilée, 1984.
Le Grand Jaurès, Laffont, 1984 et 1994.
Lettre ouverte à Robespierre sur les nouveaux Muscadins, Albin Michel, 1986.
Que passe la Justice du Roi, Laffont, 1987.
Jules Vallès, Laffont, 1988.
Les Clés de l'histoire contemporaine, Laffont, 1989.
Manifeste pour une fin de siècle obscure, Odile Jacob, 1990.
La gauche est morte, vive la gauche, Odile Jacob, 1990.
L'Europe contre l'Europe, Le Rocher, 1992.
Une femme rebelle. Vie et mort de Rosa Luxemburg, Presses de la Renaissance, 1992.
Jè. Histoire modeste et héroïque d'un homme qui croyait aux lendemains qui chantent, Stock, 1994.

Politique-fiction

La Grande Peur de 1989, Laffont, 1966.
Guerre des gangs à Golf-City, Laffont, 1991.

Conte

La Bague magique, Casterman, 1981.

En collaboration

Au nom de tous les miens, de Martin Gray, Laffont, 1971, et Le Livre de Poche.

Cet ouvrage a été réalisé par la
SOCIÉTÉ NOUVELLE FIRMIN-DIDOT
Mesnil-sur-l'Estrée
pour le compte des Éditions Robert Laffont
24, avenue Marceau, 75008 Paris
en septembre 1998

Dépôt légal : septembre 1998
N° d'édition : 39134 – N° d'impression : 43368

Imprimé en France